*Kleine Bibliothek*     **13**

*Politik    Wissenschaft    Zukunft*

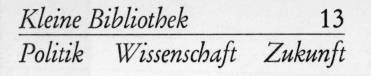

prv

# BRD-DDR

## *Vergleich der Gesellschaftssysteme*

Mit Beiträgen von
Anne Hartmann, Stefan Schardt, Gerhard Weiß,
Jürgen Harrer, Heinz Jung, Frank Deppe,
Eberhard Dähne, Margarete Tjaden-Steinhauer,
Karl Hermann Tjaden, Georg Fülberth,
Helge Knüppel, Reinhard Kühnl, Peter Römer,
Herbert Lederer, Hans-Jochen Michels,
Helga Deppe-Wolfinger, Jutta von Freyberg,
Hans-Ulrich Deppe, Erich Wulff, André Leisewitz,
Rainer Rilling, Dieter Kramer, Paul Schäfer,
Helga Schuler, Michael Schuler, Kurt Steinhaus

Redaktionelle Bearbeitung:
Gerhard Heß

*Pahl-Rugenstein*

1.–6. Tausend    Juni 1971

7.–12. Tausend    Oktober 1971

ISBN 3-7609-0038-0

© 1971 by Pahl-Rugenstein Verlag, Köln.
Alle Rechte, auch die der fotomechanischen Vervielfältigung, vorbehalten.
Lektorat: Jürgen Hartmann.
Umschlag: Dmitrij Werschbizkij.
Herstellung: Franz W. Wesel, Baden-Baden.

# Inhalt

Wolfgang Abendroth zum 65. Geburtstag

# Vorbemerkung

In den sechziger Jahren beschränkten sich westdeutsche Publikationen über die DDR zumeist darauf, das gesellschaftliche System des Sozialismus als ein ineffektives und undemokratisches „kommunistisches Zwangssystem" darzustellen. In regierungsamtlichen Veröffentlichungen (wie z. B. den „Tätigkeitsberichten" des „Forschungsbeirates für Fragen der Wiedervereinigung Deutschlands") wurde darüber hinaus detailliert erörtert, wie im einzelnen nach der erhofften Beseitigung der DDR die dortige gesellschaftliche Entwicklung rückgängig gemacht und die Grenze des kapitalistischen Systems zunächst wenigstens bis zur Oder vorgeschoben werden könnte.

Mit dem offensichtlichen Scheitern dieser politischen Konzeption des Zurückdrängens des Sozialismus haben sich in der BRD Diktion und Inhalt wissenschaftlicher und publizistischer Darstellungen der gesellschaftlichen Verhältnisse der DDR nicht unwesentlich geändert. Eine gewisse Versachlichung des „DDR-Bildes" ist ebenso unverkennbar wie ein wachsendes Interesse der westdeutschen Bevölkerung an der Entwicklung des sozialistischen deutschen Staates.

Von den neueren Veröffentlichungen über die DDR sind besonders jene „Materialien zum Bericht zur Lage der Nation 1971" bemerkenswert, die am 15. 1. 1971 von der Bundesregierung als Bundestagsdrucksache vorgelegt wurden. Die „Materialien" unternehmen den Versuch, die gesellschaftlichen Systeme der BRD und der DDR für insgesamt acht „Lebensbereiche" zu vergleichen. Ihre Verfasser bezeichnen als ihr „gemeinsame(s) Wissenschaftsverständnis" „den kritischen Rationalismus oder, wie manche sagen, kritischen Positivismus, der in empirischer Deskripton und Analyse seine Legitimation findet" und angeblich auch „Werturteile von Tatsachenaussagen (trennt)".

Beim genauen Hinsehen zeigt sich indes, daß es bei den „Materialien" mit der „Objektivität" und „Wertfreiheit" doch nicht so weit her ist, wie es die Verfasser vorgeben. Die „Materialien" legen es im Gegenteil sogar darauf an, die divergierenden gesellschaftlichen Wirklichkeiten der BRD und der DDR zu verschleiern. Schon der offen ausgesprochene Verzicht auf „Aussagen etwa über Konvergenz und Divergenz der beiden Gesellschaftssysteme" weist sie als Teil der offiziellen westdeutschen Propaganda aus, die ein vitales Interesse daran haben muß, die unterschiedlichen Systemqualitäten von Kapitalismus und Sozialismus gar nicht erst zum allgemeinen Diskussionsobjekt werden zu lassen.

Anders als die „Materialien" scheut die hier vorgelegte Sammlung von Aufsätzen junger westdeutscher Wissenschaftler keineswegs Aussagen über „Konvergenz und Divergenz der beiden Gesellschaftssysteme". Als Analysen, die sich an marxistischen Forschungs- und Darstellungsweisen orientieren, bemühen sich die einzelnen Autoren im Gegenteil sogar darum, über die – von der Theorie der sogenannten „Industriegesellschaft" ausgehenden – Gemeinplätze der „Materialien" („Beide deutsche Wirtschafts- und Gesellschaftssysteme sind leistungsorientiert ... sind auf Wachstum und Modernisierung gerichtet") hinauszugelangen und die qualitativen Unterschiede zwischen den Gesellschaftssystemen des Kapitalismus und des Sozialismus festzuhalten und abzuleiten.

Die Manuskripte waren zum Zeitpunkt des Erscheinens der „Materialien" (d. h. im Januar 1971) bereits weitgehend abgeschlossen und konnten diese daher nur noch in Ausnahmefällen berücksichtigen.

Der Verlag ist der Ansicht, daß die in diesem Buch vorgelegten Arbeiten wesentlich mehr zur Erhellung der historischen und gesellschaftlichen Realität des nachfaschistischen Deutschlands beitragen als die „Materialien". Er vermutet, daß dies auch damit zusammenhängt, daß die Manuskripte dieser Arbeit nicht – wie dies bei den „Materialien" der Fall war – „vor der Drucklegung den beteiligten Bundesministerien zugeleitet und mit ihren Vertretern durchgesprochen" wurden.

10

Die Autoren widmen dieses Buch Wolfgang Abendroth zu seinem 65. Geburtstag am 2. Mai 1971. Ihre Honorare werden zur Unterstützung des Befreiungskampfes der Völker von Angola, Mozambique und Guinea (Bissau) gegen den portugiesischen Kolonialismus verwandt werden, zu dessen Hauptverbündeten die BRD gehört.

Pahl-Rugenstein Verlag

Anne Hartmann, Stefan Schardt, Gerhard Weiß

# Zur Entwicklung der Spaltung Deutschlands

## Die Interessenlage der Siegermächte 1945

Am 8. Mai 1945 kapitulierte die deutsche Regierung unter
Dönitz bedingungslos vor den alliierten Streitkräften. Die zukünftige politische, ökonomische und soziale Struktur Deutschlands hing damit von den Siegermächten ab.

Die UdSSR, die seit dem Überfall 1941 Krieg führte und
bis 1943 als einziger Staat den deutschen Truppen auf dem
Kontinent gegenüberstand, hatte die Hauptlast des Krieges getragen und riesige Verluste erlitten [1].

„Auf Hunderte, auf Tausende von Meilen war nicht ein einziger aufrecht stehender Gegenstand zu sehen. Jeder Markt-
flecken, jede Stadt war dem Erdboden gleichgemacht. Es gab
keine Scheunen. Es gab keine Maschinen. Es gab keine Bahnhöfe, keine Wassertürme. In der weiten Landschaft war nicht
ein einziger Telegraphenmast stehengeblieben ... Nach russischen Unterlagen waren zwischen 15 und 20 Mill. sowjetische Bürger getötet worden; die Deutschen hatten 15 Groß-
städte, 1710 Kleinstädte sowie 70 000 Dörfer völlig oder teilweise zerstört; sie hatten 6 Mill. Gebäude niedergebrannt bzw.
verwüstet und 25 Mill. Menschen obdachlos gemacht; sie zerstörten 31 850 Industriebetriebe, 65 000 km Eisenbahnstrecke,
4100 Bahnhöfe, 36 000 Post-, Telegraphen- und Fernsprech-
ämter, 56 000 Meilen Hauptstraße, 90 000 Brücken und 10 000

---

[1] Die alliierten Streitkräfte landeten zwar schon am 10. 7. 43 in
Sizilien, doch erst mit der Invasion in Nordfrankreich im Juni 1944
wurde die sowjetische Armee, die fast die gesamte Dauer des
Krieges gegen etwa 75 % der deutschen Streitkräfte zu kämpfen
hatte, etwas entlastet. Vgl. H. A. Jacobsen, 1939–1945. Der Zweite
Weltkrieg in Chronik und Dokumenten. Darmstadt: 1959, S. 35,
323, 361; G. Kolko, The Politics of War. Allied Diplomacy and
the World Crisis 1943–1945. London: 1969, S. 19 und 372.

13

Kraftwerke; sie vernichteten 1135 Kohlenbergwerke und 3000 Ölquellen und transportierten nach Deutschland 14 000 Dampfkessel, 1400 Turbinen und 11 300 Dynamomaschinen; sie plünderten 98 000 Kolchosen und 2890 Maschinen- und Traktorstationen . . ." [2].

Die deutschen Armeen hatten ein Gebiet erobert, in dem sich vorher 45 % der Bevölkerung, rund ein Drittel der industriellen Produktion und 47 % des landwirtschaftlich genutzten Bodens der UdSSR befanden. Die sowjetische Industrieproduktion fiel in der Zeit vom Juni bis November 1941 um mehr als die Hälfte, und die materiellen Schäden, die im Verlauf des Krieges angerichtet wurden, erreichten die Summe von 679 Mrd. Rubel, ein ebenso großer Betrag wie die UdSSR in den ersten vier Fünfjahrplänen für die Entwicklung von Industrie, Verkehr und Landwirtschaft aufwandte [3].

Daher mußte das Hauptinteresse der UdSSR nach dem Krieg dem Wiederaufbau ihrer Wirtschaft in Sicherheit vor neuen Aggressionen gelten [4].

2   D. Horowitz, Kalter Krieg. Hintergründe der US-Außenpolitik von Jalta bis Vietnam. 2 Bde., Berlin: 1969, Bd. 1, S. 21 f.

3   Vgl. Kolko, The Politics of War, a.a.O., S. 17 und O. Raus, Der Weg der Sowjetunion zur führenden Industriemacht. Berlin: 1967, S. 106.

4   Gerade das riesige Ausmaß der Zerstörungen in der UdSSR und die Konsequenzen, die sich daraus für die sowjetische Nachkriegspolitik ergeben mußten, werden von westlichen Historikern nicht oder nur am Rande erwähnt, um dann um so leichter von imperialistischer und expansiver Politik zu sprechen: eine Politik, die für die UdSSR in der damaligen Lage völlig unmöglich war, wie auch die Aussage von G. Kennan, zit. in Horowitz, Kalter Krieg, a.a.O., S. 22, zeigt. Vgl. H.-P. Schwarz, Vom Reich zur Bundesrepublik. Deutschland im Widerstreit der außenpolitischen Konzeptionen in den Jahren der Besatzungsherrschaft 1945–1949. Neuwied, Berlin: 1966, der von den USA und der UdSSR als „zwei kraftstrotzende(n) Kollosse(n)" und „Giganten" spricht, S. 281; W. Cornides, die Weltmächte und Deutschland. Geschichte der jüngsten Vergangenheit 1945–1955. 2. Aufl., Tübingen, Stuttgart: 1961, S. 168 u. 206; W. Marienfeld, Konferenzen über Deutschland. Die alliierte Deutschlandplanung und -politik 1941 bis 1949. Hannover: 1962, S. 345; B. Meißner, Rußland, die West-

Die USA waren erst in den Krieg eingetreten, als das Bündnis der imperialistischen Mächte Deutschland und Japan zur Eroberung Europas und Ostasiens zu führen schien und der Angriff Japans auf die US-Flotte in Pearl-Harbour die eigene Sicherheit bedrohte [5]. Der Beitrag der USA im Kampf gegen Deutschland bestand im wesentlichen bis 1944 in der Lieferung von Kriegsmaterial und finanzieller Unterstützung. Amerikanische Einheiten waren zwar an den Kämpfen in Afrika und Italien beteiligt, doch erst mit Beginn der Invasion in Nordfrankreich griff die amerikanische Armee in großem Ausmaß in die Auseinandersetzung direkt ein.

Die durch Aufrüstung und Kriegsführung enorm gestiegene Nachfrage beseitigte in den USA die Folgen der Weltwirtschaftskrise. Die Arbeitslosigkeit (noch 1939 9 Mill. Arbeitslose) war beseitigt, und die durchschnittliche Arbeitszeit stieg von 37,7 Stunden 1939 auf 45,2 Stunden 1944. Die Industrieproduktion stieg bis 1943 auf 239 (1935 bis 1939 = 100), die Produktion dauerhafter Güter auf 300; die Produktion von Maschinen stieg um das Vierfache, von Transportmaterial um das Siebenfache [6].

Sollte die Umstellung auf Friedenswirtschaft nach Beendigung des Krieges nicht in einer neuen Krise enden, mußte sich die Nachkriegspolitik auf die möglichst baldige Wiederherstellung eines funktionierenden Weltmarktes ausrichten [7].

Frankreich und vor allem England waren während des Krieges durch Materiallieferungen aus den USA in wirtschaftliche Abhängigkeit geraten. Für den Wiederaufbau ihrer Wirtschaft nach dem Krieg waren sie noch weit stärker auf amerikanische Unterstützung angewiesen. So mußten sie sich früher oder

mächte und Deutschland. Die sowjetische Deutschlandpolitik 1943–1953. 2. Aufl., Hamburg: 1954, S. 77 f.

5   Vgl. Schwarz, Vom Reich zur Bundesrepublik, a.a.O., S. 44 f.
6   Vgl. H. Faulkner, Geschichte der amerikanischen Wirtschaft. Düsseldorf: 1957, S. 724, 727, 733.
7   Schon in der Atlantic Charta 1941, spätestens aber 1943 waren die amerikanischen Vorstellungen über die Struktur einer zukünftigen kapitalistischen Weltwirtschaft klar herausgearbeitet, vgl. Kap. 11 in Kolko, The Politics of War, a.a.O., S. 242 ff.

später der amerikanischen Deutschlandpolitik anschließen. Da die Hauptinteressen Englands und Frankreichs an Sicherung vor einer zukünftigen deutschen Aggression, der Durchführung des eigenen Wiederaufbaus auf Kosten des besiegten Deutschland und der Sicherung vor einem zu schnellen Wiederaufleben der deutschen Konkurrenz durch die Politik der USA nicht prinzipiell in Frage gestellt wurden, verlief die Unterordnung der englischen und französischen unter die amerikanische Deutschlandpolitik relativ reibungslos [8].

## Zum Charakter der Anti-Hitler-Koalition

Nach dem durch Japan und durch die deutsche Kriegserklärung erzwungenen Kriegseintritt waren die USA 1941 genötigt, wie England bereits vorher, eine Koalition mit der UdSSR einzugehen. Während in öffentlichen Verlautbarungen nun die Gemeinsamkeiten, der gemeinsame Kampf gegen das faschistische Deutschland, betont wurden [9], trat der Gegensatz zwischen Sozialismus und Imperialismus in den Hintergrund. Die großkapitalistischen Führungsgruppen und die ihnen nahestehenden Politiker, in den USA vor allem im Kriegs- und Außenministerium [10], vergaßen jedoch nicht, daß die sowjetische Armee zwar den entscheidenden Beitrag für den Sieg über das faschistische Deutschland zu leisten hatte, der sozialistische Sowjetstaat aber weiterhin die kommunistische Gefahr verkörperte, die man bekämpfen mußte. Noch 1941, als Deutschland die UdSSR angriff, bemerkte Truman: „Wenn wir sehen, daß Deutschland den Krieg gewinnt, sollten wir

8  Zur Abhängigkeit Englands und Frankreichs von den USA vgl. Schwarz, Vom Reich zur Bundesrepublik, a.a.O., S. 163 ff. u. S. 179 ff., bes. S. 90 f., 124, 163 f., 175 u. 180. Im folgenden soll deshalb nicht ausführlicher auf die Politik Englands und Frankreichs eingegangen werden.

9  Vgl. die Rede Churchills zum Überfall der deutschen Armee auf die UdSSR. In: J. W. Churchill, Memoiren. 6. Bde. Bd. 3, 1. Buch, Stuttgart: 1951, S. 442 ff.

10  Vgl. Schwarz, Vom Reich zur Bundesrepublik, a.a.O., S. 63 f.

16

Rußland helfen, und wenn Rußland gewinnt, sollten wir Deutschland helfen und die Deutschen auf diese Weise so viele wie möglich umbringen lassen" [11]. Und Churchill forderte 1942, „nach dem Krieg eine Sperre gegen die kommunistische Barbarei aufzubauen" [12].

In der militärischen Zusammenarbeit blieb die Unterstützung für die kämpfende sowjetische Armee sehr gering. Die Materiallieferungen machten etwa 10 % des sowjetischen Bedarfs aus, und die zweite Front, die 1942 für dasselbe Jahr vereinbart worden war, wurde erst 1944 errichtet [13].

Nachdem die UdSSR unter schweren Verlusten die Hitlerarmee geschlagen hatte und nach Westen vorstieß, gewann bei den Westalliierten die Befürchtung die Oberhand, daß die überragende militärische Stärke der UdSSR auf dem Kontinent dessen spätere politische Gestaltung entscheidend beeinflussen werde [14]. Die Vorbereitungen zur Invasion wurden verstärkt, und außerdem wurden Pläne ausgearbeitet, die vorsahen, daß bei einem vorzeitigen Zusammenbruch Deutschlands, wenn die alliierten Armeen noch nicht bis nach Deutschland vorgedrungen sein sollten, durch Fallschirmjägereinsatz Stützpunkte gesichert wurden [15]. Die Ausführung dieser Pläne erübrigte sich, da das deutsche Oberkommando, um die Koalition zu spalten, Divisionen an die Ostfront verlegte, so daß die westalliierten Armeen vom 1. Februar bis zum 6. Mai über eine breite Front 200 bis 300 Meilen vorrücken konnten [16].

11  New York Times vom 24. Juli 1941, zit. in: Horowitz, Kalter Krieg, a.a.O., S. 52.
12  A. Grosser, Deutschlandbilanz. München: 1970, S. 39.
13  Zur Errichtung der 2. Front vgl. Horowitz, Kalter Krieg, a.a.O., S. 36 und Kolko, The Politics of War, a.a.O., S. 14 ff. Bei den Auseinandersetzungen um die Errichtung der 2. Front spielte sicherlich auch die unterschiedliche Zielsetzung der USA und Großbritanniens eine Rolle. Während die USA der Eroberung Frankreichs und Deutschlands entscheidende Bedeutung zumaß, versuchte Großbritannien die Kämpfe nach Afrika und über Italien auf den Balkan zu verlegen, vgl. Kolko, ebd., S. 28.
14  ebd., S. 20 u. 29.
15  ebd., S. 29 f.
16  ebd., S. 371 f.; vgl. auch Jacobsen, 1939–1945, a.a.O., S. 384 f.

Gemeinsame Pläne für die zukünftige Gestalt Deutschlands wurden bis zur Konferenz von Jalta nicht diskutiert. Interne Vorstellungen der britischen und amerikanischen Außenministerien befürworteten einen „weichen" Frieden, der nicht nur dem Interesse der US-Monopole am schnellen Wiederaufbau eines deutschen Marktes für den Waren- und Kapitalexport entsprach, sondern darüber hinaus für die Errichtung eines antikommunistischen Bollwerks konzipiert war [17].

Bis zum Kriegsende konnten diese Kräfte es sich nicht leisten, die Zusammenarbeit mit der UdSSR offen in Frage zu stellen. Ohne die UdSSR als stärkste Macht auf dem Kontinent wäre man nicht in der Lage gewesen, den deutschen Faschismus zu zerschlagen, und außerdem waren die USA bis zum Ende des Krieges gegen Deutschland an einem Eingreifen der Roten Armee im Krieg gegen Japan interessiert [18].

## Zur Potsdamer Konferenz

In der Zeit zwischen der Kapitulation Deutschlands am 8. Mai 1945 und der Potsdamer Konferenz hatten sich die Verhältnisse wesentlich geändert. Deutschland, der gemeinsame Gegner, war besiegt, und auch in Japan zeichnete sich der Sieg der Alliierten ab. Militärisch waren die USA nun nicht mehr auf die Zusammenarbeit mit der UdSSR angewiesen, und wirtschaftlich waren sie, auf deren Land keine einzige Bombe gefallen war und in dem sich allein drei Viertel des Anlagekapitals und zwei Drittel der Industriekapazitäten der Erde befanden, der zerstörten und ausgebluteten Sowjetunion weit überlegen. Hinzu kam, daß ihnen mit der bevorstehenden Fertigstellung der Atombombe eine Waffe zur Verfügung stehen würde, die ihnen auch die militärische Überlegenheit über alle anderen Länder sicherte [19].

17  Vgl. Schwarz, Vom Reich zur Bundesrepublik, a.a.O., S. 97, 98 u. 210 ff.; u. Kolko, The Politics of War, a.a.O., Kap. 13, S. 315 ff.
18  Vgl. G. Alperovitz, Atomare Diplomatie: Hiroshima und Potsdam. München: 1966, S. 179 u. 191.
19  ebd., S. 192 u. 262; vgl. auch Horowitz, Kalter Krieg, a.a.O., S. 66.

Nun, als der gemeinsame Kampf gegen das faschistische Deutschland beendet war, trat der alte Gegensatz zwischen der sozialistischen Sowjetunion und den imperialistischen Mächten wieder in den Vordergrund.

Nach dem Tod Präsident Roosevelts trat mit Truman ein Politiker an die Spitze der amerikanischen Regierung, der den veränderten Erfordernissen dieser außenpolitischen Situation gerecht wurde. In kürzester Zeit ersetzte er sechs von zehn Mitgliedern der Roosevelt-Regierung. Die bisher mit der UdSSR abgeschlossenen Verträge bezeichnete er als einseitig und war entschlossen, sie zu ändern. „Wollten die Russen nicht mitmachen, sollten sie sich zum Teufel scheren" [20]. Erste Versuche, auf die Sowjetunion Druck auszuüben, waren die Kürzung der Leih-Pacht-Hilfe und die Konfrontation wegen der Zusammensetzung der polnischen Regierung [21]. Nach Potsdam fuhr Truman mit der Absicht, die Beschlüsse von Jalta zu revidieren [22].

Das stärkste Druckmittel der USA, die Atombombe, war allerdings zu Beginn der Potsdamer Konferenz noch nicht erprobt. Dies führte seitens der amerikanischen Delegation zur Verschiebung und Hinauszögerung aller strittigen Entscheidungen. So kam es in ihrer Verhandlungsführung „zu einer seltsamen Kombination von festen Forderungen, unnachgiebiger Ablehnung sowjetischer Vorschläge und, überwiegend, fortgesetzter Bereitschaft, alle zur Debatte stehenden Fragen auf die lange Bank zu schieben" [23].

Problemlos war die Einigung über Maßnahmen, die gemeinsame Kriegsziele und deren Konsequenzen betrafen, wie die Auflösung der deutschen Streitkräfte, der SA, SS, SD, Gestapo und NSDAP, die Ablieferung des Kriegsmaterials, die Demontage der Rüstungsfirmen und die Bestrafung der Kriegsverbrecher [24]. Im Hinblick auf die zukünftige Struktur

20  Horowitz, Kalter Krieg, a.a.O., S. 26.
21  Vgl. Alperovitz, Atomare Diplomatie, a.a.O., S. 248.
22  ebd., S. 161.
23  ebd., S. 162.
24  Vgl. das Abkommen von Potsdam vom 2. August 1945. Politische

Deutschlands dagegen sprach man von „Demokratisierung", „Entnazifizierung" und „Dezentralisierung", deren Durchführungsmodus der Interpretation der einzelnen Siegermächte überlassen blieb. Deutschland sollte, „soweit dies praktisch möglich" war, einheitlich behandelt werden; die höchste Gewalt lag jedoch bei den Oberkommandierenden der einzelnen Zonen, für die damit ein separates Vorgehen offenblieb [25].

In der Entscheidung über die Reparationen zeigte sich besonders deutlich die Gegensätzlichkeit der Interessen der Sowjetunion auf der einen und der USA auf der anderen Seite. Die UdSSR forderte, ihrem Interesse an Reparationen für den Wiederaufbau gemäß, eine vertragliche Festlegung der Summe der ihr zustehenden Reparationswerte. Sie war, da die wichtigsten und am wenigsten zerstörten Industriegebiete Deutschlands in den Westzonen lagen und da sie aus diesen Zonen Sachlieferungen erhalten wollte, auf schnelle Vereinbarungen mit den Westalliierten angewiesen [26]. Nach heftigen Protesten blieb ihr keine andere Möglichkeit, als die Festlegung eines Prozentanteils an der Gesamtentnahme der Reparationen zu akzeptieren. Dies bedeutete, daß die endgültige Höhe der Reparationslieferungen von späteren Vereinbarungen über das zukünftige Industrieniveau in Deutschland und über den Umfang der für die Friedenswirtschaft unnötigen industriellen Ausrüstung abhing. Es war festgelegt, daß jede Besatzungsmacht die Reparationen aus ihrer Zone entnehmen sollte; der

Grundsätze 3 I a, b; II; 4, 5, 6, 7, 8 und wirtschaftliche Grundsätze B 11. In: Keesings Archiv der Gegenwart 15, 1945, S. 344, Sp. 1 – S. 347, Sp. 2 – hier: S. 345, Sp. 1 – S. 346, Sp. 1.

25  Ein separates Vorgehen blieb für alle Besatzungsmächte offen, nicht nur für die UdSSR, wie es Meißner, Rußland, die Westmächte und Deutschland, a.a.O., S. 71 darstellt. Vgl. Schwarz, Vom Reich zur Bundesrepublik, a.a.O., S. 108; E. Krippendorff, Die Liberal-Demokratische Partei Deutschlands in der sowjetischen Besatzungszone 1945–1948. Entstehung, Struktur und Politik. Düsseldorf: o. J., S. 13; Cornides, Die Weltmächte und Deutschland, a.a.O., S. 109.

26  Zu den Vorteilen der amerikanischen Verhandlungsposition in Potsdam vgl. Alperovitz, Atomare Diplomatie, a.a.O., S. 142 ff. u. 181, 187; Kolko, The Politics of War, a.a.O., S. 514 ff.

UdSSR standen zusätzlich 10 % aus den westlichen Zonen und weitere 15 % gegen Lieferungen landwirtschaftlicher Waren und anderer Güter zu. Außerdem war festgelegt, daß im Hinblick auf Entnahmen aus der laufenden Produktion die Bezahlung der Importe auf jeden Fall Vorrang vor Reparationslieferungen habe [27].

Mit dieser Regelung hatten die westlichen Besatzungsmächte, vor allem die USA, ein weiteres Druckmittel gegen die UdSSR in der Hand, da sie jederzeit die Gesamtmenge der Reparationen zumindest in ihren Besatzungszonen begrenzen und damit die Lieferungen an die UdSSR reduzieren konnten. Auch der Zeitpunkt der Wiedereingliederung der westlichen Zonen in den zu reorganisierenden Weltmarkt war der Entscheidung der Westmächte unterworfen.

## Die Deutschlandpolitik der USA 1945/46

Die Politik der Hinauszögerung aller wichtigen Entscheidungen, die die zukünftige politische, wirtschaftliche und soziale Struktur Deutschlands betrafen, trug den Schwierigkeiten Rechnung, die sich beim Aufbau und der Wiedereingliederung Deutschlands in einen kapitalistischen Weltmarkt ergaben.

Die Herrschaft des Großkapitals zu restaurieren, bedeutete vor allem den Einfluß der sowjetischen Besatzungsmacht und deutscher antifaschistischer, demokratischer Organisationen zurückzudrängen [28] und etwa bestehendes oder sich bildendes antifaschistisches und antikapitalistisches Bewußtsein in der Bevölkerung, auf deren Legitimation und Mitarbeit man angewiesen war, zu neutralisieren.

In Deutschland konnte diese Politik erfolgreich unmittelbar

---

27 Vgl. Das Abkommen von Potsdam, Teil B 19 und Teil IV, a.a.O.
28 Das mußte bedeuten, die gemeinsame Besatzungspolitik zu sabotieren und antikommunistische Propaganda gegen die Politik der UdSSR in ihrer Zone zu betreiben.

an die antikommunistische Propaganda der Faschisten anknüpfen und diese fortsetzen. Taktisch klug wurde sie mit dem wirtschaftlichen Interesse der Bevölkerung in der Reparationsfrage verbunden.

Am 3. Mai 1946 ließ General Clay die Reparationslieferungen an die UdSSR einstellen. Begründet wurde dies Vorgehen mit wirtschaftlichen Schwierigkeiten in den westlichen Zonen. Die Weigerung der UdSSR, landwirtschaftliche Produkte in die Westzonen zu liefern, widerspreche den Potsdamer Vereinbarungen und zwinge die USA und Großbritannien, unter hohen Kosten die Ernährung der deutschen Bevölkerung zu finanzieren [29]. Auf diese Weise konnte man die Besatzungspolitik der Sowjetunion als rücksichtslose, unmenschliche Ausplünderung der deutschen Bevölkerung, die letztlich noch auf den englischen und amerikanischen Steuerzahler Auswirkungen habe, darstellen und durch die Beendigung der Reparationslieferungen die Voraussetzung für eine schnellere Integration der westlichen Zonen in den kapitalistischen Weltmarkt schaffen [30].

Tatsächlich ergaben sich die wirtschaftlichen Schwierigkeiten in den Westzonen daraus, daß vor allem der Export von Rohstoffen wie Kohle und Holz übermäßig forciert wurde, was sich zugleich negativ auf die Möglichkeiten auswirkte, die Ka-

---

29 Diese Argumentation findet sich noch heute bei zahlreichen westlichen Historikern, vgl. Schwarz, Vom Reich zur Bundesrepublik, a.a.O., S. 78, 86, 117, 238, 278 und 280, und wird dazu benutzt, den Aufbau eines westlichen Separatstaates zu legitimieren.

30 So werden die Reparationsforderungen der UdSSR bei westlichen Historikern als Ausbeutung, die SBZ als Kolonie bezeichnet, vgl. Schwarz, a.a.O., S. 211 u. 230 ff. u. Th. Eschenburg, Das Problem der deutschen Einheit nach den beiden Weltkriegen. In: VjhZ 1957, Heft 2, S. 119 u. 122. In den westlichen Zonen betrugen die Reparationen nach Höchstschätzungen 5 % der gesamten Industriekapazität; von den rund 3 Milliarden, die veranschlagt worden waren, wurden nur etwa 714 Mill. RM demontiert. Die Folge war, daß „(West-, d. Verf.) Deutschland ... aus dem Krieg mit einer größeren industriellen Kapazität hervor(ging), als es sie vor dem Krieg auf dem gleichen Gebiet besessen hatte." M. Balfour, Viermächtekontrolle in Deutschland 1945–1946. Düsseldorf: 1959, S. 253 f.

pazitäten in der verarbeitenden Industrie zu nutzen [31]. Mit dort hergestellten Produkten hätten leicht die Importe finanziert werden können, doch wäre dies eine unliebsame Konkurrenz für die Industrie der Westalliierten gewesen [32].

Zur Durchführung der in Potsdam vereinbarten Dezentralisierung der Wirtschaft, deren Ziel die Entmachtung der wirtschaftlichen Stützen des Faschismus gewesen war, wurden die Werke der Konzerne einer Treuhandverwaltung übertragen. Die US-Besatzungsmacht strebte von vornherein eine Umstrukturierung innerhalb der Konzerne an, die amerikanische Kapitalinvestitionen erleichtern sollte [33]. Damit kam sie den Interessen des deutschen Monopolkapitals entgegen, das sich vom Zustrom amerikanischen Kapitals langfristig die Zurückgewinnung von Machtpositionen versprach. Dr. Dinkelbach vom Vorstand der Vereinigten Stahlwerke legte eine eigene Entflechtungskonzeption vor, die den Vorstellungen der amerikanischen Wirtschaftsführer entsprach [34]. Die Bilanz der Ent- und Rückverflechtung sah in der Eisen- und Stahlindustrie

31  Die Ausfuhr aus dem Gebiet der Bizone 1945 bestand zu 67 % aus Kohle und 13 % aus Holz. K. Mehnert, H. Schulte (Hrsg.), Deutschlandjahrbuch 1949. Essen: 1949, S. 217. Diese Rohstofflieferungen gingen vor allem an England, Frankreich und andere westeuropäische Länder, während das US-Kapital eher ein Interesse an Investitionen hatte. Die Industrieproduktion betrug 1946 in der britischen Zone 31,3 %, in der amerikanischen Zone 37 %, in der sowjetischen Zone rd. 45 % und in der französischen Zone rd. 28 % der Produktion von 1936, ebd., S. 173 f.

32  Vgl. Balfour, Viermächtekontrolle in Deutschland, a.a.O., S. 257.

33  Die USA „gingen von dem Prinzip aus, daß es bei dem bestehenden Wirtschaftssystem in Deutschland nichts gäbe, das sich nicht mit dem politischen System, das sie einzuführen wünschten, vereinbaren ließe". Ebd., S. 385. Eine konsequente, gegen die wirtschaftlichen Grundlagen des Faschismus gerichtete Politik war nie im Interesse des amerikanischen Monopolkapitals gewesen, vgl. Schwarz, Vom Reich zur Bundesrepublik, a.a.O., S. 66 u. 99 f.; Kolko, The Politics of War, a.a.O., S. 323.

34  Vgl. E. Schmidt, Die verhinderte Neuordnung 1945–1952. Zur Auseinandersetzung um die Demokratisierung der Wirtschaft in den westlichen Besatzungszonen und in der Bundesrepublik Deutschland, Frankfurt/M.: 1970, S. 57.

wie folgt aus: wo früher sieben Konzerne 76 % der Produktion erzeugten, stellten nun 20 Einheitsgesellschaften 93,9 % her [35]. Mit dem Hinweis darauf, daß zum Wiederaufbau der Wirtschaft Fachkräfte notwendig seien, wurden nazistisch belastete Wirtschaftsführer in den Schlüsselpositionen der Unternehmen belassen [36].

Die spontanen antifaschistisch-antikapitalistischen Initiativen aus der Bevölkerung, insbesondere der Arbeiterklasse, wurden dagegen unterdrückt. Alle Ansätze zur Neuordnung der Eigentumsverhältnisse, wie sie auch die Länderverfassungen entsprechend dem Willen der Bevölkerung in verschiedener Form vorsahen, wurden verhindert. Am rücksichtslosesten verbot die amerikanische Besatzungsmacht nach einer Volksabstimmung in Hessen die entsprechenden Paragraphen [37]. Die Einbeziehung von Vertretern der Arbeiterklasse in entscheidende Verwaltungsorgane wurde von vorneherein eingeschränkt. Der Aufbau von Gewerkschaften wurde behindert [38]. Der Plan einer Einheitsgewerkschaft, den die große Mehrheit der Arbeiter unter Berücksichtigung der Erfahrungen des Faschismus befürwortete, wurde abgelehnt [39]. Der Aufbau der Gewerkschaften mußte in drei Phasen erfolgen, die der Genehmigung der Besatzungsmacht bedurften.

Ebenso wurden politische Parteien erst spät und dann nur auf regionaler Ebene zugelassen, was den Vertretern der Mo-

35  Ebd., S. 58 ff. u. K. Pritzkoleit, Männer, Mächte, Monopole. Hinter den Türen der westdeutschen Wirtschaft. Düsseldorf: 1953, S. 164 f. u. 196.
36  Vgl. Schmidt, Die verhinderte Neuordnung, a.a.O., S. 54 ff.
37  Vgl. ebd., S. 85. Von einem gleichen Interesse der deutschen Bevölkerung und der amerikanischen Besatzungsmacht, wie es Schwarz, Vom Reich zur Bundesrepublik, a.a.O., S. 16 u. 126 postuliert, kann also keine Rede sein. Die amerikanische Besatzungsmacht setzte ihren Willen, der allein dem Interesse der Minderheit der Kapitaleigner in Deutschland entsprach, gegen die demokratische Willensäußerung der Mehrheit der deutschen Bevölkerung durch.
38  Vgl. Schmidt, Die verhinderte Neuordnung, a.a.O., S. 30 ff. u. 36 ff.; Kolko, The Politics of War, a.a.O., S. 510.
39  Vgl. E. Schmidt, a.a.O., S. 40.

nopole die dringend benötigte Zeit verschaffte, sich auf die veränderte Situation einzustellen. Die Initiativen zum Zusammenschluß der Arbeiterparteien wurden verboten [40].

### Die Deutschlandpolitik der UdSSR 1945/46

Angesichts der Zerstörungen, die in der sowjetisch besetzten Zone besonders stark waren, und des Zusammenbruchs der ehemaligen staatlichen Institutionen war es der UdSSR für die erste Zeit kaum möglich, Überschüsse an landwirtschaftlichen und anderen Produkten in die westlichen Zonen zu liefern, um hierfür 15 % der vorgesehenen Reparationen zu erhalten [41]. Sie war dennoch bereit, ihren Beitrag zu einem ausgeglichenen Export-Import Verhältnis für ganz Deutschland zu leisten, unter der Bedingung der Verwirklichung einer zentralen deutschen Verwaltung. Sie verlangte von den USA, ihren Einfluß geltend zu machen, um bei der französischen Regierung, die damals den Aufbau einer zentralen deutschen Verwaltung sabotierte, eine Veränderung ihrer Haltung zu bewirken. Stattdessen wurden im Mai 1946 die Reparationslieferungen aus den westlichen Zonen eingestellt [42].

Für den Wiederaufbau ihres zerstörten Landes war die UdSSR daher allein auf Reparationen aus ihrer relativ gering industrialisierten und stark zerstörten Besatzungszone angewiesen. Es wurden etwa 600 Rüstungsbetriebe demontiert; 200 zur Demontage vorgesehene Betriebe blieben als Sowjetische Aktiengesellschaften (SAG) in Deutschland und lieferten den größten Teil der Produktion in die UdSSR [43].

40  Vgl. R. Badstübner u. S. Thomas, Die Spaltung Deutschlands 1945–1949. Berlin: 1966, S. 131.
41  Vgl. Schwarz, Vom Reich zur Bundesrepublik, a.a.O., S. 754 Anm. 123; Marienfeld, Konferenzen über Deutschland, a.a.O., S. 274.
42  Vgl. Grosser, Deutschlandbilanz, a.a.O., S. 105; J. P. Warburg, Deutschland – Brücke oder Schlachtfeld. Stuttgart: 1949, S. 52 und die Rede Molotows vom 10. Juli 1946, zit. in: Meißner, Rußland, die Westmächte und Deutschland, a.a.O., S. 92.
43  H. Apel, Wehen und Wunder der Zonenwirtschaft. Köln: 1966,

Das allgemeine Interesse der UdSSR an Sicherheit ließ sie alle dementsprechenden Maßnahmen unterstützen. So verlangte sie unter anderem eine langjährige Kontrolle ganz Deutschlands [44].

Langjährige Kontrolle allein reichte aber nicht aus als wirksamer Schutz gegen einen neuen deutschen Überfall; die Grundlagen jener aggressiven Politik selbst mußten vernichtet werden. In der Sowjetunion sah man die Ursachen des Faschismus nicht in der dämonischen Wirkung eines oder mehrerer Individuen oder im verbrecherischen Nationalcharakter der Deutschen, sondern erkannte sie in der ökonomischen Entwicklung des Kapitalismus zum Imperialismus. Der Faschismus nützte, indem er einerseits Aufrüstung und Kriegspolitik betrieb, andererseits die Organisationen der Arbeiterklasse mit Gewalt unterdrückte, dem Finanzkapital und den Monopolen. Eine Politik, die die Vernichtung der Grundlagen des Faschismus und die Errichtung einer antifaschistisch-demokratischen Ordnung zum Ziele hatte, mußte daher im Interesse der größten Teile der Bevölkerung, insbesondere der Arbeiterklasse, liegen [45].

S. 18; St. Doernberg, Kurze Geschichte der DDR., 4. durchges. u. erg. Aufl., Berlin: 1969, S. 50; J. P. Nettl, Die deutsche Sowjetzone bis heute. Politik, Wirtschaft, Gesellschaft. Frankfurt/M.: 1953, S. 186 ff.

44 Die Forderung der UdSSR nach langjähriger Kontrolle Deutschlands, insbesondere des wirtschaftlich wichtigsten Teils, des Ruhrgebiets, im Interesse ihrer Sicherheit ist wohl das beste Indiz gegen die These von den Spaltungsabsichten der UdSSR. Vgl. Balfour, Viermächtekontrolle in Deutschland. a.a.O., S. 65.

45 Diese nach dem Krieg von der SMAD eingeschlagene Politik, die auf eine entschieden gegen die Wurzeln des Faschismus gerichtete Umverteilung sozialer und wirtschaftlicher Macht zielte und durchaus im Rahmen des Potsdamer Abkommens blieb (vgl. Balfour, a.a.O., S. 233 u. 284), wird von dem überwiegenden Teil der westlichen Geschichtsschreibung als „Bolschewisierung" oder „Sowjetisierung" dargestellt. Bei Th. Vogelsang wird die Bodenreform und die Enteignung der Kriegsverbrecher und aktivsten Stützen des Faschismus eine „strukturelle Veränderung", durch die die Besatzungsmacht „eine kalte sozialistische Revolution ... Boden gewinnen ließ." Th. Vogelsang, Das geteilte Deutschland. München:

In der sowjetisch besetzten Zone wurde als erster die Gründung von demokratischen Parteien und Massenorganisationen unterstützt und eine enge Zusammenarbeit im Block der antifaschistisch-demokratischen Parteien gefördert. Alle Bankguthaben wurden blockiert, die Gründung von Unternehmervereinigungen nicht erlaubt. Die schon im September 1945 eingeleitete Bodenreform entzog den ostelbischen Großgrundbesitzern – einer wesentlichen Stütze des Militarismus und Faschismus – die Basis. Die Volksabstimmung in Sachsen im Juni 1946 war die Grundlage zur Enteignung der Kriegsverbrecher und aktiven Nationalsozialisten. In der Justiz und im Bildungswesen wurde ebenfalls eine tiefgreifende Neuordnung eingeleitet [46].

*Die weitere Verschärfung der Gegensätze zwischen Imperialismus und Sozialismus und die Spaltung Deutschlands*

Die US-Regierung konnte ihre antisowjetische Strategie nach dem Krieg vor allem deshalb nicht sofort offen vertreten, weil sich in der amerikanischen und englischen Bevölkerung selbst während des Krieges eine durchaus prosowjetische Stimmung entwickelt hatte. Die Tapferkeit und die Opfer des sowjetischen Volkes im Kampf gegen den deutschen Faschismus wurden allgemein anerkannt. Churchill, der in England unmittelbar nach dem Krieg einen Wahlkampf mit überwiegend antikommunistischen Akzenten geführt hatte, erfuhr eine hohe Niederlage, und in den USA mußte Truman auf Druck

1966, S. 53; Cornides, Die Weltmächte und Deutschland, a.a.O., S. 100, 113 u. 115, nennt die antifaschistisch-demokratischen Veränderungen „Weg zur ‚Volksdemokratie' bolschewistischer Prägung." Für Meißner, Rußland, die Westmächte und Deutschland, a.a.O., S. 71 f., stellt sich die Zusammenarbeit der Parteien im antifaschistisch-demokratischen Block als „Sowjetisierung" dar; und Schwarz, Vom Reich zur Bundesrepublik, a.a.O., S. 248 ff., setzt den Zeitpunkt der abgeschlossenen „Sowjetisierung" auf 1948 fest.
46  Vgl. Balfour, Viermächtekontrolle in Deutschland, a.a.O., S. 112 u. 352; Warburg, Deutschland – Brücke oder Schlachtfeld, a.a.O., S. 55.

der Öffentlichkeit hin dementieren, den Text der antikommunistischen Rede Churchills in Fulton vorher gekannt zu haben [47]. Es herrschte außerdem starke Kriegsmüdigkeit und eine antimilitaristische Stimmung in der Bevölkerung und unter den amerikanischen Soldaten. Wie wenig die Politik der Sowjetunion als Bedrohung empfunden wurde, zeigen die Demonstrationen, die in Deutschland und in den USA mit der Forderung: Bringt die Jungs nach Hause! durchgeführt wurden [48].

Der Prozeß der Umstellung auf Friedenswirtschaft führte in den USA nicht zu einer Krise. Im Gegenteil, es gelang den Monopolen, ihre Macht ökonomisch und auch innenpolitisch weiter zu stärken und die Rechte der Gewerkschaften, die sich noch am nachdrücklichsten für eine konsequente antifaschistische Politik in Deutschland und für die Zusammenarbeit mit der UdSSR eingesetzt hatten [49], weitgehend einzuschränken [50].

Diese innenpolitische Konsolidierung beschleunigte auf der Ebene der internationalen Politik die Wendung zum direkt aggressiven Konfrontationskurs gegen die UdSSR.

Die US-Regierung versuchte mit dem Hinweis auf ihre militärische Stärke eine Änderung in der Zusammensetzung der nach dem Krieg in Osteuropa und auf dem Balkan gebildeten antifaschistischen, prosowjetischen Regierungen zu erzwingen [51]. Gleichzeitig weigerte sie sich, das Atombombenmonopol aufzugeben und die atomaren Waffen einer internationalen Kontrolle zu unterwerfen. Stattdessen wurden die Atombombenversuche und die Atombombenproduktion fortgesetzt, die Produktion von Bombenflugzeugen forciert und ein weltweites System von Militärstützpunkten errichtet [52]. Die Ziele dieser

47  Vgl. Horowitz, Kalter Krieg, a.a.O., S. 55.
48  Vgl. Warburg, Deutschland – Brücke oder Schlachtfeld, a.a.O., S. 80; H. S. Truman, Memoiren. 2 Bde., Bern: 1955, Bd. 2, S. 237.
49  Vgl. Schmidt, Die verhinderte Neuordnung, a.a.O., S. 56 f.
50  Vgl. Faulkner, Geschichte der amerikanischen Wirtschaft, a.a.O., S. 747 ff.
51  Vgl. Alperovitz, Atomare Diplomatie, a.a.O., S. 224, 248 u. 251; Horowitz, Kalter Krieg, a.a.O., S. 49 f.
52  Vgl. Horowitz, a.a.O., S. 53. Das Ausmaß der sowjetischen Ab-

Politik wurden dann öffentlich und offiziell im Februar 1947 in der antisowjetischen Truman-Doktrin formuliert.

Wirtschaftlich abgesichert wurde dieses Vorgehen in Europa durch den Marshall-Plan. Das damit verbundene System des Wiederaufbaus war mit dem Bezug bestimmter Waren und der Erbringung besonderer Leistungen verknüpft, die es den USA auf diesem Wege durch ihre wirtschaftliche Stärke ermöglichten, auf die Wirtschaftsstruktur der beteiligten Länder in hohem Maße Einfluß zu nehmen [53]. Der Wiederaufbau Westeuropas im Rahmen dieses Planes hatte die Spaltung Europas zur Folge; die Einbeziehung der Westzonen in diesen Plan mußte die Spaltung Deutschlands nach sich ziehen.

Es war für die USA nicht schwer, auf Kontrolle und Einflußnahme in der sowjetisch besetzten Zone zu verzichten: die antifaschistischen und antimilitaristischen Umwälzungen in der SBZ standen in Übereinstimmung mit den Potsdamer Beschlüssen und konnten nicht leicht in Frage gestellt werden; es war unmöglich, die UdSSR kurzfristig zu zwingen, sich aus ihrer Zone zurückzuziehen und die mit ihrer Unterstützung geschaffenen Ansätze der sozialen und politischen Neuordnung rückgängig zu machen, denn es gab dafür keinerlei Begründung; schließlich befand sich der größte Teil Deutschlands, vor allem die Hauptindustriegebiete, in den Westzonen, so daß von der

rüstung nach dem Krieg – die Streitkräfte wurden um 25 % reduziert, ebd., S. 20 – und die Tatsache, daß die Rüstungsausgaben erst wieder ab 1948 stiegen, als die Vorbesprechungen für die NATO begannen, vgl. Meißner, Rußland, die Westmächte und Deutschland, a.a.O., S. 175, dürfte mit den in Anm. 4 genannten Tatsachen die These vom aggressiven Expansionsstreben der UdSSR hinreichend erschüttern. Vgl. Anm. 4. Bezeichnenderweise gerät die amerikanische Aufrüstung bei den dort genannten Historikern nie in Gefahr, als aggressiv interpretiert zu werden.

53 Jedes Land, für das Marshallplanhilfe vorgesehen war, sollte vor allem die Güter produzieren, die es seinen Bedingungen gemäß am besten produzieren konnte. Die Stellung der UdSSR bei einer möglichen Teilnahme ist leicht vorherzusagen. Schon Truman pflegte nach eigenen Aussagen „auf die Landkarte zu deuten ... und Rumänien und die Ukraine als Kornkammern und Ungarn als Fleischtopf Europas" zu bezeichnen, Truman, Memoiren, a.a.O., S. 200.

wirtschaftlichen Ausgangssituation gesehen die Bildung eines separaten Weststaates durchaus möglich und nach dem Kalkül des US-Kapitals sinnvoll war.

Daß solche Überlegungen das Vorgehen der US-Regierung bestimmten und daß deren Interesse an einer gemeinsamen Besatzungspolitik der Siegermächte, d. h. an einer Zusammenarbeit mit der UdSSR, nur so weit ging, wie die Restauration des Kapitalismus nicht gefährdet wurde, kommt schon in einem Vorbereitungspapier des Auswärtigen Amtes für die Potsdamer Konferenz zum Ausdruck. Es empfahl den Zusammenschluß der westlichen Zonen, falls eine Einigung mit der UdSSR in Finanzfragen nicht möglich sein sollte. Bereits im Dezember 1945 wurde General Clay ermächtigt, notfalls zweiseitige Abkommen zu schließen [54].

Nach der Ablehnung der sowjetischen Forderung, eine zentrale deutsche Verwaltung durchzusetzen, und nach der Einstellung der Reparationslieferungen an die UdSSR begann die amerikanische Militärregierung offen von der in Potsdam beschlossenen einheitlichen Behandlung Deutschlands abzuweichen. Sie machte am 20. Juli 1946 jeder interessierten Besatzungsmacht das Angebot, auch getrennt zu diskutieren, „um gegebenen-

---

54 R. Thilenius, Die Teilung Deutschlands. Hamburg: 1957, S. 135 und Kolko, The Politics of War, a.a.O., S. 506, 575. Selbst die westdeutschen Historiker müssen zugestehen, daß die Initiativen zur Spaltungspolitik in Deutschland von den USA ausgingen. Belege, wie in der Schuldfrage mit Bedacht manipuliert wurde, bringt sogar Schwarz, Vom Reich zur Bundesrepublik, a.a.O., S. 121 ff. Das Vorgehen der USA wird jedoch damit gerechtfertigt, daß endlich im Laufe der Jahre 1946 oder 1947 eine Reaktion auf die „aggressive" und „expansive" sowjetische Politik erfolgte, und damit der Ausbreitung des sowjetischen „Imperialismus" über ganz Deutschland und zugleich Westeuropa ein Ende bereitet wurde. Vgl. Vogelsang, Das geteilte Deutschland, a.a.O., S. 40 f.; Cornides, Die Weltmächte und Deutschland, a.a.O., S. 155 setzt die Wende 1846 an; Schwarz, Vom Reich zur Bundesrepublik, a.a.O., S. 81 nimmt die Moskauer Außenministerkonferenz, Meißner, Rußland, die Westmächte und Deutschland, a.a.O., S. 104 die Dulles-Rede am 17. 1. 47 und Marienfeld, Konferenzen über Deutschland, a.a.O., S. 350, die Londoner Außenministerkonferenz am 15. 12. 47 als Wendepunkt.

falls gemeinsam beschlossene Abmachungen in die Tat umzusetzen"[55]. In einer Rede in Stuttgart am 6. 9. 1946 begründete der amerikanische Außenminister Byrnes diese Wende der Deutschlandpolitik, die die Separatentwicklung der Westzonen einleitete, mit der Notwendigkeit, „den Stand der industriellen Erzeugung zu erreichen, auf den sich die Besatzungsmächte als auf das absolute Mindestmaß einer deutschen Friedenswirtschaft geeinigt hatten"[56]. Ende 1946 wurden diese Bestrebungen durch die Vereinigung der britischen und amerikanischen Zone zur Bizone in die Praxis umgesetzt.

Dulles präzisierte die forcierte Spaltungspolitik der amerikanischen und englischen Besatzungsmacht in einer Rede am 17. 1. 1947, in der er die möglichst baldige Eingliederung Deutschlands in eine europäische Wirtschaftseinheit forderte[57].

Zur Vorbereitung dieser Entwicklung wurde die Verwaltung der Bizone ausgebaut. Mit der Gründung des Zweizonenwirtschaftsrats in Frankfurt im Juni 1947 entstand ein „erstes quasi-parlamentarisches Organ, der Wirtschaftsrat, und eine quasi-Regierung, die Direktoren der Verwaltung, sowie eine Art Bundesrat, der sogenannte Exekutivrat"[58]. Entscheidend war, daß die Aktionen des Wirtschaftsrates, insbesondere die Praxis der Direktoren sich völlig unabhängig von den Landtagen vollzog. Die Zusammensetzung des Wirtschaftsrates erbrachte eine Mehrheit der bürgerlichen Parteien, insbesondere der CDU/CSU, aus deren Reihen auch die Direktoren hervorgingen, denen der bürokratische Apparat unterstand und deren Entscheidungen wiederum nicht an die Weisungen des Wirtschaftsrates gebunden waren.

Innerhalb der CDU/CSU war der Prozeß der innerparteilichen Differenzierung zugunsten der Vertreter des Monopolkapitals weiter fortgeschritten. Sie hatten sich gegenüber den

55  Schmidt, Die verhinderte Neuordnung, a.a.O., S. 22.
56  Ebd.
57  Vgl. Meißner, Rußland, die Westmächte und Deutschland, a.a.O., S. 104.
58  Schmidt, Die verhinderte Neuordnung, a.a.O., S. 126 ff.

Exponenten des „christlichen Sozialismus" und deren Konzept einer nationalen Repräsentanz durchgesetzt [59]. Kennzeichnend für die Bereitschaft der monopolkapitalistischen Politiker in der CDU, die Spaltung Deutschlands zu unterstützen, war eine Erklärung Adenauers 1947 gegenüber einem Reporter der Neuen Züricher Zeitung: „Von nun an muß man das Gebiet der sowjetischen Besatzungszone Deutschlands für lange Zeit abschreiben, da die Perspektiven der Entwicklung sowohl in den Westzonen als auch in der Ostzone in den nächsten Jahren sehr unterschiedlich verlaufen werden" [60].

Die Positionen dieser Kräfte, ohne deren Mitwirkung die Spaltungspolitik der imperialistischen Siegermächte hätte erfolglos bleiben müssen, wurden durch die Einbeziehung der Westzonen in den Marshall-Plan weiter gestärkt. Ihren Interessen kam der Marshall-Plan auch insofern entgegen, als er die endgültige Abkehr von der gemeinsamen Deutschlandpolitik der Siegermächte bedeuten mußte.

In den Konferenzen der Außenminister war schon die Moskauer Außenministerkonferenz durch kompromißlose Forderungen des US-Außenministers Marshall gekennzeichnet, der mit der „festen Absicht nach Moskau fuhr, die deutsche Frage übers Knie zu brechen" [61], so kam es auf der Londoner Außenministerkonferenz zum endgültigen Bruch zwischen den imperialistischen Siegermächten und der UdSSR. Unter Einbeziehung der Benelux-Staaten begannen die Westalliierten danach, Separatverhandlungen über Deutschland zu führen. Daraus gingen die „Londoner Empfehlungen" vom 2. Juni 1948 hervor. Sie bestätigten die bereits erfolgte Einbeziehung der Westzonen in den Marshall-Plan und schlugen die Ausarbeitung

---

59 Kaiser und Lemmer z. B. vertraten in der CDU die Vorstellung von einem Deutschland als Synthese zwischen Ost und West, vgl. W. Conze, Jacob Kaiser. Politiker zwischen Ost und West 1945 bis 1949. Stuttgart: 1969, S. 68.

60 Zit. n.: E. Czichon, Der Bankier und die Macht. Hermann Josef Abs in der deutschen Politik. Köln: 1970, S. 160.

61 Vgl. Schwarz, Vom Reich zur Bundesrepublik, a.a.O., S. 81 u. 119; Truman, Memoiren, a.a.O., Bd. 1, S. 601.

einer Verfassung für einen deutschen, föderativen Separat-
staat vor.

Inzwischen hatten sich durch eine Neuordnung des Wirtschaftsrates die großkapitalistischen Positionen weiter verstärkt. Hermann Pünder (CDU) wurde Oberdirektor des Verwaltungs-
rates, der Exekutive des Wirtschaftsrates. Mit Hilfe des Direk-
tors für Wirtschaft, Ludwig Erhard, führte er die separate
Währungsreform durch, die in Zusammenarbeit mit der Militärregierung von einer Sonderstelle „Geld und Kredit" des
Wirtschaftsrates seit Herbst 1947 vorbereitet worden war [62].
So war die Ausarbeitung der Verfassung, des sogenannten
Grundgesetzes, die auf Anweisung der Militärregierung eingeleitet wurde und ohne Mitwirkung der Bevölkerung zustande-
kam und schließlich am 7. September 1949 zur Gründung
der BRD führte, nur das Resultat eines schon lange vorher
eingeleiteten und entschiedenen Prozesses.

Die UdSSR versuchte immer wieder, ihre Forderung nach Erhaltung der Einheit Deutschlands durchzusetzen. Die Hauptindustriegebiete lagen in den Westzonen, und die Sicherheit
vor Deutschland konnte für die UdSSR nur gewährleistet sein,
wenn ihre Kontrollmöglichkeit den größten und wirtschaftlich
stärksten Teil Deutschlands mit einschloß [63]. Mit der immer
deutlicher werdenden Politik der Eingliederung der Westzonen
in einen antikommunistischen Block stellte die UdSSR deshalb
ihre Reparationsforderungen zurück. Sie legte nun das Schwer-
gewicht ihrer Forderungen auf den baldigen Abschluß eines
Friedensvertrages und die Errichtung der Viermächtekontrolle
über das Ruhrgebiet [64], um sich auf diese Weise einen sicher-
heitswirksamen Einfluß zu wahren.

62  Vgl. Schmidt, Die verhinderte Neuordnung, a.a.O., S. 130 f.
63  Die Forderung der UdSSR nach Kontrollmöglichkeiten in ganz
    Deutschland wurde, in Verbindung mit der Verhetzung ihrer Be-
    satzungspolitik als Bolschewisierung und Sowjetisierung, vgl.
    Anm. 45, als Versuch, den sowjetischen Herrschaftsbereich auch
    über Westdeutschland auszudehnen, interpretiert. Vgl. Vogelsang,
    Das geteilte Deutschland, a.a.O., S. 41; Cornides, Die Weltmächte
    und Deutschland, a.a.O., S. 150, 159 u. 168; Marienfeld, Konfe-
    renzen über Deutschland, a.a.O., S. 345 ff., 361.

Die UdSSR wurde in ihren Bemühungen um ein einheitliches Deutschland von den antifaschistisch-demokratischen Organisationen unterstützt. Eine Initiative der SED führte zu einer Bewegung für Einheit und gerechten Frieden, der Volkskongreßbewegung. Sie wurde in den Westzonen von den Besatzungsmächten kurzerhand verboten. Der zweite deutsche Volkskongreß, der vom 17. bis 18. März 1948 in Berlin tagte, wählte einen Volksrat. Dieser beschloß die Durchführung eines Volksbegehrens vom 23. Mai bis 13. Juni 1948, um die Durchführung eines Volksentscheids über die Einheit Deutschlands zu erzwingen. Die drei westlichen Besatzungsmächte verweigerten ihre Zustimmung, die amerikanische und französische Militärregierung verboten das Volksbegehren. Nachdem auch diese Bemühung erfolglos geblieben war, förderte die UdSSR verstärkt in ihrer Besatzungszone den Aufbau eines zweiten deutschen Staates, der DDR.

64  Zu den veränderten Prioritäten in der sowjetischen Deutschlandpolitik vgl. Meißner, Rußland, die Westmächte und Deutschland, a.a.O., S. 140, 190 u. 198; Marienfeld, Konferenzen über Deutschland, a.a.O., S. 294.

Jürgen Harrer, Heinz Jung

# Das ökonomische System in der BRD und der DDR

Rationalität und Humanität eines Wirtschaftssystems können nicht ausschließlich an dessen aktueller Effizienz und technischem Leistungsvermögen gemessen werden. Die Reduktion der Rationalität einer Wirtschaft auf einzelne Kennziffern und technische Daten läßt vielmehr die langfristigen Potenzen außer acht, die sich aus der Struktur der Gesamtgesellschaft ergeben, und übersieht, daß wirtschaftliche Leistung an sich kein Maßstab sein kann und ihren Stellenwert erst im gesamtgesellschaftlichen Kontext erhält. Entscheidend ist vielmehr die Frage, wozu und wem die erbrachte Leistung dient, wer sich die produzierten Werte aneignet, nach welchen Gesichtspunkten und zu welchem Zweck, und wie sie auf die Gesellschaftsmitglieder verteilt werden. Diese Fragestellung verweist auf die in einer Gesellschaft herrschenden Eigentumsverhältnisse und die sich daraus ergebenden ökonomischen Gesetzmäßigkeiten und Triebkräfte.

Das Streben nach höchstmöglichem Profit ist ein Grundprinzip des kapitalistischen Privateigentums an Produktionsmitteln. Es wird durch die kapitalistische Konkurrenz erzwungen und bedingt die Unterwerfung der gesellschaftlichen Produktion und Reproduktion unter die Interessen des Privatkapitals. Die Ökonomie ist demzufolge nicht Mittel zur Optimierung der gesellschaftlichen Bedürfnisbefriedigung und zur Entwicklung des Menschen als gesellschaftlichem Wesen und zur Entfaltung seiner Persönlichkeit, sondern Selbstzweck. Ihr Selbstzweck ist der Profit.

Mit der fortschreitenden Entwicklung der Produktivkräfte nimmt zugleich der Vergesellschaftungsgrad der Arbeit zu, kennzeichnen Arbeitsteilung und Kooperation immer mehr alle wirtschaftlichen Aktivitäten und verwandeln die Arbeit in industrielle Arbeit. Da dieser Prozeß durch die gegenwärtige wissenschaftlich-technische Revolution wesentlich beschleunigt wird und in raschem Tempo auch die wissenschaftliche Tätigkeit in den Prozeß der Vergesellschaftung der Arbeit einbezieht, spitzt sich der zentrale Widerspruch zwischen dem gesellschaftlichen Charakter der Produktion und Reproduktion und der privaten Aneignungsweise, nämlich den kapitalistischen Eigentumsverhältnissen, beständig zu.

Aus diesem Grundwiderspruch erwächst jedoch auch die Dynamik des kapitalistischen Systems, seine partielle Anpassung an die Entwicklung der Produktivkräfte, ein interner Umbau der Eigentumsverhältnisse innerhalb des kapitalistischen Rahmens, der Übergang zum Monopolkapitalismus und schließlich – als Entwicklung der letzten Jahrzehnte – die Herausbildung eines staatsmonopolistischen Systems. Die in bestimmten Entwicklungsetappen durch den Augenschein belegte Behauptung, der moderne Kapitalismus habe seine inneren Gegensätze und Widersprüche geglättet und abgebaut und sei in der Lage, ein kontinuierliches und relativ hohes Wirtschaftswachstum zu gewährleisten, und deshalb ökonomisch stabiler als vor 70 Jahren, geht am Wesen des Problems vorbei. Schon W. I. Lenin hat eindringlich darauf hingewiesen, daß industrielles Wachstum allein keineswegs die Gegensätze einebnet oder die Widersprüche aufhebt. Während er zur historischen Charakterisierung des Monopolkapitalismus die Begriffe „parasitärer oder in Fäulnis begriffener Kapitalismus" gebrauchte, um damit dessen geschichtlichen Platz und Standort auszudrücken, führte er doch zugleich aus: „Es wäre ein Fehler, zu glauben, daß diese Fäulnistendenz ein rasches Wachstum des Kapitalismus ausschließt ..." „Im großen und ganzen wächst der Kapitalismus bedeutend schneller als früher ..." [1].

Verschärfung des Grundwiderspruchs im Monopolkapitalismus bedeutet also zunehmende Instabilität vom Standpunkt der historischen Entwicklung und der historischen Perspektiven des

---

1 W. I. Lenin, Der Imperialismus als höchstes Stadium des Kapitalismus (1916). In: ders., Werke, Bd. 22, Berlin: 1960, S. 305 f. – Einzelausgabe: Frankfurt/M.: 1970.

Systems, nicht aber notwendigerweise die fortlaufende Verschärfung der zyklischen Krisen. Die noch zu schildernden Veränderungen im Rahmen der kapitalistischen Produktionsweise, die zum staatsmonopolistischen Kapitalismus hinführen, bewirken vielmehr Modifizierungen in der Wirkungsweise ökonomischer Gesetze und die Verlagerung von Widersprüchen, nicht ihre Außerkraftsetzung, aber ihre Reproduktion auf neuen Ebenen.

Die ihr entsprechende Aneignungsweise findet die vergesellschaftete Produktion erst mit dem gesellschaftlichen Eigentum an den zentralen Produktionsmitteln und der gesellschaftlichen Lenkung und Planung der Wirtschaftsprozesse, mit der Herstellung sozialistischer Eigentums- und Produktionsverhältnisse. Der gesellschaftliche Charakter der Arbeit findet damit seine Anerkennung im gesellschaftlichen Eigentum an den Produktionsmitteln und der gesellschaftlichen Aneignung der kollektiv produzierten Werte. Auf dieser Grundlage entscheiden qualitativ neue Zielfunktionen über die gesellschaftliche Produktion und Reproduktion, beginnen qualitativ andere ökonomische Gesetzmäßigkeiten zu wirken als im Kapitalismus und werden allgemeine ökonomische Gesetze in ihrer Wirkungsweise modifiziert. Gesamtgesellschaftliche Aneignung des gesellschaftlich erstellten Produkts impliziert die Ausrichtung der sozialistischen Ökonomie auf die ständige Verbesserung der Befriedigung der materiellen und geistigen Bedürfnisse aller Mitglieder der Gesellschaft. Die Ökonomie wird Mittel zum Zweck der Bedürfnisbefriedigung, der Verwirklichung des Individuums als gesellschaftlichem Wesen und der Entfaltung der menschlichen Persönlichkeit und ihrer schöpferischen Potenzen.

Da mit der Beseitung des Privateigentums an den wichtigsten Produktionsmitteln auch alle bisherigen Klassenprivilegien beseitigt werden, entscheiden im Sozialismus „weder Grundbesitz noch Aktienpaket, sondern einzig und allein Verstand, Fähigkeit und Arbeitstaten der Menschen ... über ihre gesellschaftliche Stellung und Anerkennung" [2]. Die veränderte gesellschaft-

2  Politische Ökonomie des Sozialismus und ihre Anwendung in der DDR. Berlin: 1969, S. 221.

liche Stellung des Menschen im Sozialismus, bedingt durch die soziale Gleichheit, die gleichartige Stellung zu den Produktionsmitteln, beinhaltet auch, daß er im Produktions- und Reproduktionsprozeß nicht länger als Objekt fremder Herrschaft und unkontrollierbarer Kommandogewalt unterworfen ist, sondern als bewußtes Subjekt handelt, teilhat an der gesellschaftlichen Beherrschung der Produktion und einbezogen ist in ein System der gesellschaftlichen Planung und Leitung der Wirtschaftsprozesse, dessen Funktionieren seinerseits entscheidend abhängt von der aktiven Mitwirkung des einzelnen Werktätigen.

Hierin jedoch beteht ein wesentliche Schwäche des kapitalistischen Systems, die notwendigerweise bedingt wird durch das kapitalistische Eigentum und sich besonders im Zuge der wissenschaftlich-technischen Revolution zu einem zentralen Nachteil des Monopolkapitalismus gegenüber dem Sozialismus entwickeln muß. Gerade „die gesellschaftliche Stellung der werktätigen Menschen, ihr objektives Interesse und bewußtes Mitwirken an der Weiterentwicklung des Gesellschaftssystems" wird langfristig über den Ausgang der Systemauseinandersetzung zwischen Kapitalismus und Sozialismus entscheiden. Hier jedoch „liegt das Problem, das der Kapitalismus nicht lösen kann und das die prinzipielle Überlegenheit des Sozialismus ausmacht. Der Kapitalismus kann objektiv aus seinem Teufelskreis nicht heraus. Einerseits wachsen mit der wissenschaftlich-technichen Revolution die Rolle der Werktätigen in der materiellen Produktion und die Anforderungen an ihre Initiative und geistigen Potenzen, andererseits wird der Anspruch des Monopolkapitals auf sein uneingeschränktes Monopol der Leitung von Wirtschaft und Staat nicht nur aufrechterhalten, sondern mittels autoritärer Zentralisierung der Staatsgewalt, politischem Druck und geistiger Manipulierung weiter ausgebaut" [3].

3  Spätkapitalismus ohne Perspektive. Tendenzen und Widersprüche des westdeutschen Imperialismus am Ende der sechziger Jahre. Frankfurt/ M.: 1970, S. 32.

Da ständige Verbesserung der gesellschaftlichen und individuellen Bedürfnisbedriedigung oberstes Ziel der sozialistischen
Wirtschaft ist, liegt auch die optimale Ausnutzung aller wirtschaftlichen Ressourcen zur schnellen Entwicklung der Produktivkräfte im objektiven Interesse der Gesamtgesellschaft und
jedes einzelnen Werktätigen. Andererseits befreit die prinzipielle Übereinstimmung des Charakters der Produktion mit dem
der Eigentumsverhältnisse im Sozialismus die Produktivkräfte
von Hemmnissen, denen ihre langfristige Entwicklung durch
das kapitalistische Eigentum unterworfen ist, und ermöglichst
die gesamtgesellschaftliche Planung und Leitung aller Wirtschaftsprozesse. Da diese nicht funktionieren kann ohne das
bewußte Handeln und die aktive Mitwirkung jedes Werktätigen, ergibt sich im Sozialismus die prinzipielle Identität von
wirtschaftlicher Rationalität, Humanität und Demokratie. Diese systembedingte Einheit, deren Resultat die bewußte Gestaltung seiner gesellschaftlichen und individuellen Lebensbedingungen durch den arbeitenden Menschen selbst ist, kann nicht
ohne schweren Schaden für die Entwicklung der sozialistischen
Gesellschaft verletzt werden. Sie stellt sich jedoch auch nicht
von alleine her, sondern hängt entscheidend von der Politik
der Partei der Arbeiterklasse ab, zumal auch in der sozialistischen Gesellschaft – allerdings nichtantagonistische – Widersprüche und Interessenkonflikte wirken.

## Das ökonomische System in der BRD

Die Veränderungen des Kapitalismus im allgemeinen und die
Entwicklung des westdeutschen Kapitalismus im besonderen
können nicht allein aus den Veränderungen der Verwertungsbedingungen des Kapitals abgeleitet werden. Das zeigt sich
besonders deutlich in Deutschland, wo zwei antagonistische
Gesellschaftssysteme miteinander konfrontiert sind. Die Systemauseinandersetzung wirkt auf die Bedingungen des inneren Klassenkampfes, was sich z. B. in der Kompromißbereitschaft der herrschenden Klasse gegenüber Lohnforderungen der

Gewerkschaften ausdrückt. Die Löhne wiederum sind ein Moment der Verwertungsbedingungen. Somit wirken also „außerökonomische" Faktoren stärker als in früheren Perioden des Imperialismus auf die Verwertungsbedingungen ein. Für die herrschende Klasse – vor allem aber für das Monopolkapital als die herrschende Schicht der Kapitalistenklasse – hat das Interesse an der Erhaltung und Sicherung des gesamten Gesellschaftssystems Vorrang vor den unmittelbar ökonomischen Interessen. Dieses Interesse realisiert sich in der Politik des Staates, d.h. die Interessen des Monopolkapitals müssen als politische Interessen, Aufgaben und Ziele des Staates formuliert und durchgesetzt werden. In diesem Sinne ergibt sich für die Monopolbourgoisie ein Primat der Politik. Das bedeutet nicht die Trennung des Staates von den Profitinteressen der Konzerne, sondern im Gegenteil seinen Einsatz zu ihrer Sicherung.

Dieses Beispiel zeigt, daß sich die Analyse der Ökonomie des spätkapitalistischen Systems nicht auf die Wirtschaft im engeren Sinne beschränken kann. Die Entwicklungsetappen des ökonomischen Systems müssen vielmehr auch im Zusammenhang der historischen Entwicklung und des historischen Platzes der spätkapitalistischen Gesellschaftsordnung analysiert werden.

Betrachtet man die Herrschaft der Monopolbourgeoisie und die Verschmelzung der Macht der Monopole mit der Macht des Staates zu einem einheitlichen Mechanismus als den wesentlichen Inhalt des spätkapitalistischen Systems der BRD, so beginnt seine Geschichte nicht mit dem 8. Mai 1945 als der Stunde null. Schon ein Blick auf die personelle Kontinuität der Repräsentanten des Kapitals und seiner Leitungskader verifiziert diese Feststellung. Deshalb ist besonders in Westdeutschland der Begriff Neokapitalismus ein mißverständlicher Begriff.

Ebenso wenig sind Konzentrationsprozesse, Monopole und staatsmonopolistischer Dirigismus in der Geschichte des deutschen Kapitalismus eine besondere Erscheinung der fünfziger und sechziger Jahre dieses Jahrhunderts. Der Übergang zur Herrschaft des Monopols, das als Resultat von Konzentration und Konkurrenz aus dem Kapitalismus der freien Konkurrenz hervorgewachsen war, hatte sich in Deutschland schon um die Jahrhundertwende vollzogen. Die großen Konzerne wie Siemens, AEG, Höchst usw. hatten schon damals wirtschaftliche und politische Bedeutung.

Der Eingriff des Staates in den kapitalistischen Reproduktionsprozeß, der seinem Inhalt nach die Verschmelzung von Monopol und Staatsmacht im Interesse und zur Sicherung der Monopolprofite darstellt, hatte bereits in der Regulierung der Wirtschaft während des ersten Weltkrieges in Deutschland einen ersten Höhepunkt erreicht. Diese Entwicklungsform des monopolistischen Kapitalismus war damals noch durch zeitweilige äußere Faktoren bedingt – durch die Notwendigkeit, alle Teilbereiche der Ökonomie der Durchsetzung der Kriegsziele des deutschen Imperialismus unterzuordnen. Nach Kriegsende entfielen diese Faktoren, und der Regulierungsmechanismus wurde auf den „normalen" Interventionismus des Staates im Interesse der herrschenden Klasse reduziert. Das System der Kriegswirtschaft in Deutschland während des ersten Weltkrieges bildete den materiellen Hintergrund für die Analyse des staatsmonopolistischen Kapitalismus durch W. I. Lenin. Lenin hatte schon damals diese Form des staatsmonopolistischen Herrschaftsystems als die zukünftige Normalform des Monopolkapitalismus und als seine einzig mögliche Entwicklungsrichtung erkannt [4].

Auch die faschistische Wirtschaftspolitik war ein straffes staatsmonopolistisches Regulierungs- und brutales Unterdrückungssystem. Hier verband sich die staatsmonopolistische Regulierung mit der offenen Diktatur im Interesse der aggressivsten Gruppen der Monopolbourgeoisie und der Kriegsvorbereitung und -durchführung. Zwar werden in der faschistischen Zwangswirtschaft schon stärker als in der Kriegswirtschaft des ersten Weltkrieges die Widersprüche der Kapitalver-

4  Siehe dazu W. I. Lenin, Die drohende Katastrophe und wie man sie bekämpfen soll (Sept./Okt. 1917). In: ders., Werke, Bd. 25, Berlin 1960, bes. S. 368 ff.; Lenin spricht hier hinsichtlich Deutschland von „staatsmonopolistischem Kriegskapitalismus".

wertung als Triebkräfte wirksam. Dennoch sind auch hier die Hauptfaktoren immer noch „außerökonomischer Natur".

Die Rückkehr zur „sozialen Marktwirtschaft" in den Jahren 1948/49 kann nicht als Rückkehr zu vormonopolistischen Wirtschaftsformen verstanden werden. Zu keinem Zeitpunkt waren in der Nachkriegsperiode in den Westzonen die monopolkapitalistischen Eigentumsverhältnisse zerbrochen worden. Der folgende Satz von Kurt Schumacher – vom Juli 1945 – reflektiert die völlige Fehleinschätzung der unmittelbaren Nachkriegssituation durch die sozialdemokratische Parteiführung: „Es ist der Kapitalismus in Deutschland, der mit dem Zusammenbruch seiner politischen Methoden und Parteien auch selbst zusammengebrochen ist" [5]. In vielen Fällen bauten die Arbeiter die Betriebe ohne die Kapitalisten wieder auf, aber nur kurze Zeit später tauchten diese wieder als die Chefs auf. Das (zum Teil nur noch als Rechtstitel vorhandene) kapitalistische Eigentum realisierte sich schnell, zuerst unter dem Schutz der Besatzungsmächte und dann der Bonner Regierung, als reales Herrschafts- und Aneignungsverhältnis.

In den gesellschaftspolitischen Grundfragen setzte sich die Klassensolidarität der westlichen Besatzungsmächte, insbesondere der US-Besatzungsmacht, mit den westdeutschen Kapitalisten gegen das Potsdamer Abkommen und eine Vielzahl von Kontrollratsbeschlüssen durch. Das betraf besonders demokratische Veränderungen der Wirtschaftsverfassung; denn diese wären die Grundlage dafür gewesen, Faschismus und Militarismus mit Stumpf und Stil auszurotten. Die Politik der Restauration wurde nicht nur gegen die – eindeutig auch in den Verlautbarungen der westlichen Besatzungsmächte formulierte – Erkenntnis durchgesetzt, daß das deutsche Monopolkapital Förderer und Nutznießer des deutschen Faschismus und seiner Raubzüge gewesen war, sondern auch gegen den Willen der Mehrheit der westdeutschen Bevölkerung. Das zeigte

5  Aufruf Kurt Schumachers vom Juli 1945. In: ders., Turmwächter der Demokratie. Bd. 2, Berlin: 1953, zit. nach: Geschichte der deutschen Arbeiterbewegung. In acht Bänden. Berlin: 1966, Bd. 6, Dokumentenanhang, S. 366.

sich in der bald einsetzenden Begünstigung privatkapitalistischer Interessen, in der nur formalen Durchführung der Konzernentflechtung, in der Behandlung des Eigentums von Großkapitalisten, die als Kriegsverbrecher abgeurteilt worden waren, in der Verhinderung der Sozialisierungsartikel einiger Länderverfassungen usw. Mit dem Anlaufen (und der Konzeption) des Marshall-Planes war die Zielrichtung des Restaurationsprozesses vollends offenkundig geworden.

Die monopolkapitalistischen Eigentumsverhältnisse blieben im Übergang vom Faschismus zum westlichen Besatzungsregime und schließlich zur BRD ungebrochen. Sie stabilisierten sich nicht nur mit dem Aufschwung der industriellen Produktion, sondern die erweiterte Reproduktion der gegenständlichen Produktionsbedingungen war untrennbar mit der Erweiterung monopolkapitalistischer Eigentums- und Machtverhältnisse verbunden [6]. Diese Prozesse vollzogen sich nach 1945 allerdings nicht mehr nur auf der Grundlage des spontanen Wirkens ökonomischer Gesetze, sondern über und mit den Eingriffen des Staates in die Reproduktion – also als staatsmonopolitische Prozesse.

## Die Entwicklungsetappen nach 1945

Die Periodisierung der Entwicklung des westdeutschen Kapitalismus in der Nachkriegszeit muß den folgenden Momenten Rechnung tragen: Den Auswirkungen der Auseinandersetzung mit den sozialistischen Staaten – vor allem mit der DDR – auf die Gesamtsituation des westdeutschen Imperialismus, dem Klassenkampf in Westdeutschland und der Stellung der BRD im imperialistischen Weltsystem, insbesondere gegenüber

6  Vor dem Hintergrund dieser Zusammenhänge ist die Haltung der SPD-Führung seit Godesberg besonders aufschlußreich. Sie geht davon aus, daß zwischen Eigentum und Demokratie als Staatsform, also einer politischen Herrschaftsform, kein Grundzusammenhang bestünde und es für die sozialdemokratische Orientierung deshalb wesentlich sei, davon Abschied zu nehmen, „daß es vor allem darauf ankomme, die Produktionsmittel zu sozialisieren". So Willy Brandt in: Neue Gesellschaft 1970, Nr. 1, S. 28.

der Hegemonialmacht USA. Darüber hinaus muß der jeweils erreichte Grad an ökonomischer Machtkonzentration und der Grad der Ausprägung und „Reife" des staatsmonopolistischen Regulierungs- und Herrschaftssystems berücksichtigt werden. Wirkungsweise und Funktionen dieser Faktoren stehen in einem wechselseitigen Abhängigkeitsverhältnis [7]. Im folgenden sollen die wichtigsten Etappen, die sich in diesem Zusammenhang gegeneinander abgrenzen lassen, kurz skizziert werden.

Am Ende der ersten Nachkriegsperiode, die von 1945 bis 1949 dauerte, verfügte die westdeutsche Bourgeoisie wieder über einen einheitlichen zentralen Staatsapparat. Bis dahin – und zum Teil noch darüber hinaus – hatten die westlichen Besatzungsmächte ein „staatsmonopolistisches System mit vorwiegend militärisch-administrativen Zügen" [8] etabliert. In ihm waren imperialistischer Besatzungskolonialismus und die Reaktivierung – und gleichzeitige Ein- und Unterordnung – des ökonomischen und militärischen Potentials Westdeutschlands in die US-Globalstrategie ineinander übergehende Elemente. Mit aktiver Hilfe der westdeutschen Großbourgeoisie, die durch die CDU politisch repräsentiert wurde, dirigierten die Besatzungsmächte die Spaltung Deutschlands. Darauf zielte in erster Linie auch die Währungsreform vom Juni 1948 und die mit ihr verbundene Entscheidung für die „Marktwirtschaft". Ihre Funktion gegenüber der westdeutschen Arbeiterklasse wird in jener Periode aus der sprunghaft steigenden Ausbeutung der Arbeitskraft deutlich. So stieg der Gewinnanteil am westdeutschen Nettoproduktionswert von 17 % im Juni 1948 auf 57 % im Dezember 1948, entsprechend sank die Lohnquote von 83 auf 43 % [9].

7  Zur Periodisierung und zur Charakterisierung der einzelnen Etappen siehe: Imperialismus heute. Der staatsmonopolistische Kapitalismus in Westdeutschland. 4., überarb. Aufl., Berlin: 1967, S. 77 ff.; J. Huffschmid, Die Politik des Kapitals. Konzentration und Wirtschaftspolitik in der Bundesrepublik. Frankfurt/M.: 1969, S. 137 ff.
8  Imperialismus heute, a.a.O., S. 89.
9  Siehe: Geschichte der deutschen Arbeiterbewegung, a.a.O., Bd. 6, S. 299 f.

Die zweite Periode kann von 1949 bis 1956 datiert werden. Schon in seiner ersten Regierungserklärung hatte Bundeskanzler Konrad Adenauer im September 1949 die „Förderung der Kapitalbildung" zum vordringlichsten wirtschaftspolitischen Ziel der Bundesregierung deklariert [10]. An dieser programmatischen Erklärung war daraufhin die Politik der Bundesregierung ausgerichtet. „Marktkonforme" und „marktwirtschaftliche" Mittel und Methoden standen im Vordergrund, vor allem steuerpolitische Maßnahmen (Gesetz über die DM-Eröffnungsbilanz, Einkommenssteuergesetz, die Gesetze zur degressiven Abschreibung usw.). Damit wurde die Verwandlung der Profite in fungierendes Kapital und die Steigerung der Akkumulations- und Investitionsraten begünstigt und gewährleistet. Dabei spielte die Begünstigung der Akkumulation der Konzerne, also einer hohen Selbstfinanzierungsquote, eine bedeutendere Rolle als die rasche Erweiterung zentralisierter Fonds. Diese „marktwirtschaftliche" Orientierung schloß auch damals den „Dirigismus" und die „Subventionspolitik" nicht aus, wenn sie den Interessen der Konzerne entsprach – so z. B. das Investitionshilfegesetz für die Konzerne der Schwerindustrie, aber auch der gezielte Einsatz der ERP-Fonds, die Orientierung des staatlichen Sektors auf die Profitbegünstigung des Privatkapitals usw.

Zu Beginn der fünfziger Jahre riß der Sog des Korea-Booms die westdeutsche Wirtschaft sprunghaft nach vorn und ermöglichte den Konzernen die nahezu kampflose Eroberung außenwirtschaftlicher Positionen. Die Expansion des Warenexports wurde allerdings auch damals durch das Exportförderungs-Gesetz, das ein System von Steuerbegünstigungen und Exportgarantien installierte, forciert. Als Ergebnis dieser Periode ergibt sich, daß der „Akkumulationsprozeß in der westdeutschen Wirtschaft eindeutig staatsmonopolistischen Charakter angenommen" hatte [11]. Die Akkumulation der Konzerne konnte also nur noch mittels der Einschaltung des Staates sichergestellt werden.

10  Ebd., Bd. 7, S. 54.
11  Imperialismus heute, a.a.O., S. 101.

Bis 1956 waren die Strukturprobleme der westdeutschen Wirtschaft durch den langanhaltenden Nachkriegsboom weitgehend verdeckt worden. Auch in dieser Periode war aber die zyklische Entwicklung der kapitalistischen Ökonomie nicht aufgehoben. Infolge einer Reihe von besonderen, durch die Nachkriegsentwicklung bedingten Faktoren äußerte sie sich jedoch nicht in Produktionseinbrüchen am Tiefpunkt der Abschwungsphase. Diese Faktoren resultierten aus dem Nachholbedarf zur Erneuerung des Produktionsapparates, aus dem Nachholbedarf des individuellen Konsums, den der Arbeitskräfte-Bedarfsstruktur entsprechenden Arbeitskraftreserven, den besonders aufnahmefähigen Außenmärkten, den für die Konzerne günstigen Kostenstrukturen infolge eines unter dem vergleichbaren internationalen Standard liegenden Lohnniveaus und anderem mehr. Diese Bedingungen sicherten der westdeutschen Wirtschaft den langfristigen Aufwärtstrend. Die zyklische Bewegung kam daher nur noch als Zyklus der Zuwachsraten und der Investitionen zum Ausdruck.

Seit 1956 – seit dem Beginn der dritten Phase – wurden neue Momente mit der Internationalisierung und Integration (EWG, Euratom) wirksam, und es zeichnete sich der Einbruch der wissenschaftlich-technischen Revolution ab. Erste Auswirkungen wurden mit den Strukturkrisen im Bergbau – hervorgerufen durch die Verlagerung der Energiebasis – sichtbar. Diese wirkten selbst wieder als Triebkräfte zum Ausbau des staatsmonopolistischen Regulierungssystems. In dieser Periode – gegen Ende der fünfziger und Anfang der sechziger Jahre – sind die jetzt durch „innere" Faktoren bedingten Elemente des staatsmonopolistischen Kapitalismus voll ausgebildet.

Der 13. August 1961 markiert den Beginn einer neuen Phase. Mit der Grenzsicherung der DDR wurde nicht nur das Scheitern der Adenauer-Dulles-Strategie offenkundig, sondern es wurde auch das ökonomische Potential der DDR entgültig dem Zugriff des westdeutschen Imperialismus entzogen. In dieser Periode erlangen die Auswirkungen der wissenschaftlich-technischen Revolution verstärkt Geltung. Das innere Arbeitskräfte-Potential der BRD ist nahezu erschöpft. Eine extensive Erweiterung der Produktion ist nur noch beschränkt möglich. Das macht einen Wachstumstyp der intensiven erweiterten Reproduktion notwendig, indem die Steigerung der Produktion nahezu ausschließlich durch Anwendung neuer Verfahren und Technologien sowie durch die weitere Intensivierung der Ausbeutung der Arbeitskraft durchgesetzt wird. Im Zusammenhang mit der sich rasch ändernden Arbeitskräfte-Bedarfsstruktur der Wirtschaft werden die qualitativen und quantitativen Mängel des Bildungswesens offenkundig. Ferner treten für den westdeutschen Imperialismus gegenüber den imperialistischen Rivalen Rückstände im Forschungs- und Entwicklungssektor zutage, die nur durch das Eingreifen des Staates aufgeholt werden können.

Schon in der ersten Hälfte der sechziger Jahre wirken die Prozesse der Internationalisierung der Wirtschaft als relativ selbständige Faktoren auf den weiteren Ausbau der staatsmonopolistischen Regulierung ein. Die Rüstung wird wieder zu einem wichtigen ökonomischen Faktor und verstärkt diesen Trend.

Der Übergang zur staatlichen Regulierungstätigkeit des neuen Typs wird mit der Wirtschaftskrise 1966/67 sichtbar. Der Sturz des Kabinetts Erhard symbolisiert das Ende der Nachkriegszeit. Die Krise hatte – erstmals in der Nachkriegszeit – im Verlauf der zyklischen Entwicklung Produktionsrückgänge, also offensichtliche Wachstumsverluste mit sich gebracht. Das staatsmonopolistische System in der BRD kann seine inneren Widersprüche und die sozialen Gegensätze aber nur überbrükken, wenn es ihm gelingt, relativ hohe Wachstumsraten zu erzielen. Da dies mit den alten Methoden der Wirtschaftsregulierung nicht mehr zu erreichen war, wurde der Übergang zur sogenannten Globalsteuerung unabdingbar.


*Die Globalsteuerung – eine Übergangsform staatsmonopolistischer Regulierung*


Alle Tendenzen zur Globalsteuerung sind aber schon früher registrierbar. Die erste Kabinettsvorlage des in der Krise im

Mai 1967 verabschiedeten „Gesetzes zur Förderung der Stabilität des Wachstums der Wirtschaft" (Stabilitätsgesetz) stand bereits 1964 zur Diskussion. Dieses Gesetz bildet die gesetzliche Grundlage der staatsmonopolistischen Regulierung in der Form der Globalsteuerung. Damit vollzog sich zugleich die Ablösung der bis dahin herrschenden Wirtschaftsideologie des Neoliberalismus durch die keynesianische „Neue Wirtschaftspolitik", wobei hervorgehoben werden muß, daß die neoliberalistische Ideologie die Regierung Erhard niemals an subventionistischen oder dirigistischen Maßnahmen gehindert hatte, wenn dies im Interesse der Konzerne erforderlich war.

Die Globalsteuerung, die die Entwicklung seit 1967 kennzeichnet, ist ihrem Charakter nach keine stabile Form staatsmonopolistischer Regulierung. Die Widersprüche des Systems drängen zu einem weiteren Ausbau des Regulierungssystems und zu direkten Eingriffen in die wichtigste Domäne der Monopole, in die Produktion selbst. Dabei ist nicht abzusehen, welche konkrete Form – etwa die der französischen Planification oder eine andere – diese Regulierung annehmen wird. Eine Politik der unmittelbaren Eingriffe in Teilbereiche wird längst praktiziert, ob es sich nun um die Konzentrationsförderung (Ruhrkohlen AG, Erdölversorgungs AG, Walzstahlkontore usw.), gezielte Investitionsmaßnahmen oder die Installierung der verschiedensten staatsmonopolistischen Gebilde zur Finanzierung und Förderung von Forschung und Entwicklung und insbesondere zum Transfer der Ergebnisse dieser Bemühungen in den Verfügungsbereich der privaten Monopole handelt.

Die Notwendigkeit zur Ausweitung und Vertiefung der staatsmonopolistischen Regulierung und Programmierung liegt in den Widersprüchen des Systems selbst begündet. „Die Globalsteuerung stellt in dieser Hinsicht erst ein Übergangsstadium dar"[12]. „Sie wird deshalb von wesentlich strafferen staatsmonopolistischen Regulierungsformen abgelöst werden"[13].

Die ökonomischen Probleme des spätkapitalistischen Systems

12  R. Kowalski, Staat, Monopole, Wirtschaftsregulierung. In: DWI-Forschungshefte 4, 1969, Heft 1, S. 93.
13  Ebd., S. 95.

werden auf verschiedenen Gebieten offenkundig: auf der Unternehmensebene im Verhältnis sinkender Selbstfinanzierungsquoten und steigender Zuschüsse; auf volkswirtschaftlicher Ebene in der abnehmenden Wachstumseffektivität der Investitionen. Hier wirkt sich der Nachholbedarf an Investitionen im infrastrukturellen Bereich (Straßen, Schulen, Krankenhäuser, Kindergärten, Altenheime usw.) aus, die keinen unmittelbaren Wachstumseffekt nach sich ziehen [14].

Auch der sogenannte wirtschaftspolitische Zielkonflikt zwischen Stabilität oder Wachstum bringt die Verschärfung der Widersprüche des Spätkapitalismus zum Ausdruck. Eine fortschreitende Inflation – weitgehend unabhängig von der zyklischen Entwicklung – ist offenkundig. Einerseits ist die inflationäre Politik ein bewußt eingesetztes Mittel der Wirtschaftspolitik im Interesse der Monopole, um so auf „kaltem" Wege eine Umverteilung des Volkseinkommens zugunsten des Staates und der Monopole, d. h. zu Lasten der Arbeiterklasse zu erwirken. Auf der anderen Seite ist sie ein Stimulans des Wirtschaftswachstums. In gewissen Perioden jedoch schlägt sie auch für die Monopole zum Hemmnis um, weil sie die Exportpositionen verschlechtert und die Investitionsneigung abschwächt.

Die materiellen Grundlagen dieser Prozesse sind strukturelle Änderungen, die sowohl die monopolistische Wirtschaftsstruktur im nationalen und internationalen Maßstab als auch die zunehmenden wirtschaftlichen Aktivitäten des Staates und seine wachsende unmittelbar ökonomische Potenz betreffen, die etwa im wachsenden Volumen der Staatseinnahmen und -ausgaben zum Ausdruck kommen. Noch im Jahre 1913 betrug im Deutschen Reich der Anteil der Staatseinnahmen (Haushaltsvolumen) am Nationaleinkommen 15,0 %, 1967 in der BRD dagegen 43,9 %. Die Staatsausgaben je Kopf der Bevölkerung betrugen 1901 im Deutschen Reich 85 Mark, 1967 in der BRD 2479 DM [15].

14  Siehe zu dieser Problematik Spätkapitalismus ohne Perspektive, a.a.O., S. 90 ff.
15  Siehe K. H. Heise, Profitbesteuerung und Regulierung der Kapitalakkumulation. In: DWI-Forschungshefte 3, 1968, Heft 3, S. 7 ff.

Die Auseinandersetzung innerhalb der Bourgeoisie um den Ausbau des Regulierungsinstrumentariums hat vielerlei Ursachen.

Dem häufig zitierten Gegensatz von Gesellschafts- und Ordnungspolitik auf der einen Seite und Haushalts- und Konjunkturpolitik auf der anderen liegt die Furcht eines Teils der Monopolbourgeoisie zugrunde, daß mit der formalen Entsprechung gegenüber dem gesellschaftlichen Charakter der Produktivkräfte die eigentlichen Grundlagen des Kapitalismus (Privateigentum und Wettbewerb) verlassen und die formalen Mittel der Entmachtung des Großkapitals geschaffen würden. Freilich ist der ökonomische Zwang, der dem Ausbau der Regulierung zugrunde liegt, für die Monopole unabwendbar. Die unterschiedliche Interessenlage einzelner Monopole und Monopolgruppen bedingt jedoch gleichzeitig unterschiedliche Anforderungen an die Intervention des Staates. Als Systeminteresse kann die staatliche Wirtschaftspolitik in der Regel nur die Interessen der Monopolgruppen formulieren, die den stärksten Einfluß auf die Unternehmerverbände, die Ministerialbürokratie, die Spitzen der bürgerlichen Parteien, die Regierung, die Massenmedien usw. ausüben und die somit die Definition ihrer Interessen als allgemeine Interessen, als Systeminteressen erzwingen können. Insofern ist die Globalsteuerung eine Form staatsmonopolistischer Programmierung und Regulierung, die den Kräfteverhältnissen in der BRD im ersten Jahr der großen Koalition entspricht.

Dem offenkundigen Ende der Nachkriegszeit folgt der Übergang des westdeutschen Imperialismus zu einer Phase der Expansion gegen Ende der sechziger Jahre. Notwendige Bedingung einer solchen Expansion ist eine Politik, die die Erweiterung des Einflusses und der Macht der Monopole sowie ihres Staates nach innen und außen anstrebt.

Zusammenfassend ist festzustellen: Waren 1949 Basis und Überbau des Systems gesichert, bis 1956 die Restauration im wesentlichen und bis Anfang der sechziger Jahre der Übergang zum staatsmonopolistischen System unter „normalen Bedingungen" vollzogen [16], so wurde der Ausbau des staatsmonopolistischen Systems in den sechziger Jahren vor allem unter dem Druck der Systemkonkurrenz, der wissenschaftlich-technischen Revolution und der verschärften internationalen Konkurrenz fortgesetzt. Die gegen Ende der sechziger Jahre eingeleitete Expansionsphase ist mit einer strategischen Neuorientierung nach innen und außen verbunden: der Verstärkung der Integrationspolitik gegenüber der Arbeiterklasse und der ökonomisch-administrativen Zentralisierungsbestrebungen. Die unter der Bezeichnung der „inneren Reformen" betriebene Politik der Bundesregierung strebt die Erhöhung der „Effizienz" des staatsmonopolistischen Systems, insbesondere seines Staatsapparates an.

*Grundzüge des staatsmonopolistischen Kapitalismus zu Beginn der 70er Jahre*

Im folgenden soll auf einige wichtige Züge des staatsmonopolistischen Systems der BRD eingegangen werden, die seine Entwicklung zu Beginn der siebziger Jahre charakterisieren.
Grundprozesse zur Stärkung der Macht der Monopole sind die Konzentration und Zentralisation des Kapitals im nationalen und internationalen Maßstab. Bereits 1953 war die Kapitalkonzentration auf die großen Aktiengesellschaften in Westdeutschland größer als im Deutschen Reich 1938 (Gesellschaften mit über 100 Mio. Grundkapital hielten 1938 erst 25 %, 1953 dagegen 34 % des gesamten Grundkapitals [17]). Der Konzentrationsgrad hat sich seither beträchtlich erhöht. Ende 1969 gab es unter den 71 842 westdeutschen Kapitalgesellschaften 304 Gesellschaften mit einem Grundkapital von über 50 Mio. DM (0,42 % aller Kapitalgesellschaften). Sie vereinigten 58,5 % des gesamten Grundkapitals der westdeutschen Kapi-

16  Der Staat ist nicht mehr externer oder von außen eingreifender, sondern „immanenter Faktor des Reproduktionsprozesses". Imperialismus heute, a.a.O., S. 142.
17  Ebd., S. 103, 104.

talgesellschaften auf sich [18]. Unter dem Gesichtspunkt der Kapitalverflechtung und Kontrolle verteilen sich diese 304 Gesellschaften auf etwa 60 in- und ausländische Konzerne. 20 Gesellschaften mit einem Kapital von fast 6 Mrd. DM gehören zur IG-Farben-Gruppe, 16 mit 2,7 Mrd. DM zur Thyssen-Mannesmann-Gruppe, 16 mit 2,1 Mrd. DM zur Siemens-AEG-Telefunken-Gruppe, 10 mit 1,6 Mrd. DM Aktienkapital zur Flick-Gruppe [19].

Ebenfalls aufschlußreich sind die Angaben des Bundeskartellamtes zur marktbeherrschenden Stellung der Konzerne. Der Umsatzanteil der 50 größten westdeutschen Industrieunternehmen am gesamten Industrieumsatz stieg von 25,4 % im Jahre 1954 auf 42,2 % im Jahre 1967 [20]. Allein der Umsatzanteil der 10 größten Industrieunternehmen (Volkswagen, Siemens, Hoechst, ATH, Bayer, VEBA, Daimler-Benz, AEG-Telefunken, BASF, Krupp) betrug 1967 16,8 % [21]. Die Beherrschung der Branchenmärkte wird aus den Ziffern des Umsatzanteils der jeweils vier größten Unternehmen der Branche am gesamten Branchenumsatz deutlich: Mineralöl und Erdgas: 1966 = 83,7 % (1960 = 70,2 %); Fahrzeugbau: 81,3 % (71,2 %); Elektrotechnik: 47,4 % (43,3 %); Chemie: 49 % (40 %) [22]. Als Folge des hohen Monopolisierungsgrades spielen formelle Kartelle heute nicht mehr eine ähnliche Rolle wie früher. 1967 waren beim Bundeskartellamt nur 174 Kartelle registriert, gegenüber etwa 2100 in den 20er Jahren [23]. Die Funktion der Kartelle und Syndikate erfüllen heute weitgehend die Unternehmer- und Arbeitgeberverbände (BDI und BDA sowie DIHT mit ihren Unterorganisationen und Institutionen) sowie informelle Vereinbarungen, die auf der Basis der hochgradig kon-

18  DWI-Berichte, Berlin, Nr. 8/1970, S. 22.
19  Ebd., S. 23.
20  Angaben bei Huffschmid, Die Politik des Kapitals, a.a.O., S. 44.
21  Ebd., S. 45.
22  Ebd., S. 49.
23  Angaben bei: Jelisaweta Chmelnitzkaja, Neues in der Organisationsstruktur der Monopole. In: Sowjetwissenschaft. Gesellschaftswissenschaftliche Beiträge 1969, Nr. 8/9, S. 820 f.

zentrierten Eigentumsstruktur als „Telefonkartelle" einfach zu realisieren sind.

Die entscheidende Monopolform der Gegenwart ist der Konzern. Bis Mitte der sechziger Jahre stand das innere Größenwachstum der Konzerne in der BRD im Vordergrund – danach die Umstrukturierung und Fusion. Gegenwärtig scheint die Fusionswelle in der Industrie, im Dienstleistungs- und Banksektor ihren Höhepunkt noch nicht erreicht zu haben. 1965 wurden 50 beim Bundeskartellamt meldepflichtige Fusionen registriert, 1969 168 [24] und 1970 300 Fusionen [25]. Nach einer anderen Erhebungsmethode wurden in den ersten neun Monaten 1970 1172 Firmen mit einem Kapital von 3,8 Mrd. DM von Fusionen betroffen (Vergleichszeitraum 1969: 188 Firmen mit 0,6 Mrd. DM) [26]. Diese neuere Fusionsbewegung ist nicht in erster Linie technologisch bedingt, sondern entspringt finanzpolitischen Manipulationen. Auch in der BRD ist die zunehmende Tendenz zur Konglomeratsbildung unverkennbar [27]. Solche Konglomerate sind Monopole, denen nicht eine der traditionellen „produktionsbedingten" horizontalen oder vertikalen Gliederungen entspricht, sondern Gebilde, die, bunt zusammengewürfelt, ausschließlich aus finanzpolitischen Gründen entstehen.

Das westdeutsche Finanzkapital hat – entgegen allen öffentlichen Beteuerungen – einen hohen Grad an Machtkonzentration erreicht. Die westdeutschen Banken verwalten heute 70 % des gesamten Aktienkapitals, woraus die faktische Kontrolle der Industrie und des Dienstleistungssektors entspringt. Allein die drei Monopolbanken (Deutsche Bank AG, Dresdener Bank AG, Commerzbank AG) halten bei 156 wichtigen westdeutschen Unternehmen Schachtel- und Kontrollpakete von jeweils mindestens 25 % des Aktienkapitals mit insgesamt 3,8 Mrd. DM. Sie verfügen in den wichtigsten Gesellschaften über ins-

24  DWI-Berichte, Nr. 8/1970, S. 24.
25  Frankfurter Allgemeine Zeitung vom 12. 2. 1971.
26  DWI-Berichte, Nr. 1/1971, S. 1.
27  1966–69 betrafen 43 % aller Fusionen und Zusammenschlüsse in der BRD Diversifikationen und Konglomeratsbildungen, siehe: DWI-Berichte, Nr. 8/1970, S. 25.

gesamt 650 Aufsichtsratssitze und kontrollieren allein 16 der 20 umsatzstärksten westdeutschen Industriegesellschaften [28].

Verflechtungen und Fusionen finden heute zunehmend im internationalen Maßstab statt. Darüber hinaus sind die direkte Intervention des Staates zur Förderung der Konzentration und die Herausbildung staatsmonopolistischer Eigentumsstrukturen (z. B. Gesellschaften, an denen der Staat Anteile hält, um das Kapitalminimum für die privaten Monopole zu verringern – vor allem in der Elektrotechnik, der Reaktorenentwicklung u. a.) wesentliche Merkmale der gegenwärtigen Entwicklung. Für diese Tendenzen sind die neuerstandenen westdeutschen Rüstungskonzerne, insbesondere in der Raketen- und Flugzeugindustrie typisch (Bölkow-Messerschmidt-Blohm und Vereinigte Flugtechnische Werke/Fokker). Der Rüstungskomplex ist in den 60er Jahren schneller als alle anderen Sektoren gewachsen. Schätzungen gelangen zu einem Anteil der Rüstungsproduktion an der gesamten industriellen Produktion von 5 % [29]. Mit der wissenschaftlich-technischen Revolution wird die Verfügung über die Ergebnisse von Forschung und Entwicklung mehr und mehr zur Quelle monopolistischer Macht. Die monopolistische Konkurrenz konzentriert sich daher immer mehr auf den Kampf um die Beherrschung der strukturbestimmenden Wachstumsindustrien. „Die Monopolherrschaft beseitigt aber nicht das Konkurrenzprinzip, sie stellt nur eine neue Form der Herrschaft des Privateigentums dar, der die monopolistische Konkurrenz entspricht" [30]. Die neue Qualität des staatmonopolistischen Kapitalismus zeigt sich in der „Errichtung staatlicher Monopolbedingungen" [31] sowie im Kampf um den Einfluß auf die Errichtung dieser Monopolbedingungen, also um den Einfluß auf den Staat als der „wichtigsten Form des Konkurrenzkampfes der großen Konzerne untereinander" [32]. Diese „staat-

28  Der Spiegel 1971, Nr. 4, S. 38 ff.
29  Siehe: DWI-Berichte, Nr. 10/1970, S. 20.
30  R. Gündel, H. Heininger, P. Heß, K. Zieschang, Zur Theorie des staatsmonopolistischen Kapitalismus. Berlin: 1967, S. 319.
31  Ebd., S. 321.
32  Kowalski, Staat, Monopole, Wirtschaftsregulierung, a.a.O., S. 36.

lichen Monopolbedingungen" bezeichnen nicht ein Staatsmo-
nopol – wie es etwa die Bundesbahn oder die Bundespost
darstellt – sondern generell den Zustand, daß der Staat die
Bedingungen der Kapitalverwertung sicherstellt und für das
Einzelmonopol vorgibt.

Aus der jüngsten Fusionswelle sind westdeutsche Konzerne zu
internationaler Größenordnung aufgestiegen. In vielen Bereichen sind sie auch den stärksten US-Konzernen hinsichtlich
des technologischen Standards ebenbürtig (Chemie, Zweige der
Elektrotechnik, des Maschinenbaus, der Feinmechanik und Op-
tik).

Neben der Konzentrationsbewegung des Kapitals ist die Internationalisierung des Kapitalverhältnisses eine der wichtigen
Tendenzen des Kapitalismus zu Beginn der siebziger Jahre.
Hierzu gehört die Herausbildung und verstärkte Rolle internationaler und supranationaler staatsmonopolistischer Institutionen (z. B. EWG-Kommission) und Fonds (z. B. Weltbank),
aber auch die internationale Verflechtung des Kapitals in der
Produktion (z. B. Gemeinschaftsgründungen von Industriekonzernen) und anderen Reproduktionsbereichen (z. B. Gemeinschaftsgründungen der Monopolbanken). Die BRD wird zunehmend zu einem der Zentren der internationalen Kapitalverflechtung. Dabei entspringt die Begünstigung ausländischer
Kapitalanlagen, insbesondere der US-Konzerne, dem Interesse
des westdeutschen Imperialismus, den amerikanischen Imperialismus auch in bezug auf seine materiellen Interessen an die
BRD zu binden, um ihn auch damit an die Erhaltung des
monopolkapitalistischen Systems in der BRD zu fesseln.

Schon 1968 betrug der Auslandsanteil am Grundkapital der
westdeutschen Aktiengesellschaften 18,7 % [33], davon waren
48,4 % (8,7 Mrd. DM) auf nur 47 Unternehmen mit einem
Grundkapital von über 100 Mio. DM konzentriert [34]. Schon
1967 waren 31 der hundert größten westdeutschen Industrie-

33 Auslandskapital in der westdeutschen Wirtschaft. Bonn: 1969,
   S. 365.
34 K. Nehls. Kapitalexport und Kapitalverflechtung. Frankfurt/M.:
   1970, S. 81 f.

unternehmen unter der Kontrolle ausländischen Kapitals [35]. Besonders muß der rasch wachsende und gewachsene Einfluß des US-Kapitals hervorgehoben werden, dessen Hauptstützpunkt in der EWG die BRD wurde – auch hinsichtlich der Trends der Kapitalverflechtung. Auf US-Kapital entfielen 1968 43,6 % aller ausländischen Kapitalanlagen der BRD, also etwa 8 % des westdeutschen Aktienkapitals [36]. Ihr realer Vermögenswert wurde auf etwa 45 Mrd. DM geschätzt [37].

Nahezu alle wichtigen US-Konzerne verfügen heute über Stützpunkte in der BRD. Besondere Aktivität entfalten die berüchtigten – mit Rüstungsproduktion, Militarisierung und Militärabenteuern verbundenen – Konzerne wie DOW Chemical, Litton, ITT usw. Die großen auf internationaler Basis operierenden Konzerne sind heute zur eigentlichen Infrastruktur der imperialistischen Globalstrategie geworden.

Die „Herausforderung" der US-Konzerne war eine wichtige Ursache der staatsmonopolistisch forcierten Konzentrationswelle. Der Kapitalinvasion der US-Konzerne auf der einen entsprach das Eingehen auf die Rolle der Juniorpartnerschaft durch die westdeutschen Monopole, um technologische Rückstände schnell zu überbrücken, auf der anderen Seite. Verstärkt hat sich ferner die Verflechtung im westeuropäischen Rahmen. Die Waren- und Kapitalexportorientierung wichtiger westdeutscher Konzerne auf die EFTA-Länder ist der Hintergrund der Unterstützung des Beitritts Großbritanniens und anderer EFTA-Länder in die EWG.

Monopolisierung und Ausbildung der staatsmonopolistischen Regulierung haben in den sechziger Jahren auch in der BRD der Entwicklung der Produktivkräfte zeitweise neue Entfaltungsmöglichkeiten geschaffen. Der weiteren Ausbildung der Regulierung wird auch in Zukunft eine Schlüsselstellung zukommen. Gegenwärtig ist das wichtigste Instrument der Globalsteuerung, als Instrument antizyklischer Haushaltspolitik

35  Ebd., S. 82.
36  R. Hellmann, Weltunternehmen nur amerikanisch? Baden-Baden: 1970, S. 283.
37  Ebd., S. 51.

zur Durchsetzung einer im Interesse der Monopole liegenden Wachstumspolitik, die mittelfristige Finanzplanung, deren Daten gesetzliche Verbindlichkeit besitzen. Rahmenplanung mit Zielprojektionen, Jahreswirtschaftsbericht, Orientierungsdaten und Jahresgutachten sind die institutionalisierten Versuche zur quantitativen Formulierung der Interessen des Monopolkapitals bzw. der in ihm jeweils dominierenden Gruppen als Zielsetzungen des Staates und angeblich des Gesamtwohls. Aus der Notwendigkeit zur Einschränkung der kapitalistischen Anarchie erwachsen, kann dieses Instrumentarium und seine Funktionsweise jedoch keineswegs mit gesamtgesellschaftlicher Planung verwechselt werden. Dazu fehlt sowohl die gemeinsame Interessenbasis der Klassen und Schichten in der spätkapitalistischen Gesellschaft als auch die Möglichkeit, die Orientierungsdaten zu realisieren – was durch die starken Abweichungen der Projektionen von der tatsächlichen Entwicklung hinlänglich veranschaulicht wird. Die schon vor 1967 existierende Geld- und Kreditpolitik, in deren Zentrum die Bundesbank steht, ist in diese Politik weitgehend integriert.

Zentrale Bedeutung im System der Globalsteuerung kommt der konzertierten Aktion, der besonderen westdeutschen Form staatsmonopolistischer Einkommensregulierung, zu. 1969 und 1970 wurden durch die Aktionen der westdeutschen Arbeiterklasse die Grenzen staatsmonopolistischer Regulierung und insbesondere der Einkommensregulierung markiert. War in den davor liegenden Jahren diese Methode ausreichend, um die Gewerkschaften zu lohnpolitischer Disziplin zu zwingen, so sprengten die aus den zugespitzten Verteilungskonflikten und der verschärften Ausbeutung in den Betrieben erwachsenen Kampfaktionen diese Fesseln. Aus diesen Gründen verstärken sich gegenwärtig die Stimmen der Sprecher des Monopolkapitals nach strafferen Formen der Einkommensregulierung und nach Einschränkung bzw. Aufhebung der Tarifautonomie [38].

---

38 So der ehemalige Staatssekretär und derzeitige Präsident des Ifo-Instituts für Wirtschaftsforschung, München, Prof. H. M. Hettlage, siehe Handelsblatt vom 5./6. 2. 1971.

„Wie noch keine komplexe wirtschaftspolitische Maßnahme vor ihr eignet sie (die Globalsteuerung; d. V.) sich als Instrument zur umfassenden und straffen Ausnutzung des gesamten ökonomischen Potentials Westdeutschlands im Interesse der Monopole" [39]. Das führte und führt nicht zur Überwindung der vorhandenen Gegensätze und Widersprüche, wenn auch „dieser oder jener Widerspruch vorübergehend gemildert oder überbrückt werden (kann), wodurch der Entwicklung des staatsmonopolistischen Systems zeitweilig neuer Spielraum gegeben wird" [40].

Die Aufrechterhaltung einer hohen Industrieproduktion ist für den westdeutschen Imperialismus die Grundlage zur Sicherung seiner internationalen Positionen und zur Durchsetzung seiner besonderen Ziele. Von der internationalen Position wiederum ist aber auch die Möglichkeit des inneren Wachstums abhängig.

Bis 1970 hatte der westdeutsche Imperialismus in der Industrieproduktion den zweiten Platz hinter den USA behauptet, wobei 1970 Japan zum erstenmal den westdeutschen Anteil erreicht hatte. Der Anteil der BRD an der Industrieproduktion der kapitalistischen Welt entwickelte sich wie folgt:
1950 = 6,4 %, 1960 = 9,6 %, 1965 = 9,3 %, 1970 = 9,8 %.
Die entsprechenden Angaben für die USA: 1950 = 53,8 %, 1960 = 45,8 %, 1970 = 41,4 %. Im letzten Jahrzehnt konnte Japan seinen Anteil mehr als verdoppeln (1960 = 4,4 %, 1970 = 9,8 %), der Anteil Großbritanniens sank von 9,3 % auf 7,0 %; Frankreich (von 4,7 % auf 4,8 %) und Italien (von 3,4 % auf 3,6 %) konnten ihre Anteile halten [41].

Eine unangefochtene zweite Position nimmt die BRD im Warenexport ein. Ihr Anteil betrug 1970 = 12,2 % (USA = 15,4 %, Japan = 6,8 %, Großbritannien = 6,5 %, Frank-

39  Spätkapitalismus ohne Perspektive, a.a.O., S. 146.
40  Ebd., S. 143.
41  Nach Berechnung des Instituts für Weltwirtschaft und internationale Beziehungen, Moskau, und des Deutschen Wirtschaftsinstituts, Berlin, siehe: DWI-Berichte, Nr. 1/1971, S. 45.

reich = 6,1 %, Italien = 4,4 %) [42]. Die Analyse des Kapitalexports ergibt jedoch, daß die ökonomische Stärke der BRD anfällig und relativ ist. Das wird weniger am Umfang des gesamten Kapitalexportes als am Stand der Direktinvestitionen im Ausland deutlich. 1968 betrugen die Auslandsanlagen der USA 237 Mrd. DM, Großbritanniens 71 Mrd. DM und der BRD 14 Mrd. DM [43]. Deshalb kann die Stärke des „nationalen" Imperialismus nur noch unzureichend mit den nationalen Produktions- und Exportziffern erfaßt werden. Um dessen Einfluß exakter zu erfassen, müßte die Auslandsproduktion der Konzerne in einem solchen Vergleich miteinbezogen werden. Diese Verhältnisse werden weiterhin durch die Kennziffern illustriert, die sich aus der Relation von Warenexport und Auslandsanlagen ergeben (1966 – nach OECD-Angaben): USA 0,5, Großbritannien 1, Frankreich 2, Japan und die BRD 7 (der Warenexport der BRD war also 7mal so groß wie ihre Direktinvestitionen im Ausland) [44].

Mit der – von Franz Josef Strauß und Hermann Josef Abs programmatisch formulierten – Forcierung der außenwirtschaftlichen Expansion, vor allem durch die Verstärkung der Direktinvestitionen im Ausland, sucht der westdeutsche Imperialismus einen Weg aus dieser Situation. Trotz der Aufwertung der DM ist der Warenexport weiterhin gestiegen und der Exportüberschuß hat auch 1970 die Höhe des Vorjahres erreicht. In den letzten vier Jahren wurden nahezu 10 Mrd. DM für Direktinvestitionen im Ausland verwendet, mehr als in der gesamten davor liegenden Nachkriegszeit (Stand der westdeutschen Direktinvestitionen im Ausland Ende 1958 = 2,2 Mrd. DM, Ende 1969 = 17,6 Mrd. DM [45]). Der Hauptanteil (etwa

42  Ebd., S. 45.
43  Zitiert nach Nehls, Kapitalexport und Kapitalverflechtung, a.a.O., S. 71.
44  Zitiert nach Hellmann, Weltunternehmen nur amerikanisch, a.a.O., S. 18.
45  Zitiert nach Nehls, Kapitalexport und Kapitalverflechtung, a.a.O. (dort amtliche Quellen), S. 147; Runderlaß des Bundesministers für Wirtschaft, Nr. 16/1970; für 1970 Schätzung.

70 %) dieser Investitionen geht in entwickelte kapitalistische Länder und wird vor allem von den Konzernen der Wachstumsindustrien und den Banken getragen.

Damit sind die Haupttendenzen des staatsmonopolistischen Systems der BRD in seiner Expansionsphase skizziert: „Entwicklung der westdeutschen Konzerne zu Monopolen internationaler Größenordnung, Ausbau der westdeutschen Positionen in der imperialistischen Rüstungsintegration und Verstärkung des westdeutschen Kapitalexports" [46].

Von dieser Entwicklung gehen notwendigerweise beträchtliche Störungen der internationalen Beziehungen aus. Die extremen Exponenten dieses Expansionskurses sind der Kern des politisch-ökonomischen Rechtskartells in der BRD. Dieses System beruht im Inneren auf der Ausbeutung der westdeutschen Arbeiterklasse. Der Zwang zur Erhöhung seiner ökonomischen Potenz führt zur Verstärkung der Ausbeutung. Die „innere" Expansion des Systems findet jedoch immer wieder ihre Grenzen in der Kampfkraft und Kampfbereitschaft der Arbeiterklasse und der antimonopolistischen Bewegungen. Der äußere Aktionsradius des westdeutschen Imperialismus wird aber nicht nur durch die Stellung gegenüber den imperialistischen Rivalen bestimmt, sondern zunehmend durch den wachsenden Einfluß des sozialistischen Staatensystems eingeengt.

## Das ökonomische System in der DDR

Verglichen mit der BRD stand die DDR zum Zeitpunkt ihrer Gründung vor einer extrem ungünstigen Ausgangsposition. Ihr Gebiet zeichnete sich nicht nur durch seine Rohstoffarmut, sondern auch dadurch aus, daß der östliche Teil Deutschlands durch die äußerst ungleiche regionale Verteilung der deutschen Industrie vor 1945 gegenüber dem Westen sehr stark benachteiligt war. Außerdem hatte der Osten Deutschlands unter den Kriegszerstörungen wesentlich stärker zu leiden gehabt

---

46  Spätkapitalismus ohne Perspektive, a.a.O., S. 382.

als der Westen, und die vorhandene östliche Industrie war durch eine äußerst disproportionale Struktur geprägt. So existierten auf dem Gebiet der späteren DDR zwar eine relativ entwickelte Leichtindustrie und verschiedene entwickelte Zweige des Maschinenbaus, eine schwerindustrielle Basis fehlte jedoch fast völlig [47].

Daß es der DDR trotz ihrer extrem schlechten Ausgangsbedingungen gelang, ihre heute auch im Westen kaum noch zu bestreitenden wirtschaftlichen Erfolge zu erringen, spricht sicherlich, wie Ernst Richert meint, „für die Intelligenz der Führung und der Organisatoren und ebenso für eine sehr beachtliche Arbeitsmoral der mitteldeutschen Produktionsarbeiterschaft wie ihrer Führungshierarchie" [48]. Es muß jedoch bezweifelt werden, daß „Intelligenz" und „Arbeitsmoral" alleine hierfür als Erklärung ausreichen, waren doch diese beiden Faktoren immer untrennbar verknüpft mit der Herausbildung und Entwicklung einer sozialistischen Planwirtschaft und ihren Möglichkeiten zur einheitlichen und an gesamtgesellschaftlichen Erfordernissen orientierten Planung und Leitung der Volkswirtschaft. Bestimmt war diese sozialistische Planwirtschaft in ihren einzelnen Entwicklungsphasen sowohl von ökonomischen Notwendigkeiten wie von der revolutionären Um-

---

47  Vgl. hierzu und zu den übrigen Benachteiligungen und Verlusten der DDR (insbesondere durch die Einwirkung der BRD, die Flucht von Arbeitskräften und durch die Reparationsleistungen an die Sowjetunion): H. Apel, Wehen und Wunder der Zonenwirtschaft. Köln: 1966, S. 18 f., 252; W. Bröll, Die Wirtschaft der DDR. Lage und Aussichten. München, Wien: 1970, S. 10 ff.; St. Doernberg, Kurze Geschichte der DDR. 4., durchges. u. erg. Aufl., Berlin: 1969, S. 50, 244; W. Horn, Die Errichtung der Grundlagen des Sozialismus in der·Industrie der DDR (1951–1955). Berlin: 1963, S. 51, 54; H. Müller, K. Reißig, Wirtschaftswunder DDR. Ein Beitrag zur Geschichte der ökonomischen Politik der Sozialistischen Einheitspartei Deutschlands. Berlin: 1968, S. 29 ff.; Politische Ökonomie des Sozialismus und ihre Anwendung in der DDR. Berlin: 1969, S. 132 ff.; E. Richert, Das zweite Deutschland. Ein Staat, der nicht sein darf. Frankfurt/M., Hamburg: 1966, S. 78 f.
48  Richert, Das zweite Deutschland, a.a.O., S. 83.

wälzung der gesellschaftlichen Verhältnisse, die sich schrittweise in der DDR vollzog.

## Entstehung und Entwicklung sozialistischer Produktionsverhältnisse

Die in der Phase der antifaschistisch-demokratischen Umwälzung eingeleiteten Maßnahmen zur Entmachtung des Monopolkapitals bildeten die Grundlage für die Entstehung eines volkseigenen Sektors in der Industrie der sowjetischen Zone. Mit dem Befehl 124 der SMAD vom 30. 10. 1945 wurden die Betriebe der aktiven Nazis, Kriegsverbrecher, Kriegsschuldigen und Kriegsgewinnler „sequestriert", das heißt beschlagnahmt und unter provisorische Zwangsverwaltung gestellt. Das war keine endgültige Eigentumsregelung. Was mit den betreffenden Betrieben weiter geschehen sollte, blieb einer Entscheidung der Landesverwaltungen und der Bevölkerung vorbehalten [49]. Diese fiel am 30. 6. 1946 beim Volksentscheid über die entschädigungslose Enteignung der Betriebe der Nazi- und Kriegsverbrecher in Sachsen, dem industrialisiertesten Land der sowjetischen Besatzungszone. 93,71 % der Abstimmungsberechtigten nahmen am Volksentscheid teil, 77,62 % der Abstimmungteilnehmer stimmten dem Enteignungsgesetz zu, in dessen Artikel 1 es hieß: „Das ganze Vermögen der Nazipartei und ihrer Gliederungen und die Betriebe und Unternehmen der Kriegsverbrecher, Führer und aktiven Verfechter der Nazipartei und des Nazistaates, wie auch die Betriebe und Unternehmen, die aktiv den Kriegsverbrechern gedient haben ... werden als enteignet erklärt und in das Eigentum des Volkes überführt" [50]. Dies galt prak-

---

49  Vgl. Geschichte der deutschen Arbeiterbewegung. In acht Bänden. Berlin: 1966, Bd. 6, Von Mai 1945 bis 1949, S. 74.

50  Zit. in: ebd., S. 166 f. Hier sei kurz darauf verwiesen, wie die antifaschistisch-demokratische Entwicklung in der Sowjetischen Zone von der in der BRD vorherrschenden Ideologie beurteilt wird. So meint K. Pritzel, Die Wirtschaftsintegration Mitteldeutschlands, Köln: 1969, S. 17 f.: „Diese Maßnahmen der so-

tisch für die gesamte Großindustrie und die Banken. In den folgenden Monaten erließen die übrigen Landes- und Provinzialverwaltungen der sowjetischen Zone ähnliche Enteignungsverordnungen. Die enteigneten Betriebe gingen zunächst in Landes-, dann zum größten Teil in allgemeines, zentral verwaltetes Volkseigentum über.

Bis zum Frühjahr 1948 war dieser Prozeß, der mit der Zerschlagung der sozialökonomischen Basis des Imperialismus auch die politischen Machtverhältnisse grundlegend veränderte, im wesentlichen abgeschlossen. Zu diesem Zeitpunkt befanden sich 8 % der Industriebetriebe in Volkseigentum, die etwa 39 % der industriellen Bruttoproduktion erzeugten. Weitere 22 %

wjetischen Besatzungsmacht geschahen unter Verletzung des Völkerrechts; weder aus dem Tatbestand der bedingungslosen Kapitulation noch aus der Besetzung deutschen Staatsgebietes ließ sich eine Rechtsgrundlage für derartige Eingriffe herleiten. Zur Verschleierung der Willkürakte der Besatzungsmacht veranstaltete man im Lande Sachsen ein als ‚Volksentscheid' bezeichnetes Scheinmanöver." Von der bezeichnenden Tatsache abgesehen, daß der zitierte Autor das Potsdamer Abkommen nicht zum Völkerrecht zählt, handelt es sich bei dieser Behauptung um eine recht plumpe Geschichtsfälschung. Denn schon ein Blick in die hessische Landesverfassung beispielsweise und insbesondere auf deren Artikel 41, der ja bekanntlich ebenfalls durch eine Volksabstimmung zustandegekommen war, könnte sogar Pritzel belehren, daß antifaschistisch-demokratische Forderungen, die zumindest ansatzweise ebenfalls auf die Entmachtung der Monopolbourgeoisie zielten, durchaus nicht auf die Sowjetische Zone beschränkt waren, sondern 1946/47 auch in den Westzonen die Billigung der großen Mehrheit der Bevölkerung fanden. Dieser Tendenz konnte sich nicht einmal die CDU offen widersetzen, wollte sie sich nicht selbst isolieren. So hatte sie noch im Februar 1947 mit ihrem „Ahlener Programm" dieser antimonopolistischen Stimmung Scheinkonzessionen – und zwar mit eindeutig demagogischer Zielsetzung – zu machen. Vgl. hierzu: Das Ahlener Wirtschaftsprogramm der CDU vom 3. Februar 1947. Abgedruckt bei: W. Abendroth, Wirtschaft, Gesellschaft und Demokratie in der Bundesrepublik. Frankfurt/M.: 1965, S. 126 ff.; vgl. auch: ebd., S. 13 ff.; ders., Bilanz der sozialistischen Idee in der Bundesrepublik Deutschland. In: Antagonistische Gesellschaft und politische Demokratie. Neuwied, Berlin: 1967, S. 429 ff.

der industriellen Bruttoproduktion stammten aus SAG-Betrieben [51], ebenfalls etwa 39 % aus noch privatkapitalistischen Betrieben [52]. Bei den in Privateigentum verbliebenen Unternehmen handelte es sich fast ausschließlich um Klein- und Mittelbetriebe, vorwiegend solche der Leicht- und Nahrungsmittelindustrie. 1953 entfielen 84 % der Privatbetriebe auf die Unternehmensgröße bis zu 50 Beschäftigten, 15 % auf die Unternehmensgröße von 51 bis 200 Beschäftigten [53]. Schon 1950 waren 75,7 % aller Arbeiter und Angestellten in sozialistischen Betrieben beschäftigt [54]. Damit waren die entscheidenden volkswirtschaftlichen Kommandohöhen in die Hände der Arbeiterklasse übergegangen und die Grundlagen geschaffen, auf denen sich erste Ansätze einer gesamtgesellschaftlichen Planung und Leitung der Volkswirtschaft herausbilden konnten. So wurde die 1947 gegründete und die verschiedenen Industriezweige koordinierende Deutsche Wirtschaftskommission im Februar 1948 zu einer wirtschaftlichen Zentralbehörde umgestaltet und mit dem Recht ausgestattet, wirtschaftliche Verordnungen zu erlassen und die Zonenwirtschaftspläne zu erarbeiten [55]. Unter diesen Bedingungen konnte die Vereinheitlichung des volkseigenen Sektors beginnen und der Übergang zur langfristigen Wirt-

51  Etwa 200 Betriebe, die ursprünglich zur Demontage vorgesehen waren, verblieben in der Sowjetischen Besatzungszone und gingen als „Sowjetische Aktiengesellschaften" (SAG) in Eigentum der Sowjetunion über. Bis zum 1. Januar 1954 wurden die letzten SAG-Betriebe in den volkseigenen Sektor der DDR überführt. Vgl. hierzu: Apel, Wehen und Wunder der Zonenwirtschaft, a.a.O., S. 18; Bröll, Die Wirtschaft der DDR, a.a.O., S. 14; Doernberg, Kurze Geschichte der DDR, a.a.O., S. 50, 244.
52  Vgl. Politische Ökonomie des Sozialismus, a.a.O., S. 69; G. Richter, Erfahrungen des sozialistischen Wirtschaftsaufbaus in der Deutschen Demokratischen Republik. In: Probleme der Politischen Ökonomie 12, 1969, S. 23.
53  Vgl. Statistisches Jahrbuch 1955 der Deutschen Demokratischen Republik, S. 132.
54  Vgl. Statistisches Jahrbuch 1968 der Deutschen Demokratischen Republik, S. 115 f.
55  Vgl. hierzu Müller, Reißig, Wirtschaftswunder DDR, a.a.O., S. 62 ff.

schaftsplanung vollzogen werden, deren erstes Ergebnis der Zweijahrplan von 1949/50 war [56].

Es entsprach weder der Konzeption der antifaschistisch-demokratischen Umwälzung, noch wäre es politisch und ökonomisch von Vorteil gewesen, die privaten Klein- und Mittelbetriebe zusammen mit den Großbetrieben zu enteignen und die gesamte Industrieproduktion in sozialistisches Eigentum zu überführen. Neben den damit verbundenen politischen Nachteilen hätte sich ein solches Verfahren für den entstehenden volkseigenen Sektor nur belastend auswirken können, da die Zersplitterung der Produktion, die Vielfalt des Warensortiments, die Abhängigkeit von spezifischen lokalen Bedingungen kaum die Voraussetzungen dafür boten, diese Betriebe unmittelbar der zentralen staatlichen Planung und Leitung einzugliedern. Diese mußte vielmehr in dieser frühen Phase ihrer Entwicklung und unter den Bedingungen ökonomischer Disproportionen und übrigen Belastungen gerade auf die Vereinheitlichung der Produktion und die Vereinfachung des Planungsprozesses gerichtet sein, um sich auf ihre Hauptaufgaben, insbesondere den Aufbau einer schwerindustriellen Basis, konzentrieren zu können.

„Handwerker und Gewerbetreibende, darunter auch die noch bestehenden kapitalistischen Unternehmen, repräsentierten eine bedeutende wirtschaftliche Kraft. Die Entwicklung wichtiger Teile der industriellen Produktion, besonders im Bereich der Leicht- und Nahrungsgüterindustrie und in der Fertigung hochspezialisierter Produktionsmittel, befand sich in ihren Händen. Das produzierende und dienstleistende Handwerk ergänzt und komplettiert vor allem auf territorialer Ebene die industrielle Produktion (Produktion von Nahrungs- und Genußmitteln, Dienstleistungen, Reparaturen) und trägt so entscheidend zur Versorgung der Bevölkerung mit Waren des täglichen Bedarfs und mit Dienstleistungen bei" [57]. Diese spezifische Funktion konnte jedoch noch kaum von der volkseigenen Industrie übernommen werden, während es andererseits

---

56  Ebd., S. 81 ff., 94 ff.
57  Politische Ökonomie des Sozialismus, a.a.O., S. 168.

darauf ankam, alle Kapazitäten für den wirtschaftlichen Aufbau nutzbar zu machen.

Nach der Gründung der DDR und dem Übergang der antifaschistisch-demokratischen in die sozialistische Revolution, dei
dem Beschluß der 2. Parteikonferenz der SED vom Juli 1952
entsprach, „daß in der Deutschen Demokratischen Republik
der Sozialismus planmäßig aufgebaut" werden solle [58], war es
deshalb notwendig, die weitere Umgestaltung der Produktionsverhältnisse auf zweierlei Art zu erreichen. Einmal galt es,
auf der Grundlage der bestehenden Eigentumsstruktur und
ohne neuerliche umfangreiche Enteignungen den Anteil des
volkseigenen Sektors an der industriellen Bruttoproduktion zu
vergrößern und ihn damit zu dem die weitere gesellschaftliche
Entwicklung bestimmenden Sektor zu entwickeln. Dementsprechend wurde mehr als die Hälfte der im ersten Fünfjahrplan
(1951 bis 1955) veranschlagten staatlichen Gesamtinvestitionen
zur Vergrößerung des Produktionsapparates der volkseigenen
Industrie vorgesehen [59]. Bis zum Ende des ersten Fünfjahrplans stieg der Produktionsindex der gesamten Industrie von
100 im Jahre 1950 auf 190, im volkseigenen Sektor dagegen
auf 211 [60]. Der Anteil der volkseigenen Industrie an der industriellen Bruttoproduktion, die durch die Übergabe der SAG-
Betriebe zusätzlich gestärkt wurde, war bis 1955 auf 87,3 %
gewachsen [61].

Zweitens war es jedoch zum vollständigen Sieg der sozialistischen Produktionsverhältnisse erforderlich, die restlichen Privatbetriebe direkt in den Prozeß der staatlichen Planung mit-
einzubeziehen und den privaten und kapitalistischen Charakter ihrer Produktion zu überwinden, zumal es sich erwies,

58  Zit. in: Geschichte der deutschen Arbeiterbewegung, a.a.O., Bd. 7,
    S. 170 ff.
59  Vgl. Gesetz über den Fünfjahrplan zur Entwicklung der Volks-
    wirtschaft der Deutschen Demokratischen Republik 1951–1955.
    Berlin: 1951, S. 49.
60  Vgl. Statistisches Jahrbuch 1967 der Deutschen Demokratischen
    Republik, S. 150.
61  Vgl. Statistisches Jahrbuch 1959 der Deutschen Demokratischen
    Republik, S. 278.

daß die indirekten Mittel des sozialistischen Staates zur Steuerung der privaten Produktion wie Preis-, Steuer-, Einkommens- und Kreditpolitik und Kontingentierung der Rohstoff- und Produktionsmittelbelieferung nicht ausreichten, um Widersprüche zu beseitigen, die trotz des Übergewichts des sozialistischen Sektors aus dem Nebeneinander zweier antagonistischer Produktionsweisen entstehen mußten. „Die Kredit- und Steuerpolitik gegenüber dem privaten Sektor konnte von den Steuerungselementen des sozialistischen Sektors relativ stark abgegrenzt werden. Hinsichtlich der Preispolitik jedoch konnte eine Abgrenzung nur sehr schwer erfolgen. So kam es häufig vor, daß Preise zwar die Produktionsgestaltung der privaten Unternehmer richtig lenkten, aber der wirtschaftlichen Rechnungsführung der VEB nicht entsprachen, und umgekehrt. Diese Widersprüche führten beispielsweise dazu, daß die Akkumulation und die Revenue der privaten Unternehmen aufgrund der Preis- und Kreditpolitik der Jahre 1953 und 1954 schneller wuchsen als die Umsätze. Andererseits wurden nicht alle Reserven genutzt. Eine ganze Reihe von Unternehmern waren infolge der Beschränkung der erweiterten Reproduktion nicht in der Lage, ihre Fähigkeiten voll zum Nutzen der Gesellschaft einzusetzen" [62]. Als Mittel zur direkten Einbeziehung der privaten Unternehmen in den sozialistischen Reproduktionsprozeß wurde die staatliche Beteiligung in Form der Kommanditgesellschaft entwickelt. Hierbei tritt der Staat durch finanzielle Beteiligung als Teilhaber auf, während der Besitzer unbeschränkt haftender Gesellschafter und Unternehmensleiter bleibt. Meist macht die staatliche Beteiligung mehr als 50 % aus [63].

Die mit der staatlichen Beteiligung erreichte direkte Einbeziehung der Privatbetriebe in das sozialistische Produktionssystem bewirkt auch eine zunehmende Veränderung ihres sozialökonomischen Charakters, so daß sie nicht länger als Fremdkörper,

---

62  Richter, Erfahrungen des sozialistischen Wirtschaftsaufbaus in der Deutschen Demokratischen Republik, a.a.O., S. 26 f.
63  Vgl. hierzu: Politische Ökonomie des Sozialismus, a.a.O., S. 170 f.

die besonderen ökonomischen Gesetzmäßigkeiten unterworfen sind, in einer sozialistischen Umgebung existieren, sondern ihrerseits zunehmend von sozialistischen Produktionsverhältnissen erfaßt werden. „Erstens wurde der sozialistische Staat zum Miteigentümer dieser Betriebe ... Zweitens werden diese Betriebe über vielfältige Formen in das System der sozialistischen Planung einbezogen. Drittens nimmt der Eigentümer – sozialökonomisch betrachtet – eine Doppelfunktion ein: Er ist sowohl Unternehmer als auch staatlich eingesetzter Leiter. Die Festigung und Weiterentwicklung der sozialistischen Ordnung, die Ausübung seiner Tätigkeit im Rahmen der sozialistischen Gesellschaft ist notwendigerweise damit verbunden, daß seine staatliche Funktion, der sozialistische Charakter seiner Arbeit immer mehr das Übergewicht erhält ... Viertens veränderte sich vor allem die Stellung der Arbeiter und Angestellten, sie nähert sich immer mehr der in den sozialistischen Betrieben an. Mit der staatlichen Beteiligung wurden auch sie Eigentümer der Betriebe, in denen sie produzieren" [64].

Zu Beginn schritt die Bildung von Betrieben mit staatlicher Beteiligung allerdings nur zögernd voran, um sich dann rasch zu beschleunigen. 1956 existierten 144 halbstaatliche Betriebe, 1958 dagegen schon 1541 und 1962 5277. 1956 betrug ihr Anteil an der Bruttoproduktion sämtlicher Privatbetriebe erst 3 %, 1959 jedoch schon über 50 % und 1962 über 75 %. Bis 1967 stieg ihre Zahl auf 5562, ihr Anteil an der Bruttoproduktion aller Privatbetriebe auf etwa 85 % [65].

Die folgende Tabelle faßt nochmals die geschilderte Entwicklung zusammen, wobei deutlich wird, daß die Phase des ersten Fünfjahrplans gekennzeichnet war durch die weitere starke Ausdehnung des volkseigenen Sektors, während die Phase nach 1955 geprägt wurde durch die zunehmende Integration des privaten Sektors in das sozialistische Produktionssystem durch die Bildung halbstaatlicher Betriebe.

64  Ebd., S. 171.
65  Vgl. Statistisches Jahrbuch 1968 der Deutschen Demokratischen Republik, S. 115.

*Verteilung der industriellen Bruttoproduktion nach Eigentums-*
*formen der Betriebe, in Prozent* [66]

| Jahr | Eigentumsformen der Betriebe | | |
|------|------|------|------|
| | Sozialistisch | Halbstaatlich | Privat |
| 1950 | 76,5 | – | 23,5 |
| 1955 | 87,3 | – | 12,7 |
| 1960 | 88,7 | 7,5 | 3,8 |
| 1965 | 88,0 | 9,8 | 2,2 |
| 1969 | 88,5 a) | 9,9 a) | 1,5 a) |

a) Differenz zu 100 entsteht durch Auf- und Abrundungen
bei der Berechnung der Prozentsätze.

Während das staatliche Außenhandelsmonopol zu den Kommandohöhen gehörte, welche sich die Arbeiterklasse in der
antifaschistisch-demokratischen Umwälzung erobert hatte,
wurde gegenüber dem Binnenhandel ein ähnlicher Weg wie
bei der Umgestaltung der Industrie eingeschlagen. Beschleunigt
wurde die Ausdehnung des volkseigenen Sektors (Staatliche
Handelsorganisation HO, volkseigene Großhandelszentralen)
insbesondere beim Großhandel, während sie beim Einzelhandel
wesentlich langsamer erfolgte, jedoch begleitet wurde von der
Herausbildung eines starken genossenschaftlich-sozialistischen
Sektors in Form der Konsumgenossenschaften. 1950 realisierte
der sozialistische Sektor im Großhandel 71,1 % des Gesamtumsatzes (davon volkseigene Betriebe 67 %, Genossenschaftsbetriebe 4,1 %), im Einzelhandel 47,2 % (davon volkseigene
Betriebe 26,4 %, Genossenschaftsbetriebe 17 %) [67]. Schon 1953
spielte der private Großhandel praktisch keine Rolle mehr,
während auf – überwiegend kleine – Privatbetriebe noch
etwa ein Drittel des Einzelhandelsumsatzes entfiel.

66 Vgl. Statistisches Jahrbuch 1959 der Deutschen Demokratischen
   Republik, S. 278 und 1970, S. 99, 104.
67 Vgl. Jahrbuch der Deutschen Demokratischen Republik 1956. Berlin: 1956, S. 191.

*Anteil am Handelsumsatz nach Eigentumsformen der Betriebe, 1953, in Prozent* [68]

| | Eigentumsformen der Betriebe | | |
| | Privat | Volkseigen | Genossen-schaftlich |
| --- | --- | --- | --- |
| Großhandels-umsatz | 5,5 | 92,1 | 2,4 |
| Einzelhan-delsumsatz | 31,0 | 42,2 | 26,8 |

Ab 1956 wurde auch der private Einzelhandel direkt in die gesellschaftliche Organisation des Handels eingegliedert. Dies geschah in Form von Kommissionsverträgen mit dem volkseigenen Handelssektor, „wobei der private Einzelhändler für den sozialistischen Handel auf vertraglicher Basis Waren in Kommission nimmt, die bis zum Verkauf Eigentum des sozialistischen Handels bleiben. Damit ist das Hauptelement des privaten Handels, durch das seine Tendenz zur Bildung von Kapital in der bisherigen Entwicklung begünstigt wurde, nämlich das Privateigentum an der Ware selbst, ökonomisch überwunden worden. Mit dem Verkauf erhalten die Händler ihre Kosten ersetzt und eine Provision" [69]. 1960 wurden 6,5 % und 1969 9,3 % des Einzelhandelsumsatzes vom Kommissionshandel realisiert. Vom sozialistischen Sektor wurden schon 1960 77,2 % und 1969 79,9 % des Einzelhandelsumsatzes getätigt [70]. Anders als im Einzelhandel erfolgte dagegen die Umgestaltung und direkte Einbeziehung des Handwerks in den sozialistischen Reproduktionsprozeß ab 1958 auf der Grundlage genossen-

68  Vgl. Pritzel, Die Wirtschaftsintegration Mitteldeutschlands, a.a.O., S. 55.
69  Politische Ökonomie des Sozialismus, a.a.O., S. 165. Vgl. hierzu auch: Jahrbuch der Deutschen Demokratischen Republik 1957. Berlin: 1957, S. 162 f.
70  Vgl. Statistisches Jahrbuch 1970 der Deutschen Demokratischen Republik, S. 269.

schaftlicher Zusammenschlüsse, sogenannter Produktionsgenossenschaften des Handwerks (PGH). Auf diese Weise wurde die den technischen Fortschritt hemmende Zersplitterung der Produktion in Kleinstbetriebe überwunden. 1969 stammten 48,2 % der Gesamtleistungen des Handwerks aus den PGH [71].

Auch in der Landwirtschaft erfolgte die Veränderung der Produktionsverhältnisse auf dem Wege des genossenschaftlichen Zusammenschlusses. Nach der demokratischen Bodenreform war die Landwirtschaft der SBZ/DDR von klein- und mittelbäuerlichen Betrieben geprägt. Diese Maßnahme erwies sich nicht nur als politisch richtig, sondern zunächst auch als ökonomisch effektiv. Nachdem jedoch 1950/51 die Vorkriegserträge wieder erreicht wurden, erwiesen sich zu Beginn der fünfziger Jahre die klein- und mittelbäuerlichen Eigentumsverhältnisse als zunehmendes Hemmnis für die weitere Entfaltung der Produktivkräfte im Agrarsektor. Insbesondere die Rationalisierung und Technisierung der Agrarproduktion erforderte den Zusammenschluß zu großen Produktionseinheiten. So konnte die sozialistische Großraumwirtschaft der Volkseigenen Güter (VEG) bereits 1951 auf beträchtlich höhere Durchschnittserträge als die übrige Landwirtschaft verweisen [72]. Ab 1952 wurde deshalb mit der Gründung der ersten Landwirtschaftlichen Produktionsgenossenschaften (LPG) auf Beschluß der 2. Parteikonferenz der SED die sozialistische Umwälzung im Agrarsektor begonnen [73]. Bis 1957 war der Anteil des sozialistischen Sektors an der landwirtschaftlichen Nutzfläche auf 32,7 % gestiegen, wobei 24,2 % auf LPG und 8,6 % auf VEG und andere volkseigene Betriebe entfielen [74]. In ihre entscheidende Phase trat die Umwälzung der agrarischen Produktionsverhältnisse nach 1958 und erreichte 1960 ihren Höhepunkt. Bis Ende 1960 waren 84,2 % der landwirt-

---

71  Ebd., S. 164.
72  Vgl. hierzu: Die Volkswirtschaft der DDR. Berlin: 1960, S. 169.
73  Vgl. hierzu: Geschichte der deutschen Arbeiterbewegung, a.a.O., Bd. 7, S. 202 ff.
74  Vgl. Statistisches Jahrbuch 1962 der Deutschen Demokratischen Republik, S. 403.

schaftlichen Nutzfläche in genossenschaftlich-sozialistisches Eigentum übergegangen [75]. Bis 1968 stieg dieser Anteil noch geringfügig auf 85,8 %, der des sozialistischen Sektors insgesamt auf 94,1 % [76]. Bei den LPG lassen sich hinsichtlich des Grades der Vergesellschaftung der Produktionsmittel drei Typen unterscheiden. Schon 1960 wurden vom fortgeschrittensten Typ annähernd 53 % der landwirtschaftlichen Nutzfläche bewirtschaftet [77].

Mit diesen Umwälzungsprozessen in Industrie, Handel und Landwirtschaft hatten sich zu Beginn der sechziger Jahre die sozialistischen Produktionsverhältnisse in der DDR allgemein durchgesetzt.

*Die Überwindung der ökonomischen Disproportionen und der Übergang von der vorwiegend extensiven zur vorwiegend intensiven Reproduktion*

Parallel zur Umgestaltung der Produktionsverhältnisse vollzog sich ein grundlegender ökonomischer Prozeß, der mit der Überwindung der überkommenen disproportionalen Produktionsstruktur, dem Aufbau einer eigenen schwerindustriellen Basis und den ersten Auswirkungen der wissenschaftlich-technischen Revolution endete. Aus der ungleichen Industriestruktur, deren Disproportionen durch die Spaltung Deutschlands voll zum Tragen kamen, ergab sich für die DDR die Notwendigkeit, vorrangig vor allen anderen Industriebereichen die Entwicklung der Grundstoffindustrie [78], insbesondere der Metallurgie [79],

75 Ebd.
76 Vgl. Statistisches Jahrbuch 1969 der Deutschen Demokratischen Republik, S. 179.
77 Vgl. Statistisches Jahrbuch 1962 der Deutschen Demokratischen Republik, S. 405.
78 Die Grundstoffindustrie umfaßt alle Betriebe, deren Produkte die Basis für die (weiter-)verarbeitende Industrie sind (Rohstoffe, Rohmaterialien, Energie), also: Energiewirtschaft, Bergbau, Metallurgie, chemische Industrie und Baumaterialienindustrie.
79 Metallurgie bezeichnet den Industriezweig der Metallgewinnung

voranzutreiben. Nur so konnte die Grundlage für die Entwicklung der metallverarbeitenden Industrie [80], in der zunächst wegen der Schwäche der Metallurgie selbst die vorhandenen Kapazitäten nur zu einem knappen Viertel ausgenutzt werden konnten, und danach der Leichtindustrie geschaffen werden [81].

Die notwendige Konzentration auf diese Aufgabe bedingte jedoch die weitgehende Vernachlässigung anderer Industriebereiche und -zweige. So konnten während der ersten Jahre des sozialistischen Wirtschaftsaufbaus selbst dem Maschinenbau – mit Ausnahme des Schwermaschinenbaus – nur geringe Investitionsmittel zur Verfügung gestellt werden. Viele Betriebe gelangten deshalb über die einfache Reproduktion nicht hinaus [82]. Erst in der zweiten Hälfte der sechziger Jahre begann der Anteil der Grundstoffindustrie – mit Ausnahme der chemischen Industrie – an den industriellen Investitionen erheblich zu sinken bei gleichzeitiger kontinuierlicher Zunahme des Anteils der metallverarbeitenden Industrie und der Leicht- und Lebensmittelindustrie [83].

und -verarbeitung. Zu ihr gehören Hüttenbetriebe, Stahlwerke, Gießereien, Walzwerke.

80  Im Industriebereich der metallverarbeitenden Industrie werden überwiegend Metalle be- und verarbeitet, die der Erzeugung von Produktions- und Konsumtionsmitteln dienen. Zu ihr gehören folgende Industriezweige: Schwermaschinenbau, Allgemeiner Maschinenbau, Fahrzeugbau, Schiffbau, Gießereien und Schmieden, Metallwarenindustrie, Elektrotechnische Industrie, Feinmechanische und optische Industrie. Vgl. hierzu und zu oben die betreffenden Stichworte in: Wörterbuch der Ökonomie. Sozialismus. Berlin: 1967.

81  Vgl. Richter, Erfahrungen des sozialistischen Wirtschaftsaufbaus in der Deutschen Demokratischen Republik, a.a.O., S. 41; hierzu auch: Horn, Die Errichtung der Grundlagen des Sozialismus in der Industrie der DDR (1951–1955), a.a.O., S. 84 ff.

82  Vgl. hierzu: Müller, Reißig, Wirtschaftswunder DDR, a.a.O., S. 178 ff., 248; Politische Ökonomie des Sozialismus, a.a.O., S. 142.

83  Vgl. hierzu: Aus dem Bericht des Politbüros an die 13. Tagung des Zentralkomitees der Sozialistischen Einheitspartei Deutschlands. 15. bis 17. September 1966. Berichterstatter: Genosse Günter Mittag. Berlin: 1966, S. 21; Bröll, Die Wirtschaft der DDR., a.a.O.,

Wesentlicher Inhalt dieser, als sozialistische Industrialisierung bezeichneten, Periode war es also, zur Überwindung der zentralen Disproportion zwischen Grundstoff- und metallverarbeitender Industrie im Bereich der Grundstoff- und Schwerindustrie neue Produktionskapazitäten zu schaffen. Dies bedeutete, daß in dieser vorwiegend extensiven Phase der Entwicklung, in der das Wirtschaftswachstum in erster Linie durch die quantitative Ausweitung des Produktionsapparates und Vergrößerung des Produkts bestimmt wurde, die verfügbaren Investitionsmittel „nach dem Gesichtspunkt der Sicherung aller für den gesellschaftlichen Reproduktionsprozeß notwendigen Materialien und Ausrüstungen" „eingesetzt werden mußten, oft auch in solchen Zweigen, in denen auf Grund natürlicher Bedingungen mit Verlust gearbeitet wurde oder in denen die Amortisation der Mittel einen relativ langen Zeitraum beanspruchte" [84].

Hierin kommt jedoch nur die quantitative Seite dieses Prozesses zum Ausdruck. Seine qualitative Seite besteht darin, daß mit der Überwindung der ökonomischen Disproportionen auch die gesamte industrielle Struktur verändert wurde, neue Industriezweige sich entwickelten, komplexe Technologien und hochproduktive Verfahren an Gewicht gewannen, die im Zeichen der wissenschaftlich-technischen Revolution in wachsendem Maße die Entwicklung des gesamten Reproduktionsprozesses bestimmen. So zeigt die Entwicklung der industriellen Bruttoproduktion der DDR zwischen 1950 und 1969, daß von Ende der fünfziger/Anfang der sechziger Jahre an das Wachstum solcher Industriezweige wie Elektrotechnik/Elektronik/Gerätebau, Maschinen- und Fahrzeugbau und in der zweiten Hälfte der sechziger Jahre der chemischen Industrie dasjenige der Metallurgie, das bis dahin dominierend gewesen war und auch weiterhin überproportional bleibt, zu überholen begann [85].

S. 33 f.; M. Melzer, Das Anlagevermögen der mitteldeutschen Industrie 1955 bis 1966. In: Vierteljahreshefte zur Wirtschaftsforschung 1968, S. 109 ff.

84  Politische Ökonomie des Sozialismus, a.a.O., S. 143, 142.

85  Vgl. Statistisches Jahrbuch 1970 der Deutschen Demokratischen

Damit erlangte auch die vorwiegend intensiv erweiterte Reproduktion, bei der das Wirtschaftswachstum von der Steigerung der Leistungsfähigkeit des vorhandenen Produktionsapparates und der vorhandenen Arbeitskräfte bestimmt wird, zunehmend das Übergewicht gegenüber der vorwiegend extensiven Reproduktion. Allerdings darf man diese beiden Entwicklungsphasen des Reproduktionsprozesses nicht schematisch voneinander trennen, denn auch in der vorwiegend extensiven Phase war das Wirtschaftswachstum bereits abhängig von Faktoren, die dann in der intensiven Reproduktion zu den bestimmenden wurden. Dies gilt insbesondere für die Entwicklung der Arbeitsproduktivität, ohne deren Steigerung auch die vorwiegend extensiv erweiterte Reproduktion aufgrund des in der DDR herrschenden Mangels an Arbeitskräften nicht auskommen konnte [86].

*Grundelemente des „ökonomischen Systems des Sozialismus"*

Mit den geschilderten Entwicklungsprozessen hatten sich zu Beginn der sechziger Jahre die objektiven Bedingungen für die Weiterentwicklung des ökonomischen Systems der DDR wesentlich verändert: 1. Die sozialistischen Produktionsverhältnisse hatten sich in der gesamten Volkswirtschaft durchgesetzt; 2. Die überkommenen Disproportionen waren weitgehend überwunden, die wissenschaftlich-technische Revolution kündigte sich bereits an und der Reproduktionsprozeß war in seine vorwiegend intensive Phase übergegangen; 3. Hierzu

Republik, S. 21; hierzu auch: Bröll, Die Wirtschaft der DDR, a.a.O., S. 145. P. Mitzscherling, Zunehmender Dirigismus oder Ausbau des neuen ökonomischen Systems? In: Vierteljahreshefte zur Wirtschaftsforschung 1969, S. 238 f.; Melzer, Das Anlagevermögen der mitteldeutschen Industrie 1955 bis 1966, a.a.O., S. 111 ff., 129; Müller, Reißig, Wirtschaftswunder DDR, a.a.O., S. 266 ff.

86  Vgl. Statistisches Jahrbuch 1970 der Deutschen Demokratischen Republik S. 123; hierzu auch: Melzer, Das Anlagevermögen der mitteldeutschen Industrie 1955 bis 1966, a.a.O., S. 125 ff.

kam noch, daß mit dem Bau der Mauer externe Faktoren, „die zu vielseitigen Störungen des Produktionsablaufs geführt haben" [87], in ihrer Wirkung wesentlich eingeschränkt wurden. Diese veränderten objektiven Bedingungen ermöglichten und erforderten qualitative Veränderungen im System der Planung und Leitung der Volkswirtschaft und im gesamten ökonomischen System.

Der erste Schritt in dieser Richtung erfolgte mit der Einführung des „Neuen Ökonomischen Systems der Planung und Leitung der Volkswirtschaft", mit der 1963 im Anschluß an den 6. Parteitag der SED begonnen wurde [88]. Die wichtigsten Elemente des Neuen Ökonomischen Systems wurden in mehreren Etappen bis 1967 verwirklicht. Seine Funktion besteht darin, zur Herausbildung des „ökonomischen Systems des Sozialismus" zu führen [89]. Auf dem 7. Parteitag der SED vom April 1967 wurde das strategische Ziel beschlossen, das „entwickelte gesellschaftliche System des Sozialismus und sein Kernstück, das ökonomische System des Sozialismus" zu schaffen [90]. Das

87 H. Seidler, Die gegenwärtigen Grundtendenzen der Wirtschaft Mitteldeutschlands. In: Vierteljahreshefte zur Wirtschaftsforschung 1965, S. 247.
88 Vgl. hierzu: Richtlinien für das Neue Ökonomische System der Planung und Leitung der Volkswirtschaft. Beschluß des Präsidiums des Ministerrats der Deutschen Demokratischen Republik vom 11. Juli 1963. 4. Aufl., Berlin: 1965.
89 Vgl. hierzu: W. Ulbricht, Die gesellschaftliche Entwicklung in der Deutschen Demokratischen Republik bis zur Vollendung des Sozialismus. Schlußansprache. VII. Parteitag der Sozialistischen Einheitspartei Deutschlands. Berlin, 17. bis 22. April 1967. Berlin: 1967, S. 84 f.; vgl. auch: Bröll, Die Wirtschaft der DDR, a.a.O., S. 67. Mitzscherling, Zunehmender Dirigismus oder Ausbau des neuen Ökonomischen Systems, a.a.O., S. 230 ff.; F. Schenk, Das rote Wirtschaftswunder. Die zentrale Planwirtschaft als Machtmittel der SED-Politik. Stuttgart: 1969, S. 100 ff., 109 ff.; Müller, Reißig, Wirtschaftswunder DDR, a.a.O., S. 378 ff., 384 ff., 394 ff., 463 ff.
90 Ulbricht, Die gesellschaftliche Entwicklung in der Deutschen Demokratischen Republik bis zur Vollendung des Sozialismus, a.a.O., S. 81 ff.; hierzu auch: Schenk, Das rote Wirtschaftswunder, a.a.O., S. 117 ff.

ökonomische ist deshalb „Kernstück" des gesellschaftlichen Systems, weil es „alle Elemente dieses (gesellschaftlichen, d. Verf.) Systems befruchtet und von allen seine Impulse erhält" [91]. Dies bedeutet eine Erhöhung des Systemcharakters sowohl in bezug auf alle wirtschaftlichen Prozesse und Phasen des Reproduktionsprozesses als auch in bezug auf alle gesellschaftlichen Bereiche. Die wirtschaftlichen Teilsysteme und gesellschaftlichen Teilbereiche treten in immer unmittelbarere Wechselbeziehungen zueinander und bilden ein integriertes Gesamtsystem, in dem kein einzelner Bereich in seiner Entwicklung zurückbleiben kann, ohne die Funktionsfähigkeit des Gesamtsystems in Frage zu stellen. Das gilt für die Wissenschaft und Technik ebenso wie für die Leitungstätigkeit des sozialistischen Staates, die sozialistische Demokratie, die Bewußtseinsentwicklung oder das Bildungswesen. Im Ergebnis wird die „allseitige Integration aller gesellschaftlichen Bereiche ... zum bestimmenden Merkmal der Entwicklung des Sozialismus in seiner zweiten abschließenden Entwicklungsphase und prägt die sozialistische Menschengemeinschaft" [92].

Theoretische Grundlage der auf die Verwirklichung des entwickelten gesellschaftlichen Systems gerichteten Politik ist die Einschätzung des Sozialismus als einer „relativ selbständige(n) sozialökonomische(n) Formation in der historischen Epoche des Übergangs vom Kapitalismus zum Kommunismus im Weltmaßstab" [93], der nicht die Funktion einer kurzen und schnell

91 H. Nick, Gesellschaft und Betrieb im Sozialismus. Zur zentralen Idee des ökonomischen Systems des Sozialismus. Berlin: 1970, S. 24.
92 Richter, Erfahrungen des sozialistischen Wirtschaftsaufbaus in der Deutschen Demokratischen Republik, a.a.O., S. 51; vgl. hierzu auch: R. Sieber, G. Söder, Politik und Ökonomie im sozialistischen Gesellschaftssystem. Berlin: 1970, S. 36 ff., 48 ff.
93 W. Ulbricht, Die Bedeutung des Werkes „Das Kapital" von Karl Marx für die Schaffung des entwickelten gesellschaftlichen Systems des Sozialismus in der DDR und den Kampf gegen das staatsmonopolistische Herrschaftssystem in Westdeutschland. Aus dem Referat auf der internationalen wissenschaftlichen Session: „100 Jahre ‚Das Kapital'" am 12. und 13. September 1967 in Berlin.

zu bewältigenden Übergangsphase zukomme. Demzufolge gilt es, die spezifischen Eigenschaften der sozialistischen Produktionsweise voll zu entfalten und nicht ihre möglichst schnelle Überwindung anzustreben. „Betrachten wir den Sozialismus als relativ selbständige Gesellschaftsformation, so gilt auch für ihn die These von Marx, daß keine Produktionsweise von der geschichtlichen Bühne abtritt, bevor nicht alle ihre inneren Potenzen entfaltet sind" [94]. Zu den wesentlichen Eigenschaften des Sozialismus gehört das sozialistische Eigentum. Dieses darf – ebensowenig wie das kapitalistische – nicht nur als Verfügungsgewalt über die Produktionsmittel verstanden werden. Vielmehr ist das Eigentum „eine grundlegende, aus der Verfügungsgewalt über materielle Güter und Leistungen resultierende ökonomische Kategorie. Ihr Inhalt sind die Prozesse und Beziehungen zwischen den Menschen bei der Aneignung der materiellen Güter und Leistungen im Sinne ihrer produktiven oder individuellen Konsumtion" [95]. Sozialistisches Eigentum bezeichnet demzufolge den auf der gesellschaftlichen Verfügungsgewalt über die Produktionsmittel und den gesamten Reproduktionsprozeß beruhenden spezifischen Prozeß der Aneignung des materiellen Produkts, die Gesamtheit der gesellschaftlichen Beziehungen, welche die Menschen im Reproduktionsprozeß eingehen. Sozialistisches Eigentum ist gesellschaftliche Aneignung der gesellschaftlichen Produktion im Interesse der Gesellschaft und durch die Gesellschaft, vermittelt durch die staatliche Planung und Leitung der Volkswirtschaft.

Obwohl mit der Überwindung des Privateigentums an Produktionsmitteln die Grundinteressen von Gesellschaft, Produzentenkollektiven und Individuen prinzipiell identisch sind, bleibt die sozialistische Aneignungsweise doch von – freilich nichtantagonistischen – Interessenwidersprüchen zwischen der

12. September 1967. In: ders., Zum Ökonomischen System des Sozialismus in der DDR. 2 Bde., 2. Aufl., Berlin: 1969, Bd. 2, S. 530.

94 Nick, Gesellschaft und Betrieb im Sozialismus, a.a.O., S. 26 f.; vgl. auch: Politische Ökonomie des Sozialismus, a.a.O., S. 188 f.

95 Politische Ökonomie des Sozialismus, a.a.O., S. 218.

Gesamtgesellschaft und ihren Teilen bestimmt. Das gesellschaftliche Interesse „ist nicht von vornherein, sozusagen automatisch mit den betrieblich-kollektiven und den persönlichen materiellen Interessen der Werktätigen identisch" [96]. Die Quelle von Widersprüchen kann bestehen in:

„– zeitweisen Unterschieden in den konkreten Interessen einzelner oder von Kollektiven und den gesellschaftlichen Anforderungen an den Betrieb,

– unterschiedlichen Interessen einzelner oder von Kollektiven im Betrieb und zwischen den Betrieben . . .,

– wirtschaftsorganisatorischen Konsequenzen, die neue Interessen entstehen lassen, neue sozialökonomische Bedingungen schaffen oder erhebliche Änderungen in der Verhaltensweise verlangen,

– Mängel im Entscheidungsprozeß . . ." [97]

Solche Widersprüche können sich konkret beispielsweise in Gegensätzen zwischen den Investitionsbedürfnissen der Produzentenkollektive und der Akkumulationskraft der gesamten Volkswirtschaft äußern. Oder beispielsweise im Gegensatz zwischen dem Interesse des einzelnen Arbeiters an der Steigerung seines Lohneinkommens und dem Interesse des Produzentenkollektivs an der Steigerung seines Gewinns, also der Senkung des Kostenaufwands je Produkt. Das Interesse der Gesamtgesellschaft richtet sich demgegenüber auf die Steigerung des Nationaleinkommens insgesamt und auf dessen optimale Verteilung zwischen Akkumulation und Konsumtion, um kurzfristige und langfristige Interessen der Gesamtgesellschaft zu sichern [98]. Gerade das Bemühen, solche stets aufs neue entstehen-

96 O. Reinhold, Die aktuelle Bedeutung des „Kapitals" von Karl Marx für die politische Ökonomie des Sozialismus. In: Wirtschaftswissenschaft 1967, S. 895; vgl. hierzu auch: P. Liehmann, Der sozialistische Leiter und die Initiative der Werktätigen. Wesen und Erfordernisse der sozialistischen Menschenführung im Betrieb. Berlin 1970, S. 54 ff.; Politische Ökonomie des Sozialismus, a.a.O., S. 710 ff.; R. Walter, Die Gestaltung der Interessenübereinstimmung im ökonomischen System des Sozialismus der DDR. Berlin: 1970, S. 72 ff.

97 Politische Ökonomie des Sozialismus, a.a.O., S. 711.

98 Vgl. hierzu: Planung der Volkswirtschaft in der DDR. Berlin:

den nichtantagonistischen Widersprüche zu überwinden und Interessenidentität zu erreichen, wird zur maßgeblichen „Quelle und Triebkraft der ökonomischen und gesellschaftlichen Entwicklung" im Sozialismus. „Bestünde absolute und ständige Identität, gäbe es auch keine Entwicklung; das System der Interessen und der materiellen Interessiertheit ließe sich nicht erklären" [99]. Lösen lassen sich derartige Widersprüche nur, indem die Erfüllung der individuellen und kollektiven Interessen unmittelbar mit dem gesellschaftlichen Nutzen der verausgabten Arbeit verbunden wird, so daß die Individuen und Kollektive ihrerseits an der Optimierung des volkswirtschaftlichen Nutzeffekts ihrer Arbeit interessiert sind. Hieraus ergibt sich die Notwendigkeit, einen objektiven Maßstab für die gesamtwirtschaftliche Effektivität der individuellen und kollektiven Arbeit zu finden.

Diese Widersprüche der sozialistischen Aneignung, die „relative Eigenständigkeit der materiellen Interessen" [100] der Betriebe und Individuen unter den Bedingungen der Arbeitsteilung und die daraus resultierende Notwendigkeit zur Bewertung der erzeugten Güter nach einem einheitlichen gesellschaftlichen Maßstab sind die Ursachen der Warenproduktion im Sozialismus. Der Wert oder die in einer Ware vergegenständlichte gesellschaftlich notwendige Arbeit und das Äquivalenzprinzip oder das Prinzip des Austauschs gleicher Mengen gesellschaftlicher Arbeit liefern also die Bewertungsgrundlage, nach der sich der betriebliche und individuelle Beitrag zur volkswirtschaftlichen Effektivität im Rahmen der gesamtgesellschaftlichen Planung und Leitung, die Leistung für die Gesellschaft bemessen läßt. Die Warenproduktion im Sozialismus begründet sich in der Notwendigkeit, „in der Gesamtheit des sozialistischen Aneignungsprozesses alle Arbeit auf die gesellschaftlich not-

1970, S. 45. Reinhold, Die aktuelle Bedeutung des „Kapitals" von Karl Marx für die politische Ökonomie des Sozialismus, a.a.O. Walter, Die Gestaltung der Interessenübereinstimmung im ökonomischen System des Sozialismus der DDR, a.a.O., S. 79 f., 130 ff.
99 Politische Ökonomie des Sozialismus, a.a.O., S. 710.
100 Nick, Gesellschaft und Betrieb im Sozialismus, a.a.O., S. 74.

wendige Arbeit, auf den Wert zu reduzieren und das ökonomische Prinzip des äquivalenten, gesellschaftlich notwendigen Ersatzes bei der planmäßigen Produktion und dem Austausch materieller Güter anzuwenden" [101]. Damit werden notwendigerweise auch die Kategorien der Warenproduktion zu festen Bestandteilen der staatlichen Planung der Volkswirtschaft. Insbesondere dem Gewinn kommt zentrale Bedeutung zu bei der Bewertung der jeweiligen Betriebsergebnisse.

Andererseits ermöglichen die sozialistischen Produktionsverhältnisse erstmalig die Verwirklichung der aus der Entwicklung der Produktivkräfte resultierenden Notwendigkeit der Planung der Wirtschaftsprozesse nach gesamtgesellschaftlichen Erfordernissen. Diese finden ihren Ausdruck im zentralen Plan. Der Verzicht hierauf würde bedeuten, gerade einen entscheidenden Vorzug des sozialistischen Eigentums gegenüber dem kapitalistischen preiszugeben. Die gegenseitige Durchdringung gesamtgesellschaftlicher Planung und Warenproduktion, die bewußte Anwendung und Ausnutzung der Wertkategorien durch die staatliche Planung erzeugt vielmehr „eine völlig neue Qualität, einen neuen Typ der Warenproduktion, die sozialistische Warenproduktion ... (Diese, der Verf.) ist – im Gegensatz zu aller bisherigen Warenproduktion – eine planmäßig organisierte Warenproduktion ... Die sozialistische Produktion, die ihre materiellen Güter und Leistungen als Waren produziert und austauscht, ist ... eine geplante Warenproduktion, eine Planwirtschaft sozialistischer Warenproduzenten" [102].

Hieraus resultiert die spezifische Funktion des Marktes als Phase eines gesamtgesellschaftlich geplanten Reproduktionsprozesses. Weder ist der Markt das primäre Bindeglied zwischen den sozialistischen Warenproduzenten, noch kann ihm die Funktion zukommen, Umfang, Ziel und Verteilung der Produktion zu regeln – eine Aufgabe, die er unter den Bedingungen der wissenschaftlich-technischen Revolution und des zu ihrer Entfaltung notwendigen hohen und stabilen Wirtschaftswachstums zur Vermeidung großer Absatz- und Produk-

101 Politische Ökonomie des Sozialismus, a.a.O., S. 268.
102 Ebd., S. 260, 262.

tionsschwankungen auch im Kapitalismus nicht mehr erfüllen kann [103]. Beides kann im Sozialismus nur Aufgabe der staatlichen Planung sein: Sowohl die Herstellung des gesamtwirtschaftlichen Rahmens, dem der einzelne Betrieb eingefügt ist, als auch die durch gesellschaftliche Interessen bedingte Vorausbestimmung der Grundproportionen, in denen sich die Wechselbeziehung zwischen Produktion und Konsumtion, die Verteilung der Produktionsmittel und gesellschaftlichen Ressourcen entwickeln wird. Dem Markt kommt hierbei die Funktion der Kontrolle zu, „inwieweit die im Plan vorausbestimmte, unmittelbar gesellschaftliche Arbeit sich in der konkreten Realität als solche bestätigt" [104], und inwieweit die von den betrieblichen Teilsystemen verausgabte Arbeit den im Plan festgehaltenen gesellschaftlichen Erfordernissen auch tatsächlich entspricht.

Die Festlegung der gesellschaftlichen Erfordernisse aber kann allein schon deshalb nicht dem Markt überlassen sein, weil die Bewältigung der wissenschaftlich-technischen Revolution die langfristige Prognostizierung der Entwicklung der Produktivkräfte braucht, nicht auf die nachträgliche „Anerkennung" durch den Markt warten kann und eine langfristige Strukturplanung erfordert, die nicht nur von gegebenen Rentabilitätsverhältnissen ausgehen kann [105]. Deshalb sind die „gesellschaftlichen Erfordernisse ... grundlegender und umfassender als die Markterfordernisse. Aber wer den Markterfordernissen nicht genügt, kann auch den gesellschaftlichen Erfordernissen nicht entsprechen" [106]. Hierzu kommt noch, daß sich der Wa-

---

103 Vgl. hierzu: H. Nick, Der Markt im Sozialismus. In: Marxismus Digest. Theoretische Beiträge aus marxistischen und antiimperialistischen Zeitschriften 1970, S. 364 ff.

104 Ulbricht, Die gesellschaftliche Entwicklung in der Deutschen Demokratischen Republik bis zur Vollendung des Sozialismus, a.a.O., S. 144.

105 Vgl. hierzu: Nick, Der Markt im Sozialismus, a.a.O., Planung der Volkswirtschaft in der DDR, a.a.O., S. 53 ff.

106 Ulbricht, Die gesellschaftliche Entwicklung in der Deutschen Demokratischen Republik bis zur Vollendung des Sozialismus, a.a.O., S. 144.

renaustausch zwischen den Betrieben nicht in der Form der Konkurrenz und der gegenseitigen Übervorteilung vollzieht, daß vielmehr umgekehrt – worauf an anderer Stelle noch einzugehen ist – die wissenschaftlich-technische Revolution, um irrationale Parallelproduktion und Verschwendung gesellschaftlicher Arbeit zu vermeiden, zur Vertiefung der Arbeitsteilung und Kooperation zwischen den Betrieben führt [107].

Die drei wichtigsten Merkmale des Marktes im Sozialismus lassen sich folgendermaßen zusammenfassen: 1. Durch das gesellschaftliche Eigentum an den Produktionsmitteln hat die Arbeitskraft aufgehört, Ware zu sein. Dies findet seinen sichtbarsten Ausdruck in der verfassungsmäßig garantierten Sicherheit des Arbeitsplatzes [108]; 2. Der Markt unterliegt der Planung, Wertgesetz und Wertkategorien werden bewußt und planmäßig ausgenutzt, können sich nicht verselbständigen und spontan wirken; 3. Die Konkurrenz zwischen den Warenproduzenten wird ersetzt durch gleichberechtigte Kooperation, da nur so der größte gesellschaftliche Nutzeffekt erzielt werden kann, der seinerseits Voraussetzung für die optimale Erfüllung der kollektiven und individuellen materiellen Interessen ist [109].

Markt, Warenproduktion und Wertkategorien als „ökonomische Hebel" wie Gewinn, Preis, Lohn, Prämie und die damit verbundene Methode der wirtschaftlichen Rechnungsführung sind keineswegs Elemente, die erst mit dem Neuen Ökonomischen System wirksam geworden wären [110]. Der Unterschied zum vorherigen Planungs- und Leitungssystem liegt vielmehr darin, daß ihre Wirkungsweise an Komplexität gewonnen und

107 Politische Ökonomie des Sozialismus, a.a.O., S. 694 ff.
108 Vgl. K. Sorgenicht, W. Weichelt, T. Riemann, H. J. Semler (Hrsg.), Verfassung der Deutschen Demokratischen Republik. Dokumente. Kommentare. 2 Bde., Berlin: 1969, Art. 24, Bd. 2, S. 64 ff.
109 Vgl. hierzu: Politische Ökonomie des Sozialismus, a.a.O., S. 269 ff.
110 Vgl. hierzu: Horn, Die Errichtung der Grundlagen des Sozialismus in der Industrie der DDR (1951–1955), a.a.O., S. 180 ff., 274 ff.; Müller, Reißig, Wirtschaftswunder DDR, a.a.O., S. 189 ff., 221 ff.; Planung der Volkswirtschaft in der DDR, a.a.O., S. 18. Die wirtschaftliche Rechnungsführung wurde 1952 in allen volkseigenen Betrieben eingeführt.

sich zu einem bewußt gehandhabten „in sich geschlossenen System ökonomischer Hebel" entwickelt hat. So arbeiteten die Betriebe auch schon vor dem NÖS nach dem Prinzip der wirtschaftlichen Rechnungsführung, d. h. nach dem – auf der Ausnutzung des Wertgesetzes beruhenden – ökonomischen Prinzip, mit einem möglichst geringen Aufwand an Produktionsmitteln, Arbeitskraft und Geld ein optimales Ergebnis zu erzielen. Unter den Bedingungen der vorwiegend extensiven Reproduktion und der Schaffung einer schwerindustriellen Basis war es jedoch notwendig, die von den Betrieben erzielten Gewinne – abzüglich der Mittel für den Prämienfond – größtenteils zu zentralisieren und administrativ nach Gesichtspunkten gesamtwirtschaftlich vordringlicher Aufgaben umzuverteilen. Nur auf diese Art konnten die zur Beseitigung der Disproportionen erforderlichen sehr hohen Investitionsmittel aufgebracht werden.

Mit der Zentralisierung und administrativen Umverteilung der Gewinne war den Betrieben weitgehend die Verantwortung für ihre eigene Reproduktion abgenommen. Für Investitionen wurden ihnen Mittel aus dem Staatshaushalt bewilligt [111]. Die Steuerung der Betriebe erfolgte durch Vorgabe einer Vielzahl mengenmäßiger Kennziffern (Warenproduktion, Gewinn, Arbeitskräfte, Investitionen, Lohnfonds, Export usw.), die vorrangig auf den Zuwachs des Produktionsvolumens orientierten, das betriebliche Verhalten detailliert festlegten und häufige operative Eingriffe der Zentrale erforderten. Die materielle Interessiertheit der Betriebe bezog sich vorwiegend auf die Prämienfonds, die nach Maßgabe der Erfüllung der Planaufgaben gebildet wurden, nicht jedoch auf die Produktionsfonds

111 Vgl. hierzu: Müller, Reißig, Wirtschaftswunder DDR., a.a.O., S. 230; Mitzscherling, Zunehmender Dirigismus oder Ausbau des neuen ökonomischen Systems, a.a.O., S. 233; Seidler, Die gegenwärtigen Grundtendenzen der Wirtschaft Mitteldeutschlands, a.a.O., S. 245; Eigenerwirtschaftung der Mittel im ökonomischen Systems des Sozialismus. Die umfassende Anwendung des Prinzips der Eigenerwirtschaftung der Mittel für die erweiterte Reproduktion. Berlin: 1970, S. 47. Dieses Verfahren wurde allerdings schon vor dem NÖS schrittweise abgebaut.

(Produktionsanlage- und Produktionsumlauffonds) [112]. Deshalb mußte „in der ersten Phase des sozialistischen Aufbaus die staatliche Administration objektiv im Vordergrund stehen. Die Überwindung von Mangelerscheinungen und Disproportionen, die Aufhebung der Bedingungen für das Wirken der ökonomischen Gesetze des Kapitalismus und die Durchsetzung der ökonomischen Gesetze des Sozialismus erforderten im besonderen Maße eine vorwiegend administrative zentrale Planung und Leitung, die erst allmählich im bewußten Handeln der Menschen wirksam wurden" [113]. Diese administrative Leitung darf jedoch nicht mißverstanden werden als rein bürokratischer Druck, sie war immer kombiniert mit demokratischer Masseninitiative wie der Aktivisten-, Neuererbewegung und der Entwicklung der sozialistischen Gemeinschaftsarbeit [114].

Mit dem Übergang zur vorwiegend intensiven Reproduktion und der beginnenden wissenschaftlich-technischen Revolution mußte sich die Planung und Leitung besonders auf zwei neue Bedingungen einstellen: 1. Strukturelle, qualitative Veränderungen in allen Wirtschaftsbereichen gewinnen zunehmend an Bedeutung für die ökonomische Gesamtentwicklung; 2. Die Komplexität der verschiedenen Bereiche nimmt ebenfalls ständig zu. Um sich diesen neuen objektiven Gegebenheiten anzupassen, mußte auch das Planungs- und Leitungssystem verändert werden.

Planmäßige Leitung des Reproduktionsprozesses erfordert un-

112 Vgl. Kritische Einschätzung der bisherigen Praxis der Planung und Leitung der Volkswirtschaft. In: Richtlinien für das neue ökonomische System der Planung und Leitung der Volkswirtschaft, a.a.O., S. 86 ff.; zum Planungsverfahren vor dem NÖS vgl. auch Schenk, Das rote Wirtschaftswunder, a.a.O., S. 26 ff., 32 f.
113 Politische Ökonomie des Sozialismus, a.a.O., S. 125 f.
114 Vgl. hierzu: Horn, Die Errichtung der Grundlagen des Sozialismus in der Industrie der DDR (1951–1955), a.a.O., S. 180 ff., 228 ff.; Müller, Reißig, Wirtschaftswunder DDR, a.a.O., S. 101 ff., 123 ff., 157 ff., 217 ff., 294 ff., 355 ff.; W. Falk unter Mitarbeit v. H. Barthel, Kleine Geschichte einer großen Bewegung. Zur Geschichte der Aktivisten- und Wettbewerbsbewegung in der Industrie der DDR. Berlin: 1966, S. 38 ff., 82 ff., 143 ff.

ter den Bedingungen der zunehmenden Dynamik der Entwicklung der Produktivkräfte die langfristige wissenschaftliche Voraussicht der Entwicklungstendenzen des Reproduktionsprozesses, die wissenschaftliche Prognose. Wurden vor dem Neuen Ökonomischen System die Hauptaufgaben der Perspektivpläne (5 bis 7 Jahre) aus der Weiterverfolgung der bisherigen Entwicklungstendenzen abgeleitet, geschieht dies nun auf dem Wege der „Rückrechnung" aus den langfristigen Prognosen (15 bis 20 Jahre), mit deren Hilfe „die Maßstäbe erkannt und fixiert werden, nach denen die ökonomische Zielstellung und die dazu notwendigen Aufgaben in Wissenschaft, Technik, Automatisierung und Produktion abgeleitet werden" [115]. Die Prognosen legen jedoch keine verbindlichen Aufgaben fest, sondern schaffen durch die Voraussicht auf die langfristigen Entwicklungstendenzen von Wissenschaft und Technik und deren gesellschaftlichen Bedingungen die Grundlage für die Ausarbeitung der Pläne, die allein verbindlichen Charakter tragen. Die Erarbeitung von Prognosen beschränkt sich nicht auf die zentrale Ebene, sondern findet auf allen Ebenen der Wirtschaftsorganisation statt. Sie konzentriert sich jedoch in erster Linie auf strukturbestimmende Erzeugnisse und technologische Verfahren [116].

Eine weitere wesentliche Veränderung stellt die Verbindung der zentralen staatlichen Planung und Leitung mit der Eigenverantwortlichkeit der Betriebe und VVB dar, die notwendig ist, um unter den Bedingungen zunehmender Komplexität des Reproduktionsprozesses eine Optimierung der Effektivität der betrieblichen Teilsysteme zu gewährleisten. Die Pläne der letzteren sind nun nicht mehr nur die „Aufschlüsselung" vorgegebener Kennziffern, die das betriebliche Verhalten bis ins ein-

115 Politische Ökonomie des Sozialismus, a.a.O., S. 331.
116 Vgl. hierzu: Planung der Volkswirtschaft in der DDR, a.a.O., S. 87 ff.; Politische Ökonomie des Sozialismus, a.a.O., S. 329 ff.; A. Wetzel, Die perspektivische Plankonzeption – ein wichtiges Planungs- und Führungsinstrument sozialistischer Warenproduzenten. Berlin: 1969, S. 22 ff. Walter, Die Gestaltung der Interessenübereinstimmung im ökonomischen System des Sozialismus der DDR, a.a.O., S. 152 ff.

zelne festlegen. Vielmehr muß der Betrieb „auf der Grundlage der vorgegebenen strukturkonkreten Aufgaben und normativ festgelegten langfristigen Wirtschaftsbedingungen alle konkreten Zielstellungen, wie die Entwicklung des Gewinns, der Warenproduktion, der Investitionen usw., also die Kennziffern, die er früher durch das übergeordnete wirtschaftsleitende Organ erhielt, selbst erarbeiten"[117]. Die zentrale Planung wird dadurch von Detailfragen entlastet und kann sich stärker als bisher „auf die Grundfragen der gesellschaftlichen und ökonomischen Entwicklung konzentrieren, während gleichzeitig den Kombinaten und den Betrieben die volle Verantwortung für die Planung und Leitung ihres Reproduktionsprozesses übertragen wird"[118]. Dies beinhaltet auch das Prinzip der „Eigenerwirtschaftung der Mittel" durch die Betriebe.

Mit dem Wegfallen der bisherigen volumenmäßigen Kennziffern und der Ersetzung der zentralen Zuteilung der Investitionen durch die Eigenerwirtschaftung der Mittel mußten neue Nutzenskriterien und Steuerungsinstrumente in bezug auf die betrieblichen Teilsysteme entwickelt werden. Dies kommt einer „Ökonomisierung" des Planungs- und Leitungssystems gleich, ohne daß jedoch den Betrieben eine – wie auch immer geartete – Autonomie gegenüber dem zentralen gesellschaftlichen Plan zukäme[119]. Die Funktion, den gesamtwirtschaftlichen

117 Nick, Gesellschaft und Betrieb im Sozialismus, a.a.O., S. 201.
118 Ebd.; vgl. auch: Seidler, Die gegenwärtigen Grundtendenzen der Wirtschaft Mitteldeutschlands, a.a.O., S. 245.; Eigenerwirtschaftung der Mittel im ökonomischen System des Sozialismus, a.a.O., S. 43 ff.
119 Das bedeutet zugleich, daß sich am Primat der Politik gegenüber der Ökonomie auch nach der Einführung des NÖS nichts geändert hat. Die gegenseitige Durchdringung von Politik und Ökonomie verstärkt sich jedoch mit der Verwirklichung des ökonomischen Systems des Sozialismus. „Die These vom Primat der Politik impliziert, daß ökonomische Entscheidungen letztlich nach politischen Gesichtspunkten beurteilt werden, was die Anerkennung objektiver ökonomischer Gesetze und Kriterien keineswegs aus-, sondern unbedingt einschließt ... Die dialektischen Wechselbeziehungen zwischen Ökonomie und Politik gehören damit im weiteren Sinne unbedingt zum Wirkungsmechanismus ökonomischer Gesetze im

Nutzeffekt des Betriebes – seinen Beitrag zum gesamtgesellschaftlichen Nettoprodukt – zu bestimmen, übernimmt der
erzielte und geplante Nettogewinn (Bruttogewinn minus Produktionsfondsabgabe), der auch zum zentralen ökonomischen
Hebel im System der materiellen Interessiertheit wird. Das
materielle Interesse des Kollektivs und des einzelnen Werktätigen wird unmittelbar verbunden mit dem Zuwachs des
Nettogewinns und der Erfüllung von zwei bis drei weiteren
Aufgaben (wie Export, Produktionsvolumen strukturbestimmender Erzeugnisse usw.). Von beidem ist die Bildung des
betrieblichen Prämienfonds abhängig [120].

Als Hauptsteuerungsinstrumente der zentralen Planung und
Leitung wurden entsprechend der veränderten Planstruktur
entwickelt: Die perspektivische Planung der volkswirtschaftlich strukturbestimmenden Aufgaben, Erzeugnisse und Erzeugnisgruppen (strukturkonkrete Planung) und die Planung der
Bedingungen der Gewinnbildung und -verwendung. Die planmäßige Gestaltung der Bedingungen der Gewinnbildung erfolgt
hauptsächlich durch die staatliche Preis-, Lohn- und Kreditpolitik, ferner durch die Bestimmung der Höhe der Produktionsfondsabgabe [121]. Hauptaufgabe der zentralen Planungs-
und Leitungstätigkeit muß es sein, die Bedingungen der Gewinnbildung so zu gestalten, „daß die betrieblichen Aufwendungen (laufende und einmalige Aufwendungen an lebendiger
und vergegenständlichter Arbeit, Inanspruchnahme natürlicher

    Sozialismus." (Sieber, Söder, Politik und Ökonomie im sozialisti-
    schen Gesellschaftssystem, a.a.O., S. 79, 87).
120 Vgl. hierzu: Politische Ökonomie des Sozialismus, a.a.O., S. 793 ff.;
    Mitzscherling, Zunehmender Dirigismus oder Ausbau des neuen
    ökonomischen Systems, a.a.O., S. 234. Eigenerwirtschaftung der
    Mittel im ökonomischen System des Sozialismus, a.a.O., S. 122 ff.;
    Walter, Die Gestaltung der Interessenübereinstimmung im öko-
    nomischen System des Sozialismus der DDR, a.a.O., S. 144 ff.
121 Vgl. hierzu: Mitzscherling, a.a.O., S. 233 ff.; Nick, Gesellschaft
    und Betrieb im Sozialismus, a.a.O., S. 215; Seidler, Die gegenwär-
    tigen Grundtendenzen der Wirtschaft Mitteldeutschlands, a.a.O.,
    S. 243 ff.; Eigenerwirtschaftung der Mittel im ökonomischen
    System des Sozialismus, a.a.O., S. 27 ff., 51 ff., 93 ff.

Ressourcen) und die betrieblichen Effekte (Produktionsvolumen, Qualität, sortiments- und termingerechte Lieferung) so bewertet werden, daß die Variante des maximalen betrieblichen Nettogewinns zugleich die volkswirtschaftlich günstigste Variante der Produktion annähernd ausdrückt" [122], um damit das materielle Interesse des Betriebs systematisch mit dem Interesse der Gesamtgesellschaft zu verknüpfen. Die Gestaltung der Bedingungen der Gewinnverwendung erfolgt durch langfristige normative Regelungen in bezug auf: a) die Produktionsfondsabgabe, die den Betrieben eine Abgabe von gewöhnlich sechs Prozent auf ihre produktiven Fonds (Anlage- und Umlaufvermögen) an den Staatshaushalt vorschreibt und damit einen direkten Anreiz zum optimalen Fondseinsatz ausübt [123]; b) die Nettogewinnabführung an den Staatshaushalt,

122 Nick, Gesellschaft und Betrieb im Sozialismus, a.a.O., S. 215 f. Gegenüber allen ultralinken Mißverständnissen in bezug auf die ökonomischen Reformen in der DDR verdient folgende Feststellung eines bürgerlichen Wirtschaftswissenschaftlers hervorgehoben zu werden: „Die Umformung des mitteldeutschen Planungs- und Lenkungssystems ... ist zwar ein Schritt zu größerer Beweglichkeit, verbunden mit Entscheidungsrechten für eine wesentlich größere Zahl von Instanzen als vordem, *sie ist jedoch nicht mit einer Hinwendung zu einer Marktwirtschaft zu identifizieren.* Vor allem wird es auch nach der Durchführung der erwähnten Reformen staatlich dekretierte Preise geben, die nicht auf Änderungen der jeweiligen Marktsituation reagieren." (Seidler, Die gegenwärtigen Grundtendenzen der Wirtschaft Mitteldeutschlands, a.a.O., S. 246, Hervorhebung nicht im Original). Zu besonders grotesken und unwissenschaftlichen Fehleinschätzungen und böswilligen Diffamierungen, die noch nicht einmal zwischen den verschiedenen Ländern differenzieren, vgl. die meisten Beiträge in: P. Strotmann (Hrsg.), Zur Kritik der Sowjetökonomie. Eine Diskussion marxistischer Ökonomen des Westens über die Wirtschaftsreformen in den Ländern Osteuropas. Berlin: 1969.
123 Vgl. hierzu und zum folgenden: Eigenerwirtschaftung der Mittel im ökonomischen System des Sozialismus, a.a.O., S. 51 ff., 95 ff.; Mitzscherling, Zunehmender Dirigismus oder Ausbau des neuen ökonomischen Systems, a.a.O., S. 233, 235; Melzer, Das Anlagevermögen der mitteldeutschen Industrie 1955 bis 1966, a.a.O., S. 130. Auf ein weiteres Problem, das sich in diesem Zusammenhang stellt, die Industriepreisreform und die Umbewertung der

die von einem absoluten Mindestbetrag ausgehend sich prozentual am erwirtschafteten Nettogewinn orientiert; c) den betrieblichen Prämienfonds, dessen Höhe sich ebenfalls am Nettogewinn orientiert.

Auf dieser Grundlage wird die eigenverantwortliche Planung und Leitung im Sinne einer „Optimierung des eigenen Reproduktionsprozesses durch den Betrieb – innerhalb der gesellschaftlich bestimmten Entwicklungsrichtungen, Hauptproportionen und Wirtschaftsbedingungen" [124] erst möglich. Dies macht auch deutlich, daß die im Zuge des Neuen Ökonomischen Systems eingeleiteten Strukturveränderungen der Planung und Leitung mit der Alternative Zentralisierung-Dezentralisierung nicht zu erfassen sind, daß es bei der Verwirklichung des „entscheidenden Grundgedankens" des ökonomischen Systems des Sozialismus vielmehr darum geht, „die zentrale staatliche Planung und Leitung der Grundfragen des gesellschaftlichen Gesamtprozesses ... organisch zu verbinden mit der eigenverantwortlichen Planungs- und Leitungstätigkeit der sozialistischen Warenproduzenten einerseits und mit der eigenverantwortlichen Regelung des gesellschaftlichen Lebens im Territorium durch die örtlichen Organe der Staatsmacht andererseits" [125].

Parallel zu den Veränderungen im Planungs- und Leitungssystem vollzogen sich tiefgreifende Veränderungen in der gesellschaftlichen Organisation der Produktion, die bedingt sind durch die Anforderungen der wissenschaftlich-technischen Revolution nach zunehmender Konzentration, Spezialisierung und Kooperation und durch die Anforderung an die sozialistische Wirtschaft, die sich rasch entfaltende Dynamik in der Entwicklung der Produktivkräfte rational und im Sinne der Effek-

Grundmittel, kann hier nicht eingegangen werden. Vgl. dazu beispielsweise: Melzer, a.a.O., S. 105 ff.; Mitzscherling, a.a.O., S. 232 f., 235; Müller, Reißig, Wirtschaftswunder DDR, a.a.O., S. 403 ff.

124 Nick, Gesellschaft und Betrieb im Sozialismus, a.a.O., S. 226.
125 Ulbricht, Die gesellschaftliche Entwicklung in der Deutschen Demokratischen Republik bis zur Vollendung des Sozialismus, a.a.O., S. 130.

tivierung der Volkswirtschaft nach gesamtgesellschaftlichen Bedürfnissen zu meistern, und das heißt unter Vermeidung von Disproportionen, unnötiger Parallelproduktion und Verschwendung gesellschaftlicher Arbeit. Dies erfordert neue Formen der Zusammenarbeit zwischen den Betrieben und Industriezweigen, wie sie unter den Bedingungen kapitalistischer Konkurrenz niemals möglich wären [126]. Die Vereinigungen Volkseigener Betriebe (VVB), die seit 1964 als nach der wirtschaftlichen Rechnungsführung selbständig bilanzierende Wirtschaftseinheiten alle (zentralgeleiteten) volkseigenen Betriebe eines Industriezweiges umfassen und als Führungszentrum für die technische und ökonomische Entwicklung des gesamten Zweiges verantwortlich sind, untergliedern sich in „Erzeugnisgruppen". In diesen sind Betriebe aller Eigentumsformen, die gleiche Erzeugnisse herstellen und auf der gleichen Produktionsstufe arbeiten, zusammengefaßt. Auf diese Weise wird eine Vertiefung der Arbeitsteilung und Bereinigung und Abstimmung der Produktionsprogramme wie die Koordination von Forschungs- und Investitionsprojekten möglich [127]. Neben dieser „horizontalen" gibt es die „vertikale", aufeinanderfolgende Produktionsstufen betreffende, Zusammenfassung von Betrieben aller Eigentumsformen zu „Kooperationsverbänden". Diesen gehören Betriebe an, die an der Erzeugung strukturbestimmender Endprodukte beteiligt sind. Auch innerhalb der Kooperationsverbände werden Forschung, Investitionen und Produktion aufeinander abgestimmt, das Bemühen nach – den Nettogewinn erhöhender – Senkung der Kosten koordiniert [128].

126 Vgl. hierzu: G. Mittag, Demokratischer Zentralismus, sozialistische Planwirtschaft und wissenschaftlich-technische Revolution. In: Die DDR – Entwicklung, Aufbau und Zukunft. Frankfurt/M.: 1969, S. 295 ff.; Politische Ökonomie des Sozialismus, a.a.O., S. 286 ff.; 609 ff., 694 ft.
127 Vgl. hierzu: Müller, Reißig, Wirtschaftswunder DDR, a.a.O., S. 331; Nick, Gesellschaft und Betrieb im Sozialismus, a.a.O., S. 193 f.; Politische Ökonomie des Sozialismus, a.a.O., S. 706 ff.
128 Vgl. Nick, Gesellschaft und Betrieb im Sozialismus, a.a.O., S. 194 f.; Politische Ökonomie des Sozialismus, a.a.O.; Walter, Die Gestal-

Wo die Integration der Betriebe in die neuen Produktionssysteme am weitesten fortgeschritten ist, werden Kombinate gebildet, eine Entwicklung, die durch die Tendenz der wissenschaftlich-technischen Revolution zur Konzentration von Forschung und Produktion in leistungsstarke große Wirtschaftseinheiten noch beschleunigt wird [129]. In der sich vertiefenden horizontalen und vertikalen Kooperation und Integration der Betriebe in neuartigen Produktionssystemen erweist sich die überlegene Rationalität der sozialistischen Wirtschaftsorganisation gegenüber der kapitalistischen. Denn während der Sozialismus „gerade diese durch den ökonomischen Prozeß hervorgerufenen Berührungspunkte zum Ausgangspunkt rationeller Organisationssysteme" nimmt, liegt der ökonomische Widersinn des Kapitalismus darin, „daß gerade solche Betriebe, die gleiche oder doch sich eng berührende wirtschaftliche Aufgaben zu bewältigen haben, durch den Zweck der Produktion (Profit) und seinen Realisierungsmechanismus (Konkurrenz) in härtesten Gegensatz zueinander gebracht werden. Der schärfste Konkurrent eines Maschinenfabrikanten ist – der andere Maschinenfabrikant, der das gleiche Erzeugnis herstellt. Niemandem gegenüber wird er das Geschäftsgeheimnis so streng hüten, und bei niemandem wird er so intensiv spionieren wie bei diesem anderen Maschinenfabrikanten ... Und niemand wird er so zu übervorteilen versuchen als seine Zulieferer und Abnehmer" [130]. *

tung der Interessenübereinstimmung im ökonomischen System des Sozialismus der DDR, a.a.O., S. 160 ff.

129 Vgl. hierzu: K. Groschoff, Zu Grundfragen des sozialistischen Eigentums an den Produktionsmitteln und seiner Entwicklung in der DDR. In: Marxismus Digest, a.a.O., S. 357 f.; Politische Ökonomie des Sozialismus, a.a.O., S. 694 ff.

130 Nick, Gesellschaft und Betrieb im Sozialismus, a.a.O., S. 193, 192.
  * Der Abschnitt über die BRD wurde vornehmlich von Heinz Jung, der über die DDR von Jürgen Harrer erarbeitet.

Frank Deppe

# Probleme der betrieblichen Organisation der Produktion in BRD und DDR

*Produktionsverhältnisse und Produktionsorganisation*

Die derzeit in der BRD dominierende DDR-Literatur steht vor einer schwierigen Aufgabe: Die gängigen „Zusammenbruchstheorien" der fünfziger Jahre, die mit der baldigen ökonomischen und politischen Liquidierung der DDR rechneten, sind angesichts des erfolgreichen sozialistischen Aufbaus in der DDR selbst zusammengebrochen – die antikommunistische Ideologie und Propaganda muß aber notwendig ihre Massenwirksamkeit in der BRD einbüßen, wenn sie diese Erfolge als Systemeigenschaften des Sozialismus anerkennt. In dem Versuch, diesen offenkundigen Widerspruch zu bewältigen, zeichnen sich zwei modernere Spielarten des Antikommunismus ab. Die eine behauptet, daß „Deutschlands andere Hälfte ... trotz Ulbrichts Regime überraschende Fortschritte gemacht" habe und konstruiert so einen Gegensatz zwischen der Staats- und Parteiführung und der Bevölkerung der DDR [1]. Die andere schreibt die Erfolge des ökonomischen und gesellschaftlichen Wachstums der DDR der Tatsache zu, daß – seit der Durchführung des Neuen Ökonomischen Systems der Planung und Leitung (1963) – der „Kommunismus" im Sinne der Übernahme von Strukturelementen kapitalistischer Produktionsweise (Gewinn, Markt, Management) „reformiert" worden sei [2].

Beide Konzeptionen zielen darauf, den unabdingbaren Zusammenhang zwischen der Qualität des gesamtgesellschaftlichen Systems und seinen Erscheinungsformen im Prozeß der gesell-

1  So z. B. J. Dornberg, Deutschlands andere Hälfte. Profil und Charakter der DDR. Wien, München, Zürich: 1969.

2  Vgl. z. B. E. Richert, Die neue Gesellschaft in Ost und West. Analyse einer lautlosen Revolution. Gütersloh: 1966, S. 339 ff.

schaftlichen Produktion und Reproduktion zu verschleiern. Gewiß kann nicht bezweifelt werden, daß gegenwärtig in der sozialistischen Produktionsweise – zumal im Prozeß der Bewältigung der wissenschaftlich-technischen Revolution – Kategorien wirken, „die eine formale Ähnlichkeit mit den entsprechenden Kategorien des Kapitalismus haben" [3]. Aber die Produktivkräfte bewegen sich nicht, wie die Konvergenztheorien unterstellen möchten, „an sich", unabhängig von den jeweiligen historischen Produktionsverhältnissen, sondern sind mit diesen verbunden.

Die Durchsetzung und Verallgemeinerung der industriellen Produktion ist geschichtlich Bedingung wie Resultat der kapitalistischen Gesellschaftsformation gewesen. Diese beruht auf der Investition von akkumuliertem Geldvermögen in vergegenständlichter und lebendiger menschliche Arbeit, in Produktionsmittel und Arbeitskraft, die als Eigentum des Kapitalisten im Produktionsprozeß fungieren und deren Kombination die eigentümliche Quelle des Kapitalprofits, mithin der erweiterten kapitalistischen Produktion und Reproduktion bildet. Kapital ist kein bloßer Eigentumstitel, keine statische Eigentumsbeziehung zu den Produktionsmitteln, sondern ein ständiger Prozeß der Aneignung von Arbeitskraft und unbezahlter Mehrarbeit. Die Klassenverhältnisse im Kapitalismus, der Antagonismus von Lohnarbeit und Kapital sind Ausdruck und Bewegungsform dieses gesellschaftlichen Aneignungsprozesses, der auf dem Privateigentum an vergegenständlichter Arbeit, an den Produktionsmitteln beruht.

In der sozialistischen Gesellschaft ist diese Aneignungsweise, in der privat über die Resultate gesellschaftlicher Arbeit verfügt wird, beseitigt. Der Sozialismus kann – Marx zufolge – nur darin bestehen, „daß der vergesellschaftete Mensch, die assoziierten Produzenten, diesen ihren Stoffwechsel mit der Natur rationell regeln, unter ihre gemeinschaftliche Kontrolle

---

3  W. Ulbricht, Die Bedeutung und die Lebenskraft der Lehren von Karl Marx für unsere Zeit. Internationale wissenschaftliche Session des ZK der SED zum 150. Geburtstag von K. Marx. Berlin: 1969, S. 33.

bringen, statt von ihm als einer blinden Macht beherrscht zu werden"[4]. Die sozialistische Gesellschaftsformation kann sich also nur aus der radikalen Veränderung der Eigentumsverhältnisse, aus der „revolutionären Umwandlung des kapitalistischen Eigentums an den Produktionsmitteln in sozialistisches Eigentum, in gesamtgesellschaftliches Volkseigentum . . ."[5] entwickeln. Damit sind die gesellschaftlichen Bedingungen aufgehoben, unter denen sich die Arbeitskraft in eine Ware verwandelt. Die Entwicklungsgesetze der sozialistischen Produktionsweise werden nicht durch das Motiv der profitablen Kapitalverwertung, durch die Konkurrenz der Warenproduzenten untereinander sowie durch das Regulativ des Profit-Markt-Mechanismus, das im staatsmonopolistischen Kapitalismus den Gesetzen der monopolistischen Konkurrenz unterliegt, bestimmt. Die Gesetze der sozialistischen Aneignung können sich nur durch die – mittels der zentralen staatlichen Planung und Leitung verwirklichten – Abstimmung individueller, betrieblicher und gesellschaftlicher Interessen entwickeln[6].

Auf der Grundlage der Eigentumsverhältnisse erschließt sich also der entgegengesetzte Charakter des Verhältnisses von Betrieb und Gesellschaft in der kapitalistischen und in der sozialistischen Produktionsweise. Der Kapitalismus ist ein System einander entgegenstehender ökonomischer Interessen, deren Konkurrenz als Motor des ökonomischen Wachstums und des Ausgleichs von Interessenkollisionen fungieren soll. Das Unternehmen ist der Pfeiler dieses Systems, denn das Betriebsergebnis reflektiert post festum den Erfolg oder Mißerfolg des individuellen – an die Erhaltung und Erweiterung des Privateigentums gebundenen – unternehmerischen Handelns. Die Normen dieses Handelns werden durch die Gesetze des Marktes und

4   K. Marx: Das Kapital. Dritter Band. In: Marx, Engels, Werke, Bd. 25, Berlin: 1964, S. 828.
5   Politische Ökonomie des Sozialismus und ihre Anwendung in der DDR. Berlin: 1969, S. 219.
6   Vgl. H. Nick, Gesellschaft und Betrieb im Sozialismus. Zur zentralen Idee des ökonomischen Systems des Sozialismus. Berlin: 1970.

der Konkurrenz, d. h. durch die Gesetze der Profitrealisierung vorgegeben. Autonom verantwortliches Subjekt von unternehmerischen Entscheidungen ist – kraft der materiellen und rechtlichen Verfügung über die Produktionsmittel – die Unternehmensleitung. Die Arbeiter sind Objekt solcher Entscheidungen. Das Verhältnis der Unselbständigkeit, wie es z. B. durch den Arbeitsvertrag rechtlich fixiert wird, schließt den Lohnarbeiter auf der betrieblichen wie auf der gesellschaftlichen Ebene von der Verfügung über die Produktionsmittel, damit von der Selbst- und Mitbestimmung in der gesellschaftlichen Produktion aus [7].

Während also der Kapitalismus – nach der Vorstellung seiner Theoretiker – von der individuellen Entscheidungs- und Dispositionsfreiheit der Kapitalisten gegenüber den Produktionselementen lebendige und vergegenständlichte Arbeit und vom Funktionieren des „unbewußten, automatischen Preismechanismus" [8] prosperiert, sind die Systemeigenschaften des Sozialismus nicht „vom Betrieb her" zu erklären. Betriebe, Kombinate und VVB in der DDR sind Teilsysteme von überbetrieblichen Produktionssystemen und des gesellschaftlichen Gesamtsystems [9]. Die strukturbestimmenden Systemeigenschaften des Sozialismus: politische Herrschaft der Arbeiterklasse, gesellschaftliches Eigentum, Planung des gesellschaftlichen Produktions- und Reproduktionsprozesses und die daraus sich ergebenden sozialistischen Arbeits- und Lebensbedingungen – alle diese Merkmale sind keineswegs als das Ergebnis der Aufsummierung von Teilsystemen zu betrachten. Vielmehr reproduzieren sie im Bereich der betrieblichen Organisation der Produktion die Normen des Gesamtsystems, die durch die politische Macht der Arbeiter-

7   Vgl. z. B. DGB, Mitbestimmung – eine Forderung unserer Zeit. Düsseldorf: 1966, S. 21: „Noch immer sind die Arbeitnehmer – abgesehen vom Montanbereich – von den Unternehmensentscheidungen ausgeschlossen. Die Bestimmungsgewalt liegt ausschließlich beim ‚Kapital‘, entweder bei seinem Inhaber oder bei dessen Beauftragten. Über den personellen Faktor ‚Arbeit‘ wird bestimmt."
8   So z. B. P. A. Samuelson, Volkswirtschaftslehre. Eine einführende Analyse. Köln: 1952, S. 41.
9   Vgl. Nick, Gesellschaft und Betrieb im Sozialismus, a.a.O., S. 192 ff.

klasse, d. h. durch die führende Rolle der Partei der Arbeiterklasse und durch den sozialistischen Staat garantiert werden.

*Kapitalistische Betriebsführung, Mitbestimmung und Arbeiter-
bewußtsein in der BRD*

„Alle unmittelbar gesellschaftliche oder gemeinschaftliche Arbeit auf größerem Maßstab bedarf mehr oder minder einer
Direktion, welche die Harmonie der individuellen Tätigkeiten
vermittelt und die allgemeinen Funktionen vollzieht, die aus
der Bewegung des produktiven Gesamtkörpers im Unterschied
von der Bewegung seiner selbständigen Organe entspringen" [10].
Marx fügte dem hinzu, daß die kapitalistische Leitung, deren
treibendes Motiv die möglichst große Selbstverwertung des Kapitals ist, der „Form nach despotisch" sei [11]. Diese Despotie
gründet nicht nur in dem rechtlichen Anspruch des Kapitalisten, die Arbeitskraft im Tausch gegen Lohn als sein Eigentum
zu benutzen, sondern auch in dem Widerspruch zwischen der
gesellschaftlichen Produktion und der privaten Aneignung
selbst. In der Kalkulation des Unternehmers erscheint der Lohn
als Kostenfaktor, der möglichst gering zu halten ist; für den
Arbeiter und seine Familie ist der Lohn Subsistenzfaktor, der
durch den Zwang der außerbetrieblichen Reproduktion definiert wird. Erfolgreiche kapitalistische Leitung ist also stets
daran gebunden, daß die Kosten der Ware Arbeitskraft möglichst gering sind, daß in einem gegebenen Zeitraum ein Maxi-
mum an Leistung aus der Arbeitskraft herausgepreßt wird.
Trotz verschiedener Wandlungen der kapitalistischen Leitungsstruktur im Rahmen der Zentralisations- und Konzentrationsbewegung des Kapitals ist deren despotischer Charakter ebenso
wenig aufgehoben worden wie der Zwang zur Kapitalverwertung. „Die Arbeiter produzieren Güter, und die Männer an

10  K. Marx, Das Kapital. Erster Band. In: Marx, Engels, Werke, Bd.
    23, Berlin: 1962, S. 350.
11  Ebd., S. 351.

der Spitze leiten diesen Prozeß mit voller Autorität"[12]. In der Frühphase des Kapitalismus vereinte der Unternehmer die verschiedenen Funktionen kapitalistischer Leitung – Beaufsichtigung des Arbeitsprozesses, Kalkulation und Organisation der Produktion, der Verwaltung und des Absatzes – in seiner Person. Erst mit der Delegation von ursprünglich personalisierten Leitungsfunktionen, die durch die Konzentration und Zentralisation des Kapitals erzwungen wird, bildet sich das hierarchisch strukturierte Management des kapitalistischen Unternehmens heraus: Die „klassische" Befehlsstruktur des kapitalistischen Großunternehmens verläuft mithin linienmäßig vom Generaldirektor über den Hauptabteilungsleiter, den Abteilungsleiter, den Betriebsleiter bis hin zum Meister, der unmittelbar die Arbeiter überwacht und anleitet[13].

Immer wieder ist die autoritäre Befehls- und Gehorsamsstruktur der Armee als Vorbild der Leitungsstruktur des kapitalistischen Großbetriebes genannt worden[14]. Die „kasernenmäßige Disziplin", die Trennung der Arbeiter in „Industriesoldaten und Industrieunteroffiziere"[15] wurde durch die mit Vorzug als Meister eingestellten Unteroffiziere der preußischen Armee[16] ebenso verwirklicht wie durch die – bis in die Gegenwart bestehende – personelle und konzeptionelle Übereinstimmung von generalstabsmäßiger Führung in Industriebetrieb und Armee. Der „Herr-im-Haus"-Standpunkt, demzufolge die Arbeiter im Betrieb nicht lenken, sondern parieren sollen[17], kenn-

12  B. B. Gardner, D. G. Moore, Praktische Menschenführung im Betrieb. Köln, Opladen: 1957, S. 50.
13  Vgl. R. Dahrendorf, Industrie- und Betriebssoziologie. Berlin: 1962, S. 72 ff.
14  Vgl. W. Schall, Führungstechnik und Führungskunst in Armee und Wirtschaft, Bad Harzburg: 1965.
15  Vgl. Marx, Das Kapital, Erster Band, a.a.O., S. 447.
16  Vgl. O. Neuloh, Die deutsche Betriebsverfassung und ihre Sozialformen bis zur Mitbestimmung. Tübingen: 1956.
17  Vgl. F. Böhm, Das wirtschaftliche Mitbestimmungsrecht der Arbeiter im Betrieb. In: Ordo 4, 1951, hier nach O. Kunze (Hrsg.), Wirtschaftliche Mitbestimmung im Meinungsstreit. Bd. II, Köln: 1964, S. 19 ff.

zeichnet dieses Ordnungsprinzip kapitalistischer Leitung der Produktion – auch dann, wenn als Folge der Zentralisation und Vergesellschaftung des Kapitals in der Form der Aktiengesellschaften die kapitalistische Leitung es „... selbst dahin gebracht hat, ... daß die Arbeit der Oberleitung ganz getrennt von Kapitaleigentum, auf der Straße herumläuft" [18]. Seinen brutalsten Ausdruck fand dieses Organisationsprinzip in der Betriebspolitik des deutschen Faschismus: Durch das „Gesetz zur Ordnung der nationalen Arbeit" (1934) wurde die Leistungs- und Betriebsgemeinschaft dekretiert, gebildet aus dem „Führer des Betriebes" und der „Gefolgschaft", die im Betrieb „zur Förderung der Betriebszwecke und zum gemeinsamen Nutzen von Volk und Staat tätig sein sollte" [19]. Schon zuvor hatten in der Weimarer Republik Unternehmer das DINTA [20] ins Leben gerufen, dessen offen antigewerkschaftliche und antisozialistische Aufgabe darin bestehen sollte, durch die Schulung von Ingenieuren eine Art „Felddienstordnung des Betriebes" durchzusetzen und – auf der Grundlage des „industriellen Führertums" – „... die zukünftige Arbeitergeneration fachlich erstklassig und durch eine möglichst totale Werkserziehung werkstreu" zur formen [21].

Der Gegensatz von produktiver Arbeit und kapitalistischer Leitung reproduziert im Betrieb den gesellschaftlichen Klassenantagonismus von Lohnarbeit und Kapital. Kooperations- und Eigentumsverhältnisse wirken aufeinander ein und hängen voneinander ab [22]; in der kapitalistischen Produktionsweise bestim-

18  Marx, Das Kapital, Dritter Band, a.a.O., S. 400 f.
19  Vgl. H. G. Schumann, Nationalsozialismus und Gewerkschaftsbewegung. Die Vernichtung der deutschen Gewerkschaften und der Aufbau der „Deutschen Arbeitsfront". Hannover, Frankfurt/M.: 1958, S. 116 ff.
20  Deutsches Institut für Technische Arbeitsschulung.
21  Vgl. R. Höhn, Der Wandel im Führungsstil der Wirtschaft. In: Führung in der Wirtschaft. Festschrift zum zehnjährigen Bestehen der Akademie für Führungskräfte der Wirtschaft. Bad Harzburg: 1966, S. 9–87, hier S. 21 ff.
22  Vgl. Marx, Das Kapital, Erster Band, a.a.O., 11. Kapitel: Kooperation, S. 341 ff.

men die Eigentumsverhältnisse, „... wer Koordinator der einzelnen Funktionen im Produktionsprozeß ist, das heißt, wer in diesem Prozeß die Leitung ausübt und in wessen Interesse er dies tut" [23]. Der Arbeitsvertrag und das Arbeitsrecht, die die Bedingungen des Kaufs und Verkaufs der Ware Arbeitskraft regeln, sind die rechtliche Fixierung dieses gesellschaftlichen Verhältnisses. Einerseits gewährt es einen bestimmten Schutz gegen unbeschränkte Unternehmerwillkür, andererseits definiert es die Verfügungsgewalt des Kapitals über die Arbeitskraft. Das „... Direktionsrecht, dem eine arbeitsrechtliche Gehorsamspflicht des Arbeitnehmers gegenüber Weisungen des Arbeitgebers entspricht, ist für die arbeitsrechtliche Definition des Arbeitsverhältnisses charakteristisch" [24]. Das Verhältnis der Lohnarbeit bestimmt demnach – wie auch Kern und Schumann mit Recht hervorheben – die Gesamtheit der betrieblichen und außerbetrieblichen Lebensbedingungen der Arbeiter in der kapitalistischen Gesellschaft: „Die Beteiligung an Einkommen und Vermögen, die Chancen für Bildung, Gesundheit und Wohnen tragen trotz partieller Verbesserungen weiter den Stempel der Klassenlage und sind gekennzeichnet durch deutliche Unterprivilegierung. Im Bereich der Arbeit konkretisieren sich die gesellschaftlichen Herrschaftsverhältnisse für die Gesamtheit der Klasse nach wie vor im Ausschluß aus den betrieblichen Entscheidungsgremien und im Zwang der Unterordnung unter das Direktionsrecht des Managements" [25].

Die Verfügungsgewalt der kapitalistischen Leitung über die

23 O. Lange, Entwicklungstendenzen der modernen Wirtschaft und Gesellschaft. Wien, Köln, Stuttgart, Zürich: 1964, S. 172.
24 Mitbestimmung im Unternehmen. Bericht der Sachverständigenkommission zur Auswertung der bisherigen Erfahrungen bei der Mitbestimmung. Deutscher Bundestag, 6. Wahlperiode, Drucksache VI/334, Bonn: Januar 1970, S. 59; vgl. auch L. Unterseher, Arbeitsvertrag und innerbetriebliche Herrschaft. Eine historische Untersuchung. Frankfurt/M.: 1969.
25 H. Kern, M. Schumann, Industriearbeit und Arbeiterbewußtsein. Eine empirische Untersuchung über den Einfluß der aktuellen technischen Entwicklung auf die industrielle Arbeit und das Arbeiterbewußtsein. Teil I und II, Frankfurt/M.: 1970, Teil I, S. 25.

sachlichen und persönlichen Bedingungen der Produktion wird vor allem aus folgenden Zusammenhängen klar:

1. Die offene gewerkschaftliche und politische Betätigung von Mitgliedern bzw. Vertretern der Belegschaft ist gesetzlich unterbunden. Das gibt den Unternehmensleitungen die Möglichkeit, politisch und gewerkschaftlich aktive Arbeiter und Angestellte fristlos zu entlassen. Selbst die offene Kritik der Unternehmensleitung oder die unmittelbare Interessenvertretung in Arbeitskonflikten gefährdet die Stellung eines Belegschaftssprechers. Eine anschauliche Illustration dieses Sachverhalts stellt die fristlose Kündigung eines Betriebsrates der Michelin-Werke, Bad Kreuznach, dar, der der Unternehmensleitung „Ausbeutermethoden" vorgeworfen hatte und nur durch eine solidarische Streikaktion der gesamten Belegschaft wieder eingestellt wurde [26]. Ebenfalls durch einen Demonstrationsstreik wurde die Öffentlichkeit im Januar 1970 auf die in der Firma Felten & Guillaume, Köln, vom Werkschutz angelegte „Sünder-Kartei" aufmerksam, in der politisch und gewerkschaftlich aktive Arbeiter und Angestellte erfaßt wurden [27].

2. Die Arbeits- und Betriebsordnungen, denen sich der Arbeiter automatisch bei Abschluß des Arbeitsvertrages unterordnet, stellen – da sie in der Regel unbekannt sind – das „unsichtbare Kommando" der kapitalistischen Verfügungsgewalt dar. Sie enthalten z. B. die folgenden Sätze: „Der Urlaub hat der Erholung zu dienen." – „Der Betriebsangehörige verpflichtet sich, stets die Interessen des Betriebes wahrzunehmen." – „Je-

26  Vgl. Gewerkschaftsspiegel 8, 1971, Nr. 4, S. 16 (Dok.). Auch der gerade von der Bundesregierung vorgelegte Entwurf zur Novellierung des BetrVG hebt diese Einschränkungen nicht auf. Vgl. Neue Betriebsverfassung. Erklärung und Text des Regierungsentwurfs vom 3. Dez. 1970 ... Hrsg. v. Bundesvorstand der SPD, Reihe Gesellschaftspolitik, Heft 2, Bonn: o. J. [1970], S. 25 ff.

27  Einen guten Überblick über die Möglichkeiten, die Arbeiter und Angestellten bei Streiks unter Druck zu setzen, bieten die „Anleitungen über betriebliche Streikabwehrmaßnahmen", die während der Tarifauseinandersetzungen in der hessischen Chemieindustrie (1970) vom Unternehmerverband in Umlauf gebracht wurden. Vgl. Sozialistische Betriebskorrespondenz, Offenbach, Nr. 2/1970 vom 1. Juni 1970, S. 7–10.

der Betriebsangehörige ist verpflichtet, auch andere Arbeiten zu verrichten als diejenigen, für die er eingestellt ist." Demgegenüber gibt es keine Arbeitsordnung, die den Unternehmer verpflichtet, dem Arbeiter kontinuierlichen Lohn oder Arbeit zu garantieren [28].

3. Die ständige Intensivierung der Arbeitsleistung durch immer raffiniertere und „wissenschaftlichere" Methoden der Arbeits- und Lohnbewertung (REFA, MTM-Verfahren) spiegelt die Machtlosigkeit der Lohnabhängigen gegenüber der Dispositionsgewalt der kapitalistischen Leitung. „Die Entwicklung der letzten Jahre hat gezeigt, daß nicht nur aus der Arbeitskalkulation ‚so viel als möglich' herausgeholt wird, d. h. daß durch Diktat die Arbeitsgeschwindigkeit ständig zugenommen hat, sondern daß auch die ganze Arbeitsweise ständig strenger geplant wird" [29].

In allen kapitalistischen Staaten haben in den letzten Jahren die Kampfaktionen von Belegschaften gegen die Einführung oder die Verschärfung der „analytischen Arbeitsplatzbewertung" zugenommen.

4. In der kapitalistisch organisierten Produktion gibt es nicht – wie in sozialistischen Gesellschaften – ein „Recht auf Arbeit". Freie Verfügung über Kapital schließt dagegen das Recht ein, zur Gewährleistung des Kapitalprofits Arbeitskraft freizusetzen und Lohneinkommen zu vermindern. Der „Zielkonflikt" zwischen den ökonomischen Interessen des Unternehmers und den sozialen Interessen der Lohnarbeiter muß – zumal unter der Bedingung von Verwertungsschwierigkeiten in Perioden der Stagnation und Rezession – zugunsten des Kapitalprofits entschieden werden [30]. Davon zeugen nicht nur die Entlassungen von Tausenden von Ruhrbergleuten im Zuge der Zechenstill-

28  Vgl. K. Thomas, Die betriebliche Situation der Arbeiter. Stuttgart: 1964, S. 39.
29  Ebd., S. 43.
30  Vgl. H. M. Schleyer, Führung in der Wirtschaft. In: Führung in einer freiheitlichen Gesellschaft. Veröffentlichungen der Walter-Raymond-Stiftung. Bd. 11, Köln, Opladen: 1969, S. 113–134, hier S. 117.

legungen sowie die Verminderung des Beschäftigtenstandes in der Rezession von 1966/67, sondern auch die drastische Reduzierung der Belegschaften von Betrieben, deren Produktion durch Fusion mit Großkonzernen eingeschränkt bzw. liquidiert werden soll. Die Auseinandersetzung um die Stillegung der Phrix-Werke im Jahre 1970 hat diese Bedrohung der Sicherheit der Arbeitsplätze durch die Realisierung kapitalistischer Leitungsinteressen deutlich werden lassen [31]. Im Prozeß der wissenschaftlich-technischen Revolution sind es gegenwärtig die Gruppen der älteren Arbeiter und Angestellten, die am ehesten durch Arbeitsplatz- und Einkommensverlust bedroht sind. Sie haben kaum die Möglichkeit, ihre berufliche Qualifikation den veränderten Anforderungen hoch rationalisierter Produktion und Verwaltung anzupassen. Die von Kern und Schumann für die Industriearbeiterschaft empirisch nachgewiesene Polarisierung von qualifizierten und unqualifizierten, von privilegerten und diskriminierten Tätigkeiten [32] unterstützt also die These, daß unter kapitalistischen Bedingungen die Arbeiterklasse Objekt gesamtgesellschaftlich relevanter Entscheidungen ist.

Die folgende Zusammenstellung einiger Streikaktionen in der BRD (zwischen Oktober 1969 und Juli 1970), die nicht ausschließlich zur Durchsetzung von Lohnforderungen, sondern zur Sicherung der Arbeitsplätze sowie zur Abwehr willkürlicher Unternehmerentscheidungen durchgeführt wurden, unterstreicht, in welcher Weise die kapitalistische Produktionsleitung konkret die soziale Stellung der Arbeiter und Angestellten bestimmt und dabei selbst geltende Normen des Arbeitsrechts umgeht (s. S. 104 u. 105) [33].

Die „despotische" Form der kapitalistischen Leitung ist aber – wie auch diese Beispiele von neueren Streikaktionen belegen – stets auf den Widerstand der Arbeiterschaft und ihrer

31  Vgl. Gewerkschaftsspiegel 7, 1970, Nr. 17, S. 23 ff.
32  Vgl. Kern, Schumann, Industriearbeit und Arbeiterbewußtsein, a.a.O., passim.
33  Zusammengestellt nach: Gewerkschaftsspiegel 7, 1970, Nr. 11 und Nr. 17.

| Betrieb | Zeitpunkt | beteiligte Arbeiter | Anlaß des Streiks |
|---|---|---|---|
| Ankerwerke, Bielefeld | Anfang Oktober 69 | Arbeiter des Automatensaales | bessere Lohnfindung u. Einrichtezeiten |
| Friedrich-Wilhelm-Hütte, Mülheim (Rheinstahlkonzern) | 14. 10. 69 | 350 Arb. u. Angest. | Sicherung d. Arbeitsplatzes bei vorgesehenen Rationalisierungsmaßnahmen |
| Bauknecht-Konzern | 11. 11. 69 | 3000 Arb. u. Angest. | Lohn- und Arbeitsbedingungen |
| Hirth Motoren KG., Benningen (Neckar) | Anfang November 69 | Belegschaft (1 Std.) | Ablehnung der Arbeitsbewertung |
| Krupp-Widia | 16. 4. 70 | 300 Arbeiter | gegen Drohung nach Abbau der Akkordlöhne |
| Düsseldorfer Waggonfabrik (DÜWAG) | 26. 1. 70 | 700 Arb. u. Angest. | gegen beabsichtigte Stillegung des Betriebes |
| Felten & Guillaume, Kabelwerke, Köln | 29. 1. 70 | mehrere Hundert Arbeit. u. Angest. | gegen „Sünderkartei" |
| Hanomag-Henschel, Kassel | Ende Januar 70 | 500 Arb. im Werkzeugmaschinenbau (2 Std.) | Information über Rationalisierungsabsichten |
| Schröder & Co, Lampenfabrik Neheim-Hüsten | 15. 2. 70 | Gesamtbelegschaft | gegen Diffamierungsversuche des Unternehmers |

| Betrieb | Zeitpunkt | beteiligte Arbeiter | Anlaß des Streiks |
|---|---|---|---|
| Honeywell, Dörnigheim (Hanau) | 19. 2. 70 | 100 Arbeiter (1 Std.) | Lohnverbesserungen, gegen steigende Profite |
| John-Deere-Lanz, Mannheim | 26./27. 2. 70 | 1800 Arb. u. Angest. | Lohnsituation; Abwälzung der Folgen schlechter Produktionsplanung auf die Belegschaft |
| Ford-Werke, Köln | 2. 3. 70 | 7000 Arb. u. Angest. | Lohnfragen, Arbeitskleidung, Mitbestimmung bei Bandgeschwindigkeit |
| Daimler-Benz, Werk Waldhof, Gießerei | April 70 | 300 Arbeiter | gegen Lohnminderung infolge analytischer Arbeitsplatzbewertung |
| Konrad Hornschuh AG, Weißbach/Künzelsau | März 70 | 2000 Arb. u. Angest. (2 Tage) | gegen Entlassung von 2 Betriebsratsmitgliedern |
| Sachtleben Werke, Kreis Mörs | März 70 | 300 Arb. u. Angest. | gegen Entlassung kranker Arbeiter |
| Pierburg KG, Neuß | 15. 5. 70 | 1400 Frauen | gegen niedrige Frauenlöhne |
| Westfalenhütte Dortmund (Hoesch-Konzern) | Ende Juni 70 | 400 Arbeiter | gegen Fusionierung der Hoesch AG mit holländischem Konzern und Gefahr der Beseitigung der Mitbestimmung |
| Rheinstahl-Hüttenwerke, Schalker-Verein, Gelsenkirchen | 14. 7. 70 | über 2000 Arbeiter | gegen Abbau der Mitbestimmungsrechte (Montanmitbestimmung) |

Gewerkschaften gestoßen. Die ersten Erfolge des Gewerkschaftskampfes auf dem Gebiet des Arbeits-, Tarif- und Betriebsverfassungsrechtes sind daher schützende Einschränkungen der unternehmerischen Verfügungsgewalt gewesen, die sich in der Praxis des „Heuerns und Feuerns", der Willkür der Lohnbemessung und der schrankenlosen Disziplinierung im Arbeitsprozeß konkretisierte. Darüber hinaus erweist sich aber die uneingeschränkte Autorität des Kapitalisten zunehmend als Hemmschuh gegenüber der rationalen Bewältigung jener Probleme, die aus der fortschreitenden Zentralisation und Rationalisierung der Produktion resultieren. Die Ausweitung des „Führungsstabes", die „Bürokratisierung" der industriellen Leitung [34], ist ein notwendiges Ergebnis dieser Entwicklung.

Die verschiedenen Versuche, die traditionell eindimensionale Leitungsstruktur des kapitalistischen Unternehmens in eine mehrdimensionale umzuwandeln, sind allesamt dem Zweck unterworfen, den Widerspruch zwischen privater Aneignung und Leitung und gesellschaftlicher Produktion zu neutralisieren und so die ökonomischen und sozialen Bedingungen der Produktion zu effektivieren. Das gilt sowohl für die verschiedenen Initiativen zum „Mitunternehmertum" [35] als auch für die betriebssoziologische „Human-Relations"-Schule, die auf eine Intensivierung der Arbeitsleistung und -moral durch den „Abbau sozialer Frustrationen" zielt [36]. Selbst die eifrigsten Protagonisten von Kapitalinteressen müssen aber heute zugeben, daß die Human-Relations-Bewegung „... an dem autoritären Führungsstil des Unternehmens nicht geändert ..." hat [37].

34  Vgl. vor allem R. Bendix, Herrschaft und Industriearbeit. Untersuchungen über Liberalismus und Autokratie in der Geschichte der Industrialisierung. Frankfurt/M.: 1960; H. P. Bahrdt, Industriebürokratie, Stuttgart: 1958.

35  Davon zeugen schon die Titel der Arbeiten von G. P. Spindler: Mitunternehmertum. Vom Klassenkampf zum sozialen Ausgleich. Lüneburg: 1951 sowie ders., Partnerschaft statt Klassenkampf in der Praxis. Stuttgart: 1954.

36  Vgl. u. a. F. J. Roethlisberger, Betriebsführung und Arbeitsmoral. Köln, Opladen: 1954.

37  R. Höhn, Der Wandel im Führungsstil der Wirtschaft. In: Füh-

Das in der BRD von der Harzburger Akademie für Führungskräfte der Wirtschaft und ihrem Leiter Prof. Höhn vertretene
Konzept der „Führung im Mitarbeiterverhältnis" beansprucht,
die Widersprüche des autoritären Führungsstiles überwunden
zu haben. Sein „Kernstück" ist die Delegation von Verantwortung. „Sie setzt voraus, daß bestimmte Aufgabenbereiche mit
den dazu gehörigen Kompetenzen geschaffen werden, indem
der Mitarbeiter selbständig handelt und entscheidet und für
sein Vorgehen voll verantwortlich ist" [38]. Mit einer demokratischen Veränderung der kapitalistischen Leistungsfunktionen hat
dieses Konzept nichts gemein. Es versteht sich als systemadä-
quate Lösung jener allgemein konstatierten „Krise der Hierarchie im Wandel der Kooperationsformen" [39]. Durch die Integration vor allem des sog. „Mittelmanagements", das sich im
Zuge der Konzentration von Entscheidungsprozessen und der
Rationalisierung von Produktion und Verwaltung zunehmend
seiner lohnabhängigen, subalternen und ökonomisch bedrohten
Position bewußt wird, in die kapitalistische Leitungsstruktur
sollen mögliche ökonomische Reibungsverluste und soziale
Konflikte, die der traditionell autoritäre Leitungsstil notwendig
provoziert, vermindert werden.
All diese „Führungskonzepte" verbindet das Interesse, den für
die kapitalistische Produktion kennzeichnenden objektiven Widerspruch zwischen Lohnarbeit und Kapital zu neutralisieren.
Es handelt sich nicht um die Aufhebung des Gegensatzes von
leitenden und ausführenden Tätigkeiten, sondern um die Effektivierung dieses Verhältnisses. So konstatiert auch H. M.
Schleyer, einer der einflußreichsten Vertreter des Großkapitals
in der BRD: „Wir sollten – trotz vielfältiger Kritik – an
dem Begriff ‚Führung' festhalten. Er bringt ein in allen Gesell-

rung in der Wirtschaft. Festschrift zum zehnjährigen Bestehen der
Akademie der Führungskräfte der Wirtschaft, a.a.O., hier S. 26.
38  Ebd., S. 51.
39  Vgl. H. P. Bahrdt, Die Krise der Hierarchie im Wandel der Kooperationsformen. In: Verhandlungen des 14. Deutschen Soziologen-
tages. Stuttgart: 1959, S. 112; G. Hillmann, Die Befreiung der
Arbeit. Die Entwicklung kooperativer Selbstorganisation und die
Auflösung bürokratisch-hierarchischer Herrschaft. Reinbek: 1970.

schaftssystemen der Vergangenheit und Gegenwart festzustellendes ‚Baugesetz' zum Ausdruck"[40]. Die elitäre Anthropologisierung des Führer-Gefolgschafts-Verhältnisses, die der Faschismus zum Staats- und Gesellschaftsprinzip erhob, wird hier unumwunden perpetuiert. Führer und Geführte sind im Betrieb zu einer „Leistungsgemeinschaft" verkettet, die durch das gegenseitige „Vertrauen" vermittelt ist. Konsequent wird auf dem durch die Eigentumsverhältnisse definierten Führungs- und Gewinnanspruch beharrt. „Doch ist im allgemeinen zu beobachten, wie schwer es sich die Unternehmer machen, die harten und entscheidenden Orientierungsgrößen ihres Handelns zu umschreiben, nämlich Rentabilität, Gewinn und Liquidität... Der Unternehmergewinn ist der Motor der Produktivität, und zwar gilt dies unabhängig davon, ob das Unternehmen von einem ‚Manager', einem ‚beauftragten' Unternehmer oder einem ‚Eigentümer-Unternehmer' geführt wird"[41]. Die Trennung von Kapitaleigentum und Kapitalfunktion, die sich mit den Aktiengesellschaften durchgesetzt hat, ist keine „kapitalistische Revolution" gewesen, sondern ein objektives Erfordernis, um den durch die Entwicklung der Produktivkräfte bedingten Leitungsanforderungen gerecht zu werden. Investitionslenkung und Kapitalbeschaffung, Entscheidungen über Forschungsprogramme, Produktionssortiment, langfristige Geschäftsverbindungen und Kooperationsbeziehungen, Fusionen, Ankäufe und Beteiligungen, Fragen des Exports und vor allem über die Verwendung des Gewinns sind die wichtigsten Fragen im Kompetenzbereich der kapitalistischen Unternehmensleitung. Ihre Bewältigung bedarf jedoch der ständigen Planung und Beobachtung der nationalen und internationalen Märkte, der – durch prognostisches Denken bestimmten – wissenschaftlichen Betriebsführung und Unternehmensplanung sowie der Verbindungen zu den Verbänden und den staatlichen Institutionen. Die steigende Bedeutung gerade dieser letzten Aufgaben begründet nicht nur die Zunahme des wissenschaftlichen qualifizierten

40  H. M. Schleyer, Führung in der Wirtschaft. In: Führung in einer freiheitlichen Gesellschaft, a.a.O., S. 132.
41  Ebd., S. 119.

Verwaltungs-, Organisations- und Forschungspersonals in den Großunternehmen, sondern auch die immer häufiger konstatierte Tendenz, daß die Position des Vorstandes gegenüber dem Aufsichtsrat erheblich gestärkt wird [42].

Demgegenüber sind die in der BRD gesetzlich garantierten Mitbestimmungs- und Kontrollmöglichkeiten der Arbeiter und Angestellten, die keine Leitungsfunktionen wahrnehmen und deren Anteil immerhin etwa 81 % der Erwerbsbevölkerung beträgt, außerordentlich beschränkt:

1. Das Tarifvertragsrecht, das die Gewerkschaften als kollektive, organisierte Interessenvertretung anerkennt, regelt im wesentlichen die Formen des Lohnkonfliktes und der Arbeitsbedingungen (z. B. Rationalisierungsschutz). Die Möglichkeit, über den Tarifvertrag Mitbestimmungs- und Kontrollrechte zu erkämpfen, die über das Betriebsverfassungsgesetz (BetrVG) von 1952 hinausgehen [43], wird von Unternehmerseite, aber auch von Teilen der Gewerkschaftsführungen, zurückgewiesen [44].

2. Das BetrVG, das 1952 gegen den erbitterten Widerstand der Gewerkschaften in Kraft trat, unterscheidet – auf der betrieblichen Ebene – zwischen Mitbestimmungs- und Mitwirkungsrechten des von der Belegschaft gewählten Betriebsrates. Echte Mitbestimmungsmöglichkeiten des Betriebsrates sind nur in einigen sozialen Angelegenheiten (vor allem Regelung der Arbeitszeit, Lohnfragen etc.) garantiert. Bei Personalfragen (Einstellungen, Entlassungen) hat der Betriebsrat Einspruchs- und Mitwirkungsrechte. In wirtschaftlichen Angelegenheiten schließlich ist – in Betrieben mit mehr als 100 Beschäftigten – die Institution des Wirtschaftsausschusses vorgesehen. Dieser ist paritätisch mit Vertretern des Betriebsrates und der Unternehmensleitung besetzt und hat lediglich Anspruch auf „Unterrichtung über die wirtschaftlichen Angelegenheiten des Unternehmens". Von einer effektiven Mitbestimmung kann hier nicht die Rede sein. Auf der Ebene des Unternehmens schreibt das

42  Mitbestimmung im Unternehmen, a.a.O., S. 36.
43  Vgl. R. Hoffmann, Rechtsfortschritt durch gewerkschaftliche Gegenmacht. Frankfurt/Main: 1968.
44  Vgl. Mitbestimmung im Unternehmen, a.a.O., S. 64.

BetrVG vor, daß ein Drittel der Sitze im Aufsichtsrat von Vertretern der Arbeiter und Angestellten zu besetzen sind [45]. Die reale Einschränkung von Interessenvertretung und Mitbestimmung durch den Betriebsrat wird noch durch das Verbot und die Behinderung offener gewerkschaftlicher Aktivität im Betrieb sowie durch die – im berüchtigten § 49 auferlegte – Pflicht verschärft, mit dem Arbeitgeber „vertrauensvoll" zusammenzuarbeiten und insbesondere bei Arbeitskämpfen den „Frieden des Betriebes" zu bewahren [46].

3. Einzig im Montanmitbestimmungsgesetz (MBG) von 1951 ist auf der Unternehmensebene die paritätische Besetzung des Aufsichtsrates durchgesetzt worden. Dazu kommt als Mitglied des Unternehmensvorstandes der Arbeitsdirektor, der nicht gegen die Stimmen der Mehrheit der Arbeitnehmervertreter im Aufsichtsrat berufen werden kann. Dennoch kann auch hier nicht unumwunden von einer Einschränkung der Leitungsstruktur des kapitalistischen Verwertungsprozesses gesprochen werden. Die gesetzlichen Bindungen, die den Vertretern der Gewerkschaften sowie der Arbeiter und Angestellten auferlegt werden, verpflichten diese ausdrücklich zur Wahrung der Unternehmensinteressen und behindern so die Kommunikation zwischen den Belegschaften und ihren Repräsentanten [47].

Die gegenwärtige Auseinandersetzung um die Mitbestimmung verdeutlicht die Hauptendenzen der Entwicklung des Kräfteverhältnisses der Klassen in der BRD. Zum einen versuchen die wirtschaftlichen und politischen Interessenvertreter der Großindustrie, ihre Machpositionen durch die Zurückweisung der gewerkschaftlichen Forderungen nach Erweiterung der paritätischen Mitbestimmung, insgesamt also durch den offenen

45 Vgl. DGB, Mitbestimmungsrecht der Arbeitnehmer in Deutschland. Düsseldorf: 1967.
46 Vgl. O. Brenner, Gewerkschaftliche Dynamik in unserer Zeit. Frankfurt/M.: 1966, bes. S. 121 ff.
47 Vgl. F. Deppe, J. v. Freyberg, C. Kievenheim, R. Meyer, F. Werkmeister, Kritik der Mitbestimmung. Partnerschaft oder Klassenkampf? Frankfurt/M.: 1970, bes. S. 110 ff.

Abbau der paritätischen Mitbestimmung auszubauen [48]. Andererseits ist aber die herrschende Klasse gezwungen, angesichts des – vor allem seit 1966 neu belebten – gewerkschaftlichen Selbstbewußtseins der Arbeiter und Angestellten, sozialpolitische Konzessionen als Alternative zu den Gewerkschaftsforderungen anzubieten. Sie schlagen eine Erweiterung der „Mitbestimmung am Arbeitsplatz" vor, wobei sie hoffen, daß die Arbeiter und Angestellten auf diesem Wege in die Herrschaftsordnung des Betriebes reibungsloser zu integrieren sind. Mitbestimmung am Arbeitsplatz soll dem Arbeiter „... wieder eine Zielvorstellung seiner Arbeit vermitteln und damit einen Zugang zur Verantwortung in einem größeren betrieblichen Prozeß. Das bewußte und freiwillige Tun des Notwendigen ist ein wesentlicher Schritt zur Befreiung vom Gefühl der zwangshaften Unterordnung unter anonyme technische Abläufe" [49]. Im außerbetrieblichen Bereich sollen die Lohnabhängigen durch „Vermögensbildung" ihre Stellung als Konsumenten verbessern.

Beide Konzeptionen sind ganz eindeutig darauf gerichtet, die bisherige gesellschaftliche Machtlosigkeit der Lohnabhängigen zu vertiefen, den Antagonismus von Kapitalfunktionen und unselbständiger, produktiver Arbeit im Betrieb zu verfestigen und diesen immer schärfer werdenden Gegensatz ideologisch zu verschleiern. Die Arbeiter sollen sich ausschließlich auf ihre „hautnahen Probleme" am Arbeitsplatz und bei der Verwendung ihres Lohnes orientieren [50] und dabei das Bewußtsein von der zunehmenden Konzentration wirtschaftlicher und politischer Macht an der Spitze der Unternehmungen verlieren.

Die Ausschaltung der gesellschaftlichen Produzenten von den

48 Vgl. dazu die gerade im Bundestag eingebrachte Gesetzesvorlage der CDU zur gesetzlichen Regelung der Mitbestimmung, nach der für die gesamte Industrie die Zusammensetzung des Aufsichtsrates im Verhältnis 7 (Anteilseigner) : 5 (Arbeitnehmer) erfolgen soll. Vgl. Handelsblatt vom 2. 2. 1971.
49 Schleyer, Führung in der Wirtschaft, a.a.O., S. 127.
50 Vgl. dazu P. F. Drucker, Gesellschaft am Fließband. Frankfurt/M.: 1950 und ders., Praxis des Managements. Ein Leitfaden für die modernen Führungsaufgaben in der Wirtschaft. Düsseldorf: 1956.

gesellschaftlich und betrieblich relevanten Produktionsentschei-
dungen, die eine notwendige Bedingung kapitalistischer Produktionsverhältnisse darstellt, prägt zugleich die Entwicklung
des gesellschaftlichen Bewußtseins der Produzenten. Das Arbeiterbewußtsein, das nunmehr auch in der BRD wiederum
zum Gegenstand arbeitssoziologischer Forschungen geworden
ist, bildet sich in der Beziehung zur Bewegung der gesellschaftlichen Klassenverhältnisse und – damit eng verbunden –
zum je historisch konkreten Kräfteverhältnis der Klassen aus.
Seine Erscheinungsformen werden also durch das Kräfteverhältnis zwischen den herrschenden Ideologien und politischen
Institutionen auf der einen und der politischen und gewerkschaftlichen Organisation der Arbeiterschaft auf der anderen
Seite bestimmt. In der BRD ist dieses Verhältnis derzeit eindeutig durch das Machtübergewicht der Kapitalinteressen im
Bereich von Wirtschaft, Politik und Ideologie gekennzeichnet.
Die von bürgerlichen Soziologen immer wieder vorgetragene
These vom Auflösungsprozeß des proletarischen Klassenbewußtseins, die jüngst in der Chemie-Arbeiter-Studie von Fürstenberg
erneut propagiert wurde [51], spiegelt mithin jenes Kräfteverhältnis der Klassen wider, das die Entwicklung der BRD seit
Beginn der fünfziger Jahre beherrschte.
Die Zielsetzung der ideologischen Beeinflussung der Arbeiter
und Angestellten vermittels innerbetrieblicher Integration ist
von Abraham prägnant formuliert worden: „Die funktionale
Erziehung zu dem Bewußtsein, daß die Gesellschaft sinnvoll
geordnet ist, und zu einem auf die Gestaltung von Ordnung
gerichteten sozialen Handelns ist daher im Rahmen der funk-
tionalen Erziehungsleistung des Betriebes von ganz besonderer
Intensität und Wichtigkeit" [52]. Die dichotomische Leitungs-
und Machtstruktur des kapitalistischen Industriebetriebes soll

51  Vgl. F. Fürstenberg, Die Soziallage der Chemiearbeiter. Industrie-
    soziologische Untersuchungen in rationalisierten und automatisier-
    ten Chemiebetrieben. Neuwied, Berlin: 1969.
52  K. Abraham, Der Betrieb als Erziehungsfaktor. Die funktionale
    Erziehung durch den modernen wirtschaftlichen Betrieb. Freiburg/
    Brsg.: 1957, S. 158.

sich dem Arbeiter als gleichsam naturwüchsiges Modell einer hierarchisch, aber funktional gegliederten Gesellschaftsordnung einprägen und so das traditionelle Arbeiterbewußtsein, das in der Erfahrung der kollektiven Klassenlage und der Einsicht in die Notwendigkeit des kollektiven, solidarischen und organisierten Handelns gründete, atomisieren. Als der bislang erfolgreichste Hebel, um diesen Individualisierungsprozeß voranzutreiben und zugleich die faktische Machtlosigkeit des Arbeiters in Betrieb und Gesellschaft ideologisch zu kompensieren, hat sich die Orientierung auf Lohn und Konsum bewährt. Selbst die Ideologie des Antikommunismus, die die verschiedenen Elemente der ökonomischen und ideologischen Integration der Arbeiterklasse miteinander verklammert, stützt sich weitgehend auf die Kontinuität der Lohn- und Konsumerweiterung. Neuere arbeitssoziologische Untersuchungen bestätigen, daß zwar die Intensität der Lohnorientierung als ein Maßstab der Zurückdrängung von solidarischem Klassenbewußtsein der Arbeiterschaft gewertet werden kann, daß aber zugleich dieses Ergebnis das Scheitern der seit Jahrzehnten systematisch verfolgten Einordnung der Arbeiterklasse in das System des Kapitalismus andeutet: Die Arbeiter identifizieren sich weder mit dem Inhalt ihrer Arbeit, noch akzeptieren sie bewußt das kapitalistische Herrschaftssystem in Betrieb und Gesellschaft [53]. Die Intensität der Konsumorientierung korrespondiert vielmehr unmittelbar mit der Erfahrung der gesellschaftlichen Machtlosigkeit und der innerbetrieblichen Disziplinierung.

Die Theorien von der Nivelierung der gesellschaftlichen Klassenverhältnisse, von der „Verbürgerlichung" der Arbeiter, der Integration und Anpassung erweisen sich also bei einer kritischen Konfrontation mit der Wirklichkeit der betrieblichen und gesellschaftlichen Lage der Arbeiterklasse als apologetische Ideologien. Differenziertere empirische Untersuchungen des Ar-

53  So die Untersuchungen von J. H. Goldthorpe, D. Lockwood, F. Bechhofer, J. Platt, The Affluent Worker: Industrial Attitudes and Behaviour. Cambridge: 1968, dies., The Affluent Worker: Political Attitudes and Behaviour. Cambridge: 1968; dies., The Affluent Worker in the Class Structure. Cambridge: 1969; Kern, Schumann, Industriearbeit und Arbeiterbewußtsein, a.a.O.

beiterbewußtseins haben dagegen das Fortbestehen gemeinsamer sozialer Bewußtseins- und Handlungsstrukturen festgestellt. Zwar kommt auch die Studie von Kern und Schumann zu dem Schluß, daß der zunehmenden Differenzierung und Polarisierung der Arbeitsplatzstruktur im Zuge des wissenschaftlich-technischen Fortschrittes eine Differenzierung und Polarisierung des Bewußtseins entspricht. Dennoch gehört die gemeinsame Angst und Unsicherheit, die mit den erwarteten Auswirkungen des technischen Fortschritts einhergeht, zu den prägnantesten Merkmalen des Arbeiterbewußtseins.Trotz der durchweg positiven Bewertung der individuellen Perspektive „sind sich aber die Arbeiter in ihrer überwältigenden Mehrheit darin einig, daß der technische Wandel ihre Arbeitsplätze verunsichert, die Gefahr der Arbeitslosigkeit zunimmt: Fast drei Viertel aller Befragten (73 %) sehen die Arbeitsplatzsicherheit bedroht von der technischen Entwicklung . . ." [54].

Die allseits konstatierte „Zwiespältigkeit" des Arbeiterbewußtseins [55] ist ein Ausdruck des historisch-konkreten, wirtschaftlichen, politischen und ideologischen Kräfteverhältnisses der Klassen der BRD. Qualität und Perspektive dieses Bewußtseins werden zugleich in hohem Maße von der Politik der Gewerkschaften und der Stärke einer Arbeiterpartei bestimmt, die es den Arbeitern ermöglichen, ihre eigene soziale Lage und deren ideologische Beeinflussung nach Maßgabe ihrer Klasseninteressen zu interpretieren. Seit der Wirtschaftskrise von 1966/67 deutet sich ein grundlegender Wandel des Handelns und Bewußtseins der Arbeiterschaft an. Den wachsenden Reproduktionsschwierigkeiten des kapitalistischen Systems in der BRD korrespondiert eine zunehmende Kampfbereitschaft der Industriearbeiter zur Verteidigung und Durchsetzung ihrer materiellen Interessen [56].

54  Kern, Schumann, Industriearbeit und Arbeiterbewußtsein, Teil I, a.a.O., S. 236.
55  Ebd.
56  Vgl. H. Jung, F. Schuster, K. Steinhaus, Kampfaktionen der westdeutschen Arbeiterklasse 1966–1970. In: Das Argument 12, 1970, Heft 11/12 (Nr. 62), S. 873–910.

Schon die Verfassung der DDR von 1968 bringt im Artikel 41 die – gegenüber der BRD – grundsätzlich verschiedene gesellschaftliche Funktion des Industriebetriebes zum Ausdruck: „Die sozialistischen Betriebe, Städte, Gemeinden und Gemeindeverbände sind im Rahmen der zentralen staatlichen Planung und Leitung eigenverantwortliche Gemeinschaften, in denen die Bürger arbeiten und ihre gesellschaftlichen Verhältnisse gestalten. Sie sichern die Wahrnehmung der Grundrechte der Bürger, die wirksame Verbindung der persönlichen mit den gesellschaftlichen Interessen sowie ein vielfältiges gesellschaftlich-politisches und kulturell-geistiges Leben. Sie stehen unter dem Schutz der Verfassung . . ." Der Betrieb ist also einerseits als die „Grundeinheit im Prozeß der erweiterten sozialistischen Reproduktion" [57] verfassungsrechtlich anerkannt. Seine Tätigkeit ist die „Grundlage für die Schaffung und Mehrung des gesellschaftlichen Reichtums." (Verf. der DDR, Art. 42, Abs. 1.) Andererseits ist er als Teilsystem des gesamtgesellschaftlichen Planungs- und Leitungssystems definiert.

Um die vielfältigen Funktionen des Industriebetriebes im entwickelten System des Sozialismus genauer zu erfassen, muß freilich der Begriff des „demokratischen Zentralismus" als „Einheit von demokratischer zentraler Planung und Leitung und demokratischer Eigenverantwortung der Betriebskollektive und Territorialorgane" [58] erläutert werden. Die Alternative zwischen einem „zentralistisch administrativen" und einem „dezentralistisch marktorientierten Modell" der Planung wird nach Auffassung sozialistischer Wirtschaftstheoretiker von außen, von bürgerlichen Positionen an das sozialistische Wirt-

57 Politische Ökonomie des Sozialismus und ihre Anwendung in der DDR, a.a.O., S. 683.
58 Vgl. H. Luft: Demokratie in der sozialistischen Wirtschaft, Berlin: 1969, S. 15; Politische Ökonomie des Sozialismus und ihre Anwendung in der DDR, a.a.O., S. 687.

schaftssystem herangetragen [59]. Jede Dezentralisierung der grundsätzlichen wirtschaftlichen Entscheidungen würde nicht nur einen – vor allem für Jugoslawien typischen – Betriebsegoismus sowie eine verselbständigte Eigengesetzlichkeit des Marktes fördern, sondern auch die Planung und Realisierung gesamtgesellschaftlich notwendiger und langfristiger Entscheidungen behindern oder gar unmöglich machen [60]. Zentrale Leitung wird um so notwendiger, je mehr die folgenden Aufgaben in den Mittelpunkt treten [61]:

1. Volkswirtschaftliche Strukturveränderungen zur Meisterung der wissenschaftlich-technischen Revolution;

2. Konzentration der Kräfte und Mittel zur Erreichung von Pionier- und Spitzenleistungen auf entscheidenden Gebieten;

3. die sozialistische Wirtschaftsintegration im Rahmen des RGW;

4. die Wissenschaftsorganisation;

5. die Systemautomatisierung und die komplexe sozialistische Rationalisierung;

6. eine langfristige Konzeption in der Bildungspolitik und

7. die Integration der Territorialplanung in das System der Wirtschaftsplanung.

Angesichts dieser objektiven Erfordernisse, die im gesamtgesellschaftlichen Interesse nur – wissenschaftlich und prognostisch begründet – von der Ebene der zentralen staatlichen Leitung optimal realisiert werden können, entwickelt sich der Perspektivplan zum Hauptsteuerungsinstrument der Volkswirtschaft. Der von der staatlichen Planungskommission erarbeitete

59  Vgl. Autorenkollektiv, Planung der Volkswirtschaft in der DDR. Berlin: 1970, S. 43.

60  Vgl. O. Reinhold, Zentrale Leitung, Eigenverantwortlichkeit und Mitgestaltung: Das Neue Ökonomische System. In: Marxismus in unserer Zeit, Sonderheft 1/1968 der Marxistischen Blätter, S. 208 bis 220.

61  Vgl. Arbeitsgruppe für die Gestaltung des ökonomischen Systems des Sozialismus beim Präsidium des Ministerrates der DDR (Hrsg.), Zur Gestaltung des ökonomischen Systems des Sozialismus in der DDR in den Jahren 1971 bis 1975. Berlin: 1970, S. 30 ff.

„Planansatz" (Entwurf) zum Perspektivplan wird für die zuständigen Ministerien – unter umfassender Beteiligung der Werktätigen, der örtlichen Volksvertretungen sowie der gesellschaftlichen Organisationen – im Perspektivplanangeboten präzisiert [62] und – nach der Bestätigung durch den Bundesvorstand des FDGB [63] – vom Ministerrat gebilligt. Auf dieser Grundlage beschließt der Ministerrat „langfristige Normative", die die Erarbeitung der Jahresvolkswirtschaftspläne bestimmen. Die Betriebe, Kombinate und wirtschaftsleitenden Organe nehmen nun im Rahmen dieser staatlichen Kennziffern und ihrer eigenen perspektivischen Tätigkeit eigenverantwortlich die Planung ihres Produktionsprozesses vor [64]. Sowohl die Erarbeitung der perspektivischen Plankonzeption oder des Planangebots auf der Grundlage der staatlichen Vorgaben und der autonomen prognostischen Tätigkeit, die vor dem übergeordneten Organ zu verteidigen ist (Phase 1), als auch die folgende Erarbeitung des Planentwurfs durch Diskussion der staatlichen Aufgaben aufgrund von ökonomischen Regelungen und der Vertragsvorbereitung, die in dem Planentwurf einmünden (Phase 2), der dann – als Gesetz verabschiedet – den Inhalt der Planauflage und der Plandurchführung bestimmt (Phase 3), müssen als die entscheidenden Phasen der demokratischen Aktivität der Werktätigen betrachtet werden. Dafür legt das Gesetzbuch der Arbeit (GBA) der DDR im § 15 Abs. 3 klare Richtlinien fest: „Der Betriebsleiter ist verpflichtet, auf der Grundlage der staatlichen Aufgabe die Plandiskussion in enger Zusammenarbeit mit der Betriebsgewerkschaftsleitung entsprechend ihren Rechten und ihrer Verantwortung vorzubereiten und durchzuführen. Er ist dafür verantwortlich, daß jeder Werktätige in der Plandiskussion mit der staatlichen Aufgabe vertraut ge-

62  Vgl. Anordnung über die Ausarbeitung der Planangebote zum Perspektivplan 1971–1975. In: GBl. III, 1968, Nr. 10.
63  Zur Mitwirkung der Gewerkschaften an der Plandiskussion vgl. G. Siebert, Mitbestimmung drüben. Aus der überbetrieblichen Arbeit der Gewerkschaften in der DDR. Frankfurt/M.: 1971, bes. S. 60 ff.
64  Hierzu ausführlich: Politische Ökonomie des Sozialismus und ihre Anwendung in der DDR, a.a.O., S. 336 ff.

macht und ihre effektivste Lösung beraten wird. Die Vorschläge der Werktätigen sind bei der Ausarbeitung der betrieblichen Pläne zu berücksichtigen. Wenn Vorschläge nicht verwirklicht werden können, ist dies gegenüber den Werktätigen zu begründen."

Demokratischer Zentralismus als die Einheit von zentraler staatlicher Leitung und Eigenverantwortlichkeit der Betriebe ist zugleich ein Instrument zur Gestaltung der Interessenübereinstimmung im ökonomischen System des Sozialismus. Es gibt keine automatische Übereinstimmung von individuellen, betrieblichen und gesellschaftlichen Interessen. Die Bewältigung aktueller wie potentieller Interessenswidersprüche ist vielmehr permanente Aufgabe der gesellschaftlichen Leitungsorgane, die freilich nur durch eine umfassende sozialistische Demokratie zu verwirklichen ist. Solche Widersprüche können u. a. resultieren aus individuellen Interessen und gesellschaftlichen Anforderungen an den Betrieb, unterschiedlichen Interessen zwischen Betrieben, unterschiedlicher Bewußtseinsbildung, Fehlern im Entscheidungsprozeß, Konsequenzen der wissenschaftlich-technischen Revolution, Qualifikationsdifferenzen etc. [65]. Sind die Interessen aber begriffen als „... ein Bindeglied zwischen ökonomischen Beziehungen auf der einen und Kollektivpersönlichkeit, subjektivem Faktor, gesellschaftlichem bzw. individuellem Bewußtsein auf der anderen Seite" [63], so können individuelle betriebliche und gesamtgesellschaftliche Interessen nicht mehr als unaufhebbarer Widerspruch begriffen werden. Im Rahmen und mit den Mitteln des ökonomischen Systems des Sozialismus ist vor allem das System der Hebel ein Instrument der Abstimmung verschiedener Interessen. Die Realisierung der Interessen der Werktätigen (Erhöhung des individuellen und gesellschaftlichen Konsums), der Betriebe (mit geringstem Aufwand einen hohen Beitrag zum Nationaleinkommen zu erwirtschaften) und des sozialistischen Staates (Erhöhung des Nationaleinkommens zur Deckung der Bedürfnisse

65  Vgl. ebd., S. 710 f.
66  Theoretische und methodologische Probleme der marxistischen Industriesoziologie. Berlin: 1967, S. 39.

der Gesamtgesellschaft) [67] bezeichnet daher zugleich unterschiedliche Stufen der „Aggregation" des gleichen Interesses der herrschenden Arbeiterklasse, bezeichnet also den Zusammenhang der Elemente des Systems der sozialistischen Aneignung selbst [68].

Die Einheit von zentraler staatlicher Leitung und Eigenverantwortlichkeit der sozialistischen Warenproduzenten wird weiterhin durch objektive gesellschaftliche Entwicklungsprozesse im Zusammenhang der wissenschaftlich-technischen Revolution vermittelt. Der zunehmende Anteil geistiger Arbeit in der Produktion, neue Formen der horizontalen und vertikalen Kooperation, die Veränderung der Qualifikation und des Lernens, die Steigerung der Arbeitsproduktivität, die das Ausmaß des Konsums und der disponierbaren Zeit außer der Arbeit erweitert – insgesamt die Verwissenschaftlichung und Vergesellschaftung der Arbeit intensivieren den gesellschaftlichen Reproduktionsprozeß und erfordern die systematische Konzentration der Produktion durch die Bildung volkseigener Industriekombinate, die Zusammenfassung der Forschung in Großforschungseinheiten sowie die Kooperation ganzer Industriezweige durch die VVB. Im Prozeß der Vergesellschaftung der Produktion ist ihnen die Aufgabe gestellt, „als ökonomisches Führungsorgan die Durchsetzung einer einheitlichen prognostisch begründeten wissenschaftlich-technischen und ökonomischen Politik im Industriezweig, die rationelle Profilierung, Organisation und territoriale Einordnung des Zweiges sowie die Gesamtplanung und Koordinierung des zweiglichen Reproduktionsprozesses zu gewährleisten" [69].

Solche Entwicklungsprozesse können jedoch nicht von den konkreten historischen Widersprüchen und Bedingungen abstrahiert werden, die bis zur Realisierung des entwickelten Systems des

67  Vgl. R. Walter, Die Gestaltung der Interessenübereinstimmung im ökonomischen System des Sozialismus der DDR. Berlin: 1970, bes. S. 105 ff.
68  Vgl. Nick, Gesellschaft und Betrieb im Sozialismus, a.a.O., S. 71 ff.
69  Politische Ökonomie des Sozialismus und ihre Anwendung in der DDR, a.a.O., S. 703.

Sozialismus bewältigt werden müssen. In der ersten Phase des Aufbaus, die bis zur Durchsetzung der sozialistischen Produktionsverhältnisse reicht, standen administrative Methoden in der staatlichen Wirtschaftsführung notwendig im Vordergrund. Das Prinzip der Eigenerwirtschaftung der Mittel (Eigenfinanzierung der Investitionen bzw. der Umlaufmittelerhöhungen an Amortisationen, Gewinnen) konnte nicht verwirklicht werden. Der Jahresplan war durch Volumenskennziffern (Warenproduktion, Gewinn, Lohnfonds, Investitionen, Export, Import u. a.) faktisch das Hauptinstrument der unmittelbaren volkswirtschaftlichen Steuerung der Teilsysteme [70]. Diese Konzentration der staatlichen Leitung resultierte aus dem Charakter der Periode des sozialistischen Aufbaus, die in der DDR im wesentlichen durch die folgenden Strukturmerkmale gekennzeichnet war:

1. Verbreiterung des sozialistischen Produktionssektors gegenüber den nichtsozialistischen Sektoren der einfachen Warenproduktion und der kapitalistischen Produktion;

2. Beseitigung schwerwiegender ökonomischer Disproportionen und Errichtung einer schwerindustriellen Basis (Metallurgie, Kohle, Energie, Schwermaschinenbau, Grundchemie);

3. Schaffung der Grundlagen eines demokratischen Bildungs- und Ausbildungssystems;

4. Kampf gegen die starken Restbestände faschistischer und bürgerlicher Ideologie.

Angesichts dieser Bedingungen diente die Planung als ein „Instrument der Klassenauseinandersetzung" [71] der Doppelaufgabe, sowohl das neue System der sozialistischen Wirtschaft zu festigen als auch alle nichtsozialistischen Formen der Wirtschaft und Ideologie schrittweise zurückzudrängen. Diesen Anforderungen entsprach die Verankerung der staatlichen Planung im Artikel 21 der Verfassung der DDR von 1949 und der Inhalt des ersten Zweijahresplans 1949/50, „der der erste längerfristige

---

70  Vgl. Nick, Gesellschaft und Betrieb im Sozialismus, a.a.O., S. 23 f.
71  Politische Ökonomie des Sozialismus und ihre Anwendung in der DDR, a.a.O., S. 124.

Plan war, durch Jahresvolkswirtschaftspläne konkretisiert wurde und die unmittelbare Vorstufe für den Übergang zur Perspektivplanung bildete" [72]. Selbst in der ersten Phase des sozialistischen Aufbaus gab es aber kein System der reinen administrativen staatlichen Leitung, das die Bedeutung der Aktivität und Initiative von Betrieben und Werktätigen vernachlässigt hätte. Die Neuererbewegung, die am Ende des ersten Fünfjahrplanes (1955) schon 423 000 Werktätige umfaßte [73], und die verschiedenen Formen des sozialistischen Wettbewerbs, die in der Produktionsaufgebotsbewegung von 1961 einen Höhepunkt erreichten [74], spiegeln diese Einbeziehung der Aktivität der Werktätigen in den Prozeß der Planung wider.

Planung und Leitung sind als Grundfunktionen des ökonomischen Systems des Sozialismus eng miteinander verbunden [75]. Leitung bedeutet vor allem Verantwortung für die Realisierung des gesellschaftlichen Planungsprozesses in seiner Gesamtheit wie in seinen Teilsystemen. Wahrnehmung von Leitungsfunktionen heißt demzufolge nicht die Wahrnehmung partikularer Verwertungsinteressen. Der Werksdirektor ist Staatsfunktionär und für die Durchsetzung des gesamten staatlichen Plans verantwortlich [76]. Im Gesetzbuch der Arbeit der DDR (GBA) sowie in der Verordnung über die Aufgaben, Rechte und Pflichten des volkseigenen Produktionsbetriebes (VEB-VO)[77] ist diese Funktion sozialistischer Leitungstätigkeit exakt definiert.

72  Autorenkollektiv, Planung der Volkswirtschaft in der DDR, a.a.O., S. 15
73  Vgl. ebd., S. 20.
74  Vgl. Geschichte der deutschen Arbeiterbewegung. In 8 Bänden. Berlin: 1966, 8. Bd., S. 290 ff.
75  Die Weiterentwicklung der Planung war daher stets mit einer Weiterentwicklung des Systems der Leitung verbunden. Vgl. H. Müller, K. Reißig, Wirtschaftswunder DDR. Ein Beitrag zur Geschichte der ökonomischen Politik der SED. Berlin: 1968, bes. S. 177 ff.
76  Vgl. W. Plat: Begegnung mit den anderen Deutschen. Gespräche in der DDR. Reinbek: 1969, bes. S. 194 ff. (Gespräch mit H. Schulze, Werksdirektor).
77  Vgl. Staatliches Amt für Arbeit und Löhne beim Ministerrat (Hrsg.), Gesetzbuch der Arbeit und andere ausgewählte rechtliche Bestimmungen. Berlin: 1969, S. 96 ff.

Das Prinzip der Einzelleitung – als Ausdruck des demokratischen Zentralismus – besagt, daß der Direktor eines Betriebes, Kombinats oder der VVB persönlich verantwortlich ist für die Durchführung der dem Betrieb im Volkswirtschaftsplan und anderen gesetzlichen Bestimmungen auferlegten Aufgaben der Planung, Organisation und Kontrolle der Arbeit sowie für die Entwicklung der kollektiven Beziehungen der Werktätigen [78]. Zur Erfüllung dieser Aufgaben sind die Leiter gegenüber den Werktätigen – auf der Grundlage der gesetzlichen und tarifvertraglichen Bestimmungen und arbeitsvertraglichen Vereinbarungen [79] – weisungsberechtigt (GBA § 9 Abs. 3).

Das Prinzip der Einzelleitung mag zunächst die Vermutung bestärken, daß die Funktion der Leitung im Sozialismus über einen weiten Radius der Macht verfüge und mithin der Gefahr unterliege, sich gegenüber dem Kollektiv der Werktätigen zu verselbständigen. Die Auseinandersetzung mit diesem Einwand ist gerade darum geboten, weil hier vor allem die Konvergenztheorien die Identität von kapitalistischem und sozialistischen „Management" aufspüren. Die Kernfrage ist in der Tat die, ob und in welcher Weise das System der Einzelleitung im Sozialismus die Verselbständigung partikularer politischer und materieller Interessen der Leiter gegenüber den Interessen der Gesamtgesellschaft und der Betriebskollektive ermöglicht. Während die kapitalistische Leitungsfunktion ganz eindeutig an die Realisierung der Kapitalverwertung gebunden ist, erschließt sich die besondere Qualität der sozialistischen Leitung nur in dem institutionalisierten Zusammenhang dieser verschiedenen Interessen als die Durchsetzung aller Elemente des sozialistischen Aneignungsprozesses. Daraus ergibt sich die systembedingte Erweiterung der Leitungsfunktion im Sozialismus, die vor allem durch die folgenden Merkmale gekennzeichnet ist:

78  Vgl. K. Endler, M. Wenzel, Führungsentscheidungen im sozialistischen Betrieb. Berlin: 1967.
79  Vgl. Autorenkollektiv, Arbeitsrecht der DDR. Berlin: 1970, S. 105 ff.

1. Das Prinzip der Einzelleitung selbst umfaßt nicht nur das Recht zu Entscheidung und Weisung, sondern ist inhaltlich fest gebunden an die Einhaltung und Weiterentwicklung des sozialistischen Arbeitsrechtes und der sozialistischen Demokratie (VEB-VO § 34 ff.). Verstößt die Weisung eines Betriebsdirektors gegen diese gesetzlichen Bestimmungen, so ist der Weisungsempfänger „... berechtigt, bzw. verpflichtet, die Weisung nicht zu befolgen. Die Pflicht zur Nichtbefolgung ergibt sich aus der Pflicht zur Wahrung der sozialistischen Arbeitsdisziplin und der sozialistischen Gesetzlichkeit" [80]. Ebenso haben die Betriebsgewerkschaftsleitungen das Recht, von dem übergeordneten Leiter bei mangelhafter Erfüllung der Aufgabe, bei Verletzung der sozialistischen Gesetzlichkeit und bei Mißachtung der Rechte der Gewerkschaften durch Betriebsleiter oder leitende Mitarbeiter zu fordern, daß die Verantwortlichen zur Rechenschaft gezogen werden (§ 12 Abs. 3 GBA).

2. Für die Erfüllung seiner Aufgaben ist der Einzelleiter den Werktätigen des Betriebes bzw. den Delegierten der Belegschaft von volkseigenen Kombinaten und Großbetrieben und dem Leiter des übergeordneten Organs rechenschaftspflichtig [81]. Die Rechenschaftslegung auf allen Ebenen als Bestandteil des Arbeitsrechtsverhältnisses des Einzelleiters ist „... eine Form der Kontrolle der Gesellschaft über die Verwirklichung der Verantwortung einzelner Funktionäre" [82].

3. Die Kriterien für die Auswahl der Leiter sind nicht ausschließlich ökonomisch oder betriebswirtschaftlich definiert, sondern bestimmen sich durch den politisch-ideologischen Klassenstandpunkt ebenso wie durch „umfassendes marxistisch-leninistisches Wissen" der Leiter. „Der Nur-Fachmann wird die Vorzüge des Sozialismus nicht voll nutzen" [83]. Für die

80  Ebd., S. 110.
81  Vgl. Beschluß vom 23. April 1969 über die Durchführung von Rechenschaftslegungen im Bereich der volkseigenen Wirtschaft, der örtlichen Räte und vor dem Ministerrat. In: GBl. II, S. 273.
82  Autorenkollektiv, Arbeitsrecht in der DDR, a.a.O., S. 101.
83  P. Liehmann, Der sozialistische Leiter und die Initiative der Werktätigen. Wesen und Erfordernisse der sozialistischen Menschenführung im Betrieb. Berlin: 1970, S. 71.

gesellschaftlich adäquate Ausfüllung der Leitungsfunktion gilt also – wie schon Lenin forderte – der „Primat der Politik" gegenüber der Ökonomie: „Ohne politisch richtig an die Sache heranzugehen, wird die ... Klasse ihre Herrschaft nicht behaupten und folglich auch ihre Produktionsaufgaben nicht lösen können" [84].

Angesichts dieser rechtlich normierten gesellschaftlichen und politischen Bedingungen der Leitungsfunktion im System des Sozialismus ist deren Verselbständigung zu subjektiven Interessen unmöglich. Im Rahmen der Aufgaben, die sich mit der Bewältigung der wissenschaftlich-technischen Entwicklung stellen, rückt die Objektivierung, d. h. Verwissenschaftlichung von Entscheidungsprozessen, immer mehr in den Vordergrund, was zugleich die Funktion der Leitung unterstreicht, „die Werktätigen zu befähigen, mit wachsender Sachkenntnis die komplizierter werdenden Aufgaben zu gestalten" [85]. Der Begriff der Leitung selbst ist also nicht als eine autonome individuelle Funktion, sondern als ein Element des Systems der sozialistischen Aneignung zu interpretieren. „Einzelleitung und kollektive Beratung sind im Sozialismus zwei einander beeinflussende und ergänzende Seiten sozialistischer Leitung" [86]. Das Prinzip, daß die Einzelleitung im Rahmen der sozialistischen Demokratie wirkt und auf der Grundlage kollektiv vorbereiteter, langfristiger Entscheidungen erfolgt, ist bei den Leitungen der VVB durch den gesellschaftlichen Rat, bei den Kombinaten durch den wissenschaftlich-ökonomischen Rat und bei den Betrieben durch das Produktionskomitee verwirklicht [87]. Diesen gesellschaftlichen Organen, die beratende und kontrollierende Funktionen haben (GBA § 4 a Abs. 2), gehören die besten Arbeiter, Ingenieure, Ökonomen, Vertreter der gesellschaftlichen Orga-

84  W. I. Lenin, Noch einmal über die Gewerkschaften, die gegenwärtige Lage und die Fehler Trotzkis und Bucharins. In: ders., Werke, Bd. 32, S. 73 f.
85  Nick, Gesellschaft und Betrieb im Sozialismus, a.a.O., S. 35.
86  Politische Ökonomie des Sozialismus und ihre Anwendung in der DDR, a.a.O., S. 715.
87  Vgl. Autorenkollektiv, Arbeitsrecht der DDR, a.a.O., S. 120 ff.

nisationen, der Staatsorgane sowie der Universitäten und anderer wissenschaftlicher Einrichtungen an. Sie werden auf Vertrauensleute-Vollversammlungen des Betriebes, Konferenzen des Kombinats oder Industriezweiges gewählt und sind diesen Konferenzen rechenschaftspflichtig [88]. Die Institutionalisierung dieser Organe im Jahre 1967 [89] reflektiert die Entwicklung der sozialistischen Demokratie im Zusammenhang der Entwicklung der Produktivkräfte und der zunehmenden Verwissenschaftlichung und Vergesellschaftung der Arbeit; denn eine ihrer Hauptaufgaben besteht ausdrücklich darin, die Erfahrungen im sozialistischen Wettbewerb, der Gemeinschaftsarbeit und der Neuererbewegung als Prinzipien der politisch-ideologischen und wirtschaftlichen Leitung der Betriebe durchzusetzen. „Das Produktionskomitee trägt dazu bei, daß die entscheidenden Fragen des Betriebes kollektiv beraten werden und der Betriebsleiter auf dieser Grundlage wissenschaftlich begründete Entscheidungen treffen kann." (§ 10 a Abs. 2 GBA.)

Von den verschiedenen gesellschaftlichen Organisationen, die in den Betrieben die Teilnahme der Werktätigen an der Planung und Leitung der Produktion gewährleisten, kommt den Betriebsparteiorganisationen der SED die entscheidende Rolle bei der politisch-ideologischen Erziehungsarbeit sowie bei der Kontrolle der Durchführung der Parteibeschlüsse zu [90]. Die führende Rolle der Partei – auch im Betrieb – kommt vor allem darin zum Ausdruck, daß der Vorsitzende der Betriebspartei-Organisation zugleich Vorsitzender des Produktionskomitees ist. Die Förderung der Neuererbewegung und der sozialistische Wettbewerb werden – in Zusammenarbeit mit den

88  Vgl. Politische Ökonomie des Sozialismus und ihre Anwendung in der DDR, a.a.O., S. 718.
89  Vgl. Beschluß über die Tätigkeit der Produktionskomitees in den volkseigenen Großbetrieben vom 27. April 1967. In: GBl. II, S. 495 sowie: Verordnung über das Statut der Gesellschaftlichen Räte bei den VVB vom 5. 10. 1967 (GBl. II, S. 693); Beschluß über die Ordnung für die Tätigkeit der Gesellschaftlichen Räte bei den VVB vom 5. 10. 1967 (GBl. II, S. 696).
90  Vgl. Politische Ökonomie des Sozialismus und ihre Anwendung in der DDR, a.a.O., S. 717.

Gewerkschaften und der FDJ – zu einer immer wichtigeren Aufgabe der SED-Betriebsparteiorganisationen, da wissenschaftlich-technische Leistungen und die Steigerung des Produktionsergebnisses nur verbunden mit der Entwicklung des sozialistischen Bewußtseins, d. h. mit einer zunehmenden politischen Bewußtseinsbildung der Werktätigen dem Anspruch sozialistischer Produktion und Demokratie gerecht wird.

Die Gewerkschaften sind in der DDR als Interessenvertretung der Werktätigen verfassungsrechtlich anerkannt (VerfDDR 1968 Art. 44 und 45). Sie begreifen sich als „Schulen des Sozialismus" (§ 5 Abs. 2 GBA) und fungieren darum nicht als systemoppositionelle, sondern systemimmanente Kraft [91]. Ihre überbetrieblichen Mitwirkungsrechte konzentrieren sich vor allem auf die Vorbereitung und Ausarbeitung der Perspektiv- und Jahrespläne, die in keiner Phase ohne die Zustimmung der zuständigen Gewerkschaftsorgane weitergeleitet werden dürfen, auf die Organisierung der Arbeiterkontrolle im Rahmen der Arbeiter- und Bauerninspektion (ABI) sowie auf die Leitung der Sozialversicherung, Kontrolle des betrieblichen Arbeitsschutzes usw. [92]. Die kleinste Einheit der Gewerkschaft im Betrieb ist die Gewerkschaftsgruppe, die einen Vertrauensmann wählt. In größeren Betrieben werden Abteilungsgewerkschaften gebildet. An der Spitze steht schließlich die Betriebsgewerkschaftsleitung (BGL), die in geheimer Wahl von den Gewerkschaftsmitgliedern, in Großbetrieben von der Vertrauensleute-Vollversammlung gewählt wird [93]. Auf der Ebene der VVB

---

91  Vgl. H. Oehler, Gewerkschaftliche Interessenvertretung bei der Gestaltung des entwickelten gesellschaftlichen Systems des Sozialismus in der DDR. In: Sozialistisches Gesellschaftssystem, Sozialistische Demokratie und Gewerkschaften. Materialien der 2. Theoretischen Konferenz des Bundesvorstandes des FDGB und der Hochschule der Deutschen Gewerkschaften „Fritz Heckert" vom 17. bis 19. September 1969 in Bernau. Teil I und II, Berlin: 1970, Teil I, S. 9–66.

92  Vgl. Siebert, Mitbestimmung drüben. Aus der überbetrieblichen Arbeit der Gewerkschaften in der DDR, a.a.O., S. 144 ff.

93  Vgl. Siebert, Mitbestimmung drüben. Aus der Betriebsarbeit des Gewerkschafters in der DDR. Hamburg: 1967, S. 30 ff.

sind die Gewerkschaften durch das Gewerkschaftskomitee vertreten. Die im § 12 Abs 2 GBA fixierten Mitwirkungsrechte der BGL erstrecken sich auf alle ökonomischen, technischen und sozialen Probleme in der Produktion [94]. In allen gesellschaftlichen Organen des Betriebes haben die Gewerkschaften Vertretungsrecht. Ein rein gewerkschaftliches Organ im Betrieb ist die ständige Produktionsberatung, die sowohl beratende als auch kontrollierende Funktionen gegenüber dem Betriebsleiter und den Abteilungsleitern ausübt (§ 19 GBA) [95].

Das wichtigste Instrument zur Realisierung der gewerkschaftlichen Interessenvertretung im Betrieb ist der Betriebskollektivvertrag (BKV), der zwischen dem Betriebsleiter und der BGL abgeschlossen wird. Die BKV, die jetzt in der DDR für den Perspektivzeitraum 1971 bis 1975 diskutiert und abgeschlossen werden [96], sind Bestandteil der gesamten Plandiskussion, denn sie fixieren nicht nur die Verpflichtungen der Werksdirektoren gegenüber der Belegschaft in bezug auf die Verwirklichung sozialer, kultureller und produktionsbezogener Verbesserungen der Arbeits- und Lebensbedingungen der Werktätigen, sondern auch Produktionsverpflichtungen der Belegschaft gegenüber der Werksleitung. Gegenstand der BKV sind vor allem die folgenden Komplexe [97]:

1. Leitung des Betriebes und Mitwirkung der Werktätigen;
2. Führung und Organisierung des sozialistischen Wettbewerbs im Betrieb;

94  Die ausführliche Differenzierung der Rechte vgl. in: Autorenkollektiv, Arbeitsrecht der DDR, a.a.O., S. 117 ff.
95  Vgl. R. Becker, Die sozialökonomische Funktion der Produktionsberatungen. In: P. Ch. Ludz (Hrsg.), Studien und Materialien zur Soziologie der DDR, Kölner Zeitschrift f. Soziologie und Sozialpsychologie, Sonderheft 8. Köln, Opladen: 1964, S. 169–186.
96  Vgl. Richtlinie des Ministerrates der DDR und des Bundesvorstandes des FDGB zur Gestaltung der Betriebskollektivverträge im Perspektivzeitraum 1971 bis 1975 vom 12. Juni 1970 (GBl. I, S. 431).
97  Vgl. Autorenkollektiv, Arbeitsrecht der DDR, a.a.O., S. 127 f. Zur inhaltlichen Ausgestaltung einzelner BKV vgl. Siebert, Mitbestimmung drüben. Aus der Betriebsarbeit des Gewerkschafters in der DDR, a.a.O., S. 64 ff.

3. Lohn- und Prämiensystem;
4. Entwicklung des Bildungsniveaus der Werktätigen; Förderung der Frauen und Jugendlichen;
5. Arbeitszeit- und Urlaubsregelungen;
6. Gesundheitsschutz, soziale Betreuung usw.


Der BKV erfordert notwendig, daß bei seiner Ausarbeitung die gesellschaftlichen, betrieblichen und individuellen Interessen offen diskutiert und schließlich in Übereinstimmung gebracht werden. Er muß daher unter aktiver Teilnahme aller Werktätigen erarbeitet und schließlich von diesen in einer Abstimmung bestätigt werden. Darüber hinaus muß der Betriebsleiter regelmäßig vor der Belegschaft – und auf Verlangen vor der BGL – über die Erfüllung seiner Verpflichtungen berichten (§ 14 Abs. 1 und 2 GBA).

In diesem Zusammenhang muß auf die in der BRD immer wieder vorgetragene Kritik eingegangen werden, daß das System der betrieblichen und überbetrieblichen Mitwirkungsrechte der Werktätigen in der DDR nichts mit einer „echten" Mitbestimmung zu tun habe, sondern als ein differenziertes Instrumentarium des ökonomischen und politischen Zwangs durch den sozialistischen Staat und die SED manipuliert werde [98]. In der Tat kann es in einer sozialistischen Gesellschaft keine Form der Mitbestimmung geben, die mit der rechtlichen Ordnung der Betriebsverfassung in einer kapitalistischen Gesellschaft übereinstimmt. Sieht man davon ab, daß die vehementesten Gegner der gewerkschaftlichen Mitbestimmungsforderungen in der BRD zugleich oft mit den schärfsten Kritikern des Systems der sozialistischen Demokratie identisch sind, so lassen sich doch bei den Befürwortern der Mitbestimmung in der BRD wesentlich zwei Hauptpositionen unterscheiden: Die einen gehen von der „Gleichberechtigung von Kapital und Arbeit" aus und erwarten demnach durch eine paritätische Beteiligung des Faktors „Arbeit" einen integrativen Abbau

98  So z. B. H. Hamel, Das sowjetische Herrschaftsprinzip des demokratischen Zentralismus in der Wirtschaftsordnung Mitteldeutschlands. Berlin: 1966.

klassenspezifischer Spannungen und Konflikte auf der Grundlage kapitalistischer Produktionsverhältnisse. Die anderen setzen sich für die Mitbestimmung als einen Schritt zur Einschränkung und Kontrolle von gesellschaftlichen und politischen Machtpositionen des Großkapitals ein und begreifen diese als ein Mittel, Machtpositionen der Arbeiterklasse auszubauen. Beide Begründungen aber haben in einer entwickelten sozialistischen Gesellschaft keine reale Basis. Weder gibt es dort die „Gleichberechtigung von Kapital und Arbeit" noch gibt es gesamtgesellschaftliche Machtpositionen des Kapitals, die einzuschränken wären. Kriterien für die Bewertung der sozialistischen Demokratie erweisen sich also als vollends absurd, wenn sie aus dem Zusammenhang des für die kapitalistische Gesellschaft kennzeichnenden Gegensatzes von Kapitel und Arbeit abstrahiert werden. Nach der Beseitigung kapitalistischer Produktionsverhältnisse und der Absicherung der politischen Herrschaft der Arbeiterklasse ist die bewußte Entfaltung der Produktivkräfte durch die Institutionalisierung der planenden Tätigkeit des sozialistischen Staates sowie durch die demokratische Masseninitiative der Werktätigen der entscheidende Prozeß, in dem einzig sich die sozialistische Demokratie bewähren kann. Insofern kann hier auch nicht die „Mitbestimmung", sondern nur die „Selbstbestimmung" der Produzenten – in der Form der einzelverantwortlichen Leitung zusammen mit permanenter kollektiver Beratung, Mitwirkung und Kontrolle sowie der kollektiven Konzentration auf die Steigerung der Produktion und der Arbeitsproduktivität – eine Grundlage für die Bewertung des Systems bilden.

Schon die „sozialistische Wettbewerbsbewegung", in der sich die Produzentenkollektive mit ihrer eigenen Tätigkeit identifizieren und sich für die Durchsetzung des wissenschaftlich-technischen Fortschritts und die Steigerung der Arbeitsproduktivität einsetzen, ist unter kapitalistischen Bedingungen undenkbar, da – auf der Grundlage kapitalistischer Produktionsverhältnisse – eine Identifikation des Arbeiters mit seiner Tätigkeit und deren Perspektiven sowohl durch den gesellschaftlichen und betrieblichen Gegensatz von Kapital und Arbeit, durch die individuellen Konkurrenzverhältnisse am Arbeitsmarkt und am Arbeitsplatz als auch durch die vorherrschende Ideologie des individuellen Aufstiegs unterbunden wird [99]. Die Argumentation, daß der sozialistische Wettbewerb und die Gemeinschaftsarbeit administrativ erzwungen seien, wird allein durch die ständig zunehmende Beteiligung der Werktätigen der DDR an diesen Formen der „Masseninitiative" widerlegt. Die Anzahl der Produzentenkollektive, die an dem Wettbewerb um den Titel „Kollektiv der sozialistischen Arbeit" teilnehmen, ist von 41 070 mit ca. 852 000 Mitgliedern im Jahre 1966 auf 123 000 Kollektive mit ca. 2,2 Mio. Mitgliedern im Jahre 1969 angestiegen. Die Anzahl der Arbeits- und Forschungsgemeinschaften, die zur Lösung bestimmter Schwerpunktaufgaben in Forschung, Konstruktion und Rationalisierung gebildet werden, erhöhte sich im gleichen Zeitraum von 22 466 mit ca. 155 000 Mitgliedern auf etwa 30 000 mit fast 200 000 Mitgliedern. Im Jahre 1967 wurden allein von 600 000 Werktätigen neue Vorschläge eingereicht [100]. Vor allem die Bewegung der Neuererbrigaden und die von Jugendlichen getragenen „Messen der Meister von morgen", die in der BRD durch den privat organisierten Wettbewerb „Jugend forscht" nachholend kopiert werden sollen, belegen die Tatsache, daß weder administrativer Zwang noch ausschließlich materieller Anreiz, sondern eine breite und bewußte Identifikation der Werktätigen mit dem individuellen, betrieblichen und gesellschaftlichen Inhalten ihrer Arbeit das treibende Motiv ihres Handelns ist.

Auch die Beteiligung der Arbeiter und Angestellten an der Arbeit der betrieblichen Vertretungsorgane erlaubt Hinweise auf die breite Basis der sozialistischen Demokratie in den Betrieben der DDR. Von den 30 000 Arbeitern der Leuna-Werke,

99  Vgl. dazu z. B. Fürstenberg, Die Soziallage der Chemiearbeiter, a.a.O. und Kern, Schumann, Industriearbeit und Arbeiterbewußtsein, a.a.O.
100 Vgl. Luft, Demokratie in der sozialistischen Wirtschaft, a.a.O., S. 60 und R. Weidig, Sozialistische Gemeinschaftsarbeit. Eine soziologische Studie zur Entwicklung von Gemeinschaftsarbeit, Arbeitskollektiv und Persönlichkeit in sozialistischen Industriebetrieben. Berlin: 1969, S. 29.

auf die hier durchaus stellvertretend für andere Großbetriebe zurückgegriffen werden kann, arbeiten über 10 000 in Neuerer-Brigaden und Arbeitsgemeinschaften neben ihrer hauptberuflichen Arbeit mit. Darüberhinaus sind von den Leuna-Arbeiterinnen und -Arbeitern

201 gewählte Abgeordnete;

120 ordentliche beisitzende Richter;

1320 in 127 gesellschaftlichen Gerichten;

1500 in 130 ständigen Produktionsberatungen;

7000 gewählte Gewerkschaftsfunktionäre, davon

1100 Vertrauensleute und schließlich

1500 Arbeiterinnen und Arbeiter in den Wettbewerbskommissionen der 120 Leuna-Betriebe [101].

Die Bedeutung dieser Daten erschließt sich freilich erst aus der Konfrontation mit den Ergebnissen einer empirischen Studie über „Normen und Wirklichkeit" des Betriebsverfassungsgesetzes der BRD, die Otto Blume zu Beginn der sechziger Jahre durchgeführt hat. Die Kenntnisse der meisten Arbeiter und Angestellten über Aufgabe und Tätigkeit des Betriebsrates sind außerordentlich gering – zum Teil hatten sie explizit falsche Vorstellungen. Nicht das Wissen um ihre Rechte, sondern das unmittelbare Erleben der Tätigkeit des Betriebsrates bestimmt ihre Einstellung. Der Wirtschaftsausschuß „war der Masse der Befragten völlig unbekannt". Blume kommt zu dem deprimierenden Schluß: „Der Informationsgrad der Arbeitnehmer neigt sich dem Null-Punkt zu, sofern man nicht die in den Organen der Unternehmens- bzw. Betriebsverfassung handelnden Personen aus eigenem Erlebnis kennt. Aber selbst wenn man vom Vorhandensein solcher Organe weiß, sieht man ihr Aufgabenfeld weiter oder enger als es vom Gesetzgeber gezogen ist oder in der Praxis eingebürgert hat" [102]. Hier zeigt sich deutlich, daß die systematische Ausschaltung der Arbeiter aus

101 Vgl. R. Pieper, Das Leuna-Werk – seine Vergangenheit und Gegenwart. In: Die DDR – Entwicklung, Aufbau und Zukunft. Frankfurt/M.: 1969, S. 266–280.

102 O. Blume, Normen und Wirklichkeit einer Betriebsverfassung. Tübingen: 1964, S. 16 ff., hier S. 37.

der Planung und Leitung des Produktionsprozesses, ihre geringe Information und Qualifikation sowie die permanente ideologische Beeinflussung dazu führen, daß sie schließlich von ihren eigenen – wenn auch begrenzten – Rechten im Betrieb zum großen Teil nichts wissen.

Bei der Entwicklung des gesellschaftlichen Bewußtseins der Produzenten in der DDR handelt es sich im Grunde „... um die ständig bessere geistige Befähigung der Arbeiterklasse und aller Werktätigen, ihre Rolle als sozialistische Produzenten, als gesellschaftliche Eigentümer an den Produktionsmitteln und als Träger der Staatsmacht entsprechend den gesellschaftlichen Erfordernissen der Gestaltung der entwickelten sozialistischen Gesellschaft zu erfüllen" [103]. Insofern sind auch die verschiedenen Formen der kollektiven betrieblichen und gesellschaftlichen Aktivität im Prozeß der Planung und Leitung unmittelbarer und konkreter Ausdruck der Bewußtseinsentwicklung. Gleichwohl verläuft dieser Prozeß nicht automatisch und spontan. Gerade die Entwicklung der DDR, in der aufgrund der besonderen historischen Tradition und unter dem Einfluß der Systemkonkurrenz – vor allem in den fünfziger Jahren – erhebliche Widerstände auch bei Teilen der Arbeiterklasse zu überwinden waren, belegt anschaulich, daß sich das gesellschaftliche Bewußtsein nur im Rahmen des organisierten und perspektivischen Handelns herauszubilden und zu entwickeln vermag.

Daß auch im ökonomisch, politisch und ideologisch konsolidierten System des Sozialismus ein solcher Automatismus nicht existieren kann, bestätigen die Ergebnisse der von Rudi Weidig durchgeführten soziologischen Studie über die „Sozialistische Gemeinschaftsarbeit". In der Qualität der Leistungen und der sozialen Beziehungen der Bewußtseinsinhalte und Aktivitäten sowie in der Wahrnehmung von Funktionen unterscheidet Weidig zwischen „schwachen" und „fortgeschrit-

---

103 R. Weidig, Bericht des Arbeitsgruppenleiters. In: Soziologie im Sozialismus. Die marxistisch-leninistische Soziologie im entwickelten gesellschaftlichen Systems des Sozialismus. Berlin: 1970, S. 203.

tenen" Arbeitskollektiven [104]. Von den Mitgliedern der fortgeschrittenen Kollektive werden die Auseinandersetzung mit politischen Problemen, die Förderung der geistig-kulturellen Entwicklung der Mitglieder, die Forderung der fachlichen Qualifizierung der Mitglieder, ihre Teilnahme an Planung und Leitung der Produktion sowie die komplexe Rationalisierung und
die bestmögliche Erfüllung der Produktionsaufgaben weitaus
häufiger – von den Mitgliedern schwacher Kollektive dagegen
weitaus weniger als vom durchschnittlichen Punktwert der
Aussagen aller befragten Arbeiter als die Aufgaben eines sozialistischen Kollektivs genannt [105]. So sehr auch durch diese
Untersuchung die bewußtseinsbildende Rolle der sozialistischen
Gemeinschaftsarbeit selbst unterstrichen wird, so weist sie aber
gleichzeitig nach, daß die Entwicklung des gesellschaftlichen
und ökonomischen Bewußtseins der Produzenten nicht vorrangig von technologischen, arbeitsorganisatorischen und materiellen Faktoren determiniert wird. Wesentliche Voraussetzung für
die bewußte Gestaltung des Arbeitsprozesses als gesellschaftliche Tätigkeit ist nicht nur die ständige Anhebung des Quali-
fikationsniveaus der Werktätigen und ihre umfassende Information [106], sondern auch der Abbau von elitären Vorstellungen,
die zuweilen die Arbeit von Leitungskadern prägen [107],
die weitere Entwicklung der sozialistischen Demokratie sowie
die Intensivierung der politisch-ideologischen Arbeit in den
Betrieben selbst. Dieser Zusammenhang wird ebenfalls durch
die Studie von Weidig klar ermittelt: „Die fortgeschrittenen
Arbeitskollektive zeichnen sich in bezug auf die personelle
und politisch-organisatorische Struktur besonders dadurch aus,
daß eine größere Anzahl von Mitgliedern politisch organisiert

104 Vgl. Weidig, Sozialistische Gemeinschaftsarbeit, a.a.O., S. 113.
105 Ebd., S. 114.
106 Vgl. ebd., S. 232.
107 Vgl. O. Arnold, J. Rittershaus, Zu einigen Problemen der soziali-
     stischen Demokratie in Industriebetrieben. Gedanken zur sozio-
     logischen Analyse dieser Problematik. In: Wirtschaftswissenschaft
     1969, S. 373–383, bes. S. 382; vgl. auch Weidig, Sozialistische Ge-
     meinschaftsarbeit, a.a.O., S. 290.

ist, gesellschaftliche Funktionen (besonders innerhalb des Betriebes) ausübt und eine höhere fachliche und politisch-ideologische Qualifikation besitzt" [108].

*Abschließender Vergleich der Bewältigung von Strukturproblemen der gesellschaftlichen und ökonomischen Entwicklung*

Die hier behandelten Probleme der betrieblichen Organisation der Produktion in BRD und DDR verweisen auf die Erkenntnisgrenzen der Methode des Systemvergleichs. Immer wieder reproduziert sich in den Detailerfahrungen der grundlegende Charakter des jeweiligen gesellschaftlichen Gesamtsystems.

Der Gegensatz der Systeme läßt sich am deutlichsten durch die Qualität der Bewältigung von sozialen und ökonomischen Problemen veranschaulichen, die sich im Zuge der wissenschaftlich-technischen Entwicklung stellen. Die Strukturkrise im Steinkohlenbergbau des Ruhrgebietes sollte durch die systematische Vernichtung von Förderungskapazitäten, d. h. durch die Schließung von Zechen bereinigt werden. Die Bergleute wurden zum großen Teil völlig unvorbereitet von diesen Maßnahmen getroffen. Der erzwungene Berufswechsel war meist mit einer Verminderung des Einkommens und der Qualifikation verbunden. Sogenannte „Sozialpläne", die auf Druck der Gewerkschaften und der Belegschaften zustande kamen, verschleierten nur dürftig die reale Einschränkung des Lebensniveaus der Arbeitenden, während die Kapitaleigner noch mit sogenannten staatlichen „Stillegungsprämien" honoriert wurden. Die Möglichkeit der demokratischen Kontrolle der Unternehmensentscheidungen waren – trotz der Geltung des Mitbestimmungsgesetzes in diesem Bereich – nicht gegeben. Die betroffenen Arbeiter und Angestellten wurden oft erst nach den definitiven Entscheidungen der Leitungsorgane der Unternehmen von ihrer Entlassung informiert [109].

108 Weidig, Sozialistische Gemeinschaftsarbeit, a.a.O., S. 359.
109 Vgl. Deppe, v. Freyberg, Kievenheim, Meyer, Werkmeister, Kritik der Mitbestimmung, a.a.O., S. 132 ff.

Auch in der sozialistischen Wirtschaft erfordert die Realisierung strukturbestimmender Aufgaben die Stillegung bzw. Umstellung vieler Produktionsanlagen, so z. B. im Braunkohletagebau. Hier verbindet sich aber die langfristige Planung, Diskussion und gesellschaftliche Kontrolle solcher Prozesse mit der umfassenden Information, Qualifikation und materiellen Absicherung der Werktätigen. Keine Produktionsumstellung kann also vorgenommen werden, bevor nicht auf allen Ebenen Entscheidungen beraten und beschlossen worden sind, die die Abstimmung von gesellschaftlich-ökonomischen, betrieblichen und individuellen Interessen ermöglichen. Arbeitsplatz- und Einkommensverlust durch „Freisetzung" und Verschleiß der Qualifikation sind demnach Erfahrungen, die dem Arbeiter in der DDR unbekannt sind. Die staatlichen und betrieblichen Leitungsorgane sind ebenso wie die Gewerkschafts- und Parteileitungen im Bezirk und im Betrieb für die Einhaltung dieses komplexen Normensystems zum Schutz der Arbeitskraft verantwortlich [110].

Gegen alle konvergenztheoretischen Spekulationen verdeutlicht dieses Beispiel, daß die besonderen gesellschaftlichen Eigentums- und Machtverhältnisse die Qualität der Bewältigung sozialökonomischer Widersprüche, damit auch die Lage der Arbeiterschaft bestimmen. Auch von Sprechern der organisierten Kapitalinteressen in der BRD wird dieser Gegensatz der Systeme klar gesehen: „Wenn die Gesellschaftssysteme des Ostens und des Westens in der Zukunft sicherlich auch manchen Wandlungen unterworfen sein werden, die eine scheinbare Annäherung zum Inhalt haben: An dieser Stelle werden sich die Geister immer scheiden! Das eine Gesellschaftsbild wird das Privateigentum an Produktionsmitteln immer bejahen, das andere wird es verneinen müssen. Einen Kompromiß kann es nicht geben" [111].

110 Vgl. Nick, Gesellschaft und Betrieb im Sozialismus, a.a.O., S. 166 bis 170.
111 W. Eichler (Hauptgeschäftsführer des BDA): Arbeitgeber – Akzente gesetzt! In: Der Arbeitgeber 21, 1969, Nr. 1, S. 15.

Eberhard Dähne

# Zu einigen Entwicklungstendenzen der Landwirtschaft in beiden deutschen Staaten

Die im Auftrag der SPD-FDP-Regierung erarbeiteten „Materialien zum Bericht zur Lage der Nation 1971" versuchen, unter anderem auch die Landwirtschaft der beiden deutschen Staaten zu vergleichen [1]. Diese Fleißarbeit zeichnet sich dadurch aus, daß sie die *grundlegenden* gesellschaftlichen Unterschiede zwischen beiden Systemen der agrarischen Produktion völlig unberücksichtigt läßt. Z. B. werden die qualitativen Differenzen zwischen einer landwirtschaftlichen Produktionsgenossenschaft vom Typ III und einem bäuerlichen Familienbetrieb auf Unterschiede im Umfang der bewirtschafteten Fläche reduziert. Eine Reihe derartiger Probleme wird entweder gar nicht oder nur ungenügend berücksichtigt. So wird das in der DDR unbekannte „Überschußproblem" der BRD und EWG mit „Schweine- und Butterbergen" und staatlich finanzierter Vernichtung von Nahrungsmitteln nur mit einem Satz als „besonderes Problem der Agrarpolitik" erwähnt [2]. Über die Einkommenssituation der landwirtschaftlichen Produzenten in beiden deutschen Staaten steht im Abschnitt über die Landwirtschaft nichts. Aus dem Einkommensabschnitt der „Materialien" läßt sich die Tatsache, daß es in der DDR keine mit der Situation in der BRD vergleichbare strukturelle Einkommensdisparität der Landwirtschaft gibt, nur indirekt schlußfolgern [3].
Angesichts dieser grundlegenden Mängel ist es nicht verwunderlich, daß die Autoren dieser Studie neben Flüchtigkeitsfehlern [4], die sich wegen der völlig ungenügenden Quellendoku-

---

1 Materialien zum Bericht zur Lage der Nation 1971. Bundestagsdrucksache VI/1690. Bonn: 1971. S. den Abschnitt über die Landwirtschaft, S. 59–65, und S. 285–293 des Tabellenanhanges.
2 Ebd., S. 64.
3 Vgl. ebd., S. 89 ff.
4 So differieren z. B. die absoluten Zahlen der Erwerbstätigen

136

mentation [5] nur schwer in ihrer Relevanz abschätzen lassen, eine Reihe von u. E. unhaltbaren Aussagen formulieren, für die hier nur drei Beispiele etwas ausführlicher dargestellt werden sollen.

1. Bei der Berechnung der Arbeitsproduktivitäten werden lediglich „methodische Unterschiede in der landwirtschaftlichen Arbeitskräftestatistik" als den Vergleich beeinträchtigende Faktoren genannt [6]. In Wirklichkeit existieren zwei weitergehende Einschränkungen, die nicht erwähnt werden: Eine landwirtschaftliche Vollarbeitskraft wird für die BRD als Person definiert, die im Jahr mindestens 2400 Stunden in der Landwirtschaft arbeitet, was bei 280 Arbeitstagen jährlich eine durchschnittliche Arbeitszeit von 8,6 Stunden täglich bedeutet [7]. In Wirklichkeit arbeiten die selbständigen, werktätigen Landwirte in der BRD wesentlich länger, wobei ferner zu berücksichtigen ist, daß die Mehrzahl der landwirtschaftlichen Beschäftigten in der BRD an allen 365 Tagen des Jahres arbeitet. Mehr als die Hälfte der landwirtschaftlichen Erwerbspersonen in der BRD hat noch niemals im Leben eine Urlaubsreise unternommen. Nur 8 % der in der Landwirtschaft Tätigen gegenüber 44 % der Gesamtbevölkerung haben nach einer Repräsentativerhebung des DIVO-Instituts in der einen oder anderen Form am Urlaubsverkehr des Jahres 1965 teilgenommen [8]. In

in der Land- und Forstwirtschaft der DDR 1968 auf S. 239 und 289.

5   Nur in wenigen Fällen werden die Quellen so eindeutig bezeichnet, daß man daraus entnehmen kann, welches angeführte Zahlenmaterial woher stammt, welche Angaben auf Schätzungen beruhen usw. Vgl. z. B. S. 64 („... sowie Schätzungen des DIW, Berlin") oder auch die etwas karge Quellenangabe zu den Tabellen auf S. 239 (Erwerbstätigenstruktur): „Statistisches Bundesamt. Deutsches Institut für Wirtschaftsforschung, Berlin."

6   Ebd., S. 64.

7   Ebd.

8   Vgl. DIVO-Institut für Wirtschaftsforschung, Sozialforschung und angewandte Mathematik, Urlaubsreisen der westdeutschen Bevölkerung, Reiseintensität, Reisegewohnheiten und Vorstellungen vom Urlaub im Zeitvergleich 1954 bis 1965. Frankfurt/M.: 1966, S. 100.

der DDR dagegen sind die Arbeits- und Urlaubszeiten der LPG von Typ III, denen 1968 bereits drei Viertel aller Genossenschaftsbauern und -bäuerinnen angehörten, prinzipiell denen im nichtlandwirtschaftlichen Bereich angenähert.

Eine erhebliche Rolle spielt weiterhin, daß die agrarischen Großbetriebe der DDR eine von der Landwirtschaft der BRD abgehobene Beschäftigungsstruktur haben. Viele Tätigkeiten, die in der BRD vom regionalen Handwerk und Dienstleistungsgewerbe ausgeführt werden (z. B. Maschinenreparaturen, Buchhaltung, Transport), sind in der DDR in die LPG einbezogen. Indirekt wird dafür in einem anderen Abschnitt des Berichts selbst der Beweis geführt, indem gezeigt wird, daß ein im Vergleich zur BRD weit größerer Anteil der nichtlandwirtschaftlichen Berufe auf die Land- und Fortwirtschaft entfällt [9]. Beide Argumente zusammen belegen u. E. eindeutig, daß der im Bericht vorgenommene Vergleich der Arbeitsproduktivitäten unhaltbar ist.

2. Es wird festgestellt, daß „die DDR in bezug auf den relativ hohen Anteil der Landwirtschaft an den Gesamtinvestitionen unter den Industrienationen an der Spitze" liege [10]. Die Autoren verschweigen aber, daß in die landwirtschaftlichen Investitionen der DDR auch solche Einrichtungen wie Kulturzentren, landwirtschaftliche Ausbildungseinrichtungen und Kindergärten für die LPG eingehen. Sie reflektieren ferner nicht, daß der Übergang zu quasi industriellen Produktionsmethoden bei der Schweine-, Hühner- und Eierproduktion – mit einem in der Anfangsphase immensen Kapitalbedarf – in der DDR Aufgabe der Landwirtschaft bleibt, in den kapitalistischen Ländern, vor allem in Westdeutschland, dagegen eine Domäne des großen Industrie- und Bankkapitals ist. So werden z. B. die Eierfabriken des Strumpfproduzenten F. K. Schulte („nur die") in Rheine [11] und die des Bertelsmann-Konzerns, die 1968

9  Vgl. Materialien zum Bericht zur Lage der Nation, a.a.O., S. 256 f.
10  Ebd., S. 60.
11  Vgl. Quick Nr. 44 vom 30. 10. 1966.

für 1 Mill. Hennen mit einem Kostenaufwand von DM 30 Mill. errichtet wurde [12], nicht als Investitionen der Landwirtschaft, sondern als solche der Textilindustrie und des Verlagswesens gezählt. Die zitierte Aussage ist also fragwürdig.

3. Am Ende des kurzen Abschnitts über „landwirtschaftliche Maschinen" heißt es: „Trotz hoher landwirtschaftlicher Investitionsquote ist der Kapitaleinsatz im Landmaschinensektor offensichtlich unzureichend" [13]. Diese Aussage wird lediglich im Hinblick auf die unterschiedliche Ausstattung der Landwirtschaft in DDR und BRD mit Traktoren und Mähdreschern formuliert. Gerade mit solchen Maschinen ist aber die DDR-Landwirtschaft ausreichend ausgestattet.

*Schlepper und Mähdrescher in der Landwirtschaft der BRD und DDR 1969* [14]

|  | BRD | DDR |
|---|---|---|
| *Schlepper* | | |
| Bestand (Stck.) | 1 340 000 | 145 838 |
| je 100 ha LN | 9,7 | 2,3 |
| Motoren-PS je 100 ha LN | 238,4 | 105,3 |
| ⌀-PS je Schlepper | 24,6 | 45,5 |
| ha-LN pro Schlepper | 10,3 | 43,5 |
| *Mähdrescher* | | |
| Bestand (Stck.) | 160 000 | 18 301 |
| je 10 000 ha Getreidefläche | 310,6 | 78,0 |
| Getreidefläche pro Mähdrescher | 32,2 | 128,2 |

12  P. Delitz, Konzentration der imperialistischen Bewußtseinsindustrie. In: DWI-Berichte 21, 1970, Heft 7, S. 13.
13  Materialien zum Bericht zur Lage der Nation, a.a.O., S. 61.
14  Zusammengest. u. berechnet (die Daten unter den gestrichelten Linien) nach ebd., S. 287.

Nach allen Ergebnissen der landwirtschaftlichen Betriebslehre „verdient" ein 25-PS-Schlepper auf 10 ha LN nicht einmal einen Bruchteil seiner Abschreibungen, wohl aber ein 45-PS-Schlepper auf annähernd 44 ha LN. Für den Verkehr auf der Straße werden in der DDR Lastwagen eingesetzt. (1968 ca. 18 000 in der Landwirtschaft.) 32,2 ha Fläche sind für einen Mähdrescher (der je nach Schnittbreite und Typ zwischen 15- und 25 000 DM kostet), offensichtlich nicht ausreichend, weil das bedeutet, daß der „BRD-Durchschnitts-Mähdrescher" an 363 Tagen des Jahres stillsteht. Das Verhältnis von fixen und variablen Kosten und damit auch die Rentabilität der Investition dürfte dagegen in der DDR wesentlich günstiger sein. Gerade die Maschinenausstattung der Landwirtschaft in der BRD ist *das* Paradebeispiel für riesige „Verschwendung volkswirtschaftlicher Ressourcen" [15] und Vergeudung gesellschaftlicher Arbeit.

Das wissen freilich auch die Autoren des Vergleichs, die aber die gesamte Rentabilitätsproblematik ausklammern, wodurch auch ihre Aussagen über die „Flächen- und Viehbestandproduktivitäten" fragwürdig werden. Entscheidend ist nicht nur: wieviel, sondern auch: mit welchem Aufwand wird produziert? In der DDR ist es Planungsziel, beim gegebenen Stand der Entwicklung der Produktivkräfte das vorhandene Arbeitskräftepotential und die Produktionsmittel optimal auf die einzelnen Sektoren der Volkswirtschaft zu verteilen, was im Hinblick auf die gesamtgesellschaftliche Rationalität mit dem Ziel maximaler Produktivität der Fläche und des Viehstapels kollidieren kann. Das gegenwärtige Überschußproblem in der BRD und EWG ist dafür ein Beweis; es ist auch bei weiteren Strukturreformen und größeren Betriebseinheiten in der Landwirtschaft nicht zu lösen (vgl. das USA-Beispiel), weil der grundlegende Widerspruch zwischen einzel- und gesamtwirtschaftlicher Rationalität im Kapitalismus unlösbar ist. Dieser Widerspruch kann nur in einer Gesellschaftsordnung aufgehoben werden,

15  Vgl. Wochenbericht des Deutschen Instituts für Wirtschaftsforschung 1966, Nr. 29, S. 140.

in der das Ziel einzelwirtschaftlicher Aktivität nicht in möglichst profitabler Verwertung eines Einzelkapitals, sondern darin besteht, einen Beitrag für langfristige, maximale Bedürfnisbefriedigung der Gesamtgesellschaft zu leisten.

Die Auseinandersetzung mit dem Systemvergleich im „. . . Bericht zur Lage der Nation 1971" sollte einmal zeigen, mit welcher Leichtfertigkeit die Thesen dieser Untersuchung konstruiert wurden; zweitens war deutlich zu machen, was ein Vergleich der Landwirtschaft in beiden deutschen Staaten *nicht* leisten kann. Die qualitativen Unterschiede zwischen den Gesellschaftssystemen der BRD und der DDR sind inzwischen auch in der Landwirtschaft so gravierend, daß vergleichende, rein quantitative sozialökonomische Analysen (im strengen Sinne) nicht mehr möglich sind.

## Zur Entwicklung der Landwirtschaft in der SBZ und DDR

Die genannten Differenzen sind das Ergebnis einer unterschiedlichen Entwicklung im Verlauf von 25 Jahren. Die landwirtschaftliche Nutzfläche (LN) pro Einwohner und die durchschnittlichen ha-Erträge lagen vor dem Krieg auf dem späteren Territorium der SBZ in etwa auf dem Niveau des Deutschen Reiches [16]. Für 1945 lassen sich zwischen der SBZ und den drei Westzonen vor allem folgende Unterschiede anführen: Die Landwirtschaft in der SBZ war in wesentlich höherem Maße durch unmittelbare Zerstörungen von Gebäuden, Maschinen und Tierbeständen betroffen, was auch für das östlich der Elbe ohnehin unterproportional entwickelte Potential der Landmaschinen- und der agrochemischen Industrie galt [17]. Die

16  Näherungsweise ermittelt nach: H. L. Fensch, K. Padberg, Eigenverbrauch und Marktleistung der deutschen Landwirtschaft. Berlin: o. J. [um 1938/39].

17  Vgl. H. Müller, K. Reißig, Wirtschaftswunder DDR. Ein Beitrag zur Geschichte der ökonomischen Politik der Sozialistischen Einheitspartei Deutschlands. Berlin: 1968, S. 15 f.; im Vergleich zum Durchschnitt der Jahre 1938/39 hatten sich die Viehbestände wie folgt verändert (in %):

Regionalstruktur der SBZ im Hinblick auf die Verteilung der Bevölkerung und der materiellen Ressourcen war noch weit unausgeglichener als in den drei Westzonen. Der Anteil des Großgrundbesitzes (Betriebe mit mehr als 100 ha LN) an der landwirtschaftlichen Nutzfläche betrug auf dem späteren Gebiet der SBZ im Jahr 1939 28,3 %, in den drei Westzonen lediglich 6,8 % [18].

Die wichtigste strukturelle Veränderung in der Landwirtschaft der SBZ war die demokratische Bodenreform, die, getragen von einer breiten Massenbewegung, die sozioökonomischen Basis der Großgrundbesitzer zerstörte [19]. Ab Herbst 1945 „wurden 3 298 082 Hektar Land von 7136 Großgrundbesitzern, Naziaktivisten und Kriegsverbrechern enteignet, in den Bodenfonds überführt und der größte Teil davon an 559 089 Landarbeiter, landlose und landarme Bauern, Umsiedlerfamilien, Kleinpächter und nichtlandwirtschaftliche Arbeiter und Handwerker verteilt. Zugleich wurden über 1 Mill. Hektar des Bodenfonds in gesellschaftliches Eigentum überführt und 532 volkseigene Güter (VEG) gebildet" [20].

Der vom Standpunkt der Interessen der Bourgeoisie gegen diese

|          | Pferde | Rinder | Kühe | Schweine | Schafe |
|----------|--------|--------|------|----------|--------|
| SBZ      | –20    | –23    | –30  | –66      | –54    |
| Westzonen| + 1    | – 8    | – 4  | –49      | +19    |

Besonders verheerend waren die Verluste in den Hochzuchtgebieten Mecklenburgs, wo der Rückgang bei Pferden 23 %, Rindern und Kühen 39 %, Schweinen 75 % und Schafen 77 % betrug. (Zusammengest. nach M. Kramer, Die Landwirtschaft in der Sowjetischen Besatzungszone. Bonner Berichte aus Mittel- und Ostdeutschland. Bonn: 1957, S. 102; statt „Westzonen" im Original fälschlicherweise „BRD".

18  Für die SBZ: Kramer, a.a.O., S. 23; für die westlichen Besatzungszonen berechnet nach Statistisches Jahrbuch für die Bundesrepublik Deutschland 1952, S. 98 f.
19  Vgl. Institut für Marxismus-Leninismus beim Zentralkomitee der SED, Geschichte der Deutschen Arbeiterbewegung. In acht Bänden. Berlin: 1966, Bd. 6, S. 80 ff.; K. Böhm, Die Befreiung der Bauern. Berlin: 1967.
20  Nach: Politische Ökonomie des Sozialismus und ihre Anwendung in der DDR. Berlin: 1969, S. 69.

Maßnahmen organisierte Widerstand entsprach (vor allem in den Westzonen) in Lautstärke und doktrinärer Verbissenheit deren nachhaltiger Wirkung und wurde außerdem mit Argumenten geführt, die seit mehr als 100 Jahren bekannt sind. Ein sofortiger Übergang zu kollektiven Formen der Großproduktion war angesichts der ökonomischen und politischen Bedingungen nicht möglich, weil die demokratische Bodenreform den damaligen Interessen und dem Bewußtsein der überwiegenden Zahl der Kleinbauern, Landarbeiter und landlos gewordenen Umsiedler entsprach. Hätten sich die Träger der antifaschistischen Umwälzung darüber hinweggesetzt, wären sie in hoffnungslose Isolierung geraten. Für eine großbetriebliche Landbewirtschaftung, die über den Rahmen der VEG hinausging, fehlten zudem sowohl die personellen als auch materiellen Voraussetzungen. Im Zuge der Bodenreform wurde die landwirtschaftliche Betriebsgrößenstruktur gegenüber der Vorkriegszeit grundlegend verändert. Der Anteil der Betriebe mit mehr als 100 ha LN an der land- und forstwirtschaftlichen Betriebsfläche verminderte sich von ca. 30 auf 5 %, während sich der Anteil der zwischen 5 und 20 ha großen Betriebe von 30 auf 50 % ausweitete [21].

Die starke Zunahme der Klein- und Mittelbetriebe, die in der Regel nur unzureichend mit Maschinen und Vieh ausgestattet waren, machte neue Formen der überbetrieblichen Kooperation und des Maschineneinsatzes erforderlich. Ab Herbst 1945 entstanden „Vereinigungen für gegenseitige Bauernhilfe", die u. a. mit dem unzerstörten Inventar der enteigneten Güter Maschinenausleihstationen (MAS) aufbauten. Mitte 1952 wurden die MAS entsprechend ihrer veränderten ökonomischen Funktion, zu der zunehmend auch politische und kulturelle Aufgaben hinzukamen, in Maschinen-Traktoren-Stationen (MTS) umgewandelt, die sich zu Stützpunkten der Arbeiterklasse auf dem Lande entwickelten [22].

Diese Umwandlung erfolgte im Zusammenhang mit der be-

21  Vgl. Müller, Reißig, Wirtschaftswunder DDR, a.a.O., S. 76.
22  Vgl. Politische Ökonomie und ihre Anwendung in der DDR, a.a.O., S. 147.

ginnenden Bildung von landwirtschaftlichen Produktionsgenossenschaften. Bis 1955 bewirtschafteten die LPG der Typen I, II und III [23] 18,6 % der LN. Dieser Anteil stieg bis 1958 kontinuierlich auf 29,4 % [24]. Der Übertritt in die LPG wurde in dieser Phase vor allem mit Hilfe ökonomischer Hebel forciert, die in den beiden folgenden Jahren durch massive Agitation ergänzt wurden. „Unter den Bedingungen eines gespaltenen Landes, einer offenen Grenze zu Westberlin und ständiger psychologischer Kriegsführung durch die westdeutschen Imperialisten, harter Auseinandersetzung mit reaktionären Kräften in den Dörfern selbst, vollzog sich zum ersten Mal in einem hochindustrialisierten Land mit fortgeschrittener Landwirtschaft eine soziale Umwälzung auf dem Lande" [25].

Der Anteil der von den LPG bewirtschafteten LN stieg bis 1960 auf 84,2 % an [26]. Damit herrschen seit 1960 in der Landwirtschaft der DDR genossenschaftlich-sozialistische Produktionsverhältnisse vor. Diese Veränderung schuf die Voraussetzungen für rationale Großproduktion, eine weitere Verbesserung der Versorgung mit Agrarprodukten und grundlegende Veränderungen der sozialen Struktur und Funktion des Landes [27]. Wie die Daten der folgenden Tabelle zeigen, gelang es trotz der Vorbehalte, die viele Einzelbauern zunächst dem Eintritt in die LPG entgegensetzten, in den 60er Jahren Produktion und Produktivität der Landwirtschaft beträchtlich zu erhöhen. Ohne Zweifel werden die auf dem XX. Deutschen

---

23 Die wichtigsten Unterschiede der Typen, die von I nach III durch einen wachsenden Anteil der kollektiven Bewirtschaftung gekennzeichnet sind, werden jeweils in den Statistischen Jahrbüchern der DDR in der Vorbemerkung zum Abschnitt „Landwirtschaft und Nahrungsgüterwirtschaft" kurz dargestellt.
24 Statistisches Jahrbuch 1962 der DDR, S. 403.
25 Politische Ökonomie des Sozialismus und ihre Anwendung in der DDR, a.a.O., S. 156.
26 Statistisches Jahrbuch 1969 der DDR, S. 179.
27 Programmatisch bei W. Ulbricht, Das Programm des Sozialismus und die geschichtliche Aufgabe der Sozialistischen Einheitspartei Deutschlands. Ref. auf dem VI. Parteitag der Sozialistischen Einheitspartei Deutschlands in Berlin, 15. bis 21. Januar 1963. Berlin: 1963, S. 105 ff.

Bauernkongress 1968 formulierten Ziele – „in den nächsten Jahren Getreide 50 bis 60 dt je Hektar, bei Kartoffeln 280 bis 320 dt je Hektar und bei Milch 2000 bis 3000 kg je ha bzw. 4000 bis 4500 kg je Kuh in den sich auf Hauptproduktionszweige konzentrierenden LPG zu erreichen" [28] – in absehbarer Zeit verwirklicht. Die angestrebten Produktivitätsziele stehen in engem Zusammenhang mit der Weiterentwicklung der Kooperationsbeziehungen zwischen den LPG untereinander und zu ihren vor- und nachgelagerten Produzenten [29] sowie dem Ziel, die „genossenschaftliche Demokratie als Bestandteil der sozialistischen Demokratie" zu vervollkommnen und „alle Genossenschaftsbäuerinnen und -bauern zur aktiven Mitgestaltung der neuen gesellschaftlichen Entwicklungsprozesse" zu befähigen [30].

*Ausgewählte Daten zur Entwicklung der DDR-Landwirtschaft zwischen 1961 und 1968* [31]

| | 1961 | 1968 |
|---|---|---|
| Beschäftigte in der Land- und Forstw. in 1000 (einschl. Lehrl.) | 1394 | 1104 |
| %-Anteil an den Gesamtbeschäftigten (einschl. Lehrlingen) | 17,4 | 13,5 |
| %-Anteil der Land- und Forstw. am produzierten Nationaleinkommen (in vergleichbaren Preisen) | 16,9 | 13,9 |
| Produkt pro Beschäftigten (Mark in vergleichbaren Preisen) | 8670,– | 12 373,– |

28  Politische Ökonomie des Sozialismus und ihre Anwendung in der DDR, a.a.O., S. 863.
29  Vgl. Autorenkollektiv, Grundriß der Kooperation in der Landwirtschaft. Berlin: 1967.
30  Politische Ökonomie des Sozialismus und ihre Anwendung in der DDR, a.a.O., S. 863 f.
31  Zusammengest. u. teilw. berechnet nach den Statistischen Jahrbüchern der DDR 1962 und 1969.

| | | |
|---|---|---|
| Zahl der LPG | 17 860 | 11 513 |
| ha-LN je LPG | 304 | 472 |
| %-Anteil der LPG III an der LN der LPG | 64,2 | 75,4 |
| %-Anteil der LPG III an den ständig Berufstätigen der LPG | 61,9 | 74,6 |
| Maschinenbestand in der Land- und Forstwirtschaft in Stck.: | | |
| Traktoren | 89 882 | 144 348 |
| Lastwagen | 10 772 | 17 939 |
| Mähdrescher | 9180 | 17 923 |
| Getreidefläche je Mähdrescher in ha | • | 126 |
| ha-LN je Traktor | • | 41 |
| Reinstickstoff (N) pro ha in kg | 38,5 | 70,5 |
| Phosphorsäure ($P_2O_5$) pro ha in kg | 35,1 | 59,0 |
| ha-Erträge in Dezitonnen: | | |
| Getreide | 21,7 | 33,4 |
| Kartoffeln | 123,7 | 188,1 |
| Zuckerrüben | 213,8 | 343,8 |
| Erzeugung von Viehproduktens: | | |
| Schlachtvieh in 1000 Tonnen | 1407 | 1798 |
| Milch in 1000 Tonnen | 5612 | 7227 |
| Milcherzeugung pro Kuh in kg | 2576 | 3344 |
| Eier in Mill. Stck. | 3602 | 4046 |

*Zur Entwicklung der Landwirtschaft in den drei Westzonen und der BRD*

Vor dem Krieg bewirtschafteten im späteren Bereich der drei Westzonen 0,7 % der Betriebe mit mehr als 100 ha LN 6,8 % der landwirtschaftlichen Nutzfläche. Diese Angabe täuscht aber insofern, als die Flächenanteile der Großbetriebe in einigen Regionen wesentlich höher lagen (1949: z. B. Schleswig-Holstein 13,4 %, VB-Braunschweig 21,2 % der LN) und Teile des großen Landeigentums verpachtet waren [32]. Zudem hatten sich viele Feudalherren im Zuge der Agrarreform des 19. Jahrhunderts den Wald angeeignet. 1949 wurden ca. 70 % der Waldfläche von Betrieben mit mehr als 100 ha Betriebsfläche bewirtschaftet [33].

Insgesamt war also das potentielle Bodenareal für Bodenreformen weit umfangreicher, als es in der Regel dargestellt wird. Auch das aktuelle Problem, daß Erholungssuchende durch Großeigentümer von Wasser und Wald ausgesperrt werden können, hätte im Zuge einer demokratischen Bodenreform bereits vor 25 Jahren gelöst werden können. Ferner wurde nach 1945 kaum reflektiert, daß sich in den Westzonen (weit stärker als in der SBZ) riesige, nur zum Teil landwirtschaftlich genutzte Flächen in den Händen von Industriekonzernen, Versicherungsgesellschaften usw. befanden, was eine der wichtigsten Ursachen für die Bodenspekulation in der Gegenwart ist [34]. Mit Ausnahme der KPD hat in den Westzonen keine Partei das Problem der Agrar- und Bodenreform ernsthaft aufgegriffen [35]. Die Führung der Sozialdemokratie hat sich auch in dieser Frage im großen und ganzen mit verbalem Radika-

32  Berechnet nach: Statistisches Jahrbuch für die BRD 1952, S. 98 f.; zu den großen Landeigentümern im Bereich der Westzonen vgl. Th. Häbich, Deutsche Latifundien. Bericht und Mahnung. Stuttgart: 1947.

33  Vgl. H. Röhm, Die westdeutsche Landwirtschaft. Agrarstruktur, Agrarwirtschaft und landwirtschaftliche Anpassung. München, Basel, Wien: 1964, S. 33 f.

34  Vgl. z. B. F. Meier, Die Änderung der Bodennutzung und des Grundeigentums im Ruhrgebiet von 1820 bis 1955. Forschungen zur Deutschen Landeskunde, Bd. 131. Bad Godesberg: 1961; O. Aule, Analyse der Baulandpreise in der Bundesrepublik unter regionalen Gesichtspunkten. Wirtschaftliche und soziale Probleme des Agglomerationsprozesses, Bd. 10. München: 1968; M. Tiemann, Die Baulandpreise und ihre Entwicklung. In: Der Städtetag 1970, Heft 11, S. 562 ff.

35  Vgl. z. B. Denkschrift der KPD in der britischen Zone vom 27. März 1946 an den Zonenbeirat bei der britischen Militärregierung zur Ernährungskrise. In: Dokumente und Materialien zur Geschichte der Deutschen Arbeiterbewegung. Reihe III, Bd. 1, Mai 1945 bis April 1946, Berlin: 1959, S. 578 ff.

lismus begnügt oder sich in das Schlepptau bürgerlicher Reformideologie nehmen lassen [36], deren entscheidendes Kennzeichen war, daß sie die Bodenreform nicht als Element des antifaschistischen Kampfes zur Zerschlagung der ökonomischen Basis der Junker und Naziaktivisten begriff [37]. Die Ergebnisse der sogenannten Bodenreform in Westdeutschland waren für die Landarbeiter und werktätigen Bauern kaum erwähnens-, für die Großgrundbesitzer dagegen einige hundert Millionen DM wert [38].

Sowohl in der Rekonstruktionsperiode als auch in der Phase der Entfaltung des westdeutschen Kapitalismus, in der seine Widersprüche und Verwertungsschwierigkeiten zunahmen, hatte die Landwirtschaft dreierlei Aufgaben zu erfüllen:

1. Sie mußte den Akkumulationsfond des tendenziell zusammenwachsenden Industrie-, Bank- und Handelskapitals mit auffüllen.

2. Die bäuerlichen und Landarbeiterhaushalte mit ihrem vergleichsweise hohen natürlichen Bevölkerungswachstum waren eine wichtige Produktionsstätte von Arbeitskraft mit den Minimalqualifikationen industrialisierter Länder. Besonders nach 1955, als die Reservearmee der Arbeitslosen in den Ballungszentren weitgehend beseitigt war und geburtenschwache Jahrgänge ins Erwerbsleben eintraten, wanderte ein Teil der landwirtschaftlichen Bevölkerung in die Industriezentren ab oder verkaufte seine Arbeitskraft an neu entstandene Industriebetriebe auf dem „flachen Land" [39].

36  Vgl. K. Schumacher, Grundsätze sozialistischer Politik. Hamburg: 1946.
37  Vgl. z. B. die Schrift des ehemaligen hessischen Landwirtschaftsministers T. Tröscher, Der Boden und die Besitzlosen. Hamburg: 1947.
38  Allein die süddeutschen Großagrarier kassierten fast 200 Mill. DM (vgl. Ministerrat der DDR, Landwirtschaftsrat (Hrsg.), Die Entwicklung der Landwirtschaft und die Lage der Bauern im staatsmonopolistischen System Westdeutschlands. Eine Dokumentation. Dresden: 1967).
39  Vgl. die vier Veröffentlichungen des Bundesministeriums für Arbeit und Sozialordnung, Die Standortwahl der Industrie-

3. Die landwirtschaftliche Bevölkerung bildete in den 50er und 60er Jahren einen Stabilitätsfaktor im Rahmen der parlamentarisch-demokratischen Verschleierung der ökonomischen und politischen Herrschaft des Kapitals. Ein wichtiges Werkzeug war dabei die antikommunistisch akzentuierte Familienbetriebsideologie, die den Bauern vorlog, daß die Landwirtschaft *„ein typischer Bereich der Kleinunternehmungen"* bliebe, „... in dem unternehmerische Eigenschaften auch zukünftig gedeihen und nachwachsen können, das breite Fundament der selbständigen Unternehmerschicht und ein Bereich, in dem Freiheit und Eigenverantwortung in besonderer Weise wirksam und lebendig bleiben" [40].

Der Beitrag der Landwirtschaft zum Dispositions- und Akkumulationsfond der großen Kapitale wurde vor allem mit Hilfe des klassischen Mittels „Preisschere" erzwungen.

*Indices der landwirtschaftlichen Erzeugerpreise und der Preis für sächliche Betriebsmittel* (1949/50 = 100) [41]

|         | Index der landw. Erzeugerpreise | Index der Preise für sächliche Betriebsmittel |
|---------|-----------|-----------|
| 1950/51 |           | 106,8     |
| 1960/61 | 118,2     | 138,6     |
| 1965/66 | 141,5     | 158,5     |
| 1967/68 | 126,3     | 161,5     |

betriebe in der Bundesrepublik Deutschland ... 1955–1960, 1961 bis 1963, 1964 und 1965, 1966 und 1967. Bonn: 1961 ff.

40  H. Priebe, Der bäuerliche Betrieb. In: Agrarpolitik in der Sozialen Marktwirtschaft. Wortlaut der Vorträge und Diskussionen auf der fünften Arbeitstagung der Aktionsgemeinschaft Soziale Marktwirtschaft am 13. März 1956 in Bad Godesberg. Ludwigsburg: 1956, S. 35 (Hervorhebung im Original).

41  Nach: E. Rechtziegler, Westdeutsche Landwirtschaft im Spätkapitalismus. Die Agrarpolitische Konzeption des Finanzkapitals und die Beherrschung der westdeutschen Landwirtschaft durch Staat und Monopole. In: DWI-Forschungshefte 4, 1969, Heft 4, S. 11.

Der im Vergleich zu den Erzeugerpreisen steile Anstieg der Produktionsmittelkosten hatte angesichts der zwischen 1949/50 und 1967/68 erfolgten Zunahme der Ausgaben der Landwirtschaft für Produktionsmittel um 280 % (von 3,9 auf 14,8 Mrd. DM) [42] erhebliche Erlöseinbußen zur Folge. Die Differenz zwischen den Verkaufserlösen zu laufenden Preisen und den Erlösen, die erzielt worden wären, wenn die landwirtschaftlichen Erzeugerpreise mit der gleichen Rate wie die sächlichen Betriebsmittelpreise angestiegen wären, betrug im Zeitraum 1950/51 bis 1967/68 ca. 52,3 Milliarden DM [43]. Ein weiterer Hebel für die Transformation der agrarischen Produktion in die Verfügungsgewalt der großen Kapitale resultiert aus der ständig zunehmenden Zinsbelastung der Landwirtschaft für aufgenommenes Fremdkapital. Das geringe Eigenkapital und die Wirkungen der „Preisschere" bei wachsendem Zwang zu arbeitssparenden und Flächenproduktion steigernden Investitionen haben die Verschuldung von 2,5 Mrd. (1948) auf 25,9 Mrd. (1968) DM anwachsen lassen [44].

Die niedrigen landwirtschaftlichen Erzeugerpreise sicherten auch, daß die Kosten der Lebenshaltung, die in den Lohnkämpfen eine wichtige Rolle spielen, nicht noch weit stärker anstiegen. Wie in der Rekonstruktionsperiode, wo sie half, den faktischen Lohnstopp abzustützen, hat die Landwirtschaft auch in der Phase zunehmender Verwertungsschwierigkeiten die Funktion, den Anstieg der Preise für andere Waren und Dienste teilweise zu kompensieren. Diese Funktion ist aber wegen des steilen Anstiegs der Handels- und Verarbeitungsspannen begrenzt. Von 1950/51 bis 1966/67 stiegen die

– Verkaufserlöse der Landwirtschaft um 188 %,
– Verbraucherausgaben für Nahrungsmittel aus inländischer Produktion um 252 %,

42 Vgl. Landwirtschaftliche Rentenbank (Hrsg.), Die westdeutsche Landwirtschaft. Frankfurt/M.: 1969, S. 67.
43 Rechtziegler, Westdeutsche Landwirtschaft im Spätkapitalismus, a.a.O., S. 30.
44 Landwirtschaftliche Rentenbank, Die westdeutsche Landwirtschaft, a.a.O., S. 73.

– Handels- und Verarbeitungsspannen um 364 % [45].

Sowohl der deutlich überproportionale Anstieg der Handels- und Verarbeitungsspannen als auch die Preisschere verweisen auf Strukturveränderungen und wachsende Zusammenballung von Marktmacht in den Produktions- und Distributionsbereichen, die der Landwirtschaft vor- und nachgelagert sind: mehr als eine Million bäuerlicher Kleinproduzenten stehen auf der Beschaffungs- und Absatzseite wenigen, ihr Kapital zum erheblichen Teil im Weltmaßstab verwertenden Konzernen gegenüber. Ein großer Teil der als Agrarsubventionen deklarierten Mittel der sog. „Grünen Pläne" waren verschleierte Finanzzuweisungen vor allem an die Konzerne auf der Beschaffungsseite: die gleiche Wirkung wie Mineralöl- oder Düngermittelsubventionen für die Landwirtschaft hätte auch eine Senkung der Kartell- und Monopolpreise für diese Produkte gehabt.

Anders als auf der Beschaffungsseite, für die ein hoher Grad der Konzentration vor Marktmacht seit langem charakteristisch ist, hat sich die Zusammenballung des Kapitals auf der Absatzseite im wesentlichen erst ab Mitte der fünfziger Jahre vollzogen. Sie war Resultat der Bemühungen von Industrie und Banken, die Umschlagsgeschwindigkeit des Kapitals zu erhöhen und die Distributionskosten zu senken, was nur über grundlegende Strukturveränderungen im Bereich der Nahrungsmittelverarbeitung und -verteilung ermöglicht werden konnte. Ihre wichtigsten Elemente waren und sind:

1. Zunehmende Konzentration und Zentralisation des Kapitals der Ernährungsindustrie auf diejenigen Unternehmen, deren Kapitalkraft die rasche Verwendung neuer Technologien und den Einsatz riesiger Werbeetats erlaubte. Bereits 1966 vereinigten die 50 umsatzstärksten Unternehmen der Ernährungsindustrie 31 % des Gesamtumsatzes dieses Industriezweiges, dessen Kapital sich zu einem hohen Prozentsatz in ausländischem Besitz befindet [46].

45  Rechtziegler, Westdeutsche Landwirtschaft im Spätkapitalismus, a.a.O., S. 68.
46  Berechnet nach: E. Batzer, M. Eli, Der deutsche Agrarmarkt. Der

2. Die Verlagerung des Umsatzes zu den großen Handelskapitalen, die am ehesten in der Lage wären, die vielfältigen neuen Technologien des Warenumschlags zu nutzen. So stieg zwischen 1950 und 1966 der Umsatzanteil der Unternehmungen mit mehr als 10 Mill. Jahresumsatz im Großhandel von 13,9 auf 55,6 %, im Einzelhandel von 6,3 auf 24,0 %, was recht beachtlich ist, wenn man bedenkt, daß 1966 Unternehmen dieser Umsatzgrößenklasse im Nahrungs- und Genußmittelgroßhandel lediglich 3,2 % und im Einzelhandel mit Nahrungs- und Genußmittel nur 0,1 % aller Unternehmungen umfaßten [47].

3. Die Veränderung der Absatzformen, d. h. z. B. das Vordringen der Selbstbedienung, die Entwicklung von „Cash and Carry"-Lagern und Verbrauchermärkten.

4. Die zunehmende institutionalisierte Kooperation zwischen den verschiedenen Stufen des gesamten Umschlagprozesses mit der Tendenz, die kleinen Handelskapitale und einfachen Warenhändler ihrer Selbständigkeit zu entledigen.

In den letzten Jahren hat sich die Tendenz verstärkt, daß alle Stufen des Landhandels und die Ernährungsindustrie über die gleichen Kapitaleigentümer verflochten werden. Eines der Kennzeichen der neueren Entwicklung in der Landwirtschaft ist, daß in diese vertikale Integrations- bzw. Kooperationskette zunehmend auch die agrarische Urproduktion selbst einbezogen wird [48].

Die angedeuteten Strukturveränderungen vollzogen sich im Zeichen einer wachsenden Überproduktion von Nahrungsmitteln und strukturellen Veränderungen ihres Konsums, was sowohl Folge des Akkumulationsprozesses des Industriekapitals

Absatz landwirtschaftlicher Produkte in der Bundesrepublik Deutschland. Frankfurt/M.: 1970, S. 68.

47 Ebd., S. 97 f.

48 Die weitaus beste theoretische Auseinandersetzung mit dieser Problematik, die auch die spezifischen Merkmale der „Kooperation unter dem Kommando des Monopolkapitals" herausarbeitet, findet sich bei Rechtziegler, Westdeutsche Landwirtschaft im Spätkapitalismus, a.a.O., S. 82 ff.

ist als auch aus dem im privatwirtschaftlichen Sinne rationalen Verhalten der bäuerlichen Produzenten resultiert:

– Der im Zuge der Intensivierung der Arbeitsverausgabung (parallel zur Steigerung der Arbeitsproduktivität) gestiegene Wert der Ware Arbeitskraft konnte in teilweise harten Arbeitskämpfen und mit erheblichen time lags auch in Reallohnsteigerungen umgesetzt werden. Daraus folgte, daß der Anteil der Nahrungsmittelausgaben ständig geringer werden konnte. Zugleich erzwang die steigende Arbeitsintensität, die vor allem in Verlagerung von körperlicher zu psychischer Anspannung bestand, eine Verschiebung des Nahrungsmittelverbrauchs von schwer- zu leichtverdaulichen, von voluminösen zu hochkonzentrierten Nahrungsgütern usw. [49].

– Unter dem Druck steigender Produktionsmittelkosten, wachsender Schulden und zunehmender Diskrepanzen des Einkommensniveaus zu den übrigen Wirtschaftsbereichen waren die agrarischen Produzenten gezwungen, Produktivität und Produktion ständig zu steigern. Dieses einzelwirtschaftlich rationale Verhalten stieß aber rasch an die Grenzen des irrationalen Gesamtsystems, das trotz noch längst nicht beseitigter Unterernährung selbst in den Industrieländern und angesichts Millionen verhungernder Menschen in den Ländern der Dritten Welt Nahrungsmittel vernichtet oder mit riesigem Kostenaufwand einlagert.

Das „Überschußproblem" für Agrarprodukte steht in der BRD außerdem im Zusammenhang mit den Außenhandelsinteressen des Industriekapitals. Profite aus exportiertem Kapital und wachsende Exporte von Industriewaren lassen sich langfristig nur dann realisieren, wenn die Kapitalempfangs- und Importländer die Möglichkeit haben, ihrerseits Waren in die BRD zu exportieren, wobei es sich zu großen Teilen – nicht zuletzt im Falle Frankreichs – um Agrarexporte handelt. Die weitere Entwicklung des EWG-Marktes und seine zukünftige Aufnahmefähigkeit für westdeutsche Kapitalexporte ist zu wesent-

---

49 Dies gilt in ähnlicher Weise auch für die Verkürzung der Arbeitszeiten und die Verlängerung des Urlaubs.

lichen Teilen an das Funktionieren dieses Ausgleichsmechanismus gebunden. Deshalb haben die westdeutschen Monopole unter Vernachlässigung der Absatzinteressen der eigenen Landwirtschaft einer für die BRD kostspieligen Regelung des EWG-Agrarmarktes zugestimmt, „da sie auf die Vorteile, die sich für ihre Exportoffensive im gemeinsamen Binnenmarkt ergeben, nicht verzichten wollen" [50].

Damit sind einige grundlegende, auch aktuell noch wirksame Tendenzen der kapitalistischen Entwicklung angedeutet, die sich aus dem Verlauf des Akkumulationsprozesses ergeben. Für die Landwirte stellt sich diese Entwicklung aber nicht als gesellschaftliche, durch die spezifische Klassenstruktur und die ungleiche Verteilung ökonomischer und politischer Macht vermittelte dar. Sie erfahren sie als unabänderlichen Prozeß, der neue Daten setzt, an die man sich anzupassen hat. Diese Daten *erscheinen zusammengefaßt als*
– Strukturveränderungen der Nachfrage bei sinkenden Zuwachsraten des inländischen Nahrungsmittelverbrauchs, steigenden Importquoten und bei den bodenunabhängigen Veredelungszweigen als wachsende industrielle Konkurrenz durch „Hühner- und Schweinefabriken";
– Konzentration der Nachfrage, die ein möglichst gleichförmiges, massenhaft anfallendes, kalkulierbares Angebot zu möglichst niedrigen Preisen wünscht;
– Konzentration des Angebots an Produktionsmitteln, das eine möglichst gleichförmige, kalkulierbare Nachfrage zu möglichst hohen Preisen wünscht;
– Einbeziehung des „flachen Landes" in das Netz gesellschaftlicher Arbeitsteilung und Kooperation sowie Kommuniktion. Die Arbeitskräfte in der Landwirtschaft entwickelten steigende Freizeit- und Lohnansprüche. Vor allem die jungen landwirtschaftlichen Produzenten begannen, ihr Einkommen und Lebenshaltungsniveau mit dem von gleichaltrigen Arbeitern zu

50  J. Tauscher, Die staatsmonopolistische Regulierung des EWG-Agrarmarktes. In: DWI-Berichte 21, 1970, Heft 6, S. 17.

vergleichen, die in (häufig neuangesiedelten) Industriebetrieben in der benachbarten Kreisstadt arbeiteten [51].

Die erhöhten Lohn- und Freizeitwünsche der einfachen Warenproduzenten konnten nur erfüllt werden, wenn die Produktivität der Arbeit erhöht wurde, was in der Landwirtschaft unter den gegenwärtigen Bedingungen in der Regel zugleich eine Erhöhung der Flächenproduktivität beinhaltet [52]. Zwischen 1951/52 und 1967/68 stieg die Produktionsleistung (in Mill. t GE) der BRD-Landwirtschaft trotz gleichzeitiger Verminderung der LN durch veränderte Bodennutzung und wachsenden Anteil von „Sozialbrache" um 61 % [53]. Die jährliche Wachstumsrate der Arbeitsproduktivität (Bruttoinlandsprodukt pro Arbeitsstunde in Preisen von 1954) lag im Zeitraum 1950 bis 1968 in der Land- und Forstwirtschaft deutlich über der der Gesamtwirtschaft [54].

Wegen der bereits aufgezeigten systembedingten unterdurchschnittlichen Entwicklung der Agrarpreise ist die reale Produktivitätssteigerung noch wesentlich höher: sie hat bis 1967/68 (in dz Getreideeinheiten pro Vollarbeitskraft) gegenüber 1951/52 um 249,5 % zugenommen. Von 1950/51 bis 1967/68 stieg die LN je Vollarbeitskraft von 3,4 auf 7,9 ha [55].

Die zuletzt genannte Indexziffer verweist auf zwei Tatbestände des „Anpassungsprozesses" – die Veränderung der Betriebsgrößenstruktur bei gleichzeitiger Verminderung der Zahl

---

51  Vgl. U. Planck, Landjugend im sozialen Wandel. Ergebnisse einer Trenduntersuchung über die Lebenslage der westdeutschen Landjugend. München: 1970.

52  Vgl. Röhm, Die westdeutsche Landwirtschaft, a.a.O., S. 79 ff., 120 ff.

53  Berechnet nach: Landwirtschaftliche Rentenbank, Die westdeutsche Landwirtschaft, a.a.O., S. 41; es handelt sich um Bruttoproduktionswerte, d. h. die Zukauffuttermittel sind nicht abgezogen.

54  Vgl. Sieben Berichte. Wirtschaftliche und soziale Aspekte des technischen Wandels in der Bundesrepublik Deutschland. Erster Band, Frankfurt/M.: 1970, S. 33.

55  Berechnet nach: Landwirtschaftliche Rentenbank, Die westdeutsche Landwirtschaft, a.a.O., S. 25, 41.

landwirtschaftlicher Betriebe und die Verringerung der Zahl landwirtschaftlicher Erwerbspersonen. Zwischen 1949 und 1960 verminderte sich die Zahl der Betriebe um 16,6 %. Abnahmen waren in den Betriebsgrößenklassen bis 7,5 ha LN, teils infolge von Betriebsaufgabe, teils infolge von Aufstockung (vor allem durch Zupacht) zu verzeichnen. Die Intensität des Strukturwandels nahm nach 1960 weiter zu.

*Veränderungen der Zahl der landwirtschaftlichen Betriebe zwischen 1960 und 1969* [56]

| Betriebsgrößenklasse nach ha LN | | | Zahl der landw. Betriebe 1960 | 1969 | Veränderungen 1960/69 in % |
|---|---|---|---|---|---|
| 0,5 | – | 2 | 457,1 | 362,9 | − 20,6 |
| 2 | – | 5 | 384,3 | 279,2 | − 27,4 |
| 5 | – | 10 | 342,6 | 252,3 | − 26,4 |
| 10 | – | 20 | 286,2 | 280,7 | − 1,9 |
| 20 | – | 50 | 122,7 | 149,1 | + 21,5 |
| 50 | – | 100 | 14,1 | 15,2 | + 7,8 |
| 100 | und | mehr | 2,9 | 2,8 | − 3,4 |
| Insgesamt | | | 1609,9 | 1342,1 | − 16,6 |

Von 362 900 Betrieben zwischen 0,5 und 2 ha LN produzierten 1969 aber lediglich 36,1 % für den Markt [57]. Von der Gesamt-

56 Zusammengest. u. berechnet nach: Statistisches Jahrbuch für die BRD 1962, S. 165; Größenstruktur der landwirtschaftlichen Betriebe 1969 und ihre Veränderung seit 1965. In: Wirtschaft und Statistik 1970, Heft 3, S. 142. Die Berechnungen sind nicht ganz exakt, weil für 1960 das Saarland und Westberlin im Unterschied zu 1969 nicht mit einbezogen sind. Angesichts der kleinbetrieblichen Struktur der saarländischen Landwirtschaft waren also die realen Veränderungen etwas größer, als es in der Tabelle ausgewiesen wird.
57 Vgl. Grüner Bericht 1970, entnommen aus E. Rechtziegler, Die Agrarpolitik der Brandt/Scheel-Regierung. In: DWI-Berichte 21, 1970, Heft 7, S. 28.

zahl der Betriebe waren etwa 30 % Vollerwerbs-, 25 % Zuer-
werbs- und 45 % Nebenerwerbsbetriebe [58].

Parallel zu den Veränderungen der Betriebszahlen und -struk-
turen ging die Zahl der Arbeitskräfte (AK) zwischen 1951/52
und 1967/68 von 3,74 Mill. auf 1,73 Mill. zurück, wobei die
Zahl der Vollbeschäftigten, die nur in der landwirtschaftlichen
Produktion arbeiteten, zu diesem Zeitpunkt bereits weniger
als eine Million Personen betrug [59].

Diese Verminderung des AK-Bestandes wurde durch vermehr-
ten Maschineneinsatz, Betriebsvereinfachungen, Spezialisierung
auf wenige Betriebszweige (soweit Boden, Klima und Trans-
portlage zum Markt das erlaubten), Verbesserung des Zucht-
materials und Rationalisierung der Innenwirtschaft aufgefangen. Dabei sind der klein- und mittelbäuerlichen Landwirtschaft wegen ihres geringen Bodenareals und Eigenkapitals aber
enge Grenzen gesetzt, was unter anderem zu maschinellem
Überbesatz und wachsender Verschuldung geführt hat: in der
BRD entfiel 1966 ein Schlepper auf ca. 11 ha LN und 1 Mähdrescher auf 35 ha Getreidefläche. Die Mähdrescher-Ernte-
fläche betrug sogar nur 25 ha [60]. Der Flächenbesatz mit diesen
Maschinen lag also fast viermal so hoch wie in der hochmecha-
nisierten Landwirtschaft der DDR. Die durchschnittlichen
Viehbestände in der BRD haben unter arbeitswirtschaftlichen
Gesichtspunkten trotz steigender Bestandsgrößen lediglich in

58  Geschätzt nach Angaben für das Wirtschaftsjahr 1967/68 in: Land-
    wirtschaftliche Rentenbank, Die westdeutsche Landwirtschaft,
    a.a.O., S. 19.
59  Nach: ebd. sowie: Veränderungen in der Struktur der landwirt-
    schaftlichen Betriebe und ihrer Arbeitskräfte von 1964/65 bis
    1968/69. In: Wirtschaft und Statistik 1970, Heft 11, S. 550 ff.
    „AK" ist eine nach ihrem Alter vollerwerbsfähige Person, die das
    ganze Jahr im landwirtschaftlichen Betrieb (ohne Privathaushalt
    des Betriebsinhabers) vollbeschäftigt ist. Nicht ständig beschäftigte
    und nicht vollerwerbsfähige Personen werden auf Vollarbeits-
    kräfte umgerechnet.
60  Berechnet nach: Landwirtschaftliche Rentenbank, Die westdeutsche
    Landwirtschaft, a.a.O., S. 31, 33.

wenigen Fällen auch nur die Untergrenze der Rentabilität erreicht.

Die wenig ökonomische Anwendung vieler Produktionsmittel und die wachsende Verschuldung trugen seit 1960/61 dazu bei, daß „es den westdeutschen Bauern im allgemeinen trotz beträchtlicher Investitionen nicht mehr [gelang], die Kosten je Produktionseinheit zu senken" [61]. Infolge des Arbeitskräfteabbaus und der zunehmenden Professionalisierung der landwirtschaftlichen Arbeit hat sich ein von den Ideologen des Familienbetriebes stark betonter Vorteil – die große Flexibilität des Familienarbeitspotentials – in sein Gegenteil verkehrt. In vielen bäuerlichen Betrieben ist nur eine Vollarbeitskraft vorhanden. Im Falle von Unfällen oder Krankheiten führt das zu Katastrophen, und der schlechte Gesundheitszustand der bäuerlichen Bevölkerung ist in erheblichem Maße auf verschleppte und unzureichend ausgeheilte Krankheiten zurückzuführen.

Die aufgeführten Punkte verweisen alle in die gleiche Richtung: seit der 2. Hälfte der fünfziger Jahre hat sich der Widerspruch zwischen dem Stand der Entwicklung der Produktivkräfte, die große Bearbeitungseinheiten verlangen, und der typischen bäuerlichen Produktionsweise verschärft. Das Problem ist, ob dieser Widerspruch im Interesse der bäuerlichen Produzenten und Verbraucher von Agrarprodukten, oder im Interesse der Monopolbourgeoisie gelöst wird.

Viele Bauern haben in den letzten Jahren selbst vermehrte Anstrengungen unternommen, um den Widerspruch durch verstärkte horizontale Kooperation (Maschinengemeinschaften, Erzeugergemeinschaften, Zusammenlegung von Höfen auf genossenschaftlicher Grundlage) abzuschwächen [62]. Bemühungen

61  Rechtziegler, Westdeutsche Landwirtschaft im Spätkapitalismus, a.a.O., S. 8 f.
62  Einzelne Beispiele bei K. Hage, Konzentrationsforschung im landwirtschaftlichen Produktionsbereich der Bundesrepublik Deutschland. In: Die Konzentration in der Landwirtschaft. Konsequenzen für die Strukturpolitik. AVA-Schriftenreihe, Heft 23, Wiesbaden: 1967, S. 37–43.

dieser Art sind aber auf den Widerstand der Monopole gestoßen. So forderte O. Wortmann, der Präsident der Bundesvereinigung der Ernährungsindustrie, daß „... alle die Erzeugergemeinschaften betreffenden Maßnahmen so getroffen werden, daß ein Eindringen in andere Wirtschaftsstufen und damit die Herbeiführung von Wettbewerbsverzerrungen ausgeschlossen sind" [63].

Die Bundesregierung hat sich dieser Auffassung weitgehend angeschlossen, indem sie erklärt hat, daß bäuerliche Kooperationsgemeinschaften nicht besonders gefördert werden sollen [64]. Diese Position steht im Zusammenhang mit den neueren Bemühungen, die agrarstrukturellen Veränderungen wesentlich zu beschleunigen, die Landwirtschaft von einer Sphäre der überwiegend einfachen Warenproduktion, die sich an den finanziellen Bedürfnissen der bäuerlichen Familie orientiert, in einen Bereich der kapitalistischen Produktion und Reproduktion zu transformieren [65].

Diese Zielsetzung resultiert u. a. aus dem Versuch, die staatlichen Struktur- und Marktordnungsmittel für Landwirtschaft und landwirtschaftsnahe Industrie zu senken, weil sie – (bei ständig steigenden Rüstungsausgaben) – dringend für andere Aufgaben erforderlich sind. Vor allem die Beseitigung der Agrarüberschüsse verschlingt immer mehr Mittel. Die Ausgaben des EWG-Agrarfonds, an dessen Finanzierung die Bundesrepublik mit ca. 32 % beteiligt ist, stiegen zwischen 1965/66 und 1968/69 um 740 %. Im Wirtschaftsjahr 1972/73 werden allein für diesen Fonds schätzungsweise ca. 13,1 Mrd. DM erforderlich sein.

Außerdem wuchsen die für die „Marktordnung" vorgesehenen Mittel des BRD-Agrarhaushalts von 8,3 % (1965) auf 47 %

63  In: Die Ernährungswirtschaft 1967, Nr. 4, S. 130. Zit. nach Rechtziegler, Westdeutsche Landwirtschaft im Spätkapitalismus, a.a.O., S. 42.
64  Vgl. Bundesministerum für Ernährung, Landwirtschaft und Forsten (Hrsg.), Der Mansholt-Plan – Kritik und Alternativen. Landwirtschaft – angewandte Wissenschaft, Heft 141, Hiltrup: 1969.
65  Vgl. Rechtziegler, Die Agrarpolitik der Brandt/Scheel-Regierung, a.a.O., S. 29.

(1970) [66]. Das angestrebte Ziel des Abbaus finanzieller Mittel soll mit Hilfe eines differenzierten Einsatzes des agrarpolitischen Instrumentariums erfolgen, wobei alle Formen der kapitalistischen Großproduktion gefördert werden sollen. Diese Politik ist aber zum Scheitern verurteilt, weil die „aus der Aufgabe von landwirtschaftlichen Betrieben resultierende Tendenz zur Einschränkung der Produktion ... bei weitem durch die sich aus dem Konzentrationsprozeß und dem technischen Fortschritt ergebende Tendenz zur Ausweitung der Produktion übertroffen" wird [67]. Hieran zeigt sich, daß auch die kapitalistische Form der Warenproduktion selbst dann nicht mehr mit dem Entwicklungsstand der Produktivkräfte in Übereinstimmung gebracht werden kann, wenn die Lasten der agrarstrukturellen Veränderungen allein den Bauern und Verbrauchern aufgebürdet werden.

Die große Bedeutung des DDR-Modells besteht darin, daß sich zum ersten Mal in einem hochindustrialisierten Land mit fortgeschrittener Landwirtschaft eine soziale Umwälzung auf dem Lande vollzog, die einen nichtkapitalistischen Weg für die Bewältigung der Produktions- und Absatzprobleme der Urproduktion aufgezeigt hat. Dieses Modell ist im Prinzip – selbstverständlich unter Berücksichtigung der andersgearteten und modellmodifizierenden historischen, ökonomischen und sozialen Bedingungen – auch auf Westdeutschland übertragbar. Deshalb hat die staatsmonopolistische Lösung des Strukturwandels und der Absatzprobleme, die in allen kapitalistischen Ländern auf der Tagesordnung steht, in der BRD in weitaus stärkerem Maße zusätzlich die Aufgabe, unter allen Umständen zu verhindern, daß die Bauernschaft im Bündnis mit der Arbeiterklasse und der fortschrittlichen Intelligenz für die Durchsetzung von tendenziell antikapitalistischen Alternativmodellen kämpft.


66  Alle Daten nach: ebd., S. 28 f.
67  Ebd., S. 29.

M. Tjaden-Steinhauer, K.-J. Tjaden

# Die Entwicklung der Sozialstruktur in der BRD und in der DDR

Bei oberflächlicher Betrachtung weisen die sozialökonomische Bevölkerungsdifferenzierung in der BRD und die in der DDR gewisse Ähnlichkeiten auf [1]. So gehörten von der wirtschaftlich aktiven Bevölkerung im Jahre 1969 in der BRD 10 % zum Wirtschaftszweig Land- und Forstwirtschaft, 48 % zum Zweig Produzierendes Gewerbe und 42 % zu den restlichen Wirtschaftsbereichen; in der DDR betrugen die entsprechenden Anteilsätze 13 %, 49 % und 38 %. Nach ihrer wirtschaftlichen Stellung gehörten in der BRD gegen 82 % der wirtschaftlich aktiven Bevölkerung zu den Arbeitern, Angestellten und Beamten, die verbleibenden 18 % zu den Selbständigen und mithelfenden Familienangehörigen; 84 % des entsprechenden Bevölkerungsteils der DDR gehörte zu den Arbeitern und Angestellten, 12,5 % waren Mitglieder von Produktionsgenossenschaften und 3,5 % gehörten zu den Selbständigen oder den mithelfenden Familienangehörigen. Abgesehen von der Kategorie „Mitglieder von Produktionsgenossenschaften" scheinen die sozialökonomischen Strukturen der beiden Gesellschaften auf den ersten Blick nur wenig zu differieren.

Solche Ähnlichkeiten können zu dem Schluß verleiten, daß BRD und DDR „in der Beschäftigung der Erwerbstätigen der Grundstruktur hochindustrialisierter Volkswirtschaften" entsprächen; daß in den beiden Gesellschaften „das *typische Leistungsgefüge eines Industrielandes*" zu erkennen sei; gar, daß beide Gesellschaftssysteme konvergierten [2]. Solche Konvergenz-

1   Vgl. zum folgenden: Statistisches Jahrbuch für die Bundesrepublik Deutschland 1970, S. 120. Statistisches Jahrbuch 1970 der Deutschen Demokratischen Republik, S. 52 f.
2   Materialien zum Bericht zur Lage der Nation 1971. Bundestagsdrucksache VI/1690. Bonn: 1971, S. 39. D. Storbeck, Soziale Strukturen in Mitteldeutschland. Eine sozialstatistische Bevölkerungs-

hypothesen, die die radikale Differenz der beiden Gesellschaftssysteme verfehlen, gehen freilich auf methodisch außerordentlich beschränkte Konzeptionen von Sozialstruktur zurück. Diese klassifizieren etwa die Elemente einer Bevölkerung nach sozialstatistischen Merkmalen, um die so gewonnenen Gruppierungen zu einer bestimmten, vornehmlich zu einer hierarchischen Ordnung zusammenzufügen. Das Gesellschaftsbild, das diese Betrachtungsweise hervorbringt, ist äußeren Phänomenen sozialer Differenzierung verhaftet und zugleich statischer Natur: es bietet keinen Zugang zum inneren Zusammenhang der verschiedenen Gruppen von Gesellschaftsmitgliedern und zu deren Verschiebungen und Umschichtungen im Zeitverlauf. Eine Analyse von Sozialstrukturen, die – wie im Fall der BRD-Entwicklung – einen erheblichen Gestaltwandel durchgemacht haben, oder – wie im Fall der DDR-Entwicklung – in fundamentalen gesellschaftlichen Umwälzungen begründet sind, muß gerade die grundlegenden Bestimmungen und die zeitliche Entfaltung sozialer Differenzierung in ihrer dialektischen Einheit zum Ausgangspunkt nehmen. Eine Analyse von Sozialstrukturen, die diesen Anforderungen genügt, muß auf die Struktur und den Prozeß des Systemzusammenhangs vergesellschafteter Praxis zurückgehen, auf die Verhältnisse und Entwicklungen der gesellschaftlichen Produktion und Reproduktion, die dem kombinierten Einsatz von menschlicher Arbeitskraft und gegenständlichen Produktionsmitteln entspringen. Strukturiert werden diese gesellschaftlichen Verhältnisse, zumal als Klassenverhältnisse, durch die Verteilung der Arbeitskräfte auf die Produktionsarten und die Verteilung der Produktionsmittel auf die Gesellschaftsmitglieder; die Umverteilung dieser Elemente des gesellschaftlichen Systems kennzeichnet dessen Entwicklungsprozeß [3]. Jede Neu- und Umverteilung der Ele-

analyse im gesamtgesellschaftlichen Vergleich. Berlin: 1964, S. 134 (im Original hervorgehoben). In beiden Darstellungen werden freilich auch Divergenzen zwischen BRD- und DDR-Entwicklung festgestellt.

3   Vgl. K. Marx, Einleitung zur Kritik der Politischen Ökonomie. In: Marx, Engels, Werke 13, Berlin: 1961, S. 615–642, hier: S. 628.

mente der gesellschaftlichen Reproduktion aber folgt einem
– von Gesellschaftsformation zu Gesellschaftsformation verschiedenen – Entwicklungsprinzip, in dem das tatsächliche
gesellschaftliche Verhalten der Produzenten zu den Bedingungen ihrer Produktion zum Ausdruck kommt[4]. Dementsprechend konstituiert und rekonstituiert sich die soziale Differenzierung in der BRD nach dem Prinzip der privaten Beherrschung der gesellschaftlichen Produktion, also des Widerspruchs
zwischen der privaten Aneignung der Produktionsbedingungen
und ihrer gesellschaftlichen Anwendung. Im Gegensatz dazu
begründet und verändert sich die soziale Differenzierung in
der DDR nach dem Prinzip der gesellschaftlichen Beherrschung
der gesellschaftlichen Produktion, also der Übereinstimmung
von gesellschaftlicher Aneignung und gesellschaftlicher Anwendung der Voraussetzungen, Elemente und Ergebnisse der materiellen Produktion.

*Die Entwicklung der kapitalistischen Klassenverhältnisse in der
BRD\*)*

Eine Sozialstrukturanalyse der BRD nach dem Leitfaden des
Entwicklungsprinzips der privaten Aneignung der Bedingungen
der gesellschaftlichen Produktion muß zeigen, wie diese private Beherrschung der gesellschaftlichen Produktion als Inter-
essengegensatz von kapitalistischem Produktionsmittelbesitz
und Lohnarbeit in Westdeutschland zunächst restauriert und
dann ausgebaut und gesichert wird. Dabei muß davon ausgegangen werden, daß die kapitalistischen Produktions-, insbesondere Klassenverhältnisse der Weimarer Republik und des

---

4   Vgl. hierzu: W. Eichhorn, Philosophische Probleme der Klassen-
    entwicklung und der Klassenstruktur in der sozialistischen Gesell-
    schaft. In: Philosophie und Sozialismus, Sonderheft d. Deutschen
    Zeitschr. f. Philosophie. Berlin: 1969, S. 73–96.
\*)  Überarbeitete Fassung des dritten Teils des Aufsatzes: Zur Analyse
    der Sozialstruktur des deutschen Kapitalismus. In: Das Argument
    12, 1970, Heft 9/10, S. 645–664.

faschistischen Staates durch den Zusammenbruch des NS-Regimes keineswegs zerstört worden und daß die gesellschaftlichen Produktivkräfte in den westlichen Besatzungszonen größtenteils erhalten geblieben waren. Die „wirtschaftliche Entwicklung" stand hier keineswegs – wie R. Dahrendorf meint – vor einem „völligen Neubeginn" [5], sondern knüpfte an die reichlich vorhandenen Rohstoffquellen, an das hohe Qualifikationsniveau der Arbeiter und Angestellten und an die im Vergleich zur SBZ verhältnismäßig wenig zerstörten Produktionsanlagen an, die – im Rahmen der von den Besatzungsmächten diktierten Produktionsbeschränkungen – nicht zuletzt auf Initiative der Industriearbeiter der jeweiligen Betriebe bald wieder in Gang gesetzt werden konnten [6].

Diese Entwicklung vollzog sich – bis 1948 mit starken Disproportionen und auf niedrigem Niveau – im Rahmen von Produktionsverhältnissen, die trotz der vorübergehenden Einschränkung der Monopolmacht kapitalistisch geblieben waren und die trotz der anfänglichen Koordinierung der Militärverwaltungen sich gegenüber der Wirtschaft der SBZ verselbständigten. Sie wurde durch eine antidemokratische und antinationale Besatzungspolitik gesteuert. Die Ziele dieser Politik wurden hauptsächlich durch zwei konkurrierende Fraktionen der Bourgeoisie Großbritanniens und der USA bestimmt, von denen die eine aus der Furcht vor der Konkurrenz deutscher Monopole auf eine Entindustrialisierung Westdeutschlands, die andere aus der Gegnerschaft gegen den sowjetischen Sozialismus auf eine Restauration des Imperialismus in Deutschland hinwirkte. Der Widerspruch beider Zielsetzungen drückte sich in der Wirtschaftspolitik der westlichen Besatzungsmächte zum

5   R. Dahrendorf, Gesellschaft und Freiheit. München: 1961, S. 302.
6   Vgl. Deutsches Institut für Wirtschaftsforschung. Die deutsche Wirtschaft zwei Jahre nach dem Zusammenbruch. Tatsachen und Probleme. Berlin: 1947; A. Piettre, L'Economie allemande contemporaine (Allemagne Occidentale) 1945–1952. Paris: 1952, S. 65 ff.; R. Katzenstein, Die Investitionen und ihre Bewegung im staatsmonopolistischen Kapitalismus. Berlin: 1967, S. 87 ff.; A. Grosser, Deutschlandbilanz. Geschichte Deutschlands seit 1945. München: 1970, S. 92 f.

Beispiel in der tendenziellen Ausrichtung der Industrieproduktion auf Rohstofferzeugung einerseits und der tendenziellen Erhaltung kriegswirtschaftlicher Kapazitäten andererseits aus [7]. Die eine wie die andere Richtung widersprach den Grundsätzen des Potsdamer Abkommens, das die Entwicklung von Landwirtschaft und Friedensindustrie in Deutschland auf nationalstaatlicher Grundlage vorsah. Die Mißachtung dieses Abkommens – das auch in entscheidenden Einzelpunkten wie der Forderung der Entflechtung von Großbanken und Industriekonzernen oder der Verpflichtung zur Bestrafung der Hauptkriegsverbrecher nur höchst bruchstückhaft durchgeführt wurde – ermöglichte die Stärkung der kapitalistischen Produktionsverhältnisse in den Westzonen, die die deutsche Bourgeoisie selbst energisch betrieb. Die Klasse der Kapitaleigentümer blieb als herrschende existent. „Besitzer von Produktionsmitteln blieben die Unternehmener, dieselben Unternehmer, die bereits vor [dem] und im Dritten Reich Besitzer des Produktionsvermögens gewesen waren" [8]. Ungeachtet der Zerschlagung der Zentralinstanzen des faschistischen Staatsapparats verblieb auch die Masse der Staatsbeamten, von Teilen des leitenden Beamtenpersonals abgesehen, in den Positionen der weiter existierenden bzw. neu eingerichteten deutschen Verwaltungsorgane [9]. Die ökonomischen Herrschaftspositionen des Kapitalismus und Teile seiner politischen Organisation blieben mithin erhalten. Der Klasse der Kapitaleigentümer und ihrer politischen Funktionäre stand daher nach wie vor die Masse der lohnabhängigen Arbeiter, Angestellten und kleinen und mittleren Beamten gegenüber. In der allgemeinen materiellen Notsituation der ersten Nachkriegsjahre gehörte die Masse dieser Lohnabhängigen in Westdeutschland zu den Hauptleid-

7 Vgl. Grosser, Deutschlandbilanz, a.a.O., S. 91–100 sowie R. Badstübner, Restauration in Westdeutschland 1945–1949. Berlin: 1965, S. 61–65.

8 J. Huffschmid, Die Politik des Kapitals. Konzentration und Wirtschaftspolitik in der Bundesrepublik. Frankfurt/M.: 1969, S. 138.

9 Vgl. W. Zapf, Wandlungen der deutschen Elite. München: 1966, S. 145 ff.; vgl. auch Badstübner, Restauration in Westdeutschland 1945–1949, a.a.O., S. 219.

tragenden. Die materielle Not eines großen Teils der Arbeiter und Angestellten wurde durch die wachsende Arbeitslosigkeit, die noch bis 1950 zunahm und dann mehr als 10 % betrug, wesentlich vergrößert [10]. Die durch die Arbeitslosigkeit geschwächte ökonomische Position der Arbeiterklasse gegenüber den Kapitalbesitzern wurde zudem dadurch verschlechtert, daß die Masse der in die Westzonen gewanderten Umsiedler aus den Ostgebieten des ehemaligen Deutschen Reiches im Unterschied zu den Umsiedlern in der SBZ nicht in die Landwirtschaft integriert wurde, sondern, als Reservearmee, das Potential der nichtlandwirtschaftlichen Lohnarbeiter vergrößerte [11]. Außerdem wurde die Arbeiterklasse auch in diesen Jahren durch den Zustrom von ehemals selbständigen Arbeitskräften aus der Landwirtschaft oder deren mithelfenden Familienangehörigen vergrößert. Dieses Wachstum der Arbeiterklasse läßt die zeitweilige Vermehrung der Selbständigen im Bereich der einfachen Warenproduktion, insbesondere im Handwerk, und des Kleinhandels anteilmäßig nicht in Erscheinung treten [12].

Die Entwicklung der Produktionsverhältnisse regulierte sich nicht selbst, sondern wurde durch die westlichen Alliierten und die westdeutschen Verwaltungsorgane mit staatlichen Mitteln organisiert. Hauptinstrument war zunächst die westzonale Währungsreform im Juni 1948, die die überkommene kapitalistische Verteilung von Arbeit und Produktionsmitteln bekräftigte. Bestimmte in der NS-Zeit oder im Gefolge des Krieges entstandene Disproportionen in der westdeutschen Sozialstruktur – z. B. die zeitweilige Überbesetzung des Handwerks

10  Vgl. J. Kuczynski, Die Geschichte der Lage der Arbeiter unter dem Kapitalismus. Bd. 7a, Berlin: 1963, S. 215 f. sowie Sieben Berichte. Wirtschaftliche und soziale Aspekte des technischen Wandels in der Bundesrepublik Deutschland. Erster Band, Frankfurt/M.: 1970, S. 22.

11  Vgl. Storbeck, Soziale Strukturen in Mitteldeutschland, a.a.O., S. 128 f., 154.

12  Vgl. ebd., S. 129 und 154 sowie E. Tuchtfeldt, Strukturwandlungen im Handwerk. In: H. König (Hrsg.), Wandlungen der Wirtschaftsstruktur in der Bundesrepublik Deutschland. Berlin: 1962, S. 469–491, hier: S. 475 f.

oder der Entwicklungsrückstand bestimmter Wirtschaftszweige wie der Elektro- und der Textilindustrie [13] – wurden im Wirtschaftswachstum der ersten Jahre nach der Währungsreform beseitigt. Das Grundgesetz für die Bundesrepublik Deutschland von 1949 hat mit der – wenn auch potentiell eingeschränkten – verfassungsrechtlichen Eigentumsgarantie diese Produktionsverhältnisse sanktioniert. Wolfgang Abendroth weist darauf hin, daß „der Parlamentarische Rat ... sich nicht in ausreichendem Maße darüber klar [war], daß die vielfach vermutete Veränderung der Grundstruktur der Gesellschaftsordnung in Deutschland durch den Krieg und seine Folgen nur Schein war, und daß deren alte Konturen sich wieder abzeichnen mußten, sobald die Folgen der Währungsreform den verhüllenden Schleier des inflatorischen Chaos weggezogen hatten" [14]. Aus dieser Feststellung zieht Urs Jaeggi zu Recht den Schluß: „So wurde diese Inaktivität des Trägers der provisorischen verfassungsgebenden Gewalt zum Garanten der antidemokratischen und antisozialen Restauration" [15].

Auf dieser Grundlage vollzog sich – nach dem Prinzip der privaten Aneignung gesellschaftlich produzierter Werte – ein Prozeß des raschen, freilich zugleich auch zyklischen und rückläufigen wirtschaftlichen Wachstums: „Besonders hohe Zuwachsraten [der Gesamtgewinne der Kapitalgesellschaften] brachten die Jahre 1952, 1955 und 1960, in denen das Einkommen der Kapitalgesellschaften stärker zugenommen hat als das Volkseinkommen" [16]. Diese Entwicklung ging aus beson-

13  Vgl. ebd., S. 476 und D. Mertens, Veränderungen der industriellen Branchenstruktur in der Bundesrepublik 1950–1960. In: König, Wandlungen der Wirtschaftsstruktur in der Bundesrepublik Deutschland, a.a.O., S. 439–468, hier: S. 439.
14  W. Abendroth, Zur Funktion der Gewerkschaften in der westdeutschen Demokratie. In: H. Sultan, W. Abendroth, Bürokratischer Verwaltungsstaat und soziale Demokratie. Hannover, Frankfurt/M.: 1955, S. 59–69, hier: S. 61.
15  U. Jaeggi, Macht und Herrschaft in der Bundesrepublik. Frankfurt/M., Hamburg: 1969, S. 94.
16  K.-D. Schmidt, U. Schwarz, G. Thiebach, Die Umverteilung des Volkseinkommens in der Bundesrepublik Deutschland 1955 und

ders günstigen Verwertungsbedingungen des Kapitals hervor, die insbesondere darin bestanden, daß die Arbeitskräfte – vor allem hochqualifizierte Kräfte infolge Zuwanderung aus der DDR – zunächst reichlich vorhanden waren und erst gegen Ende der fünfziger Jahre knapper wurden; daß die Produktionsmittel zunächst vor allem durch Erweiterungen der Kapazitäten vermehrt werden konnten und erst gegen Ende dieses Zeitraumes aufwendige Weiterentwicklungen und Modernisierungen notwendig wurden; daß die Nachfrage wegen des Nachholbedarfs im Inland und der Exportkonjunktur sich günstig entwickelte. Bei dieser Erweiterung der gesellschaftlichen Reproduktion wurde – im Zeichen des Kalten Krieges – auf notwendige, langfristig wirksame Infrastrukturinvestitionen, besonders im Bildungswesen, zugunsten kurzfristig erreichbarer Erfolge in der Produktions- und Konsumgütererzeugung bewußt verzichtet. In diesem – durch steigende Arbeitsproduktivität vermittelten – Reproduktionsprozeß wuchs das Bruttoanlagevermögen in der BRD in den Jahren von 1950 bis 1960 vom Indexwert 100 auf 162; im selben Zeitraum stieg der Anteil der Erwerbstätigen an der Wohnbevölkerung von 42,6 % auf 47,5 % an [17]. Die Kapitalakkumulation der fünfziger Jahre vollzog sich insbesondere als Vermögensbildung und Beschäftigungsvermehrung im Dienst des warenproduzierenden Gewerbes und des staatsmonopolistischen Kapitals [18]: der Anteil des Bruttoanlagevermögens im produzierenden Gewerbe am Bruttoanlagevermögen aller Wirt-

1960. Tübingen: 1965, S. 35; vgl. auch: R. Hopp, Schwankungen des wirtschaftlichen Wachstums in Westdeutschland 1954–1967. Meisenheim: 1969; K. Lungwitz, Entstehung und Entwicklung des westdeutschen Nationaleinkommens 1950 bis 1968. In: DWI-Berichte 21, 1970, Heft 8, S. 12–20.

17 Vgl. W. Kirner, Struktur und Strukturveränderungen des Anlagevermögens in der Bundesrepublik Deutschland im Zeitraum 1950 bis 1960. In: König, Wandlungen der Wirtschaftsstruktur in der Bundesrepublik Deutschland, a.a.O., S. 129–150, hier: S. 136 sowie K. Horstmann, Bevölkerung und Arbeitspotential. In: König, Wandlungen der Wirtschaftsstruktur in der Bundesrepublik Deutschland, a.a.O., S. 1–22, hier: S. 21.
18 Vgl. Huffschmid, Die Politik des Kapitals, a.a.O., passim.

schaftsbereiche nahm von 1950 = 32 % auf 1960 = 39 % zu; die Vermögensbildung aller unselbständigen Einkommensbezieher im Zeitraum 1950 bis 1960 betrug nur 15 % der Gesamtvermögensbildung, die hauptsächlich den Unternehmen und dem Staat zugute kam; der Anteil der Beschäftigten des produzierenden Gewerbes an den Beschäftigten aller Wirtschaftsbereiche nahm von 1950 = 43 % auf 1960 = 48 % zu, der Anteil der unselbständig Erwerbstätigen an der Gesamterwerbstätigkeit erhöhte sich im selben Zeitraum von 69 % auf 77 %. Bei dieser Vermehrung des konstanten und des variablen Kapitals spielte die Entwicklung der industriellen kapitalistischen Warenproduktion die ausschlaggebende Rolle. Im Jahre 1960 war daher die Masse des gewerblichen Kapital- und Betriebsvermögens einerseits im Bereich der industriellen Warenproduktion angelegt und stand andererseits (zu über 70 %) in der Verfügung von einigen hunderttausend Haushalten; und von den gewerblich tätigen Erwerbspersonen arbeiteten einerseits immerhin 40 % in der industriellen Warenproduktion und waren andererseits mehr als 4/5 unselbständig beschäftigt, wobei der Anteilsatz der Haushalte, welche diese Arbeitskräfte stellten, wegen Mehrfachbeschäftigung einzelner und Zusatzbeschäftigung weiterer Familienmitglieder hiervon abwich [19]. Das durchschnittliche jährliche Wachstum des Buttoinlandsprodukts von 7,9 % in den fünfziger Jahren, das hieraus hervorging, ermöglichte jene – im Vergleich zu den übrigen Einkommen und den Gewinnen der Kapitalgesellschaften stark unterdurchschnittliche – Steigerung der Einkommen aus unselbständiger Arbeit [20], die zur Verschleierung der ökonomi-

19 Vgl. W. Krelle, J. Schunck, J. Siebke, Überbetriebliche Ertragsbeteiligung der Arbeitnehmer. Tübingen: 1968, 2 Bde., 2. Bd., S. 309 ff., 325 ff., 368 ff.; C. Föhl, Kreislaufanalytische Untersuchung der Vermögensbildung in der Bundesrepublik und der Beeinflußbarkeit ihrer Verteilung. Tübingen: 1964, S. 43 ff.; Strukturwandlungen, Wirtschaftswachstum und -politik in Westdeutschland, DWI-Forschungshefte 2, 1967, Heft 1, bes. S. 3–26.
20 Vgl. J. Kuczynski, Die Geschichte der Lage der Arbeiter unter dem Kapitalismus. Bd. 7b, Berlin: 1963, S. 582 f.; Sieben Berichte, a.a.O., S. 22 ff.

schen Polarisierung der beiden Hauptklassen der Gesellschaft der BRD propagandistisch ausgenutzt wurde.

Die Akkumulation des Kapitals vollzog sich seit Beginn der fünfziger Jahre vermittels eines Konzentrations- und Zentralisationsprozesses zugunsten einer schmalen Kapitalverwerterschicht vor allem im Bereich der industriellen Produktion. Dieser Prozeß der wirtschaftlichen Machtzusammenballung läßt sich an den Umsatzanteilen zumal der größten Industrieunternehmen am Gesamtumsatz der Gesamtindustrie oder der Industriebranche ablesen. So ist der Anteil der jeweils 50 größten Industrieunternehmen am Gesamtumsatz der Industrie von 1954 bis 1963 von 25,4 % auf 36,2 % gestiegen, wobei sich der Umsatz dieser Unternehmen in absoluten Zahlen mehr als verdreifacht hat [21]. Die Kapitalakkumulation verlief überwiegend zugunsten des Bereichs der Produktionsmittel-Produktion, wobei sich Kapital insbesondere in den Grundstoff- und Produktionsgüterindustrien, in geringerem Maße auch in den Investitionsgüterindustrien zusammenballte. Die Umsatzanteile der jeweils zehn umsatzgrößten Unternehmen in 30 verschiedenen Industriebranchen haben sich von 1954 bis 1960 in 21 dieser Branchen – zum Teil stark – vergrößert, wobei z. B. in der Mineralölverarbeitung, im Fahrzeugbau oder in der eisenschaffenden Industrie die Umsatzanteile 1960 weit über 50 % lagen [22]. Die Masse dieser Unternehmen existierte als Aktiengesellschaften, deren Kapital – ohnehin häufig der Kontrolle durch die Großbanken unterworfen – hauptsächlich Eigentum einer winzigen Minderheit der Bevölkerung geblieben ist [23].

21  Vgl. Huffschmid, Die Politik des Kapitals, a.a.O., S. 44.
22  Bericht über das Ergebnis einer Untersuchung der Konzentration in der Wirtschaft. Bundestagsdrucksache IV/2320, Bonn: 1964, S. 13; vgl. für differenziertere Analysen: G. Fürst, Konzentration der Betriebe und Unternehmen. In: H. Arndt (Hrsg.), Die Konzentration in der Wirtschaft. 3 Bde., Berlin: 1960, Bd. 1, S. 71–177.
23  Vgl. R. Berndsen, Das Eigentum am Kapital der deutschen Aktiengesellschaften. In: Wirtschaft und Statistik 1961, S. 282–285; ders., Der Depotbesitz an deutschen Aktien und festverzinslichen Wertpapieren. In: Wirtschaft und Statistik 1961, S. 339–342;

In diesem Akkumulationsprozeß wuchs der Umfang der Arbeiterklasse durch Zuwanderung, Bevölkerungswachstum und Mobilität erheblich, wobei zunehmend Frauen in den Arbeitsprozeß einbezogen wurden und die Arbeitslosigkeit Ende der fünfziger Jahre in relative Vollbeschäftigung überging. Von 1950 bis 1961 erhöhte sich die Zahl der Arbeiter von fast 10 auf über 13 Millionen, die Zahl der Angestellten von 3,2 auf fast 6,2 Millionen, die der Beamten von 850 000 auf über 1,6 Millionen, wobei diese Ausweitung nicht zuletzt auf die Remilitarisierung Westdeutschlands zurückging. Die Erhöhung des Anteils der Angestellten bzw. Beamten an der Arbeiterklasse besonders in den Bereichen Industrie, öffentliche und private Dienste und Handel verweist zudem auf die zunehmende Bedeutung der die Warenerzeugung und den Warenabsatz organisierenden Tätigkeiten sowie auf die Rolle der staatlichen Vermittlung der kapitalistischen Produktion und Reproduktion in dieser Entwicklungsphase. Die Beschäftigungsentwicklung war durch Freisetzung in extraktiven Wirtschaftszweigen gekennzeichnet, wobei außer tertiären Wirtschaftszweigen besonders die expandierenden Industrien für neue Arbeitsinstrumente sowie bestimmte Konsumgüterindustrien Arbeitskräfte aufnahmen, während vor allem in bestimmten hochproduktiven Grundstoff- und Produktionsgüterindustrien die Kapitalintensität überdurchschnittlich stieg. Im gesamtindustriellen Durchschnitt nahm der Anteil von Arbeitern mittlerer Qualifikation durch Zuwanderung sowie aufgrund der Ausbreitung vorhandener Produktionstechnologien eines mittleren Entwicklungsniveaus zu. Berufe der Wachstumszweige in den Grundstoff-, Produktionsgüter- und Investitionsgüterindustrien sowie bestimmte Berufe des tertiären Sektors nahmen zu, Berufe der alten Verbrauchsgüterindustrien sowie des traditionellen ländlichen und städtischen Handwerks und land- und hauswirtschaftliche Berufe verloren an Bedeutung. Die durchschnittliche Qualifikation der Angestellten nahm vor allem bis 1957 u. a. durch Zuwanderung etwas zu. Im produ-

ders., Die soziologische Struktur des Aktien-Streubesitzes. In: Wirtschaft und Statistik 1962, S. 264–266.

zierenden Gewerbe stieg die Proportion technische/kaufmännische Angestellte, was inbesondere auf eine entsprechende Vermehrung in Investitionsgüterindustrien sowie in geringem Maße in der Montan- und chemischen Industrie zurückgeht, wobei der Anteil der Meister leicht abnahm [24]. Im Gefolge des Wirtschaftsaufschwungs dieser Jahre trat eine erhebliche durchschnittliche Verbesserung des absoluten Lebensstandards der Familien der Lohnabhängigen ein; dabei blieben krasse Einkommensunterschiede, etwa zwischen industriellen und landwirtschaftlichen Lohneinkommen, jedoch bestehen. Die generelle Verbesserung war nicht zuletzt ein Resultat der Mitarbeit von mehreren Haushaltsangehörigen: 1960 trugen in mehr als der Hälfte aller Arbeiterhaushalte mehrere Angehörige zum Lebensunterhalt bei, was auch für einen beträchtlichen Teil der Angestellten- und Beamtenhaushalte galt [25]. Indiz für die ungeachtet dessen fortwährende, ja verschärfte Ausbeutung der Lohnabhängigen ist das Ausmaß der Frühinvalidität, das in der zweiten Hälfte der fünfziger Jahre so zunimmt, daß „die Zugänge an frühinvalidisierten Rentnern bei der Sozialversicherung doppelt so hoch [sind] wie die Zugänge an Altersrentnern" [26].

24  Statistisches Bundesamt. Die Verdienste der Arbeiter in der gewerblichen Wirtschaft im November 1951. Ergebnisse der Gehalts- und Lohnstrukturerhebung 1951/52. Stuttgart, Köln: 1954; dass., Gehalts- und Lohnstrukturerhebungen I. Gewerbliche Wirtschaft und Dienstleistungsbereich. Arbeiterverdienste 1962. Stuttgart, Mainz: 1966; dass., Gehalts- und Lohnstrukturerhebungen I. Gewerbliche Wirtschaft und Dienstleistungsbereich. Angestelltenverdienste 1962. Stuttgart, Mainz: 1966; vgl. auch J. Kromphardt, Strukturwandel und Einkommensverteilung. Tübingen: 1969, S. 71 ff. und W. Gerns, Strukturveränderungen in der Arbeiterklasse der Bundesrepublik. In: Marxistische Blätter 1969, Heft 5, S. 54–64, hier: S. 56.
25  Vgl. Schmidt, Schwarz, Thiebach, Die Umverteilung des Volkseinkommens in der Bundesrepublik Deutschland 1955 und 1960, a.a.O., S. 14 sowie R. F. Hamilton. Einkommen und Klassenstruktur. Der Fall der Bundesrepublik. In: Kölner Zeitschrift f. Soziol. u. Sozialps. 1968, S. 250–287, hier: S. 252 ff.
26  Metall vom 25. 3. 1959, zit. n. J. Kuczynski, Die Geschichte der Lage der Arbeiter unter dem Kapitalismus. Bd. 7b, a.a.O., S. 616.

Der zunehmenden Polarisierung von Lohnarbeit und Kapital schon in der ersten Entwicklungsphase der BRD ging ein Kampf um die Verwirklichung von Mitbestimmungsrechten der Arbeiter und Angestellten in den Unternehmen voraus, in dem nur ein Teil der in den ersten Nachkriegsjahren errungenen Positionen gehalten werden konnte [27]. Die Polarisierung drückte sich darin aus, daß der Anteil der unselbständig Erwerbstätigen an den Erwerbstätigen insgesamt von 1950 bis 1960 von 68 % auf 77 % stieg, während der Anteil ihres Nettoeinkommens am Volkseinkommen von 46 % auf 45 % sank. Das Wachstum dieser Disproportionen war, wie die sozialökonomische Gesamtentwicklung der BRD von Anfang an, wesentlich durch Staatstätigkeit vermittelt und gesteuert. Die Staatstätigkeit unterstützte zunächst die Entwicklung des Bergbaus und bestimmter Grundstoff- und Produktionsgüterindustrien durch gezielte Subventionen und förderte durch die Einkommensteuergesetzgebung durchgehend allgemein die monopolistische Akkumulation [28]. Auch die Entwicklungsform der Produktionstechnik förderte die kostengünstige Aneignung und Anlage von Mehrwert: die technische Entwicklung, die Anfang der fünfziger Jahre stagnierte, bestand später zunächst in einer Verbreiterung und Verallgemeinerung des bereits im Kriege erreichten Innovationsstandes und erforderte erst gegen Ende der Periode intensiveren Kapitaleinsatz, so daß die Relation von Kapitaleinsatz und Produktionswert lange Zeit günstig blieb [29].

Dieser Gesamtprozeß ließ den Bereich der einfachen Warenproduktion und des kleinen Einzelhandels nicht unberührt:

27  Vgl. F. Deppe, J. v. Freyberg, Ch. Kievenheim, R. Meyer, F. Werkmeister, Kritik der Mitbestimmung. Frankfurt/M.: 1969, bes. S. 58 ff.
28  Vgl. z. B. A. Shonfield, Geplanter Kapitalismus. Köln, Berlin: 1968, S. 333 ff.; Huffschmid, Die Politik des Kapitals, a.a.O., S. 137 ff.; H. H. Hartwich, Sozialstaatspostulat und gesellschaftlicher status quo. Köln, Opladen: 1970, S. 119 ff.
29  Vgl. Katzenstein, Die Investitionen und ihre Bewegung im staatsmonopolistischen Kapitalismus, a.a.O., S. 87 ff.; Sieben Berichte, a.a.O., S. 36 ff.

Zwischen 1950 und 1960 ging der Anteil der Selbständigen an den Erwerbspersonen beträchtlich zurück, was inbesondere eine Folge der Vernichtung kleiner selbständiger Existenzen im Handwerk sowie in der Landwirtschaft war, in der zudem die Nebenerwerbstätigkeit zurückgedrängt wurde. Dementsprechend ging der Anteil der einfachen Warenproduktion am Umsatz in der materiellen Produktion – wenngleich dieser Prozeß im Interesse der Systemstabilität sichtlich mit politischen Mitteln gebremst wurde – zugunsten der rapiden Anteilssteigerung der Großbourgeoisie in den fünfziger Jahren erheblich zurück [30]. Analoges galt für den Bereich des kleinbetrieblichen Handels. In all diesen Schichten war eine Tendenz der sozialökonomischen Polarisierung zu beobachten, die sich im Verschwinden von Klein- und Kleinstbetrieben bei Übergang der Berufszugehörigen in die Arbeiterklasse und in der Eingliederung größerer Unternehmen in die kapitalistisch beherrschte Produktions- und Zirkulationssphäre manifestierte [31].

Anfang der sechziger Jahre trat die BRD-Gesellschaft in einen neuen Entwicklungsabschnitt ein: auf die Phase einer überdurchschnittlich steilen Expansion der materiellen Produktion folgte eine Phase, in der das wirtschaftliche Wachstum sich verlangsamte und zeitweilig sogar unterbrochen wurde. Die Verwertungsbedingungen verschlechterten sich seit Anfang der sechziger Jahre durch die Verknappung der qualifizierten Arbeitskraft – insbesondere durch die Schließung der Grenze der DDR –, die Verteuerung der verwissenschaftlichten Produktionsmittel – angesichts der Erfordernisse der wissenschaftlich-technischen Revolution –, die Verschärfung der internationalen Konkurrenz und die Sättigung des kriegs- und nach-

30  Vgl. Imperialismus heute. 5. Aufl., Berlin: 1968, S. 107, Tabelle 12.
31  Vgl. R. Nieschlag, Strukturwandlungen im Handel. In: König, Wandlungen der Wirtschaftsstruktur in der Bundesrepublik Deutschland, a.a.O., S. 493–524, hier: S. 501; Tuchtfeldt, Strukturwandlungen im Handwerk, a.a.O., S. 478; H.-J. Seraphim, P.-H. Burberg, Strukturwandlungen in der Landwirtschaft der Bundesrepublik Deutschland. In: König, Wandlungen der Wirtschaftsstruktur in der Bundesrepublik Deutschland, a.a.O., S. 397–438, hier: S. 408.

kriegsbedingten inländischen Nachholbedarfs [32]. Diese Verteuerung der Produktionsbedingungen beschränkte die Profitmöglichkeiten und damit die kapitalistische Akkumulation: deren Tempo ging in den ersten beiden Dritteln der sechziger Jahre allgemein zurück [33]. Hinzu kamen die wachstumshemmenden Auswirkungen der notwendig gewordenen rapiden Erhöhung der Kapitalintensität in dieser Phase des bundesrepublikanischen Kapitalismus: die Effektivität des vermehrt angelegten Kapitals nahm wegen Unterauslastung von Kapazitäten und wegen Überhöhung des Kapitalaufwands für die Verwirklichung des technischen Fortschritts verhältnismäßig stark ab [34]. Verbunden mit den Strukturkrisen in bestimmten Zweigen der westdeutschen Wirtschaft haben diese Bedingungen zu der allgemeinen Wirtschaftskrise von 1966/67 geführt [35].

Auch nach Überwindung der Krise wirkte der Zwang, lebendige durch vergegenständlichte Arbeit zu ersetzen, der Profitsteigerung tendenziell weiter entgegen. Der höhere Zeitauf-

32  Vgl. Staat, Monopole, Wirtschaftsregulierung, DWI-Forschungshefte 4, 1969, Heft 1, S. 18 ff.; J. Hirsch, Wissenschaftlich-technischer Fortschritt und politisches System. Frankfurt/M.: 1970, S. 83 ff.; vgl. zum folgenden auch: Huffschmid, Joachim, Koenigs, Krueger, Mänicke, Vorberg, Die Widersprüche des westdeutschen Kapitalismus und die Wirtschaftspolitik der SPD. In: Kursbuch Nr. 21, 1970, S. 37–80.

33  Vgl. ebd., S. 51; für die Akkumulationsbewegungen vgl. im einzelnen: E. R. Baumgart, Produktionsvolumen und Produktionsfaktoren in der Industrie im Gebiet der Bundesrepublik Deutschland. In: Vierteljahreshefte zur Wirtschaftsforschung 1966, S. 398–409.

34  Vgl. Sieben Berichte, a.a.O., S. 38; H. Zschocke, Verringerung des Produktionsergebnisses durch zunehmende Vergeudung fixen Kapitals in der westdeutschen Industrie. In: DWI-Berichte 20, 1969, Heft 4, S. 2–12; Baumgart, Produktionsvolumen und Produktionsfaktoren in der Industrie im Gebiet der Bundesrepublik Deutschland, a.a.O., S. 403 ff.

35  Vgl. dazu Staat, Monopole, Wirtschaftsregulierung, a.a.O., S. 15 ff.; Ökonomie und Politik einer Krise, DWI-Forschungshefte 3, 1968, Heft 2, S. 21 ff.; E. Mandel, Die deutsche Wirtschaftskrise, Frankfurt/M.: 1969, S. 9–15; Jahresgutachten des Sachverständigenrates zur Begutachtung der gesamtwirtschaftlichen Entwicklung. Bundestagsdrucksache V/2310, Bonn: 1967, S. 59; Spätkapitalismus ohne Perspektive. Berlin: 1969, S. 183 f.

wand für die Erforschung, Entwicklung und Erzeugung ver-
wissenschaftlichter Arbeitsgegenstände, Arbeitsmittel, Arbeitsverfahren und Arbeitsprodukte [36] macht die notwendige Sub-
stitution von lebendiger durch vergegenständlichte Arbeit nicht
nur immer aufwendiger, sondern belastet auch das eingesetzte
Kapital mit einem erhöhten Risiko der Entwertung durch den
Einsatz konkurrierender Techniken sowie mit der verminderten Chance seiner Verwertung aufgrund eines Auftretens
konkurrierender Produkte [37]. Die staatliche Stützung der Kapitalverwertung besteht daher in dieser Periode nicht mehr
nur in einer direkten oder indirekten Subvention der Kapitalakkumulation, insbesondere in strukturell benachteiligten
Wirtschaftszweigen, sondern zielt nun auch auf die infrastruk-
turpolitische Entlastung des Kapitalaufwandes, auf die Übernahme von Forschungs- und Entwicklungskosten für risiko-
reiche Technologien und auf die Sicherung des Absatzes für
erst in der weiteren Zukunft herstellbare Erzeugnisse, auch
im zivilen Bereich [38]. Diese Maßnahmen implizieren eine Umverteilung der Einkommen zugunsten der Monopole und des
kapitalistischen Staates, die auch durch Ansätze direkter Steuerung der Einkommensverteilung verwirklicht wird. Die als
Globalsteuerung bezeichnete staatlich-monopolistische Wachs-
tums- und Strukturpolitik versucht, schon in die Primärvertei-
lung des Volkseinkommens einzugreifen [39]. Sie will systematisch
eine Strategie des „stabilen" wirtschaftlichen Wachstums realisieren, die wesentlich auf die Konkurrenz des sozialistischen
Gesellschaftssystems mit dem Kapitalismus zurückzuführen ist.

36  Vgl. Sieben Berichte, a.a.O., S. 66 ff.
37  Vgl. P. Hess, Kapitalistisches Wachstum zwischen Gleichgewicht
    und Ungleichgewicht. In: Wirtschaftswissenschaft 17, 1969, S. 736
    bis 753; auch: Spätkapitalismus ohne Perspektive, a.a.O., S. 153 ff.
38  Vgl. Hirsch, Wissenschaftlich-technischer Fortschritt und politisches
    System, a.a.O., S. 109 ff.; vgl. hierzu generell auch: Politische
    Ökonomie des Sozialismus und ihre Anwendung in der DDR. Ber-
    lin: 1969, S. 42 f.
39  Vgl. dazu und zum folgenden Huffschmid, Die Politik des Kapi-
    tals, a.a.O., S. 121 ff., bes. S. 126 f.

Die Strategie, die als dynamische Profitoptimierung gekennzeichnet wurde, dient der Durchsetzung des Prinzips, daß der Anteil der kapitalistischen Produktionsmittelbesitzer, insbesondere der Monopole, am Sozialprodukt rascher wächst als der Anteil der Arbeiterklasse [40].

Es lag im Sinne dieser Entwicklungsstrategie, daß sich in den sechziger Jahren die Polarisierung der beiden Hauptklassen entsprechend dem Bewegungsgesetz kapitalistischer Systeme verstärkt hat. Indiz dafür ist, daß bei weiterer Zunahme des Anteils der Unselbständigen an den Erwerbstätigen von 1960 bis 1969 sich der Anteil ihres Nettoeinkommens am Volkseinkommen – trotz vorübergehender Erhöhung während der Wirtschaftskrise – nur von 45,4 % (1960) auf 45,9 % (1969) erhöht hat. Im selben Zeitraum nahm die Zahl der abhängig Erwerbstätigen von 26,2 auf 26,8 Millionen zu. Die Freisetzung von etwa 700 000 Vollarbeitskräften und der Rückgang der durchschnittlichen Arbeitszeit während der Krise konfrontierte die westdeutsche Arbeiterklasse wieder unmittelbar mit ihrer Grundsituation, Klasse kapitalabhängiger Lohnarbeiter zu sein [41]. Der Prozeß der Überwindung der Krise ab 1967 brachte eine Stillegung veralteter Produktionskapazitäten und eine Erhöhung des technologischen Niveaus der Produktionsmittel mit sich, ebenso eine Verbilligung der Arbeitskraft durch ein erhebliches Nachhinken der Lohnentwicklung gegenüber der

40  Vgl. dazu Shonfield, Geplanter Kapitalismus, a.a.O., S. 333 f.; Spätkapitalismus ohne Perspektive, a.a.O., S. 98. Diese Stabilisierung der Einzelkapitale ist vermutlich mit einer Erhöhung der Labilität des Gesamtsystems verbunden; vgl. hierzu: Hess, Kapitalistisches Wachstum zwischen Gleichgewicht und Ungleichgewicht, a.a.O., S. 752; Hirsch, Wissenschaftlich-technischer Fortschritt und politisches System, a.a.O., S. 264 f.

41  Vgl. zu den angegebenen Daten: Jahresgutachten 1970 des Sachverständigenrates zur Begutachtung der gesamtwirtschaftlichen Entwicklung. Bundestagsdrucksache VI/1470, Bonn: 1970, Statistischer Anhang; Sondergutachten März 1967, Anhang zu Jahresgutachten 1967/68. Stuttgart, Mainz: 1967, S. 260–268, Ziffer 9; ferner: Sozialbericht 1970, Bundestagsdrucksache VI/643, Bonn: 1970, S. 12.

Profitentwicklung sowie eine Bewegung der Kapitalzentralisation, die – einsetzend besonders in der Eisen- und Stahlindustrie – sich 1969/70 zu einer Fusionswelle auch in anderen Bereichen der Industrie entwickelte. Der Rückstand der Lohneinkommen hinter der Konjunkturentwicklung wurde in Verbindung mit den Lohndifferenzierungen, die sich im Zuge der Rationalisierungsbewegung und der Zentralisationsbewegung innerhalb und zwischen Unternehmen und Konzernen ergaben, zum Anstoß der Streikbewegung im September 1969 insbesondere in der Eisen- und Stahlindustrie [42]. In diesem Prozeß der Polarisierung von Lohnarbeit und Kapital wurden die Schichten der einfachen Warenproduzenten – trotz gewisser gesellschaftspolitischer Gegensteuerung – weiterhin vermindert. Diese Verminderung ergab sich sowohl aus der Unterstellung von bäuerlichen und gewerblichen Betrieben unter monopolistische Wirtschaftsmacht – etwa in Form einer „Nahrungsmittelindustrie, die die landwirtschaftliche Erzeugung einschließt" [43] – als auch aus der Umwandlung ruinierter Kleinproduzenten in Arbeitskräfte kapitalistischer Unternehmen. Daneben sind die Differenzierungen innerhalb der Hauptklassen, deren Anfänge weit zurückreichen, in diesen Jahren immer deutlicher hervorgetreten. Innerhalb der Kapitalistenklasse intensivieren sich die Prozesse der Profitumverteilung zugunsten der Monopole und Oligopole, wodurch sich die Macht der marktbeherrschenden Unternehmen über die verbleibenden kapitalistischen Betriebe – soweit diese nicht eingegliedert werden – erhöht. Innerbetrieblich wirken Konzentrations- und Zentralisationsprozesse, zusammen mit dem Vordringen der Büroautomation, sich auch in einer Veränderung der unternehmerischen

42  Vgl. Institut für Marxistische Studien und Forschungen, Die Septemberstreiks 1969. Frankfurt/M.: 1969, insbesondere S. 237 ff.

43  H. Kötter, Ländliche Soziologie in der Industriegesellschaft. In: E. Gerhard und P. Kuhlmann (Hrsg.), Agrarwirtschaft und Agrarpolitik. Köln, Berlin: 1969, S. 109–126, hier: S. 120. Vgl. hierzu und zum folgenden auch: Westdeutsche Landwirtschaft im Spätkapitalismus. DWI-Forschungshefte 4, 1969, Heft 4; H. Arndt, Recht, Macht und Wirtschaft. Berlin: 1968, S. 92.

Leitungsformen aus: die Rollen der leitenden Manager, seit vielen Jahrzehnten Organ und Repräsentant des Kapitals [44], integrieren sich zu hocheffektiven, immer weitere Bereiche wirtschaftlicher Aktivität mit Hilfe der EDV-Technik zentral steuernden Lenkungssystemen [45]. Zudem sprengt heute die Vergesellschaftung der Organisation der Wirtschaftstätigkeit den Bereich des Einzelkapitals: „entsprechend erweiterte sich auch die Vergesellschaftung der Leitung auf gesamtgesellschaftlicher Ebene, die in der sozialen Kategorie des obersten Managers ihren staatsmonopolistischen Ausdruck findet. Er ist demzufolge unabhängig vom konkreten Ort seiner Tätigkeit im einzelnen Monopol, in der Regierung, in den Parteien und Verbänden oder Massenkommunikationsmedien, Repräsentant des Gesamtkapitals beziehungsweise des alles beherrschenden Monopolkapitals" [46]. Es ist Ausdruck einer parallelen Entwicklung des gesellschaftlichen Produktivkraftsystems, daß ein wachsender Teil der Arbeiterklasse von der unmittelbaren materiellen Produktion freigestellt wurde, wobei diese zunehmend durch geringer qualifizierte Arbeitskräfte aus der Reservearmee der südeuropäischen Länder in Gang gehalten und vermittelt wurde. Während der Facharbeiteranteil an den männlichen Industriearbeitern sich – offenbar wegen der zunehmenden Bedeutung der Investitionsgüterindustrien – generell leicht erhöhte, tendierte das Vordringen teilautomatisierter Aggregatsysteme unter den herrschenden kapitalistischen Produktionsverhältnissen dazu, die Industriearbeiterschaft in hochqualifizierte Angelernte einerseits und einfache Hand- und Teilarbeiter andererseits weiter zu polarisieren. Der Anteil der technischen Angestellten an den Industrieangestellten überhaupt nahm – offenbar wegen der wachsenden Bedeutung von Rea-

44  Vgl. Jaeggi, Macht und Herrschaft in der Bundesrepublik, a.a.O., S. 28, 51 ff.
45  Vgl. hierzu die Informationen und Materialien in: F. Scharpenack (Hrsg.), Strukturwandel der Wirtschaft im Gefolge der Computer. Basel, Tübingen: 1966, S. 66–192.
46  H. Steiner, Soziale Strukturveränderungen im modernen Kapitalismus. Berlin: 1967, S. 131.

lisierungs- und Organisierungstätigkeiten – bis 1966 nicht weiter zu [47]. Die Ausbreitung der Büroautomation führte im Bereich der Unternehmensbürokratien zu einer Polarisierung der Angestellten, die durch einen Abbau mittlerer Qualifikationen und durch die Differenzierung der Angestelltenschaft in eine schmale Schicht hochqualifizierter Spezialisten und eine breite Schicht einfacher „Büroarbeiter" [48] zustande kam.

Entsprechend dem geschilderten Entwicklungsgang stellten sich die Klassenverhältnisse in der Gesellschaft der BRD am Ende der sechziger Jahre wie folgt dar: Beherrscher des Prozesses der materiellen gesellschaftlichen Produktion und Reproduktion sind die Produktionsmittelbesitzer, die durch Aneignung und Anlage des von lohnabhängigen Beschäftigten produzierten Mehrwerts die Entwicklungsrichtung der kapitalistischen Unternehmen bestimmen. Ihnen sind die angestellten direkten Funktionäre der Einzelkapitale in den verschiedenen Unternehmensbereichen zuzurechnen. Die Eigentümer und Leiter der kapitalistischen Unternehmen außerhalb der Produktionssphäre, die den Prozeß der Kapitalzirkulation vermitteln, sind selbstverständlich ebenfalls zur herrschenden Klasse der kapitalistischen Gesellschaftsformation zu zählen. Zu ihr gehört ebenfalls der Kreis des Führungspersonals im Staatsapparat und in den Institutionen der Vermittlung der Wirtschaft mit der Gesamtgesellschaft. Die Mitglieder dieser Klasse dürften, soweit sie nicht der Kategorie der Nichterwerbspersonen zuzurechnen

47  Vgl. H. Kern, M. Schumann, Industriearbeit und Arbeiterbewußtsein. 2 Bde., Frankfurt/M.: 1970, Bd. 1, S. 138 ff., 278 ff. und passim; Gerns, Strukturveränderungen in der Arbeiterklasse der Bundesrepublik, a.a.O., S. 57 ff.; Intelligenz unter Monopolherrschaft. DWI-Forschungshefte 4, 1969, Heft 3; Statistisches Bundesamt, Gehalts- und Lohnstrukturerhebungen I. Arbeiterverdienste 1962, a.a.O., dass., Gehalts- und Lohnstrukturerhebungen I. Angestelltenverdienste 1962, a.a.O.; dass., Gehalts- und Lohnstrukturerhebungen I. Arbeiterverdienste 1966, Stuttgart, Mainz: 1970; dass., Gehalts- und Lohnstrukturerhebungen I. Angestelltenverdienste 1966, Stuttgart, Mainz: 1970.
48  Vgl. F. Schiefer, Elektronische Datenverarbeitung und Angestellte. Meisenheim: 1969, S. 244 ff.

sind, zwischen $1^1/_2$ % und 2 % der Erwerbspersonen der BRD von 1969 ausmachen [49].

Wesentlich getragen hingegen wird der Prozeß der materiellen Produktion und Reproduktion durch den Kern der Arbeiterklasse, die die Warenproduktion realisierenden Arbeiter und Angestellten. Diese Gruppe umfaßt neben den Arbeitern in der materiellen Produktion auch die wachsende Gruppe derjenigen Angestellten, die den unmittelbaren Produktionsprozeß im kapitalistischen Betrieb sach- und sozialtechnisch organisieren. Zu diesen Mehrwertproduzenten treten als weitere Angehörige der Arbeiterklasse der BRD diejenigen Arbeiter und Angestellten kapitalistischer Unternehmen, die – verschiedenen Wirtschaftsbereichen zugehörig – die Mehrwertrealisierung vermitteln. Zur Arbeiterklasse müssen auch diejenigen Arbeiter, Angestellten und Beamten gerechnet werden, die als Lohnabhängige im Bereich des öffentlichen Dienstes sowie des kapitalistischen Dienstleistungsgewerbes zum Funktionieren des kapitalistischen Gesamtsystems beisteuern. Darüber hinaus gibt es die Arbeiter und Angestellten im nicht spezifisch kapitalistischen Bereich der kleinbetrieblichen Warenproduktion, Warenzirkulation und Dienstleistungstätigkeiten, die unter den Begriff des „Vorproletariats" zusammengefaßt werden können [50]. Der Umfang der Gesamtkategorie der abhängig Beschäftigten [51] beträgt 1969 gegen 81 % der Erwerbspersonen.

49  Errechnet bzw. geschätzt in Anlehnung an L. Preller, Praxis und Probleme der Sozialpolitik. Erster Halbband, Tübingen, Zürich: 1970, S. 14 f., unter Zugrundelegung eines Anteilsatzes von 2 % der Angestellten und 3 % der Beamten sowie der gewerblich Selbständigen mit 10 und mehr Beschäftigten und der landwirtschaftlich Selbständigen mit 50 und mehr ha LN.
50  Hierzu kann von den Nichterwerbspersonen auch die Masse der Studierenden gerechnet werden (vgl. H. Hesselbarth, Aufbruch der „Vorproletarier". Zur Soziologie der Studenten. In: facit, März 1970, S. 25–32). Das Verhältnis der Kategorien Arbeiterklasse und Vorproletariat zueinander stellt ein theoretisch und empirisch noch nicht bewältigtes Problem dar, auf das hier nicht näher eingegangen werden kann.
51  Mit Ausnahme der Spitzengruppen der Angestellten und Beamten, vgl. Anm. 49.

Der Rest der Erwerbsbevölkerung verteilt sich auf die Erwerbs-
formen des kleinbetrieblichen selbständigen Handwerks, Handels, Gewerbes und der Klein- und Mittelbauern, in denen
Produktionsmittel und Arbeitskraft noch nicht auf kapitalistische Weise eingesetzt sind, sowie auf die freiberufliche Intelligenz. Der Anteil der Selbständigen dieses Bereichs an den
Erwerbspersonen dürfte 1969 insgesamt knapp 10 % betragen,
wozu die Gesamtmasse der mithelfenden Familienangehörigen
mit einem entsprechenden Anteil von gut 7 % zu rechnen
ist.

## Die Entwicklung der sozialistischen Klassenverhältnisse in der DDR

Die Analyse der Sozialstruktur der DDR hat die Vorgeschichte
und Geschichte einer Umwälzung der Produktionsverhältnisse
zum Gegenstand, in der der kapitalistische Antagonismus von
Lohnarbeit und Kapital eingeschränkt, durch zunehmende gesellschaftliche Beherrschung der gesellschaftlichen Produktion
ersetzt und schließlich durch den Aufbau des Sozialismus als
System endgültig überwunden wird. Der gesellschaftlichen Entwicklung in der SBZ, die ebenso wie die westzonale Entwicklung die Hinterlassenschaft der Klassenverhältnisse des deutschen Imperialismus zur Ausgangsbedingung hatte, standen im
Unterschied zu den westlichen Besatzungszonen nur verhältnismäßig stark zerstörte, unausgeglichene und begrenzte Produktivkräfte zur Verfügung. Wenngleich auf dem Gebiet der SBZ
ein nicht geringes Potential qualifizierter Arbeitskräfte existierte, so waren doch die Alters- und Geschlechtsstruktur der
Bevölkerung von vornherein ungünstig, die Rohstoffvorkom-
men dürftig, die Produktionsanlagen in erheblichem Umfang
vernichtet und die Proportionen der Industriestruktur stark
verzerrt: die hochentwickelte verarbeitende Industrie verfügte
nur über eine äußerst schmale schwerindustrielle Basis [52]. Die
Reparationen, die die SBZ auf der Grundlage des Potsdamer

52 Vgl. Politische Ökonomie des Sozialismus, a.a.O., S. 132 ff.; A bis Z.
Ein Taschen- und Nachschlagebuch über den anderen Teil Deutsch-

Abkommens wegen der Lieferungsverweigerung seitens der Westzonen in erhöhtem Maße an die vom Faschismus schwer geschädigten Gesellschaften der UdSSR und Polens leistete, verschärften die ökonomische Lage. So kam die wirtschaftliche Entwicklung trotz des im Vergleich zu Westdeutschland besonders bemerkenswerten Aufschwungs von 1946 insgesamt nur langsam in Gang [53].

Ungeachtet dieser ökonomischen Schwierigkeiten betrieben die sowjetische Besatzungsmacht und die von ihr geförderten politischen Organe der Bevölkerung eine konsequent gegen den faschistischen Imperialismus gerichtete Gesellschaftspolitik. Diese Politik, die sich auf das Aktionsprogramm der KPD vom 11. 6. 1945 und auf wesentliche Bestimmungen des Potsdamer Abkommens berufen konnte, zielte auf eine antifaschistische Neuorganisation des Staates und auf die Beseitigung der sozialökonomischen Herrschaftspositionen des Imperialismus in einem einheitlich nationalstaatlichen Rahmen. Beschränkt auf das Gebiet der SBZ waren ihre Träger – neben der fundamental an einem friedlichen Gesamtdeutschland interessierten sowjetischen Besatzungsmacht – die KPD, die SPD und später die SED sowie insbesondere in der CDU und LDPD organisierte Teile des Bürgertums. Vordringlichste Aufgabe war die Zerschlagung des faschistischen Staatsapparates und der Aufbau demokratischer Verwaltungsorgane von den Gemeinden bis zu den Ländern und deren Besetzung durch antifaschistische Kräfte, zumal aus der Arbeiterschaft. Die Beteili-

lands. Hrsg. v. Bundesministerium f. gesamtdeutsche Fragen. 11. Aufl. Bonn: 1969, S. 280 f.; Storbeck, Soziale Strukturen in Mitteldeutschland, a.a.O., S. 23; B. Gleitze, Die Veränderungen in der wirtschaftlichen und sozialen Struktur Mitteldeutschlands. In: Vierteljahreshefte zur Wirtschaftsforschung 1950, S. 35–44; bes. S. 38 ff.; ders., Stand und Entwicklung im mitteldeutschen Wirtschaftsraum. In: Vierteljahreshefte zur Wirtschaftsforschung 1952, S. 58–74, bes. S. 63 ff.

53  Vgl. H. Apel, Wehen und Wunder der Zonenwirtschaft. Köln: 1966, S. 13 ff., bes. S. 20; F. Grünig, Volkswirtschaftliche Bilanzen 1936 und 1947. In: Vierteljahreshefte zur Wirtschaftsforschung 1948, S. 3–43, hier: S. 13 ff.

gung der entpolitisierten Bevölkerung an diesen Initiativen war
freilich zunächst verhältnismäßig gering. Die gesellschaftliche
Entwicklung wurde wesentlich durch administrative Maßnahmen von seiten der Besatzungsmacht und der deutschen Verwaltungsorgane gelenkt, zu deren wichtigsten Aufgaben die
Organisierung der Mitwirkung breiterer Schichten am gesellschaftlichen Umbau gehörte [54]. Dabei erfolgte in dieser Periode,
die im Selbstverständnis der DDR als antifaschistisch-demokratische Revolution bezeichnet wird, eine entscheidende Umgestaltung der Klassenverhältnisse [55]. Sie begann mit der Bodenreform im Herbst und Winter 1945, die von allen im Block
der antifaschistisch-demokratischen Parteien zusammenge-
schlossenen Organisationen unterstützt wurde [56]. Durch sie
wurden die Großgrundbesitzer und die Großbauern mit Bo-
denbesitz von über 100 ha enteignet. Der Großteil des enteigneten Bodens wurde an Arbeiter, insbesondere Landarbeiter,
Kleinbauern und Umsiedler aus den Ostgebieten des ehemaligen Deutschen Reiches verteilt. Teile des Bodenfonds wurden
als Muster- oder Spezialbetriebe zu volkseigenen Gütern zusammengefaßt. An die Stelle halbfeudaler Herr-Knecht-Ver-
hältnisse trat so eine kleinbäuerlich-demokratische Agrarver-
fassung, die den damaligen ökonomisch-technischen Möglichkeiten und dem politisch-ideologischen Entwicklungsstand im
Agrarsektor entsprach. Die Ausschaltung der Großgrundbesitzer und die Vergrößerung der Klein- und Mittelbauernschaft
war Grundlage für die Entwicklung politischer Kooperationsbeziehungen zwischen Bauernschaft und Arbeiterklasse [57]. Erst

54  Vgl. Politische Ökonomie des Sozialismus, a.a.O., S. 67.
55  Vgl. G. Dittrich und H. Griebenow, Die Übergangsperiode vom
    Kapitalismus zum Sozialismus und die Entwicklung der Klassen-
    verhältnisse in der DDR. In: Wissenschaftliche Zeitschrift. Gesell-
    schafts- und sprachwissenschaftliche Reihe. Karl-Marx-Universität.
    Leipzig: 1970, S. 329–356, hier: S. 331 ff., bes. S. 334 ff.
56  Vgl. E. Tümmler, K. Merkel, G. Blohm, Die Agrarpolitik in Mit-
    teldeutschland und ihre Auswirkungen auf Produktion und Ver-
    brauch landwirtschaftlicher Erzeugnisse. Berlin: 1969, S. 22.
57  Vgl. zur Bündnispolitik der KPD und der SED besonders: Ge-
    meinsam zum Sozialismus. Zur Geschichte der Bündnispolitik der

mit der Beseitigung der hauptsächlichen Machtpositionen des Industrie- und Finanzkapitals wurden die bisher herrschenden imperialistischen Kräfte vollends entmachtet. Im Juli 1945 wurden die Großbanken durch die Sowjetische Militärverwaltung geschlossen, später wurden die Banken durch Landesgesetze nationalisiert. Ende Oktober 1945 wurden durch die sowjetische Militäradministration industrielle Unternehmungen aktiver Faschisten beschlagnahmt. Durch den sächsischen Volksentscheid vom 30. 6. 1946, in dem die große Mehrzahl der Abstimmenden der Enteignung der Betriebe der „Kriegsverbrecher und aktiven Faschisten" zustimmte, und durch entsprechende Gesetze der anderen Länder wurden nahezu 4000 Industriebetriebe mit einem Anteil von 39 % an der industriellen Bruttoproduktion in Volkseigentum überführt. Mit dieser Entmachtung eines entscheidenden Teils der kapitalistischen Klasse wurde das kapitalistische Klassensystem zwar nicht aufgehoben, jedoch aufgebrochen: Vernichtet wurde „jenes Geflecht von Abhängigkeits- und Unterordnungsverhältnissen . . ., die Arbeiterklasse und Bauernschaft, Intellektuelle, Handwerker und Gewerbetreibende, kleine und mittlere kapitalistische Unternehmungen an Monopolbourgeoisie und Junkerkaste gefesselt hatten" [58]. Es war Aufgabe der Arbeiterklasse und ihrer politischen Organisation, der im April 1946 gebildeten SED, neue Beziehungen zwischen diesen Klassen und Schichten zu organisieren. Der Sachverhalt, daß die in den VEB und VEG beschäftigten Arbeiter und Angestellten keinem Ausbeutungsverhältnis mehr unterworfen waren und daß die private Aneignung des Produkts der Produzenten in den kapitalistischen Betrieben Beschränkungen unterworfen war, ist die objektive Grundlage für diese neue politische Rolle der Arbeiterklasse. Praktisch äußerte sich diese Rolle darin, daß die Arbeiterklasse, deren Umfang und Zusammensetzung sich durch das zeitwei-

SED. Berlin: 1969; zur Frage des Bündnisses zwischen Arbeiterklasse und Bauernschaft ebd., S. 47 ff.
[58] G. Dittrich und H. Griebenow, Die Übergangsperiode vom Kapitalismus zum Sozialismus und die Entwicklung der Klassenverhältnisse in der DDR, a.a.O., S. 335.

lige Anwachsen der Angestellten, durch die Aufhebung des Beamtenstatus, durch die Proletarisierung von Mitgliedern bürgerlicher und kleinbürgerlichen Schichten, aber auch durch den Übergang von Industriearbeitern in die bäuerlichen Schichten veränderte, zunehmend politisch fortschrittliche Kräfte für die Lenkung der gesellschaftlichen Prozesse stellte. Die organisierende Rolle der Arbeiterklasse – deren Mitglieder zunächst aufgrund der materiellen Notsituation in der SBZ und wegen des Überdauerns antikommunistischer und rassistischer Einstellungen häufig schwer oder gar nicht für fortschrittliche gesellschaftliche Praxis zu aktivieren waren – wuchs in dem Maße, in dem die Demokratisierung des Bildungswesens die Heranbildung intellektueller Kader aus ihren eigenen Reihen ermöglichte.

In der antifaschistisch-demokratischen Ordnung der SBZ waren entscheidende wirtschaftliche Machtpositionen in der Verfügung zentraler Verwaltungen als Repräsentanten der Arbeiterklasse als Klasse. Die rationelle Beherrschung der gesellschaftlichen Produktion im volkseigenen Sektor und deren sinnvolle Nutzung für die Gesamtgesellschaft konnten aber nur dann durchgesetzt werden, wenn die materielle Produktion überhaupt planmäßig organisiert und die Warenzirkulation gesteuert wurde. Dies geschah zunächst durch die kurzfristigen Planungsinitiativen von seiten der Besatzungsmacht und der Selbstverwaltungsorgane seit Ende 1945 [59]; sodann, seit 1948, durch den bevorzugten Ausbau und die einheitliche Organisierung der volkseigenen Industrie auf der Ebene der Gesamt-SBZ, die Einführung einer längerfristigen zentralen Volkswirtschaftsplanung und die allmähliche Vergesellschaftung des Groß- und Einzelhandels. Mit dieser Organisierung der ökonomischen Entwicklung, die die gröbsten Kriegsschäden, Ungleichgewichte und Entwicklungsrückstände in der materiellen Produktion planmäßig zu beseitigen begann, verbreiterte die Arbeiterklasse ihre ökonomische Basis. Aktivisten- und

59  Vgl. hierzu und zum folgenden: Planung der Volkswirtschaft in der DDR. Von einem Autorenkollektiv unter der Leitung von H. Steeger. Berlin: 1970, S. 9 ff.

Wettbewerbsbewegungen beschleunigten die Entfaltung der Produktivkräfte. Trotz der errungenen Positionen war die Macht der Arbeiterklasse und ihrer politischen Organisation keineswegs unbeschränkt, sondern infolge der Fortexistenz kapitalistischer Klassenstrukturen in der SBZ und vor allem den Westzonen bedroht. Die 1949 gegründete Deutsche Demokratische Republik wurde deshalb als antifaschistisch-demokratischer und nicht als sozialistischer Staat organisiert. Doch wandelte sich dieser Staat im Zuge der erfolgreichen ökonomischen Entwicklung vor allem während des ersten Zweijahresplans, durch den die Positionen der Arbeiterklasse weiter verstärkt wurden, zu einem Instrument der Diktatur des Proletariats.

In diesem Rahmen wurde das Prinzip der gesellschaftlichen Beherrschung der gesellschaftlichen Produktion zunehmend verwirklicht. Es ermöglichte ein wirtschaftliches Wachstum, das sich während der fünfziger Jahre wegen der Notwendigkeit der Erweiterung der schwerindustriellen Basis nur in der Form hauptsächlich administrativer Planung und überwiegend extensiver Akkumulation mit relativ geringem Entwicklungstempo vollziehen konnte. Die Bedingungen dieses Wachstums waren wegen der Abwanderung hochqualifizierter Arbeitskräfte, wegen des Mangels an Investitionsmitteln und wegen des gegenüber Westdeutschland niedrigeren Ausgangsniveaus äußerst ungünstig, so daß manche Betriebe noch unter ihrem Reproduktionsniveau arbeiten mußten [60]. Bereits während des Zweijahresplanes 1949/50 wuchs aber der Anteil des volkseigenen Sektors an der industriellen Bruttoproduktion auf 76,5 % [61]. Durch diese ökonomische Entwicklung waren „die Elemente des Sozialismus ... in der Wirtschaft die bestimmenden geworden" [62]. Auf ihrer zweiten Parteikonferenz 1952 konnte die SED da-

60  Vgl. hierzu besonders: H. Nick, Gesellschaft und Betrieb im Sozialismus. Zur zentralen Idee des ökonomischen Systems des Sozialismus. Berlin: 1970, S. 22 f.; Politische Ökonomie des Sozialismus, a.a.O., S. 142.
61  Vgl. W. Falk, G. Richter, W. Schmidt, Wirtschaft, Wissenschaft Welthöchststand. Vom Werden und Wachsen der sozialistischen Wirtschaftsmacht DDR. Berlin: 1969, S. 79.
62  Politische Ökonomie des Sozialismus, a.a.O., S. 129.

her feststellen, daß der „planmäßige" „Aufbau des Sozialismus zur grundlegenden Aufgabe in der Deutschen Demokratischen Republik geworden ist" [63]. Daraus ergaben sich vor allem die Zielsetzungen, den Entwicklungsstand der Produktivkräfte durch Erhöhung der noch relativ geringen Arbeitsproduktivität zu heben und die sozialistischen Produktionsverhältnisse in der gesamten industriellen und in der agrarischen Produktion sowie in der Sphäre der Warenzirkulation durchzusetzen. Gemäß diesem Programm wurden die Arbeitskräfte und Wirtschaftsmittel für die Erweiterung der Reproduktion vorrangig, wenn auch mit zeitweiligen Anteilsschwankungen, in die industrielle materielle Produktion gelenkt, wobei während der Periode des ersten Fünfjahresplanes bis 1955 die industriellen Investitionen – mit sich verringerndem Entwicklungstempo – den Indexwert 246 (1950 = 100) erreichten, die industrielle Beschäftigung um etwa 300 000 Arbeitskräfte stieg und die industrielle Arbeitsproduktivität den Indexwert 147 (1950 = 100) erreichte. Die Akkumulation konzentrierte sich auf die Industrie und hier besonders auf die Grundstoffindustrien. Die Zurückstellung individueller Konsuminteressen, die sich hieraus ergab, war ein wesentlicher Grund dafür, daß sich im Juni 1953 auch einzelne Gruppen der Arbeiterschaft, insbesondere in der Bauwirtschaft, an Demonstrationen gegen das wirtschaftliche Aufbauprogramm beteiligten, mit denen antisozialistische Kräfte einen Prozeß der gesellschaftlichen Restauration in der DDR einzuleiten hofften. Aufgrund dieses Aufbauprogramms waren bereits in den ersten Jahren des zweiten Fünfjahresplanes mit dem bis dahin entwickelten „Wirtschafts- und Planungssystem... außerordentlich große Wachstumserfolge erzielt worden" [64]. Das Ziel des Siebenjahresplanes für die Zeit bis 1965, zu Beginn der sechziger Jahre die private Versorgung

63 Protokoll der Verhandlungen der II. Parteikonferenz der Sozialistischen Einheitspartei Deutschlands 9. bis 12. Juli 1952 in der Werner-Seelenbinder-Halle zu Berlin. Berlin: 1952, S. 58 und 492.
64 H. Seidler, Die gegenwärtigen Grundtendenzen der Wirtschaft Mitteldeutschlands; in: Vierteljahreshefte zur Wirtschaftsforschung 1965, S. 231–249, hier: S. 232; vgl. zum vorhergehenden auch: H. Meier, Die Erzeugungs- und die Geldwirtschaft der Sowjetzone

auf westdeutsches Niveau anzuheben, konnte damals allerdings nicht erreicht werden; doch erfuhr das Nationaleinkommen im Zeitraum 1950 bis 1962 immerhin eine Verdreifachung [65]. Gemäß dem Aufbauprogramm von 1952 wurde aber auch der Anteil der sozialistischen Betriebe aller Wirtschaftsbereiche am gesellschaftlichen Gesamtprodukt bis 1962 auf 85 % gesteigert. Mit dieser Entwicklung der sozialistischen Produktionsverhältnisse ging schließlich die „Höherentwicklung der werktätigen Klassen und Schichten einschließlich bestimmter Teile der Bourgeoisie zu Klassen und Schichten der sozialistischen Gesellschaft [einher], die – frei von antagonistischen Klassenwidersprüchen – freundschaftlich verbunden sind" [66].

In der Periode von 1952 bis 1960 stieg die Zahl der in der DDR-Wirtschaft beschäftigten Arbeiter und Angestellten von etwa 6 Millionen auf 6,5 Millionen, wobei die Zahl der in volkseigenen Betrieben tätigen Arbeiter und Angestellten von fast 4 Millionen auf über 5 Millionen zunahm. Dieses Wachstum ging wesentlich auf das Einbeziehen von Frauen in den Arbeitsprozeß zurück [67]. Kern dieses wirtschaftlich aktiven Teils der Arbeiterklasse – die angegebenen Zahlen schließen

Deutschlands im Jahre 1955, dem letzten Jahre des 1. Fünfjahresplanes. In: Vierteljahreshefte zur Wirtschaftsforschung 1956, S. 146 bis 170.

65 Vgl. Nick, Gesellschaft und Betrieb im Sozialismus, a.a.O., S. 16; Seidler, Die gegenwärtigen Grundtendenzen der Wirtschaft Mitteldeutschlands, a.a.O.

66 Politische Ökonomie des Sozialismus, a.a.O., S. 85; vgl. auch: S. Doernberg, Kurze Geschichte der DDR. Berlin: 1969, S. 491 f.

67 Vgl. K. Lungwitz, Über die Klassenstruktur in der Deutschen Demokratischen Republik. Eine sozialökonomisch-statistische Untersuchung. Berlin: 1962, S. 168; I. Krasemann, Zur Klassenstruktur in der DDR in der Periode des umfassenden Aufbaus des Sozialismus. Berlin: 1966, S. 15; O. Stammer, Sozialstruktur und System der Werthaltungen der Sowjetischen Besatzungszone Deutschlands. In: Schmollers Jahrbuch 76, 1956, S. 55–105, bes. S. 59 ff.; M. Rexin, Veränderungen der Berufs- und Beschäftigungsstruktur und Probleme der Arbeitskräftelenkung in der DDR. In: Studien und Materialien zur Soziologie der DDR, hrsg. von P. Ch. Ludz. Kölner Zeitschrift f. Soziol. u. Sozialps., Sonderheft 8, Köln, Opladen: 1964, S, 59–85, bes. S. 70.

in einem Arbeitsrechtsverhältnis stehende Angehörige der Intelligenz, freilich auch einen geringen Prozentsatz mithelfender Familienangehöriger ein – waren die Arbeiter und Angestellten in der Industrie, deren Zahl von 1952 bis 1960 von 2,6 Millionen auf 2,9 Millionen stieg und deren Differenzierung im Interesse des gesamtwirtschaftlichen Wachstums lohnpolitisch zunächst gefördert wurde [68]. Diese waren bis auf 475 000 in sozialistischen Betrieben beschäftigt. Sie vor allem brachten die sozialistische Industrialisierung des Landes voran. Diese besteht, abgesehen von der besseren Proportionierung der Industriestruktur, in einer Minderung der regionalen Entwicklungsunterschiede sowie in der „planmäßigen Schaffung rationeller, den Erfordernissen des Sozialismus entsprechender, ökonomischer Beziehungen zwischen den Betrieben und Zweigen auf dem Wege vielfältiger Kooperationsbeziehungen" [69]. Mit der Entfaltung der sozialistischen Industrie änderte sich der Charakter der Arbeiterklasse. Die Arbeiter und Angestellten – die nicht länger ausgebeutet sind, deren Arbeitskraft keine Ware mehr ist und deren Recht auf einen Arbeitsplatz seit 1950 gesetzlich gesichert ist – wachsen allmählich in die Rolle von Beherrschern des gesellschaftlichen Produktionsverhältnisses hinein. Dies galt zunächst oft nur auf der Ebene der beruflichen Qualifikation, die mit den Entwicklungsanforderungen der sozialistischen Industrie systematisch erhöht wurde. Der Anteil der Facharbeiter an den Produktionsarbeitern in der sozialistischen Industrie stieg – im Gegensatz zur Entwicklung des Facharbeiteranteils in der BRD – von 1952 bis 1961 von 45 % auf 52 %, während der Anteil der Ungelernten von 13 % auf 7 % fiel [70]. „Weiterhin ist . . . der allgemein *verbesserte Ausbildungsstand* der Berufstätigen in allen Bereichen zu nennen" [71].

68  Vgl. hierzu W. Bosch, Die Sozialstruktur in West- und Mitteldeutschland. Bonn: 1958, S. 37 ff.
69  Politische Ökonomie des Sozialismus, a.a.O., S. 138.
70  Rexin, Veränderungen der Berufs- und Beschäftigtenstruktur und Probleme der Arbeitskräftelenkung in der DDR, a.a.O., S. 76.
71  Storbeck, Soziale Strukturen in Mitteldeutschland, a.a.O., S. 156.

Zunehmend begannen auch jene Mitglieder der Arbeiterklasse, die zunächst über das ihrer neuen gesellschaftlichen Rolle entsprechende sozialistische Bewußtsein nicht verfügten, ihre Rolle als Eigentümer der Produktionsmittel bewußt zu realisieren[72]. Dazu trug bei, daß die gesellschaftliche Aneignung des gesellschaftlichen Produkts, die in dieser Phase zwar kaum durch große Steigerungen des individuellen Konsums vermittelt sein konnte, doch den Standard der gesellschaftlichen Konsumtion, durchaus im Unterschied zur BRD, beträchtlich verbesserte. Offenbar aber eigneten sich weite Teile der Arbeiterklasse vor allem mehr und mehr jene geistigen Fähigkeiten und Erkenntnisse an, die nicht nur durch die zunehmende Technisierung des Produktionsprozesses, sondern durch die politische Aufgabe seiner gesellschaftlichen Beherrschung erheischt sind. Die Führungsrolle der Arbeiterklasse realisierte sich durch die höhere Entfaltung der Fähigkeiten aller ihrer Mitglieder sowie durch die Verbreiterung der Schicht der „neuen Intelligenz" innerhalb der Arbeiterklasse selbst. Die ihrerseits sich wandelnden Funktionen der überkommenen bürgerlichen Intelligenz, deren Mitglieder zu einem erheblichen Teil nach Westdeutschland abgewandert waren – obwohl versucht wurde, diese Gruppe durch hohe materielle Vergünstigungen in den sozialistischen Aufbau einzubeziehen –, wurden zunehmend durch diese neue Schicht übernommen[73].

72  Dies geht selbst aus westlichen Analysen hervor; vgl. hierzu ebd., S. 197 f.; vgl. zur Eigentümer- und Führungsrolle der Arbeiterklasse in der DDR und ihrer bewußten Realisierung insbesondere: Politische Ökonomie des Sozialismus, a.a.O., S. 93 ff.; Eichhorn, Philosophische Probleme der Klassenentwicklung und der Klassenstruktur in der sozialistischen Gesellschaft, a.a.O.; H. Taubert, Die führende Rolle, die Funktion und Struktur der Arbeiterklasse im entwickelten gesellschaftlichen System des Sozialismus. In: Deutsche Zeitschrift für Philosophie 16, 1968, S. 1293–1309; H. Klotsch und F. Reumann, Arbeiterklasse und bewußt gestaltete Praxis. Zur Dialektik der Gestaltung des sozialistischen Gesellschaftssystems. Berlin: 1969, bes. S. 65 ff., 93 ff.
73  Vgl. zur Entwicklung dieser Gruppe: Lungwitz, Über die Klassenstruktur in der Deutschen Demokratischen Republik, a.a.O., S. 114 ff. Die strittige Frage, ob der heterogenen Gruppe der In-

Die Sozialstruktur in der Landwirtschaft, in der seit der Bodenreform die Schichten der Kleinbauern und der Mittelbauern dominierten und die Schicht der Großbauern durch wirtschaftlichen Druck und durch Abwanderung verkleinert worden war, wurde in der Periode des Aufbaus des Sozialismus grundlegend verändert. Mit der Bildung der ersten landwirtschaftlichen Produktionsgenossenschaften (LPG) 1952 begann die Errichtung sozialistischer Produktionsverhältnisse auch auf dem Lande. Abgesehen von der geringen Produktivität landwirtschaftlicher Kleinbetriebe erforderte vor allem die Notwendigkeit, die gesellschaftliche Beherrschung der Produktion allgemein durchzusetzen, die Vernichtung der ökonomischen und ideologischen Potentiale des Kapitalismus in der Landwirtschaft. Die Schwierigkeiten, die mit der Vergenossenschaftlichung der Landwirtschaft verbunden waren, resultierten nicht nur aus den konservativen Bewußtseinsstrukturen eines großen Teils der bäuerlichen Bevölkerung; auch sind die Widerstände gegen die landwirtschaftliche Kollektivierung, die sich in Teilen der Bauernschaft zeigten, nicht allein auf die Wirkung der materiellen Entwicklungsdifferenzen der beiden Gesellschaftssysteme in Deutschland zurückzuführen. „Der sozialistische Aufbau auf

telligenz einer Gesellschaft der Charakter einer besonderen Schicht zuzusprechen sei, wird in der Soziologie der DDR heute zu Recht eher negativ beantwortet; vgl. hierzu: S. Grundmann, Arbeiterklasse und Intelligenz in der gegenwärtigen Epoche des Übergangs vom Kapitalismus zum Sozialismus. In: Deutsche Zeitschrift für Philosophie 18, 1970, S. 1317–1336. Unzweifelhaft gehört jedenfalls „derjenige Teil der Intelligenz, der ... im gleichen unmittelbaren Verhältnis zum sozialistischen Volkseigentum steht wie die Arbeiter und Angestellten und folglich in seiner Tätigkeit entscheidenden Anteil an der Realisierung der Führungsfunktion der Arbeiterklasse im gesellschaftlichen Reproduktionsprozeß hat ...", zur Arbeiterklasse" (Taubert, Die führende Rolle, die Funktion und Struktur der Arbeiterklasse im entwickelten gesellschaftlichen System des Sozialismus, a.a.O., S. 1308). Vgl. zum Gesamtproblem auch: Soziologie im Sozialismus. Die marxistisch-leninistische Soziologie im entwickelten gesellschaftlichen System des Sozialismus. Materialien der „Tage der marxistisch-leninistischen Soziologie in der DDR". Berlin: 1970, S. 402 ff.

dem Lande ist deshalb so kompliziert, weil hier nicht nur die Produktionsverhältnisse, sondern mit ihnen die gesamte materiell-technische Basis der Landwirtschaft, der Arbeitsprozeß selbst und die Arbeits- und Lebensbedingungen der Bauern grundlegend verändert werden müssen" [74]. Der Kollektivierungsprozeß ging daher zunächst nur schleppend voran, wobei anfangs überwiegend ehemalige Land- oder Industriearbeiter in Genossenschaften eintraten. Erst auf dem Höhepunkt der Kollektivierungsbewegung – seit 1958 – schlossen sich überwiegend Altbauern den LPG an. Mit der vollständigen Kollektivierung der privaten Landwirtschaft im Jahre 1960 war eine neue Klasse auf der Basis genossenschaftlich-sozialistischen Eigentums entstanden, die nahezu eine Million Mitglieder zählte und als Klasse der Genossenschaftsbauern neben der Arbeiterklasse fortan die zweite Grundklasse des sozialistischen Systems bildete [75].

Das Zusammenwirken beider Klassen in diesem System wurde durch die Einbeziehung der Schichten der städtischen einfachen Warenproduktion sowie der privatkapitalistischen Restklasse in den staatlich gelenkten sozialistischen Produktionsorganismus ergänzt. Im Bereich des Handwerks trug hierzu seit 1952 die Vergenossenschaftlichung von Betrieben bei, die allerdings nur einen kleinen Teil der – vor allem wegen Überalterung der Betriebsinhaber rückläufigen – Gesamtzahl der Handwerksbetriebe betraf [76]. Im Bereich des Handels dienten hierzu einmal die Ausweitung des volkseigenen und genossenschaft-

---

74 Politische Ökonomie des Sozialismus, a.a.O., S. 153. Vgl. zum folgenden: Lungwitz, Über die Klassenstruktur in der Deutschen Demokratischen Republik, a.a.O., S. 89 ff.; Tümmler, Merkel, Blohm, Die Agrarpolitik in Mitteldeutschland und ihre Auswirkungen auf Produktion und Verbrauch landwirtschaftlicher Erzeugnisse, a.a.O., S. 54 ff.

75 Es mag dahingestellt bleiben, ob nicht auch die Mitglieder der Handwerksgenossenschaften aufgrund des genossenschaftlich-sozialistischen Produktionsmittelbesitzes zu dieser zweiten Grundklasse gezählt werden müßten.

76 Vgl. hierzu und zum folgenden: Lungwitz, Über die Klassenstruktur in der Deutschen Demokratischen Republik, a.a.O., S. 100 ff., 136 ff., 143 ff.

lichen Sektors, zum anderen die allmähliche Verwandlung privater Einzelhändler – deren Gesamtzahl aus denselben Gründen stark zurückging – in Kommissionshändler des sozialistischen Großhandels. Die nach der Enteignung des kapitalistischen Großbesitzes verbliebenen kapitalistischen Gewerbetreibenden und Industriellen – überwiegend Klein- und Mittelbetriebe – waren bis zum Sommer 1953 einer scharfen staatlichen Repression ausgesetzt, auf die eine kürzere Phase der Lockerung der Kontrollen privatkapitalistischer Tätigkeit folgte. Die Reaktionen auf diese beiden Formen der Politik gegenüber dem Privatkapital, nämlich der Produktionsrückgang einerseits und die Produktionsanarchie andererseits, zeigten nachdrücklich, wie sehr eine Eingliederung der verbliebenen privatkapitalistischen Unternehmen in das sozialistische System zum Zweck ihrer allmählichen sozialistischen Umgestaltung notwendig war. Das Mittel hierzu waren Formen der staatlichen Beteiligung an den privaten Unternehmen. 1960 verhielt sich die Zahl der halbstaatlichen Betriebe zur Zahl der Privatbetriebe wie 40 zu 60, wobei in den halbstaatlichen Betrieben 10 % und in den privaten Betrieben 6 % der Arbeiter und Angestellten in der Gesamtindustrie tätig waren. Der von den Vertretern der beiden Grundklassen, insbesondere der Arbeiterklasse geführte Staat mußte die spezifischen Interessen der Mitglieder dieser Klassen mit denen der neu entstandenen und der überkommenen Schichten sowie des Rests der ehemalig herrschenden Kapitalistenklasse im sozialistischen Gesamtinteresse koordinieren. Durch eine Politik der Zusammenarbeit mit allen bündnisbereiten Kräften aus diesen Klassen und Schichten gelang es der Staats- und Parteiführung, in diesem Sinne die antagonistischen Klassenverhältnisse in dieser Periode endgültig aufzuheben. So konnte die SED auf ihrem VI. Parteitag 1963 feststellen, daß „die sozialistischen Produktionsverhältnisse in der Deutschen Demokratischen Republik gesiegt" haben [77]. Eine

---

77 Protokoll der Verhandlungen des VI. Parteitages der Sozialistischen Einheitspartei Deutschlands. 15. bis 21. Januar 1963 in der Werner-Seelenbinder-Halle zu Berlin. Bd. 4, Beschlüsse und Dokumente. Berlin: 1963, S. 5.

grundlegende Änderung der Klassenbeziehungen war damit gegeben: hinfort wurde „das freundschaftliche Zusammenwirken zwischen allen Klassen und Schichten ... zum bestimmenden Prinzip der gesellschaftlichen Entwicklung" [78].

Nach Schließung der DDR-Grenze zu Westberlin am 13. 8. 1961 wurde mit der Entwicklung der sozialistischen Gesellschaftsformation auf der Grundlage der etablierten sozialistischen Produktionsweise begonnen. Nach der Durchsetzung der sozialistischen Produktionsverhältnisse – nur noch 8,2 % des gesellschaftlichen Gesamtprodukts wurde 1962 von privaten Betrieben und 6,8 % von solchen mit staatlicher Beteiligung erzeugt – und nach der Entwicklung einer sozialistischen Produktivkraftstruktur – dem branchenmäßig, räumlich und zeitlich proportionierten Einsatz qualifizierter Arbeitskräfte und rationalisierter Produktionsmittel – konnte der Aufbau einer intensiven Industrie- und Agrarproduktion in Angriff genommen werden, die die Bedürfnisse der Bevölkerung zunehmend besser befriedigte. Trotz der Rückschläge im industriellen Wachstum 1962 und der Mißernte von 1961 und ihren Folgen für die agrarische Produktion richtete sich die Praxis der Partei- und Staatsführung hauptsächlich auf die Verwirklichung dieser neuen Qualität der materiellen Produktionsverhältnisse. Im Januar 1963 beschloß der VI. Parteitag der SED mit dem Programm dieser Partei den „umfassenden Aufbau des Sozialismus" in der DDR. Intendiert waren mit ihm vor allem die Entwicklung der Volkswirtschaft auf dem Höchststand von Wissenschaft und Technik, die Entfaltung der sozialistischen Beziehungen zwischen den Werktätigen sowie die Ermöglichung ihrer Persönlichkeitsentfaltung und ihrer vollen Teilhabe an Bildung und Kultur. Die Vervollkommnung der erreichten materiellen Basis des sozialistischen Gesellschaftssystems erheischte die Ausarbeitung und Einrichtung eines „Neuen Ökonomischen Systems der Planung und Leitung der Volkswirtschaft", in dem ein proportionaler Zusammenhang zwischen den einzelnen Interessen der individuellen Produzenten,

78  Politische Ökonomie des Sozialismus, a.a.O., S. 178.

den besonderen Interessen der kollektiven Betriebseinheiten und den allgemeinen Interessen der gesellschaftlichen Gesamtwirtschaft auf der Grundlage einer wissenschaftlichen Perspektivplanung systematisch hergestellt wird. In der Weiterentwicklung der sozialistischen Gesellschaft der DDR konkretisierte sich dieses Planungs- und Leitungsinstrument zum komplexen „Ökonomischen System des Sozialismus", in dem „die zentrale staatliche Planung und Leitung der Grundfragen des gesellschaftlichen Gesamtprozesses ... organisch zu verbinden ist mit der eigenverantwortlichen Planungs- und Leitungstätigkeit der sozialistischen Warenproduzenten einerseits und mit der eigenverantwortlichen Regelung des gesellschaftlichen Lebens im Territorium durch die örtlichen Organe der Staatsmacht andererseits"[79]. Durch dieses ökonomische System wurden bis zum Ende der sechziger Jahre – obwohl die Umstellung des Produktionsorganismus die Wachstumsimpulse der Reform zunächst sich nicht voll auswirken ließ [80] – erhebliche Steigerungsraten in der gesellschaftlichen industriellen wie agrarischen Produktion sowie eine ungewöhnlich große Verbesserung der individuellen und gesellschaftlichen Konsumtion der Produzenten erreicht. Die rasche Entfaltung der Produktivkräfte erforderte zudem das Vorantreiben der wissenschaftlich-technischen Revolution, in der die Produktionsbeziehungen der Menschen zueinander und zur Natur in immer höherem Maße wissenschaftlich konstituiert werden [81]. Im Unterschied zur pri-

79  Protokoll der Verhandlungen des VII. Parteitages der Sozialistischen Einheitspartei Deutschlands. 17. bis 22. April 1967 in der Werner-Seelenbinder-Halle zu Berlin. Bd. 1, 1. bis 3. Beratungstag, Berlin: 1967, S. 142; vgl. auch: G. Leptin, Das „Neue ökonomische System" Mitteldeutschlands. In: K. C. Thalheim, H.-H. Höhmann (Hrsg.), Wirtschaftsreformen in Osteuropa. Köln: 1968, S. 100–130; G. Lingott, R. Pieplow, G. Tittel, Erfahrungen und Aufgaben bei der Entwicklung des sozialistischen Planungssystems in der Deutschen Demokratischen Republik. In: Wirtschaftswissenschaft 19, 1971, S. 1–19.
80  Vgl. P. Mitzscherling, Zunehmender Dirigismus oder Ausbau des neuen ökonomischen Systems? In: Vierteljahreshefte zur Wirtschaftsforschung 1969, S. 227–254, bes. S. 246.
81  Vgl. hierzu: H. Arnold, H. Borchert, A. Lange, J. Schmidt, Die

vaten Beherrschung der Produktionsbedingungen im Kapitalismus ermöglichte deren gesellschaftliche Beherrschung im Sozialismus die Durchsetzung dieser wissenschaftlich-technischen Rationalisierung der Produktion im gesamtgesellschaftlichen Maßstab. Im Vergleich zur kapitalistischen Förderung des wissenschaftlich-technischen Fortschritts erlaubt die gesamtgesellschaftliche Dimensionierung – ungeachtet des noch bestehenden Rückstandes in der gesellschaftlich durchschnittlichen Produktivitätsentwicklung – auf die Dauer eine rationellere Ausnutzung hochtechnisierter Produktionskapazitäten. Schon jetzt ist der Rückgang der Fondseffektivität, den die Verteuerung der Produktionsmittel mit sich bringt, geringer als der entsprechende Rückgang der Kapitalproduktivität in der Volkswirtschaft der BRD [82]. Der gesamtgesellschaftlichen Rationalisierung des Produktionsprozesses in der DDR entsprechen die Grundprinzipien der sozialistischen Produktionsverhältnisse, die „die wissenschaftliche Bewußtheit und Organisiertheit aller Tätgkeiten der Menschen in der gesellschaftlichen Produktion unmittelbar zum Inhalt" haben. Diese „beruhen darauf, daß die Menschen der sozialistischen Gesellschaft nicht mehr, wie in allen vorangegangenen Produktionsweisen, von ihrem Willen unabhängige Produktionsverhältnisse eingehen, sondern bewußte, von ihrem Willen abhängige Produktionsverhältnisse" [83]. Die Herstellung solcher rationaler Beziehungen der Menschen zueinander und zur Natur war mit der Konzeption des entwickelten gesellschaftlichen Systems des Sozialismus intendiert, dessen Schaffung der VII. Parteitag der SED 1967 proklamierte und zu dessen Bedingung die aktive Teilnahme der Produzenten an der Planung und Leitung der gesellschaftlichen Prozesse „als die bewußte Tätigkeit der Werktätigen unter Führung der Partei und des Staates" erklärt wurde [84].

wissenschaftlich-technische Revolution in der Industrie der DDR. Berlin: 1967.

82 Vgl. Materialien zum Bericht zur Lage der Nation 1971, a.a.O., S. 57.

83 Politische Ökonomie des Sozialismus, a.a.O., S. 190.

84 Protokoll der Verhandlungen des VII. Parteitages der Sozialistischen Einheitspartei Deutschlands, a.a.O., S. 103.

Durch die bewußte Aktivität der Produzenten und ihrer politischen und staatlichen Organisation wird die Gesellschaft der DDR auf der Basis der sozialistischen Produktionsweise zu einer in ihrer Totalität sozialistischen Gesellschaft weiterentfaltet, die eine „relativ selbständige", qualitativ neue „Gesellschaftsformation" ist [85]. Die Gesetzmäßigkeiten der ökonomischen Reproduktion dieser Gesellschaftsformation – insbesondere die ständige Steigerung der Produktion zur besseren Befriedigung der Bedürfnisse der Gesellschaft und ihrer Mitglieder sowie die Minimierung des gesellschaftlichen Arbeitsaufwands bzw. die Maximierung der gesellschaftlichen Arbeitsproduktivität – können nun auf der ihnen gemäßen Grundlage wirksam werden. Die spezifisch sozialistische Entwicklungsstrategie, die allgemeinen, die besonderen und die einzelnen Bedürfnisse durch die Steigerung des gesellschaftlichen Nettoprodukts weitestmöglich zu befriedigen, impliziert – ganz im Gegensatz zur kapitalistischen Entwicklung in der BRD – die fortschreitende Durchsetzung des Prinzips der Interessenannäherung und -übereinstimmung der verschiedenen Klassen und Schichten [86].

Im Laufe der sechziger Jahre haben sich die Unterschiede zwischen den verschiedenen Klassen und Schichten in vielfacher Hinsicht vermindert: die materiellen und kulturellen Lebensbedingungen der Genossenschaftsbauern haben sich dank der Anstrengungen einer hierauf gerichteten Regional- und Strukturpolitik denen der Arbeiterklasse ebenso angenähert wie aufgrund des Vordringens industriemäßiger Arbeitsmethoden in der Landwirtschaft auch deren Arbeitsbedingungen tendenziell denen in der Industrie ähnlich zu werden begannen [87]. Hand-

85 W. Ulbricht, Die Bedeutung des Werkes „Das Kapital" von Karl Marx für die Schaffung des entwickelten gesellschaftlichen Systems des Sozialismus in der DDR und den Kampf gegen das staatsmonopolistische Herrschaftssystem in Westdeutschland. Berlin: 1969, S. 37 ff.
86 Vgl. Politische Ökonomie des Sozialismus, a.a.O., S. 244. Ferner: R. Walter, Die Gestaltung der Interessenübereinstimmung im ökonomischen System des Sozialismus der DDR. Berlin: 1970.

werker, Händler und die verbliebenen kapitalistischen Unternehmer wurden durch die weitere Bildung von PGH, die Ausweitung des Kommissionshandels bzw. die ausgeweitete staatliche Beteiligung an Privatunternehmen zunehmend in das sozialistische Produktionssystem integriert. Kooperationsketten zwischen Betrieben verschiedener Eigentumsformen, die an der Herstellung und Bearbeitung eines Produkts beteiligt sind, sowie Kooperationsgemeinschaften zwischen verschiedenen Produktions- und Handelsbetrieben bildeten sich als neue Organe der Totalität der in ihrer Klassenstruktur integrierten sozialistischen Gesellschaftsformation heraus, deren Basis die zunehmende Verflechtung des genossenschaftlich-sozialistischen Eigentums und der Reste des Privateigentums mit dem gesamtgesellschaftlichen Eigentum ist [88].

In diesem Prozeß integrierten sich auch die Elemente der beiden Hauptklassen der sozialistischen Gesellschaft. In der Arbeiterklasse nahm die Integration der verschiedenen Schichten dieser Klasse – von den Produktionsarbeitern bis zu den Leitern der volkseigenen Industrie – in den sechziger Jahren ohne Zweifel beträchtlich zu, wenngleich aus dem Kapitalismus überlieferte und dort gerechtfertigte Vorbehalte gegenüber Betriebsleitungen auf seiten der Arbeiter „nur schrittweise abgebaut werden" konnten [89]. Diese Integration äußerte sich in der sich entwickelnden sozialistischen Demokratie, in der die „Werktätigen ... in den vielfältigsten Formen und mit den verschiedensten Möglichkeiten direkten Einfluß auf die Planung und Leitung des betrieblichen Reproduktionsprozesses nehmen" [90]. Von besonderer Wichtigkeit hierfür war die Verbrei-

87   Vgl. O. Rosenkranz, Optimale Betriebsgröße und industriemäßige Produktion in der Landwirtschaft. Berlin: 1965.
88   Vgl. Falk, Richter, Schmidt, Wirtschaft, Wissenschaft, Welthöchststand, a.a.O., S. 260; zur Eigentumskonzeption: E. Burghardt, Charakterzüge der Entwicklung der beiden Grundformen des sozialistischen Eigentums an den Produktionsmitteln bei der Gestaltung des entwickelten gesellschaftlichen Systems in der DDR. In: Wirtschaftswissenschaft 18, 1970, S. 1601–1630.
89   Politische Ökonomie des Sozialismus, a.a.O., S. 888.
90   Ebd., S. 715.

tung der verschiedenen Formen der sozialistischen Gemeinschaftsarbeit, mit der die Aufhebung der Verselbständigung
der geistigen Momente der Produktion gegenüber ihren körper-
lichen durch die systematische Kooperation von Produktionsarbeitern, Angestellten und technischer Intelligenz angestrebt
wurde. Gleichzeitig nahm der Anteil der Facharbeiter in der
sozialistischen Industrie – der erheblich über dem Facharbeiteranteil bei den Industriearbeitern in der BRD lag – auch
in den sechziger Jahren zu [91]. Im Bereich der landwirtschaftlichen Produktionsgenossenschaften setzte sich – bei zunehmendem genossenschaftlichem Wohlstand – mit der höheren
Technisierung eine wachsende innergenossenschaftliche und
zwischengenossenschaftliche Kooperation durch, womit sich
die Klasse der Genossenschaftsbauern vermittels der zunehmenden Einsicht ihrer Mitglieder in die ökonomische, soziale und
politische Verflechtung ihrer eigenen Aktivität mit der des
Gesellschaftssystems auch subjektiv als Klasse konstituierte [92].
Die ständige Erhöhung des Grades der beruflichen Ausbildung
der Genossenschaftsmitglieder in den sechziger Jahren trug
zweifellos hierzu bei: von 786 623 ständig arbeitenden LPG-
Mitgliedern besaßen 1968 schon 251 469 eine Fachausbildung,
31 745 eine Meisterausbildung und 24 440 eine Hoch- oder
Fachschulausbildung [93].
Aufgrund der geschilderten Entwicklung stellt sich das Gesamt-
bild der sozialistischen Klassenverhältnisse in der DDR am
Ende der sechziger Jahre wie folgt dar [94]: von der wirtschaft-

91  Vgl. besonders R. Weidig, Sozialistische Gemeinschaftsarbeit. Eine
    soziologische Studie zur Entwicklung von Gemeinschaftsarbeit,
    Arbeitskollektiv und Persönlichkeit im sozialistischen Industrie-
    betrieb. Berlin: 1969; Krasemann, Zur Klassenstruktur in der DDR
    in der Periode des umfassenden Aufbaus des Sozialismus, a.a.O.,
    S. 23.
92  Vgl. ebd., S. 36 ff.; Probleme und Ergebnisse agrarsoziologischer
    Forschung zur Bewußtseinsbildung der Genossenschaftsbauern bei
    der Gestaltung der sozialistischen Betriebswirtschaft und Koopera-
    tion. Berlin: 1969; Grundriß der Kooperation in der Landwirt-
    schaft Berlin: 1967.
93  Politische Ökonomie des Sozialismus, a.a.O., S. 867.
94  Vgl. zum folgenden: Statistisches Jahrbuch 1970 der DDR, S. 52 f.

lich tätigen Bevölkerung gehörten rund 84 % zu den Arbeitern und Angestellten, die als Arbeiterklasse vermittels ihrer politischen und staatlichen Organisation den Prozeß der materiellen Produktion und Reproduktion der sozialistischen Gesellschaft – insbesondere im Hauptwirtschaftsbereich Industrie – zunehmend besser beherrschen. Bis auf etwa 14 % sind sie alle in sozialistischen Wirtschaftsbetrieben tätig. In der industriellen Produktion als dem Hauptbereich der gesellschaftlichen Entwicklung arbeiten 44 % aller Arbeiter und Angestellten. Zur Arbeiterklasse ist auch die in der volkseigenen Wirtschaft, in der staatlichen Verwaltung und in den gesellschaftlichen Organisationen angestellte Intelligenz zu rechnen, da sie mit der Durchsetzung der wissenschaftlich-technischen Revolution und der staatlich-planmäßigen Organisation der gesellschaftlichen Reproduktion mittelbar oder unmittelbar zur Entfaltung der Produktivkräfte beiträgt.

8,9 % der wirtschaftlich aktiven Bevölkerung gehört zur Klasse der Genossenschaftsbauern, die auf der Basis des sozialistisch-genossenschaftlichen Eigentums an den landwirtschaftlichen Produktionsmitteln einen wichtigen, wenn auch gesetzmäßig sich verringernden Anteil des gesellschaftlichen Produkts erzeugt. Sie bildet die zweite Hauptklasse der sozialistischen Gesellschaft der DDR neben der Arbeiterklasse. Auf der Grundlage derselben Eigentumsform produzieren die Mitglieder der Produktionsgenossenschaften des Handwerks, die 3 % der wirtschaftlich aktiven Bevölkerung ausmachen.

Während die vertraglich in das sozialistische Wirtschaftssystem – als Komplementäre und Kommissionshändler – einbezogenen selbständigen Berufstätigen in Handel und Gewerbe nur rund 0,5 % dieser Bevölkerung ausmachen, beträgt der Anteil der rein privat Tätigen hieran noch rund 3 %. Zu ihnen gehören vor allem private Handwerker, Händler und Gewerbetreibende, ferner einige Einzelbauern, Gärtner und freiberuflich Tätige.

Der Vergleich der Gesellschaftssysteme von BRD und DDR erbringt trotz gewisser oberflächlicher Ähnlichkeiten eine grundsätzliche Verschiedenheit ihrer inneren Strukturen und eine deutliche Widersprüchlichkeit ihrer Entwicklungsperspektiven. Das Prinzip, das die Reproduktion der kapitalistischen Gesellschaft der BRD bestimmt: die private Beherrschung der gesellschaftlichen Produktion, ist von dem Prinzip, das die Reproduktion der sozialistischen Gesellschaft der DDR regelt: der gesellschaftlichen Beherrschung der gesellschaftlichen Produktion, wesentlich unterschieden. Während in der kapitalistischen Produktionsweise der über die Reproduktionskosten der Arbeitskraft hinausgehende Neuwert, der Mehrwert, Ausgang und Ziel des privaten Wirtschaftens ist, stellt in der sozialistischen Produktionsweise die Gesamtheit der neugeschaffenen Gebrauchswerte, das Nettoprodukt, Grundlage und Maßstab der ökonomischen Entwicklung der Gesellschaft dar [95]. Daher impliziert der kapitalistische Reproduktionsprozeß den dauernden Kampf um die Aufteilung der Wertschöpfung zwischen den Wertproduzenten und den Mehrwertaneignern, der sozialistische Reproduktionsprozeß dagegen die gemeinsame Planung der sinnvollen Verwendung des gesamten Neuwerts durch die Gesellschaftsmitglieder. Der grundsätzliche Gegensatz zwischen den Interessen der Wertproduzenten und der Mehrwertaneigner ist mithin die eigentliche Triebkraft der kapitalistischen Gesellschaft der BRD; die grundlegende Übereinstimmung der Interessen der Produzenten und ihrer Kollektive ist demgegenüber die Haupttriebkraft der sozialistischen Gesellschaft der DDR. Dementsprechend differieren die Strategien, die die Entwicklung dieser Gesellschaften seit den sechziger Jahren leiten. Den Entwicklungsgang der BRD-Gesellschaft bestimmt die Strategie der langfristigen Optimierung der privaten Profite zum Zwecke der größtmöglichen Verwertung des Kapitals.

95  Vgl. hierzu: Politische Ökonomie des Sozialismus, a.a.O., S. 624 ff.

Der Fortschritt der DDR-Gesellschaft ist durch die langfristige Optimierung des Nettoprodukts zum Zwecke der bestmöglichen Befriedigung der Bedürfnisse gekennzeichnet. Die Entwicklungsstrategien wirken sich unmittelbar auf die Klassenverhältnisse in der jeweiligen Gesellschaft aus. Die zunehmende disproportionale Verteilung des wachsenden Neuwerts zugunsten privater Kapitalakkumulation in der BRD hat über die Aufrechterhaltung der Klassenspaltung hinaus die zunehmende Vertiefung des Klassengegensatzes zur Folge. Außer in der Verschärfung des sozialökonomischen Antagonismus vor allem zwischen den Hauptklassen äußert sich dies in den übrigen Bestimmungen, in denen ihr Gegensatz erscheint [96]. Sie werden beständig in neuen Formen erzeugt: etwa der Unterschied zwischen anleitender und ausführender Tätigkeit durch die Konzentration der Leitungstätigkeiten in den Spitzen der Industriebürokratien; oder die Trennung von geistiger und körperlicher Arbeit durch die Koppelung von upgrading- und downgrading-Prozessen in der kapitalistischen Automatisierung; oder die Verschiedenheit von Männer- und Frauenrollen durch die stets neue Einrichtung spezifischer, unterprivilegierter Frauenarbeitsplätze; oder der Unterschied von Stadt und Land durch die Schaffung von Herrschaftsmetropolen und Ausführungsregionen. Die zunehmend proportionale Verteilung des wachsenden Neuwerts zugunsten gesellschaftlicher Bedürfnisbefriedigung in der DDR hat über die Ermöglichung der Klassenannäherung hinaus die schließliche Aufhebung der Klassenunterschiede zum Ziel. Außer in der Vertiefung der sozialökonomischen Kooperation zwischen den Klassen kommt dies auch in den übrigen Bestimmungen der noch vorhandenen Klassenunterschiede zum Ausdruck. Diese Bestimmungen werden mehr und mehr aufgehoben: so der Unterschied zwischen anleitender und ausführender Tätigkeit durch den zunehmenden Ausbau der sozialistischen Demokratie im Betrieb; so die Trennung von geistiger und körperlicher Arbeit durch die wachsende Bedeutung der

96 Vgl. zu diesem Problem: G. Pawelzig, Zur weiteren Ausarbeitung der dialektisch-materialistischen Entwicklungstheorie. In: Deutsche Zeitschrift f. Philosophie 12, 1969, S. 1438–1450, hier: S. 1443 ff.

verschiedenen Formen sozialistischer Gemeinschaftsarbeit; so die Verschiedenheit von Männer- und Frauenrollen durch die systematische Höherqualifizierung und zunehmende Leitungsaktivität von Frauen; so der Unterschied von Stadt und Land durch die wachsende Berücksichtigung regionaler Entwicklungsprobleme im gesellschaftlichen Planungs- und Leitungssystem.

Die Prinzipien der kapitalistischen Klassenspaltung und der sozialistischen Klassenannäherung werden durch die spezifischen Arten und Weisen der Produktivkraftentwicklung in den beiden Gesellschaftsformationen bestätigt. Die zunehmende Verwissenschaftlichung der steigend kapitalintensiven Produktion erfolgt in der BRD in einem Prozeß der sprunghaften privaten Akkumulation von Kapital [97], der – durch zeitweilige Brachlegungen von Produktionsmitteln und Freisetzung von Arbeitskräften vermittelt – zu wachsender Konzentration und Zentralisation von Kapital in den Händen von Kapitalbesitzern und zu wachsender Abhängigkeit der übrigen Klassen und Schichten von diesen führt. Umgekehrt geht die wissenschaftlich-technische Revolution in der DDR mit der planvollen gesellschaftlichen Akkumulation einher, die – durch die ununterbrochene Ausnutzung aller Produktionsmittel und die volle Entfaltung der Arbeitskräfte getragen – durch die wachsende Selbsttätigkeit der Produzenten aller Klassen und Schichten und ihre zunehmende Übernahme von Leitungstätigkeiten vermittelt wird [98]. Diese Modifikation der Klassenverhältnisse, die die Produktivkraftentwicklung je-

---

97  Vgl. zu diesem Prozeß: Sieben Berichte, a.a.O., S. 22 ff.; Katzenstein, Die Investitionen und ihre Bewegung im staatsmonopolistischen Kapitalismus, a.a.O., S. 87 ff.; Hess, Kapitalistisches Wachstum zwischen Gleichgewicht und Ungleichgewicht, a.a.O.,; S. Liebe, Spezifische Probleme der wissenschaftlich-technischen Revolution unter den Bedingungen des staatsmonopolistischen Kapitalismus in Westdeutschland. In: Wirtschaftswissenschaft 18, 1970, S. 1369–1387.
98  Vgl. Die wissenschaftlich-technische Revolution in der Industrie der DDR, a.a.O.,; Nick, Gesellschaft und Betrieb im Sozialismus, a.a.O., S. 33 ff.

weils erbringt, treten in der jeweiligen gesellschaftlichen Rolle der Arbeiterklasse als der Klasse, die den Übergang vom Kapitalismus zum Sozialismus vollzieht, am deutlichsten zutage. So wie einerseits die „Entmündigung" der Arbeiterklasse Bedingung des „Fortbestands" des kapitalistischen Systems der BRD ist [99], so ist andererseits die Führungsrolle der Arbeiterklasse Systembedingung der Fortentwicklung der sozialistischen Gesellschaft der DDR.

99  Jaeggi, Macht und Herrschaft in der Bundesrepublik, a.a.O., S. 37.

Georg Fülberth, Helge Knüppel

# Bürgerliche und sozialistische Demokratie

*1. Der verschiedenartige Anspruch bürgerlicher und sozialistischer Demokratie*

Zu den meistverwandten Argumenten der ideologischen Offensive der herrschenden Klasse in der BRD gegen die DDR gehört der Hinweis auf den höheren Lebensstandard und das größere Maß an „Demokratie" in der Bundesrepublik. Beide Behauptungen gewinnen ihre Attraktivität durch den gleichen Taschenspielertrick: durch eine Begriffsverengung wird die in Westdeutschland übliche Wortbedeutung von „Lebensstandard" und „Demokratie" zur allein authentischen erklärt und mit der Elle dieses reduzierten Begriffs die Realität der DDR gemessen. So erscheint als „Lebensstandard" allein die individuelle Konsummöglichkeit, während soziale Dienstleistungen ausgeklammert werden [1]; ebenso gelten das parlamentarische Regierungssystem und die individuellen Freiheitsgarantien des Grundgesetzes als der Inbegriff von Demokratie.

Wir werden dagegen im folgenden die politischen Systeme in beiden deutschen Staaten mit zweierlei Maß messen: nämlich mit dem Anspruch der in ihnen institutionalisierten Normen. Kriterium für die Beurteilung der BRD soll also nicht die von der DDR für sich reklamierte „reale Demokratie" sein, und der politische Selbstanspruch der „freiheitlich-demokratischen Grundordnung" der BRD soll zunächst nur auf diese selbst angewandt, nicht aber sofort mit der politischen Wirklichkeit eines Gesellschaftssystems, das auf anderen Grundlagen beruht und andere Forderungen an sich selbst richtet, konfrontiert werden.

1   Vgl. K.-H. Arnold, Lebensstandard – gestern – heute – morgen. In: Die DDR – Entwicklung, Aufbau und Zukunft, Frankfurt/M.: 1969, S. 107–124, S. 115.

Das politische System der BRD stützt seine demokratische Legitimierung auf das Ensemble individueller Freiheitsrechte des Grundrechtskatalogs im Grundgesetz und auf die Möglichkeit der Teilnahme aller Bürger am politischen Willensbildungsprozeß in den Parteien und durch den Wahlakt. Bereits der junge Marx hat in seiner Analyse der Konstitutionen von 1791 und 1793 darauf hingewiesen, daß gerade die liberalen Freiheitsrechte demokratischer bürgerlicher Verfassungen Individualrechte sind, die lediglich Einzelpersonen gegen andere Einzelpersonen oder den Eingriff des Staates oder der Gesellschaft in ihre isolierte „Privat"-Sphäre schützen [2]; die konkreten gesellschaftlichen Beziehungen, die sie eingehen, um die materielle Produktion ihrer Lebensbedingungen zu bewerkstelligen, werden im Verfassungstext nicht sichtbar. Die Bürger, denen im Grundrechtskatalog Freiheiten garantiert werden, erscheinen jeweils in einer abstrakten Rolle: als Wohnungsbesitzer (Unverletzlichkeit der Wohnung, Art. 13 GG), Postbenutzer (Art. 10 GG), als freies Individuum, dem das Recht der Freizügigkeit (Art. 11 GG), die Freiheit, sich mit anderen Individuen auf Versammlungen zu treffen (Art. 8 GG) oder Vereine zu bilden (Art. 9 GG), zugestanden wird; als Produzent, der nur produzieren kann in ständiger konkreter gesellschaftlicher Assoziation mit anderen Produzenten, erscheint der Staatsbürger in vielen liberalen Verfassungen überhaupt nicht und in Art. 9 GG nur andeutungsweise: hier wird ihm das Recht zugebilligt, scheinbar freiwillig „zur Wahrung und Förderung der Arbeits- und Wirtschaftsbedingungen Vereinigungen zu bilden"; die notwendige Vergesellschaftung seiner Existenz jenseits der Freiwilligkeit des Versammlungs- und Vereinsrechts bleibt unsichtbar.

Ebenso ist das Wahlrecht ein Individualrecht: der „abstrakte Staatsbürger" [3], der die Wahlkabine betritt, ist in diesem Augenblick isoliert von seiner realen ständigen gesellschaftlichen Verflechtung im Produktionsprozeß, er gibt ein lediglich

2  Vgl. K. Marx, Zur Judenfrage. In: Marx, Engels, Werke, Bd. 1, S. 347–377, hier: S. 362–370.
3  Ebd., S. 370.

individuelles Votum ab, mögen diese Voten sich auch zu Mehrheiten addieren lassen. Wenn Artikel 21 GG mit den Parteien neben den mit Freiheits- und Mitwirkungsrechten ausgestatteten Individuen ein gesellschaftliches Element sichtbar macht, das die Vermittlung zwischen Staat und Gesellschaft bewerkstelligen soll, so bleibt hier ebenfalls die konkrete gesellschaftliche Struktur verdeckt: ein Zusammenhang mit der Funktion ihrer „Anhänger" (Art. 21,2) im Produktionsprozeß wird nicht sichtbar. Die Trennung der Funktionen der voneinander isolierten Staatsbürger, die je eine Stimme haben, von der gesellschaftlichen Produktion schafft die Fiktion einer universellen Gleichheit aller Gesellschaftsmitglieder im Bereich des Politischen, die vereinbar erscheint mit Ungleichheit im Produktionsprozeß, also der Aufrechterhaltung des Klassenunterschieds zwischen Besitzern von Produktionsmitteln und abhängig Arbeitenden.

Diese Trennung von Staat und Gesellschaft, zwischen dem abstrakt Politischen und den konkreten Klassenbeziehungen, findet ihre Analogie im parlamentarischen Verfahren selbst: als Trennung von Wählern und Gewählten. Sind „die Wähler" – wie gezeigt – ihrerseits nur eine Abstraktion von realen gesellschaftlichen Verhältnissen, so abstrahiert das Parlament seinerseits von ihnen – im Repräsentativsystem, also dadurch, daß die einmal gewählten Abgeordneten für die Dauer der Legislaturperiode nur ihrem „Gewissen" (Art. 38 GG) unterworfen, somit den jeweiligen Wahlkörpern (Wahlkreise etc.) nicht verantwortlich sind. Dies ist nicht etwa ein lediglich technisches Desiderat – das Prinzip der Stellvertretung als Ausweg aus der Situation, daß sich nicht alle Bürger gleichzeitig an einem Ort versammeln können – sondern gehört zum Wesen des Parlamentarismus, wie er auch in der BRD gilt, selbst [4]. Die endgültige politische Entscheidung fällt durch parlamentarische Diskussion und Abstimmung. Die parlamentarische Diskussion wird gewöhnlich als Auseinandersetzung

---

4  Vgl. C. Schmitt, Die Prinzipien des Parlamentarismus. In: K. Kluxen (Hrsg.), Parlamentarismus. Köln, Berlin: 1967, S. 41–53, hier: S. 41 f.

zwischen den divergierenden Positionen von Regierungspartei und Opposition vorgestellt, an der die Wähler in der Regel lediglich beobachtend – über publizistische Organe informiert – teilnehmen und nur insofern eine wirksam erscheinende Kontrolle ausüben, als sie aufgrund der Alternativen parlamentarischer Politik nach Ablauf der Legislaturperiode neue Wahlentscheidungen treffen können. Ein weiteres die parlamentarische Demokratie konstituierendes Moment ist die Teilung der Gewalten. Ihre Konzeption und Geschichte spiegelt Inhalt und Grenze des Begriffs bürgerlicher Demokratie: In der Entstehungsphase der bürgerlichen Gesellschaft wurde sie als Sicherungsmaßnahme gegenüber dem bis dahin absolutistischen Staat, dem mit dem Parlament die Interessenvertretung der Bourgeoisie entgegengesetzt wurde, proklamiert. Mit der Parlamentarisierung der Regierungen und dem Eindringen von Arbeiterparteien in die Parlamente wurde die relative Stabilität und Unabhängigkeit der Exekutive und der „Dritten Gewalt" – der Justiz – zu einer Garantie bürgerlicher Herrschaft gegenüber Demokratisierungsimpulsen, die über den sozialen Inhalt der parlamentarischen Demokratie hinausdrängten und in Ausnahmesituationen durch das Parlament hätten vermittelt werden können [5].

Als Grundmerkmale bürgerlichen Demokratieverständnisses, das sich in der Gegenwart ausschließlich am Parlamentarismus orientiert, können zusammenfassend angegeben werden:

1. Die Forderung nach einem Höchstmaß an individuellen Freiheits- und Selbstbestimmungsrechten außerhalb des Bereiches der materiellen Produktion.

2. Die Realisierung von politischen Mitwirkungsrechten lediglich als Rechte von summierten Individuen und als Abstraktion von den realen Beziehungen innerhalb der Bewerkstelligung der materiellen Produktion: als Wahlakt zur Entsendung

---

5 Ein drittes Moment, die Unterwerfung der Gewählten unter den Zwang von mächtigen organisierten Interessen und vorgegebene Machtverhältnisse, bleibt hier noch unberücksichtigt, da es sich dabei um ein Moment der Verfassungswirklichkeit, nicht aber der Normen der parlamentarischen Demokratie handelt.

von Repräsentanten, die von ihren Wählern während der Legislaturperiode unabhängig sind.

3. Die stillschweigende Anerkennung fundamentaler Ungleichheit und der Abwesenheit von Selbstbestimmung innerhalb des Bereichs der materiellen Produktion für die Nichtbesitzer von Produktionsmitteln. Voraussetzung dieser Ungleichheit ist das Fortbestehen des Klassengegensatzes zwischen den Besitzern der Produktionsmittel und denen, die lediglich ihre Arbeitskraft zu verkaufen haben. Diese Voraussetzung soll ihrerseits wieder durch die Gewaltenteilung, die dem Demokratisierungsimpuls des parlamentarischen Regimes durch die Stabilität der beiden anderen Gewalten – Exekutive und Judikative – eine Grenze setzt, garantiert werden.

Zweifellos bietet ein so konzipiertes System parlamentarischer Demokratie das Höchstmaß an individuellen Freiheits-, Schutz- und Mitwirkungsrechten, das auf der Basis kapitalistischer Produktionsverhältnisse überhaupt denkbar ist. Von daher erklärt sich die Erwartung eines „Neubeginns", mit der die Ablösung des faschistischen Herrschaftssystems durch die Normen bürgerlicher Demokratie nach 1945 in Deutschland versehen wurde. Inwieweit die Ansprüche bürgerlicher Demokratie, die in den Länderverfassungen nach 1945 [6] und im Grundgesetz von 1949 niedergelegt sind, im staatsmonopolistischen Kapitalismus noch – oder überhaupt – realisiert werden können, dafür kann die Entwicklung von Verfassung und Verfassungswirklichkeit in der BRD zum Maßstab dienen.

Weder Verfassungsnormen noch Verfassungswirklichkeit der BRD können aber ein Kriterium für die Beurteilung des politischen Systems der DDR unter dem Gesichtspunkt der Demokratie sein, weil in der DDR eine der Grundvoraussetzungen für den bürgerlichen Parlamentarismus und die Rechtsnormen des bürgerlichen Staates entfällt: die private Verfügung über die Produktionsmittel durch wenige, denen die Masse der

6 Hier können die niemals realisierten Sozialisierungsparagraphen mehrerer Länderverfassungen ebenso außer Betracht bleiben wie Art. 15 GG.

Nichtbesitzenden gegenübersteht, und die private Aneignung der Werte, die die Masse der abhängig Arbeitenden geschaffen hat. Mit der weitgehenden Aufhebung des Privateigentums an Produktionsmitteln in der DDR sind die Voraussetzungen für ein neues Verständnis und einen neuen Inhalt von Demokratie gegeben, die von der bürgerlichen Demokratie grundsätzlich verschieden ist. Aufhebung des Privateigentums an den Produktionsmitteln ist die notwendige, wenn auch keineswegs allein hinreichende Bedingung für die Realisierung einer Konzeption von Demokratie, die nicht ausschließlich durch die Forderung nach einem Höchstmaß an individuellen Freiheitsrechten gekennzeichnet ist, sondern dadurch, daß aufgrund des kollektiven Eigentums und der kollektiven Verfügungsgewalt über die Produktion die Produzenten kollektive Selbstbestimmungsrechte in der Produktion ihres materiellen Lebens wahrnehmen.

Unter kapitalistischen Verhältnissen ist die Sphäre der materiellen Produktion gekennzeichnet durch die Anarchie der kapitalistischen – nicht notwendig freien – Konkurrenz oder durch kapitalistische Planung zumindest auf der Ebene von Unternehmung und Betrieb – durch beides werden die abhängig Arbeitenden in die Rolle bloßer Elemente des Kapitalverwertungsprozesses versetzt. Der Anspruch sozialistischer Demokratie umfaßt nicht lediglich die Aufhebung der Eigentumstitel der Kapitalisten, denn dann bliebe die Möglichkeit zentraler Planung und Leitung unter völligem Ausschluß der Mitwirkung der Produzenten offen, sondern den Prozeß, in dem die Gesamtheit der Produzenten assoziiert die Produktionsvorgänge selbst zu leiten unternimmt und dieser selbständigen Leitungstätigkeit politischen Ausdruck verleiht. Die Frage nach dem Grad sozialistischer Demokratie kann also nicht lediglich lauten:

„Welche individuellen Mitwirkungsrechte bestehen in politischen Willensbildungsprozessen?" (dies ist das Kriterium bürgerlicher Demokratie),

sondern:

„Inwieweit sind die Produzenten institutionell berechtigt und

211

durch gesellschaftliche Maßnahmen qualifiziert und bereit, die Produktion und Reproduktion ihrer Lebensbedingungen in gemeinschaftlichem, gesamtgesellschaftlichem Zusammenwirken selbständig und bewußt zu organisieren und diesem bewußten Prozeß auch politisch Ausdruck zu verleihen?"

Diese Neuformulierung eines demokratischen Anspruchs stellt gegenüber dem bürgerlichen Demokratiebegriff insofern eine Erweiterung dar, als sie Demokratie auch im Bereich der materiellen Produktion fordert, wobei der Anspruch bürgerlicher Demokratie auf Gewährleistung individueller Freiheits- und Sicherungsrechte im Recht auf die schöpferische Entfaltung der Persönlichkeit im Sozialismus aufgehoben ist [7].

Die verschiedenen Formen des Parlamentarismus waren historisch immer mit Beibehaltung des Privateigentums an den Produktionsmitteln verknüpft. Durch die Vorspiegelung universeller Gleichheit, die mit Hilfe des allgemeinen Wahlrechts hergestellt wurde, bei gleichzeitiger Aufrechterhaltung der materiellen Ungleichheit, erwies er sich sogar immer wieder als „denkbar beste politische Hülle des Kapitalismus" [8]. Das Bemühen um die selbständige Teilnahme der Produzenten an der Organisation und Leitung der Produktionsprozesse schließt also die Reflexion über die politischen Institutionen, unter denen diese Selbstbestimmung erfolgen muß, mit ein. So erweist sich die dogmatische Forderung nach Einführung des Parlamentarismus, eines Garanten bürgerlicher Herrschaft, in den sozialistischen Ländern – gewöhnlich unter dem Vorwand, erst dadurch sei Demokratie im Sozialismus gewährleistet – als eklektisch. Sozialistische Demokratie besteht nicht in der Kombination von Institutionen des bürgerlich-demokratischen

7   Eine starke Akzentuierung dieses Aspekts zeigt sich z. B. im Kommunistischen Manifest: „An die Stelle der alten bürgerlichen Gesellschaft mit ihren Klassen und Klassengegensätzen tritt eine Assoziation, worin die freie Entwicklung eines jeden die Bedingung für die freie Entwicklung aller ist." (K. Marx und F. Engels, Manifest der Kommunistischen Partei. In: Marx, Engels, Werke, Bd. 4, S. 459–493, hier: S. 482.)

8   W. I. Lenin, Staat und Revolution. In: ders., Werke, Bd. 25, S. 393–507, hier: S. 405.

Staates mit Gemeineigentum an Produktionsmitteln, sondern sie setzt „das ‚Zerschlagen‘ der Staatsmaschinerie" [9] voraus, ihre Umfunktionierung in Machtmittel des Proletariats – die Trennung von Staatsapparat und der Masse der ihm unterworfenen abhängig Arbeitenden wird abgelöst von dem Prozeß der Aneignung der Staatsgewalt durch die Gesamtheit der assoziierten Produzenten.

Die Verfassungen bürgerlicher Demokratie schaffen die Fiktion der Gleichheit, indem sie im Bereich des vordergründig „Politischen" den Bürgern gleiche Mitwirkungsrechte – per Wahl – zumessen und den Bereich der Ungleichheit, die materielle Produktion, aus dem Verfassungstext ausklammern. Für die marxistische Staatstheorie ist das parlamentarische Regime der Bourgeoisie gleichwohl Herrschaft – Diktatur der Bourgeoisie. Ebenso geht sie davon aus, daß der proletarische Staat ebenfalls Repressionsfunktionen wahrnimmt – sozialistische Demokratie ist Diktatur des Proletariats [10]. Die Aufgaben dieser Diktatur sind:

1. Enteignung der Kapitalistenklasse [11];

9 Ebd., S. 430.
10 Die Identität von sozialistischer Demokratie und Diktatur des Proletariats stellt bereits Lenin fest: „Wir alle wissen, daß die politische Form des ‚Staates‘ in dieser Zeit die vollkommenste Demokratie ist." Lenin, Staat und Revolution, a.a.O., S. 409.
11 Vgl. Marx, Engels, Manifest der Kommunistischen Partei, a.a.O., S. 481. Ein wesentlicher Teil dieser Enteignungsaktion erfolgte in der nachmaligen DDR bereits in der Phase der antifaschistisch-demokratischen Umwälzung der SBZ, also noch nicht unter der spezifischen staatlichen Form der Diktatur des Proletariats. Die Tatsache, daß in dieser Etappe – und bis heute – dort nicht alle Kapitalisten enteignet wurden, sondern immer irrelevanter werdende Reste dieser Klasse erhalten blieben – oft mit staatlicher Beteiligung an ihren Betrieben – ändert nichts an der grundsätzlichen Bedeutung dieses Vorgangs. Vgl. Institut für die Wirtschaft des sozialistischen Weltsystems an der Akademie der Wissenschaften der UdSSR (Hrsg.), Sozialistisches Weltwirtschaftssystem. Bd. 1–4. Bd. 1: Die Entstehung des sozialistischen Weltwirtschaftssystems. Berlin: 1967, S. 407–412; W. Plat, Begegnung mit den anderen Deutschen. Gespräche in der Deutschen Demokratischen Republik. Reinbek: 1969, S. 274–281.

2. Politische Unterdrückung der besiegten Bourgeoisie [12];

3. Kontrolle über die bürgerlichen Spezialisten, die jetzt für den proletarischen Staat arbeiten [13];

4. Kontrolle „über die Arbeiter, die durch den Kapitalismus tief demoralisiert worden sind" [14];

5. Verteidigung „gegen die verschiedensten Formen und Methoden der imperialistischen Expansionspolitik" [15], also auch gegen ideologische Diversion;

6. Rasche Entfaltung der Produktivkräfte über das in der bürgerlichen Gesellschaft erreichte und mögliche Maß hinaus [16];

7. Organisation der Distribution unter den Bedingungen eines relativen Mangels an Gütern, der die teilweise Aufrechterhaltung des „engen bürgerlichen Rechtshorizonts" insofern erzwingt, als die Güterverteilung noch als Zumessung von Äquivalenten für geleistete Arbeit erfolgt und noch nicht das Prinzip „Jeder nach seinen Fähigkeiten, jedem nach seinen Bedürfnissen!" herrscht [17]; diese Form der Distribution wird einige Zeit lang beibehalten werden müssen, nachdem die Repressionsaufgaben bereits beseitigt werden konnten [18];

12  Vgl. Lenin, Staat und Revolution, a.a.O., S. 415.
13  Vgl. ebd., S. 488 ff. Die Beziehung von Arbeiterklasse und bürgerlicher Intelligenz nach der sozialistischen politischen Revolution muß jedoch nicht nur als Repression und Kontrolle gesehen werden, sondern sie kann, nachdem die politische Grundentscheidung gefallen ist, vielfältige Formen der Kooperation annehmen. Vgl. Die Entstehung des sozialistischen Weltwirtschaftssystems, a.a.O., S. 412.
14  Lenin, Staat und Revolution, a.a.O., S. 489.
15  W. Ulbricht, Die Rolle des sozialistischen Staates bei der Gestaltung des entwickelten gesellschaftlichen Systems des Sozialismus. Schriftenreihe des Staatsrats der Deutschen Demokratischen Republik, Heft 6, 3. Wahlperiode, Berlin: 1968, S. 13.
16  Vgl. Marx, Engels, Manifest der Kommunistischen Partei, a.a.O., S. 170. Der Entfaltung der Produktivkräfte dient zweifellos auch die Förderung des Bildungswesens.
17  K. Marx, Randglossen zum Programm der deutschen Arbeiterpartei. In: Marx, Engels, Werke, Bd. 19, S. 15–32, S. 20 f.; Lenin, Staat und Revolution, a.a.O., S. 229.
18  Vgl. Lenin, Staat und Revolution, a.a.O., S. 481 f.

**8.** Qualifizierung der Produzenten für die selbsttätige Übernahme der Leitung und Organisation gesellschaftlicher Prozesse [19].

Der Tatsache, daß dieser Staat Zwangsfunktionen wahrnehmen muß, nimmt ihm noch nicht seinen demokratischen Anspruch. Das Maß sozialistischer Demokratie in der Diktatur des Proletariats läßt sich danach bestimmen, inwieweit es gelingt, die Produzenten – tendenziell die gesamte Gesellschaft – zur selbständigen Wahrnehmung öffentlicher Funktionen heranzuziehen, somit den Staat immer mehr zu einem Organ der ganzen Gesellschaft zu machen. Diesen Vorgang haben Marx, Engels und Lenin als „Absterben" oder „Einschlafen" des Staates bezeichnet – im Unterschied zum gewaltsamen „Zerbre-

19  „Wir sind keine Utopisten. Wir wissen: Nicht jeder ungelernte Arbeiter und jede Köchin sind imstande, sofort an der Verwaltung des Staates mitzuwirken. Darin stimmen wir sowohl mit den Kadetten als auch mit der Breschkowskaja und mit Zereteli überein. Wir unterscheiden uns jedoch von diesen Bürgern dadurch, daß wir den sofortigen Bruch mit dem Vorurteil verlangen, als ob nur Reiche oder aus reichen Familien stammende Beamte imstande wären, den Staat zu *verwalten*, gewohnheitsmäßige, tägliche Verwaltungsarbeit zu leisten. Wir verlangen, daß die *Ausbildung* für die Staatsverwaltung von klassenbewußten Arbeitern und Soldaten besorgt und daß sie unverzüglich in Angriff genommen werde, d. h., daß unverzüglich *begonnen* werde, alle Werktätigen, die ganze arme Bevölkerung, in diese Ausbildung einzubeziehen." W. I. Lenin, Werden die Bolschewiki die Staatsmacht behaupten? In: ders., Werke, Bd. 26, S. 69–121, S. 97 (Hervorhebung von Lenin). „Der Prozeß der ständigen Erhöhung des Wirkungsgrades der sozialistischen Demokratie als integrierender Faktor zur allseitigen Stärkung der DDR kann nicht nur unter dem Blickwinkel der quantitativen Zunahme der schöpferischen Mitwirkung der Werktätigen in den verschiedensten Formen der Machtausübung in den Volksvertretungen, Betrieben, Einrichtungen, Institutionen und Wohngebieten verstanden werden. Vielmehr rückt auch hier die qualitative Seite in den Vordergrund: die Erhöhung des Bildungs- und Kulturniveaus der Leiter und aller Werktätigen beeinflußt den Wirkungsgrad der sozialistischen Demokratie ganz außerordentlich." A. Ottinger, Bewußtsein und Bildung – Wesenselemente sozialistischer Demokratie. Berlin: 1970, S. 10.

chen" des Staatsapparats: der politischen Grundentscheidung, die den Staat aus einem der Gesellschaft scheinbar verselbständigt gegenüberstehenden Machtinstrument zu einem Mittel der Machtausübung durch das Proletariat und seine Partei umschuf. Das Absterben des Staates kann nicht als die ersatzlose Abschaffung von Institutionen begriffen werden, sondern als ein Prozeß der Übernahme von öffentlichen Funktionen, die früher vom Staat wahrgenommen wurden, durch gesellschaftliche Organe bei allmählicher Aufhebung der innergesellschaftlichen Repression. Das „Absterben" des Staates ist also durchaus vereinbar mit einem höheren Grad der institutionellen Organisiertheit der Gesellschaft.

Marx, Engels und Lenin waren „Zentralisten" [20]: der „demokratische Zentralismus" in der Staatsorganisation war für sie ein Wesensmerkmal der Machtausübung im proletarischen Staat. Für den Staatsaufbau und die Planung und Leitung der Produktion wird „demokratischer Zentralismus" in der marxistisch-leninistischen Theorie der DDR als eine Kombination von zentraler Leitung und entfalteter Masseninitiative definiert [21]. Ebenso wie die Diktatur des Proletariats im Prozeß des „Absterbens des Staates" ihren Charakter und ihre Formen ändert (damit aber auch der proletarische Staat selbst) [22], muß angenommen werden, daß Begriff und Praxis des „demokratischen Zentralismus" in den ersten 22 Jahren des Bestehens der DDR sich gewandelt haben. So machte die innere und äußere Bedrohung der DDR in den fünfziger Jahren eine überaus starke Konzentration von Machtbefugnissen in zentralen Leitungsinstanzen notwendig, die die nachgeordneten Organe

20  Lenin, Staat und Revolution, a.a.O., S. 442.
21  Vgl. Ulbricht, Die Rolle des sozialistischen Staates bei der Gestaltung des entwickelten gesellschaftlichen Systems des Sozialismus, a.a.O., S. 25.
22  „Der Übergang vom Kapitalismus zum Kommunismus muß natürlich eine ungeheure Fülle und Mannigfaltigkeit der politischen Formen hervorbringen, aber das Wesentliche wird dabei unbedingt das *eine* sein: *die Diktatur des Proletariats.*" Lenin, Staat und Revolution, a.a.O., S. 425 (Hervorhebung von Lenin).

durch sehr strikte Direktiven banden, zugleich aber ständig versuchten, Masseninitiativen anzuleiten, ihre Entscheidungen an die Mehrheit der Produzenten zu vermitteln und sie zum Nachvollzug dieser Entscheidungen zu veranlassen. Als Ergebnis dieses Qualifizierungsprozesses können die bereits 1957/58 genutzten Möglichkeiten gesehen werden, nachgeordneten Instanzen innerhalb zentraler Richtlinien größere Kompetenzen einzuräumen, bis sich schließlich – nach der endgültigen Durchsetzung der sozialistischen Produktionsverhältnisse Anfang der sechziger Jahre – der demokratische Zentralismus als ein System ausprägen konnte, das durch die Verbindung zentraler staatlicher Planung und Leitung mit der eigenverantwortlichen Tätigkeit der Produzenten und örtlichen Staatsorgane sowie durch die Kombination von Einzelleitung und zunehmender kollektiver Beratung durch gesellschaftliche Organe in den Betrieben auf der Basis verschiedenartig institutionalisierter Formen von Masseninitiative charakterisiert ist.

Die zentralisierte Zusammenfassung der Masseninitiativen führt – nach dieser Interpretation des demokratischen Zentralismus in der DDR – nicht zu einer Schwächung, sondern zu einer Stärkung der Leitungsinstanzen, die aufgrund ihrer Kooperation mit Kontroll-, Mitwirkungs- und Beratungsgremien ihren Entscheidungen ein Höchstmaß an Rationalität und Effektivität geben können. Zugleich wird in der Zentralisierung selbst ein Moment der Demokratisierung gesehen, da erst die zentrale Auswertung und Durchsetzung der Erfahrungen und Arbeitsergebnisse der nachgeordneten Instanzen und der Masseninitiativen diesen zu allgemeinerer Wirksamkeit und zu einem Höchstmaß an Realisierbarkeit und Verbindlichkeit verhilft.

Die Analyse der Beziehungen von Anspruch und Realität in der Verwirklichung von Demokratie in beiden deutschen Staaten soll – weil es sich in beiden Systemen um geschichtliche Prozesse der Einlösung oder Nichteinlösung des jeweiligen Anspruchs handelt – im folgenden durch historisches Vorgehen untersucht werden.

## 2. Antifaschistisch-demokratische Umwälzung und Restauration 1945–1952

Das Potsdamer Abkommen vom 2. August 1945 enthielt einen Katalog von Demokratisierungsmaßnahmen, deren Durchführung den Besatzungsmächten übertragen wurde:

– „Wiederaufbau des deutschen politischen Lebens auf demokratischer Grundlage" [23];

– Beseitigung aller aktiven Nazis aus öffentlichen und halböffentlichen Ämtern und aus ihren verantwortlichen Stellen in wichtigen Privatunternehmungen;

– antifaschistische und antimilitaristische Kontrolle über das deutsche Unterrichtswesen;

– Demokratisierung der Justiz;

– Entflechtung der Großindustrie [24].

Diese Forderungen wurden von den vier Siegermächten in höchst verschiedenartiger Weise eingelöst.

In der SBZ wurden bereits am 10. Juni 1945 demokratische Parteien wieder zugelassen. Am 15. Juni folgte der Gründungsaufruf des Freien Deutschen Gewerkschaftsbundes (FDGB). Zur Schaffung demokratischer Grundlagen des neuen politischen Lebens gehörte auch die Bodenreform im Herbst 1945: durch sie wurde der Großgrundbesitz, der gerade östlich der Elbe bis 1945 ein Rückhalt aller reaktionären Regimes war, beseitigt. Erziehungswesen, Verwaltung, Justiz wurden von sämtlichen organisierten Faschisten gesäubert. Für die Beseitigung ehemaliger Mitglieder der NSDAP aus den leitenden Positionen der Wirtschaft sorgten neben der SMAD Gewerkschaften und Betriebsräte, die zugleich mit den Unternehmern Betriebsvereinbarungen abschlossen, in denen ihnen zumeist Einsicht in alle Betriebsunterlagen und Mitentscheidung bei der Produktionsplanung zugesichert wurde [25]. Die demokratische Schulre-

23  Keesings Archiv der Gegenwart 15, 1945, S. 344, Sp. 1 – S. 347, Sp. 2, hier: S. 345, Sp. 1.
24  Vgl. Ebd., S. 345, Sp. 2.
25  Vgl. H. Felgentreu, Sozialistische Demokratie, Mitbestimmung und Gewerkschaften. Zur Entwicklung des Mitbestimmungsrechts des FDGB von 1945 bis 1969. Berlin: 1970, S. 50–56.

form, kodifiziert im „Gesetz zur Demokratisierung der deutschen Schule" vom 31. 5. 1946 [26], brach das Bildungsmonopol des Bürgertums. Eines der Hauptziele der Schul- und Hochschulpolitik in der SBZ war die Beseitigung der Unterrepräsentation von Arbeiter- und Bauernkindern in weiterführenden Schulen und Universitäten [27]. Die forcierte Förderung des Studiums von Arbeiter- und Bauernkindern war einerseits lediglich eine radikal-demokratische Maßnahme – löste sie doch den Gleichheitsgrundsatz bürgerlicher Verfassungen ein –, konnte andererseits aber, sobald einmal ein relevanter Teil der Industrie sozialisiert war, eine erste Voraussetzung der Qualifizierung von Angehörigen der vormals unterdrückten Klassen zur selbständigen Leitung der Produktion und von politischen Entscheidungsvorgängen sein. Tatsächlich hatten auch der Volksentscheid in Sachsen vom 30. 6. 1946 und die Gesetze der Landes- und Provinzialverwaltungen vom Juli und August 1946, durch welche die Betriebe der Kriegsverbrecher und Nazi-Aktivisten enteignet wurden, den gleichen Doppelcharakter: einerseits erfüllten sie zunächst nur die Forderung des Potsdamer Abkommens nach Wiederaufbau des politischen Lebens auf demokratischer Grundlage, denn es war unübersehbar, daß eine gründliche Demokratisierung unmöglich war bei gleichzeitiger Aufrechterhaltung monopolkapitalistischer Besitzverhältnisse, die zum Faschismus geführt hatten und deren Protagonisten an den nazistischen Kriegsverbrechen beteiligt waren; andererseits entstand durch diese Maßnahme ein starker volkseigener Sektor, dessen Anteil an der industriellen Bruttoproduktion 1946 39 % ausmachte und bis 1950 auf 76,5 % anwuchs [28]. Hierdurch stellten sich den Organisationen der Arbeiterbewegung, dem FDGB und der im April aus KPD und SPD vereinigten SED, grundlegend neue Aufgaben: hatten sie

26  S. Baske und M. Engelbert (Hrsg.), Zwei Jahrzehnte Bildungspolitik in der Sowjetzone Deutschlands. Dokumente. Erster Teil: 1945 bis 1958. Berlin: 1958, S. 24–27.

27  Vgl. E. Richert, „Sozialistische Universität". Die Hochschulpolitik der SED. Berlin: 1967, S. 44–47.

28  Vgl. Die Entstehung des sozialistischen Weltwirtschaftssystems, a.a.O., S. 411.

im verbleibenden privaten Sektor weiterhin wie bisher für die Erweiterung der Rechte der abhängig Arbeitenden zu kämpfen, so mußten sie im volkseigenen Sektor das Verantwortungsbewußtsein der Werktätigen für die nunmehr in ihre eigenen Hände übergegangenen Produktionsmittel und für eine schnelle Steigerung der Produktion wecken – eine Aufgabe, deren Lösung angesichts der sich anbahnenden Teilung Deutschlands mit der damit verbundenen endgültigen Trennung der SBZ von den industriellen Zentren Westdeutschlands und des durch zwölf Jahre Faschismus und den nun einsetzenden Kalten Krieg irritierten Klassenbewußtseins großer Teile der Arbeiterklasse zugleich besonders dringlich und schwierig war. Wenn seit 1948 im volkseigenen Sektor der Industrie erste Ansätze einer Produktionsdemokratie herausgearbeitet wurden, so konnte dabei die Aufgabe der Organisationen der Arbeiterbewegung nicht nur die Durchsetzung formaler Mitwirkungskompetenzen sein, sondern ihre Hauptarbeit bestand zunächst hauptsächlich in der Anleitung, technischen und – vor allem – politischen Qualifizierung der Arbeiter zur bewußten und aktiven Lösung der neuen Probleme der Produktion. Dieser veränderten Zielstellung entsprach die Umstrukturierung der Arbeiterbewegung im Jahre 1948: die Transformation der SED zu einer „Partei neuen Typs" [29] und die Eingliederung der

29 Hauptmerkmale der Umformung der SED in eine „Partei neuen Typs" waren die Durchsetzung leninistischer Organisationsprinzipien (demokratischer Zentralismus als Unterordnung der Minderheit unter die Mehrheit und strikte Befolgung der Anweisungen der übergeordneten, gewählten Organe durch die nachgeordneten) und die intensive marxistisch-leninistische Schulung der Kader einer Partei, deren Mitgliedschaft sich 1948 zum überwiegenden Teil nicht mehr aus ehemaligen KPD-Mitgliedern rekrutierte. Beide Maßnahmen waren mit scharfen Auseinandersetzungen mit der sozialdemokratischen Tradition und mit der Orientierung am Vorbild der KPdSU verbunden. Vgl. H. Müller, Auf dem Wege zur Partei neuen Typus. Das Ringen der Sozialistischen Einheitspartei Deutschlands um politisch-ideologische Klarheit über Grundfragen der Rolle der Partei (zweites Halbjahr 1948). In: Autorenkollektiv. 20 Jahre Sozialistische Einheitspartei Deutschlands. Beiträge. Berlin: 1966, S. 91–113.

Betriebsräte in die Betriebsgewerkschaftsleitungen (BGL) in allen Betrieben, in denen mehr als 80 % der Belegschaft gewerkschaftlich organisiert waren.

Nach dem Übergang zur langfristigen Planung im selben Jahr wurden die Gewerkschaften an der Planerstellung beteiligt [30]. Die Betriebsplanungsausschüsse waren Organe der Gewerkschaften. In den 1948 gegründeten Verwaltungsräten bei den Vereinigungen Volkseigener Betriebe hatten die Gewerkschaftsvertreter die Mehrheit. Seit Mai 1949 wurden – nach zweijähriger Vorbereitungszeit [31] – zwischen BGL und Betriebsleitung Betriebskollektivverträge abgeschlossen, die die Planziele und die Verpflichtungen der Betriebsleitung gegenüber der Belegschaft enthielten, jedoch erst Anfang der fünfziger Jahre zu einer typischen Erscheinung in der industriellen Produktion der DDR wurden. Der Heranziehung möglichst breiter Massen der Werktätigen zur bewußten Gestaltung der Produktion und ihrer technischen und politischen Qualifizierung dienten die von den Gewerkschaften angeleiteten Wettbewerbs-, Neuerer-, Erfinder- und Rationalisatorenbewegungen. Wesentliche Elemente dieser neuen Mitbestimmungsformen [32], die sich seit 1948 im wachsenden volkseigenen Sektor

30 Hierzu und zum folgenden vgl. D. Keller, Die Entwicklung der Produktionsdemokratie in der volkseigenen Industrie in den Jahren der allseitigen Festigung der antifaschistisch-demokratischen Ordnung. In: Jahrbuch für Geschichte 4, 1969, S. 207–231. Die Pläne bezogen sich jeweils nicht nur auf die Produktionsziffern, sondern auch auf die Sozialleistungen und die Qualifizierungsmöglichkeiten der Arbeiter und Angestellten. Vgl. z. B. die Frauenförderungspläne nach dem Gesetz der Arbeit von 1950. Sie sind in den Betriebskollektivverträgen enthalten, welche den Plan auswerten.

31 Vgl. Keller, Die Entwicklung der Produktionsdemokratie in der volkseigenen Industrie in den Jahren der allseitigen Festigung der antifaschistisch-demokratischen Ordnung, a.a.O., S. 228–230.

32 In BRD und DDR wird der Terminus „Mitbestimmung" für sehr verschiedenartige Sachverhalte gebraucht. In beiden Staaten muß vom Charakter der – sozialistischen bzw. kapitalistischen – Produktionsverhältnisse ausgegangen werden. In der BRD bezeichnet „Mitbestimmung" die gewerkschaftliche Zielvorstellung von der

der industriellen Produktion durchgesetzt hatten, wurden im „Gesetz der Arbeit" vom 19. 4. 1950 verankert.

In den drei westlichen Besatzungszonen hatte sich spätestens mit dem Zusammenbruch des „Dritten Reiches" in weiten Bevölkerungskreisen die Einsicht durchgesetzt, daß eine Wiederholung des Faschismus nur dann nachhaltig zu verhindern sein werde, wenn es gelinge, seine ökonomischen Voraussetzungen zu beseitigen [33]. Diese weitverbreitete antikapitalistische Stimmung stieß jedoch sehr bald auf die einer grundlegenden wirtschaftlichen Neuordnung entgegenwirkende Politik der Westalliierten, vor allem der USA, an denen sich auch die Besatzungspolitik Englands und Frankreichs orientierte. Anders als in der SBZ wurden in den drei Westzonen Parteien nur sehr zögernd wieder zugelassen. Das Zulassungsverfahren für die Gewerkschaften wurde einem langwierigen Drei-Phasen-Schema unterworfen: bis Januar 1946 blieb ihre Organisation auf die lokale Ebene beschränkt. In dieser restriktiven Politik war bereits der Beginn des Kalten Krieges spürbar: die Besatzungsbehörden fürchteten den Einfluß kommunistischer Kader, der dann besonders wirksam sein werde, wenn man Gewerkschaften zulasse, ehe die „besonneneren" sozialdemokratischen Ele-

Vertretung der abhängig Arbeitenden in Gremien der Produktionsleitung bei grundsätzlich aufrechterhaltenem Privateigentum an den Produktionsmitteln. In der DDR meint der Begriff „Mitbestimmung", wenn er auf die Realität dieses Landes angewandt wird, die Teilnahme der Bevölkerung und besonders der Werktätigen an der Gestaltung der politischen und gesellschaftlichen Wirklichkeit, vor allem der Planung und Leitung der Produktion, durch Mitgliedschaft in Vertretungskörperschaften, Einflußnahme auf diese, Teilnahme an Wahlen und Abstimmungen, Beteiligung an der Planerstellung sowie an Masseninitiativen auf der Grundlage sozialistischer Produktionsverhältnisse und unter der Voraussetzung des Bestehens zentraler Leitungsorgane. Dennoch wird in der DDR der zuerst unter kapitalistischen Verhältnissen geprägte Ausdruck „Mitbestimmung" weiterhin angewandt, so in Art. 21,2 der Verfassung von 1968.

33  Vgl. W. Abendroth, Bilanz der sozialistischen Idee in der Bundesrepublik Deutschland. In: ders., Antagonistische Gesellschaft und politische Demokratie. Aufsätze zur politischen Soziologie. Neuwied, Berlin: 1967, S. 429–462, hier: S. 429–449.

mente, die von den Militärverwaltungen besonders gefördert wurden, stark genug seien [34]. Während in der SBZ KPD und SPD sehr schnell die Aktionseinheit herstellen konnten, gemeinsam mit den kooperationsbereiten Teilen der bürgerlichen Parteien [35] die Bodenreform durchsetzten und sich schließlich im April 1946 zur SED vereinigten, so daß die deutsche Arbeiterbewegung in diesem Teil Deutschlands geeint die vor ihr liegenden Aufgaben: Enteignung der Kreigsverbrecher und Nazi-Aktivisten, Aufbau einer antifaschistisch-demokratischen Ordnung und Entwicklung erster Elemente sozialistischer Demokratie, angehen konnte, wurden in den drei westlichen Besatzungszonen gerade die antikommunistischsten Elemente der Sozialdemokratie, die eine Aktionseinheit mit den Kommunisten strikt ablehnten [36], durch aktive Förderung der Besatzungsmächte gestärkt [37].

Die Kehrseite dieser Schwächung derjenigen Teile der Arbeiterbewegung, deren prinzipielle Position und deren aktiver Widerstand gegen das NS-Regime die stärksten innenpolitischen Garantien für die Durchsetzung der antifaschistischen und Demokratisierungsforderungen des Potsdamer Abkommens bieten konnten, war die von den Militärbehörden nur oberflächlich betriebene Entnazifizierung – die in Potsdam beschlossene Säuberung von Justiz, Verwaltung und Erziehungswesen unterblieb fast völlig – und die Schonung derjenigen Kriegsschuldigen, die nicht als nominelle Kriegsverbrecher juristisch belangt wurden: der Monopole, ihres Managements und ihrer

34  Vgl. E. Schmidt, Die verhinderte Neuordnung 1945–1952. Zur Auseinandersetzung um die Demokratisierung der Wirtschaft in den westlichen Besatzungszonen und in der Bundesrepublik Deutschland. Frankfurt/M.: 1970, S. 33.

35  Zur Zusammenarbeit zwischen SED und bürgerlichen Parteien vgl. R. Kulbach und H. Weber, Parteien im Blocksystem der DDR. Aufbau und Funktion der LDPD und der NDPD. Köln: 1969. CDU und DBD werden von Kulbach und Weber nur am Rande erwähnt.

36  Vgl. K. Schumacher, Reden und Schriften. Hrsg. von A. Scholz und W. G. Oschilewski. Berlin: 1962, S. 33.

37  Vgl. R. Badstübner, Restauration in Westdeutschland 1945–1949. Berlin: 1965, S. 80–84.

Interessenverbände. Die personelle Kontinuität in den Konzernleitungen wurde fast durchgehend – höchstens mit kurzen Unterbrechungen – gesichert. Die ersten Unternehmerverbände konstituierten sich bereits wieder im Herbst 1945 [38].

So verschoben sich schon sehr bald nach der Kapitulation die Ausgangsbedingungen der westdeutschen Nachkriegspolitik zuungunsten der Kräfte, die eine grundlegende Demokratisierung durch Änderung der Besitzverhältnisse an den Produktionsmitteln anstrebten. Als dennoch 1946 und 1947 in Hessen und Nordrhein-Westfalen Verfassungen beschlossen wurden, die die Sozialisierung wichtiger Industrien vorsahen, wurde ihre Verwirklichung durch Intervention der Besatzungsmächte verhindert. Mit der Zustimmung der Gewerkschaften zum Marshallplan 1947, der endgültigen Spaltung Deuschlands, der Verschärfung des Kalten Krieges und der damit verbundenen Umfunktionierung der noch weitverbreiteten faschistischen Mentalitäten zum auch in der Arbeiterklasse massenwirksamen Antikommunismus stand – spätestens 1947 – fest, daß in Westdeutschland die Errichtung einer antifaschistisch-demokratischen Ordnung mit einer sozialistischen Perspektive nicht möglich war. Auf dieser Grundlage war für die westdeutsche Bourgeoisie wie für die Westmächte der Parlamentarismus ein geeignetes Instrument politischer Herrschaft.

Die politischen Kämpfe der westdeutschen Arbeiterbewegung konnten in den nächsten Jahren kurzfristig nur noch das Ziel haben, den abhängig Arbeitenden in der nach wie vor kapitalistischen Wirtschaft weitgehende Mitspracherechte zu sichern, um damit die Möglichkeiten zur Sozialisierung neu zu schaffen. Die Ausgangsbedingungen der Gewerkschaften waren hier insofern nicht völlig ungünstig, als es ihnen gelungen war, während der Konfrontation zwischen Alliierten und westdeutschen Unternehmern anläßlich der Auseinandersetzungen über die Entflechtung der Konzerne Mitbestimmungsrechte in der Montanindustrie durchzusetzen. Ihre gesetzliche Garantie erreichten sie jedoch erst 1951 nach der Androhung von Kampfmaßnahmen und als Gegenleistung für ihre Zustimmung zur

38 Vgl. ebd., S. 182–193.

224

Integration der westdeutschen Montanbetriebe in die Montanunion, die die Macht der Monopole, die zu schwächen das Ziel der Mitbestimmung sein sollte, immens vergrößerte. Der Teilerfolg der Gewerkschaften in der Auseinandersetzung um die Mitbestimmung darf nicht darüber hinwegtäuschen, daß die Regelungen des Mitbestimmungsgesetzes vom 21. 5. 1951 mit einer wirklichen Mitbestimmung der Arbeiter und Angestellten im betrieblichen oder überbetrieblichen Bereich wenig zu tun haben. Die Vertreter der abhängig Arbeitenden in den Vorständen und in den paritätisch besetzten Aufsichtsräten der Unternehmen des Montanbereichs haben weder ein gebundenes Mandat, noch sind sie ihren Wählern rechenschaftspflichtig. Da Aufsichtsrat und Vorstand der Aktiengesellschaften nach dem Aktiengesetz Organe zur Wahrnehmung von Kapitalfunktionen sind, sind auch die „Arbeitnehmervertreter" in diesen Gremien den Kapitaleigentümern verantwortlich. Sie stehen im Treueverhältnis zum Unternehmen und unterliegen der Schweigepflicht (auch gegenüber dem Betriebsrat) [39].

War also das Mitbestimmungsgesetz von 1951 nur ein halber Sieg, so brachten die Auseinandersetzungen um das Betriebsverfassungsgesetz, das schließlich 1952 verabschiedet wurde, den Gewerkschaften eine schwere Niederlage: es gelang ihnen hier nicht, auch nur das Modell der Montanmitbestimmung auf die übrige Industrie auszudehnen. Im Betriebsverfassungsgesetz vom 19. 7. 1952 fehlen alle die weitergehenden Mitbestimmungsrechte, die in Betriebsvereinbarungen unmittelbar nach Kriegsende und in den – von den Alliierten sistierten – Betriebsrätegesetzen einzelner Länder bereits festgelegt worden waren. Die Befugnisse des Betriebsrates sind auf die Mitsprache bei personellen und sozialen Entscheidungen be-

---

39 Vgl. K. Schumacher, Partnerschaft oder Mitbestimmung? Untersuchung zur Ausgestaltung gewerkschaftlicher Mitbestimmungsrechte in Westdeutschland. Berlin: 1967. Nach 1951 zeigte sich sehr bald, daß der Grad der praktizierten Mitbestimmung noch weit hinter dem Gesetzestext zurückblieb. Vgl. F. Deppe, J. von Freyberg, Ch. Kievenheim, R. Meyer, F. Werkmeister, Kritik der Mitbestimmung. Partnerschaft oder Klassenkampf? Frankfurt/M.: 1969, S. 110–151.

schränkt, § 49 BetrVG orientiert ihn auf das Wohl des Betriebs und das „Gemeinwohl" und bindet ihn an die „Friedenspflicht".

Bereits drei Jahre vorher aber waren in beiden deutschen Staaten Verfassungen verabschiedet worden, die von den politischen Grundentscheidungen, die bis dahin in ihren Geltungsbereichen gefallen waren, geprägt waren.

Die Verfassung der DDR vom 7. Oktober 1949 konzipiert den neuen Staat als eine bürgerlich-demokratische Republik, in der wichtige Industrien bereits sozialisiert und den Arbeitern verfassungsmäßig Mitbestimmungsrechte gesichert sind. Das Privateigentum, besonders der kleinbürgerliche und bäuerliche Besitz, wird garantiert (Art. 22). Zugleich aber werden die Ergebnisse der antifaschistisch-demokratischen Umwälzung in der Verfassung festgehalten (Enteignung der Betriebe der „Kriegsverbrecher und aktiven Nationalsozialisten", Verbot privater Monopolorganisationen, Auflösung des privaten Grundbesitzes über 100 ha: Art. 24; Erweiterung des Zugangs zur Universität und besondere Förderung von Kindern, „die durch soziale Verhältnisse benachteiligt sind": Art. 38, 39). Die Möglichkeit weiterer Sozialisierung wurde nicht nur grundsätzlich offengelassen, sondern ihre Voraussetzungen und Formen wurden bereits genau bestimmt (Art. 27). – Das Übergangsstadium zwischen bürgerlicher und sozialistischer Ordnung, in dem diese Verfassung entstand, spiegelt sich auch in den Bestimmungen über die politische Willensbildung: Artikel 51 bewahrte ein konstitutives Element des bürgerlichen Repräsentativsystems: „Die Abgeordneten sind Vertreter des ganzen Volkes. Sie sind nur ihrem Gewissen unterworfen und an Aufträge und Weisungen nicht gebunden." Andererseits wurde die Volkskammer nicht nur als Legislative, sondern als „höchstes Organ der Republik" begriffen (Art. 50). Wenn die Regierung aus Mitgliedern sämtlicher Fraktionen gebildet werden sollte, also ein Ausschuß der Volksvertretung war, so war dies ein weiterer Bruch mit dem bürgerlichen Parlamentarismus, zu dessen Prinzip die Konfrontation von Regierung und Opposition gehört (Art. 92). Wie in der Weimarer Verfassung blieben Volks-

entscheid und Volksbegehren Möglichkeiten staatlicher Willensbildung (Art. 3 und 81). Mehrere Artikel hielten den bereits
erreichten Stand des Mitbestimmungsrechts der Werktätigen
fest (Art. 17, 18, 21).

Wenn durch Artikel 14 das Streikrecht ausdrücklich garantiert
wurde, so wurde dadurch dokumentiert, daß die neue Verfassung noch nicht für eine sozialistische Gesellschaft konzipiert war, sondern zunächst für einen gesamtdeutschen Staat [40],
in dessen westlichem Teil die Macht der Monopole ungebrochen
war und in dessen östlichem Teil neben dem starken volkseigenen Sektor noch ein relativ hoher Anteil privater Betriebe
bestand. Das Streikrecht war also nicht ein Element sozialistischer Demokratie, sondern sollte im Rahmen einer bürgerlichen
demokratischen Republik die Kampffähigkeit der Arbeiterklasse stärken [41].

40  Dies ergibt sich aus der Entstehungsgeschichte der Verfassung der
    DDR: Sie wurde in der Volkskongreßbewegung konzipiert, die in
    den Jahren 1947–1949 der Teilungspolitik der Westmächte ent-
    gegentrat. Ihr Entwurf einer gesamtdeutschen Verfassung wurde
    nach dem Scheitern der Einigungspolitik der Volkskongreßbewe-
    gung zur Verfassung der DDR. Vgl. S. Doernberg, Kurze Geschichte
    der DDR. 3., überarb. u. erw. Aufl., Berlin: 1968, S. 108–159.
41  In der zweiten DDR-Verfassung von 1968 ist das Streikrecht nicht
    mehr enthalten, nachdem einerseits die Voraussetzungen für Ar-
    tikel 14 der Verfassung von 1949 (ein noch erheblicher kapitalisti-
    scher Sektor in der Wirtschaft der DDR, die gesamtdeutschen
    Aspekte der Entstehung der ersten DDR-Verfassung) entfallen
    waren und andererseits ein umfassendes System von Mitbestim-
    mungs- und Mitgestaltungsrechten für die Gewerkschaften entwik-
    kelt worden war, wie es 1949 noch nicht bestand. An die Stelle
    der Arbeitsniederlegung treten „andere, sehr effektive Mittel zur
    Interessenvertretung und zur Konfliktüberwindung", „andere,
    qualitativ neue und konstruktive Kampfformen" (Johanna Töp-
    fer in: G. Siebert, Mitbestimmung drüben. Aus der überbetrieb-
    lichen Arbeit der Gewerkschaften in der DDR. Frankfurt/M.:
    1971, S. 45). Aus diesen Vorbedingungen für das Entfallen des
    Streikrechts ergibt sich, daß auf Arbeitsniederlegungen in einem
    sozialistischen Land nur dort nicht verzichtet werden kann, wo
    die vielfachen Mitbestimmungs- und Mitgestaltungsrechte sozia-
    listischer Demokratie noch nicht voll ausgebaut (so etwa am
    17. Juni 1953) oder in ihrer Wirkungsweise behindert sind.

Im Grundgesetz für die Bundesrepublik Deutschland vom 23. Mai 1949 spiegeln sich die politischen Entscheidungen, die 1945–1949 in den Westzonen gefallen waren: die Restauration einer privatkapitalistischen Ordnung, in der – wie allerdings erst das Ergebnis der Kämpfe um das Betriebsverfassungsgesetz zeigen sollte – den abhängig Arbeitenden die selbst in einer bürgerlichen Demokratie noch denkbaren Rechte auf Mitbestimmung in der Produktion weitgehend versagt blieben. Wurden in der Verfassung der DDR die Bestimmung über die Garantie des Privateigentums qualitativ und quantitativ von Artikeln überwogen, die bereits vollzogene und noch vorzunehmende Enteignungen beschrieben, so hielten sich im Bonner Grundgesetz Eigentumsgarantie (Art. 14) und die grundsätzliche Entscheidung für die Möglichkeit von Enteignungen (Art. 15) nur noch rein quantitativ die Waage, denn gleichzeitig fehlt hier die Vielfalt von politischen Mitbestimmungsrechten, die in der DDR-Verfassung gegeben waren und ein Hebel weiterer gesellschaftlicher Transformation hätten werden können: die plebiszitären Elemente der Weimarer und der DDR-Verfassung sind (mit der unwesentlichen Ausnahme von Art. 29 und 118) eliminiert. Das Mitbestimmungsrecht der abhängig Arbeitenden wird nicht garantiert. Die in Artikel 38,1 festgelegten Grundsätze des Repräsentativsystems sind – anders als in der Verfassung der DDR – nirgends durchbrochen [42]. Allerdings sollten als Vermittlungsinstanz zwischen Staat und Gesellschaft die Parteien fungieren (Art. 21).

Waren die beiden deutschen Verfassungen von 1949 Dokumente einer Übergangssituation in ihrem jeweiligen Geltungsbereich, so bedeutete dies zugleich, daß die Konsequenzen des Status quo, den sie wiedergeben, über diesen und auch über diese Verfassungen hinauswiesen. Sie wurden erst in den folgenden Jahren voll sichtbar.

---

42  Bezeichnenderweise sind nach Art. 3 der Verfassung der DDR Eingaben der Bürger eine Form des Mitbestimmungsrechts der Bürger, während es im Grundgesetz für die BRD beim herkömmlichen Petitionsrecht bleibt (Art. 17 GG).

## 3. Die Entwicklung der Verfassungswirklichkeit in beiden deutschen Staaten 1952–1961

Im Jahr 1952 fielen in BRD und DDR Entscheidungen, die einen tiefen Einschnitt in die politische Entwicklung beider deuscher Staaten bedeuteten: in der DDR beschloß die 2. Parteikonferenz der SED, die Schaffung der Grundlagen des Sozialismus in Angriff zu nehmen, in der BRD erlitten die Gewerkschaften im Kampf um das Betriebsverfassungsgesetz eine schwere Niederlage.

Diese Niederlage des DGB hatte auch einen verfassungspolitischen Aspekt: durch Gerichtsurteile wurde den Gewerkschaften nach dem Druckerstreik während der Auseinandersetzungen um das Betriebsverfassungsgesetz das Recht auf politischen Demonstrationsstreik abgesprochen. Damit war das Grundgesetz als Verfassung des striktesten Repräsentativsystems interpretiert, in dem den demokartisch organisierten Gewerkschaften verwehrt war, ihr spezifisches Kampfmittel, den Streik, als Mittel der Demonstration zu benutzen, um so bei der politischen Willensbildung mitzuwirken [43]. Andererseits blieb es den Unternehmerverbänden unbenommen, mit ihren eigenen, nicht demokratisch kontrollierbaren Einwirkungsmöglichkeiten – Teilnahme an der Vorbereitung von Gesetzentwürfen im Referentenstadium durch „Sachverständige", Parteienfinanzierung – politischen Einfluß über die Beteiligung an den verfassungsmäßig vorgeschriebenen Verfahren hinaus auszuüben.

Tatsächlich hatte das Grundgesetz zwar eine starke Sicherung der Regierung gegen das Parlament (Erschwerung des Regierungssturzes durch die Einführung des Erfordernisses des konstruktiven Mißtrauensvotums) und eine völlige Unabhängigkeit der Gewählten gegenüber den Wählern festgesetzt, jedoch keine Vorsorge gegen die klassischen Gefährdungen des demokra-

---

43 Vgl. W. Abendroth, Die Berechtigung gewerkschaftlicher Demonstrationen für die Mitbestimmung der Arbeitnehmer in der Wirtschaft. In: ders., Antagonistische Gesellschaft und Politische Demokratie, a.a.O., S. 203–230.

tischen Anspruchs des parlamentarischen Regierungssystems getroffen:

– die Verlagerung der tatsächlichen Entscheidungsebene aus dem Parlament in die Ausschüsse, in die Exekutive oder in andere außerparlamentarische Gremien;

– die unkontrollierte Beeinflussung parlamentarischer Kommissionen oder außerparlamentarischer Entscheidungsinstanzen durch mächtige Interessentengruppen.

Diese Gefahren mußten besonders dort sehr groß sein, wo keine Möglichkeiten demokratischer Einwirkung der Wähler auf die Gewählten während der Legislaturperioden bestanden, diese also in scheinbarer „Unabhängigkeit" nichtöffentlichen und demokratisch nicht legitimierten Pressionen ausgeliefert waren. Die antiplebiszitären Normen des Grundgesetzes und eine ihren antidemokratischen Gehalt noch verschärft interpretierende Rechtsprechung ließen gerade in der BRD diese Problematik stark hervortreten.

Ein gewisses Gegengewicht gegen diese von einem rigoros durchgesetzten Repräsentativsystem ausgehenden Gefahren konnten allerdings die Bestimmungen von Artikel 21 GG über die Mitwirkung der Parteien an der politischen Willensbildung bieten. Die Demokratisierungsanstöße, die von hier ausgehen konnten, waren davon abhängig, ob die Normen innerparteilicher Demokratie, wie sie in diesem Artikel gesetzt worden waren: Offenlegung der Finanzen der Parteien, demokratischer Parteiaufbau, gewahrt wurden. Tatsächlich aber ist ein Parteiengesetz, wie es ebenfalls von Artikel 21 gefordert wird, jahrzehntelang nicht verabschiedet worden. Gerade die bürgerlichen Parteien, die in den fünfziger Jahren ständig die Regierungen bildeten, waren in hohem Maße von geheimgehaltenen Finanzierungen durch kapitalistische Interessenten abhängig, die so auf ihre Politik bestimmenden Einfluß ausüben konnten[44], und ihr innerer Aufbau entsprach nicht den For-

---

44 Vgl. U. Dübber, Parteifinanzierung in Deutschland. Eine Untersuchung über das Problem der Rechenschaftslegung in einem künftigen Parteiengesetz. Köln, Opladen: 1962; H. J. Varain, Parteien und Verbände. Eine Studie über ihren Aufbau, ihre Verflechtung

derungen des Grundgesetzes, wie die Tatsache zeigt, daß zentrale Gremien nur teilweise durch die Entsendung gewählter Vertreter besetzt wurden – neben dem Prinzip der Wahl bestand durchgehend das der Delegation ex officio [45]. In der SPD war ein stetiger Abbau des innerparteilichen Willensbildungsprozesses von unten nach oben unverkennbar. Die Entdemokratisierung dieser Partei konnte sich relativ reibungslos vollziehen, weil gleichzeitig die KPD, an der sich oppositionelle Sozialdemokraten hätten orientieren können, durch Strafverfolgungen, Wahlrechtsänderung (1953) und KPD-Verbot (1956) aus dem politischen Leben der BRD ausgeschaltet wurde. Die demokratisierende Wirkung, die von einer Einlösung der Normen des Artikels 21 hätte ausgehen können, blieb also angesichts der von vornherein undemokratischen Struktur der bürgerlichen Pateien und der sich allmählich entdemokratisierenden Situation in der SPD aus.

Der Anpassungsprozeß der SPD an die politischen Positionen der Regierungsparteien, der in den fünfziger Jahren allmählich die politischen Konturen zwischen Regierung und Opposition verwischte, beseitigte – voll sichtbar nach der Verabschiedung des Godesberger Programms der SPD 1959 und nach dem endgültigen Einschwenken dieser Partei auf den außenpolitischen Kurs von CDU/CSU 1960 – eine weitere (zwar gewöhnlich nicht in bürgerlichen Verfassungen verankerte, aber immer stillschweigend vorausgesetzte) Bedingung des Funktionierens bürgerlicher parlamentarischer Demokratie: die Kontrastierung von politisch verschiedenartig profilierten Regierungs- und Oppositionsparteien, die dem Wähler die Möglichkeit alternativer Wahlentscheidungen beläßt.

Der Alternativelosigkeit westdeutscher Parteipolitik entsprach das Fehlen eines weiteren Strukturelements parlamentarischer Systeme: der Möglichkeit von innerhalb des Wahlvolks weithin wirkender Auseinandersetzung zwischen kontroversen Positio-

und ihr Wirken in Schleswig-Holstein 1954–1958. Köln, Opladen: 1964.

45 Vgl. U. Müller, Die demokratische Willensbildung in den politischen Parteien. Mainz: 1967, S. 27.

nen durch die Medien öffentlicher Meinung. Die Nivellierung politischer Differenzierungen durch den Antikommunismus bedingte den Erfolg der systemstabilisierenden Propaganda des Springerkonzerns – die in den fünfziger Jahren zu einer politischen Macht wurde – und wurde durch diese weiter gefördert.

So muß festgestellt werden, daß im ersten Jahrzehnt des Bestehens der Bundesrepublik zwar der formale Mechanismus parlamentarischer Politik intakt blieb und das strukturbestimmende Merkmal des Parlamentarismus: die Trennung von Wählern und Gewählten im Repräsentativsystem, sorgfältig bewahrt wurde, andere Wesenselemente bürgerlicher Demokratie aber entweder von Anfang an fehlten oder ständig abgebaut wurden.

In der DDR implizierte der Beschluß der zweiten Parteikonferenz der SED über die Schaffung der Grundlagen des Sozialismus (1952) den Versuch der Durchsetzung des Prinzips des demokratischen Zentralismus auch im Staatsaufbau. Diese Transformation des politischen Systems der DDR war durch die Verfassung von 1949 nicht grundsätzlich ausgeschlossen, sondern teilweise bereits angebahnt worden (Art. 50), wenn auch die weitere Entwicklung der Verfassungswirklichkeit nach 1952 Tatsachen schuf, die über die Normen von 1949 hinausreichten und deren Konsequenzen zur zweiten – sozialistischen – Verfassung von 1968 führten. 1952 wurde die föderale Gliederung der DDR durch eine zentrale Leitungsstruktur ersetzt und die Trennung von ökonomischer und politischer Leitung auf lokaler und regionaler Ebene aufgehoben [46] (im Republikmaßstab bestand sie bereits seit 1949 nicht mehr). Die innere und äußere Bedrohung der DDR durch die politischen und ökonomischen Offensiven der herrschenden Klasse der

[46]  Gesetz über die weitere Demokratisierung des Aufbaus und der Arbeitsweise der staatlichen Organe in den Ländern der Deutschen Demokratischen Republik vom 23. 7. 1952 (Gbl. I, S. 613). In der BRD veröffentlicht in: Siegfried Mampel (Hrsg.), Die volksdemokratische Ordnung in Mitteldeutschland. Texte zur verfassungsrechtlichen Situation. Mit einer Einleitung. Frankfurt/M., Berlin: 1963, S. 102 f.

BRD und der anderen imperialistischen Staaten sowie die Unvermeidlichkeit unpopulärer Wirtschaftsentscheidungen (Forcierung der Produktionsmittelindustrie gegenüber der Konsumgüterindustrie zum Ausgleich vorhandener Disproportionen) in einem Moment, in dem noch keine massenhafte Zustimmung zu der neuen politischen Ordnung zu erwarten war, ließen in den ersten Jahren des Bestehens der DDR die Elemente der Anleitung und Kontrolle durch zentrale Instanzen innerhalb des sich etablierenden Systems des demokratischen Zentralismus stark hervortreten. Andererseits war auch damals unverkennbar, daß die Arbeit der leitenden Organe sich nicht auf Kontroll- und Anweisungstätigkeit reduzierte, sondern daß sie zugleich eine stetige politische und technische Qualifizierung nachgeordneter Instanzen und breiter Bevölkerungskreise mit dem Ziel versuchten, durch die Entfaltung gesellschaftlicher Selbsttätigkeit bürokratischen und administrativen Überspitzungen – die bereits damals in der DDR offen kritisiert wurden [47] – die Voraussetzung zu entziehen. Das Ergebnis dieses Prozesses wurde 1957 und 1958 in neuen staatsorganisatorischen Gesetzen [48] festgehalten, die den Bezirken, Kreisen und örtlichen Organen größere Befugnisse als bisher zuwiesen, während die zentralen Gremien nunmehr „sich in ihrer Tätigkeit auf die Entscheidung der grundsätzlichen Fragen ... konzentrieren und die Kontrolle der Durchführung ... sichern" sollten [49]. Das „Gesetz über die örtlichen Organe der Staatsmacht" vom 17. 1. 1957 stellte die Forderung nach möglichst breiter Heranziehung der Bevölkerung an die Arbeit der

---

47  Vgl. K. Polak, Der demokratische Zentralismus im Staatsaufbau der Deutschen Demokratischen Republik. In: ders., Zur Dialektik in der Staatslehre. 3. erw. Aufl, Berlin: 1963, S. 179–200, hier: S. 195 f.

48  Gesetz über die örtlichen Organe der Staatsmacht vom 17. 1. 1957 (GBl. I, S. 65, Ber. I, S. 120), vgl. Mampel, Die volksdemokratische Ordnung in Mitteldeutschland, a.a.O., S. 108–119; Gesetz über die Vervollkommnung und Vereinfachung der Arbeit des Staatsapparates in der Deutschen Demokratschen Republik vom 11. 2. 1958 (Gbl. I, S. 177), vgl. Mampel, a.a.O., S. 123–128.

49  Gesetz über die örtlichen Organe der Staatsmacht, a.a.O., § 2.

Staatsorgane. Ein Mittel dazu war die Schaffung von „Aktivs" der ständigen Ausschüsse der örtlichen Volksvertretungen: hier konnten Bürger, die nicht selbst Abgeordnete waren, zusammen mit den Ausschußmitgliedern Entscheidungen vorbereiten. § 18,2 ersetzte das Prinzip der Unabhängigkeit der Abgeordneten durch ein Element plebiszitärer Demokratie: die Abgeordneten in den örtlichen Volksvertretungen wurden nun verpflichtet, „Wähleraufträge und Empfehlungen der Wähler schnell und sorgfältig zu bearbeiten". Nach § 26 konnten Abgeordnete durch Wählerversammlungen abberufen werden.

Bereits drei Jahre vorher waren durch ein neues Wahlgesetz Maßstäbe für eine qualifiziertere Kandidatenauswahl der Vertretungskörperschaften und für die Herstellung ständiger Kommunikation zwischen Wählern und Gewählten gesetzt worden: es legte die Vorstellung der Kandidaten und Rechenschaftslegung der Abgeordneten fest und gab den Wählerversammlungen die Möglichkeit der Ablehnung von Kandidaten, die durch die Nationale Front nominiert wurden. Im Wahlgesetz von 1958 wurde die Möglichkeit der Abberufung von Kandidaten gesetzlich zugesichert [50].

In den fünfziger Jahren wurden in der DDR die bereits in der antifaschistisch-demokratischen Umwälzung initiierten Elemente sozialistischer Demokratie im betrieblichen und überbetrieblichen Produktionsprozeß weiterentwickelt. Dies fand vielfältigen rechtlichen Ausdruck: In der „Verordnung über die weitere Verbesserung der Arbeits- und Lebensbedingungen und der Rechte der Gewerkschaften" vom 10. 12. 1953 erhielten die Gewerkschaften das Recht, Rechenschaft von Ministerien und Betriebsleitungen zu verlangen. Die Ministerien wurden verpflichtet, die Ausarbeitung des Wirtschaftsplans mit den zuständigen Industriegewerkschaften zu beraten. § 2 des „Gesetzes über die Vervollkommnung und Vereinfachung der Arbeit des Staatsapparates in der Deutschen Demokratischen Republik" von 1958 verpflichtete die Planungsorgane und Wirtschaftsleitungen zu enger Zusammenarbeit mit den Gewerk-

50 Vgl. H. Graf, G. Seiler, Wähler – Wahlen – Entscheidungen. Berlin: 1967, S. 25.

schaften [51]. 1959 wurde die Institution der Ständigen Produktionsberatung in den volkseigenen Betrieben gesetzlich verankert [52]. Diese Ständigen Produktionsberatungen sind Gewerkschaftsorgane, die vor allem bei der Ausarbeitung und Durchführung der Betriebspläne mitwirken und ihre Erfüllung kontrollieren. In ihnen sollen die Produktionserfahrungen der Arbeiter geltend und für die weitere Planung nutzbar gemacht werden. Die Ständigen Produktionsberatungen haben keine Beschlußkompetenz, sondern nur beratende Funktion. Das Prinzip der Alleinverantwortlichkeit des Betriebsleiters für die Erfüllung der Pläne blieb erhalten. Die Produktionsberatung kann sich beschwerdeführend an die übergeordnete Leitungsinstanz wenden. Gerade die Alleinverantwortlichkeit des Betriebsleiters erhöht den Einfluß der Produktionsberatung in dem Maße, in dem sie die Plausibilität ihrer Vorschläge nachweisen kann, da der Leiter verstärkt zur Rechenschaft gezogen werden kann, wenn die Planziele dadurch, daß er mit der Produktionsberatung nicht genügend kooperiert, nicht erreicht werden.

## 4. Zur Entwicklung des parlamentarischen Regierungssystems in der BRD und der sozialistischen Demokratie in der DDR nach 1961

Die Differenz zwischen dem Demokratieanspruch parlamentarischer Politik und den vielfältigen Einschränkungen der Demokratie im Parlamentarismus der BRD seit 1949 hat ihre Wurzel in den Widersprüchen der historischen Entwicklung des parlamentarischen Verfahrens, die bereits vor 1949 in der Geschichte aller bürgerlichen Demokratien offen zutage getreten waren:

51  Vgl. Felgentreu, Sozialistische Demokratie, Mitbestimmung und Gewerkschaften, a.a.O., S. 79 ff.
52  Vgl. R. Becker, Die sozialökonomische Funktion der Produktionsberatungen. In: P. Ch. Ludz (Hrsg.), Studien und Materialien zur Soziologie der DDR. Sonderheft 8 der Kölner Zeitschrift f. Soziol. u. Sozialps. Köln: 1964, S. 169–186.

Der Parlamentarismus entstand im 18. und 19. Jahrhundert als die spezifische Form der politischen Herrschaft der Bourgeoisie. Das Parlament bildete das Forum, auf dem die einzelnen Fraktionen der herrschenden Klassen, organisiert in verschiedenen politischen Parteien, den Kampf um die Durchsetzung ihrer differierenden, aber nichtantagonistischen ökonomischen Interessen ausfochten. Das Zensuswahlrecht, das die abhängig Arbeitenden vom Wahlrecht ausschloß oder eine Minderbewertung ihrer Stimmen bewirkte, sorgte für die Exklusivität dieser Institution der Bourgeoisie. Nach der Durchsetzung des allgemeinen Wahlrechts waren die herrschenden Klassen gezwungen, die wahlrechtliche Absicherung ihrer politischen Herrschaft durch eine Transformation innerhalb des parlamentarischen Verfahrens selbst zu ersetzen: durch die faktische Verlagerung der wichtigsten Entscheidungen aus dem Plenum des Parlaments in andere Gremien, die unter dem unmittelbaren Einfluß der Interessenvertreter des Kapitals standen.

Dieser Charakter des Parlamentarismus als eines politischen Instruments der Kapitalistenklasse blieb auch in der BRD erhalten. Er trat hier durch die Illegalisierung der KPD, durch den Abbau der innerparteilichen Demokratie in der SPD und durch den offenen Übergang der sozialdemokratischen Führungsgruppen auf proimperialistische Positionen besonders scharf hervor. Der Beherrschung des parlamentarischen Systems durch Kapitalinteressen und durch Parteioligarchien, die entweder unmittelbar im Dienst des westdeutschen Kapitalismus standen oder doch die Kooperation mit seinen Protagonisten suchten, und den vollendeten Tatsachen, die durch die Deformationen des westdeutschen Parteisystems seit 1949 entstanden waren, wurde das mit fast zwei Jahrzehnten Verspätung verabschiedete Parteiengesetz vom 24. Juni 1967 angeglichen: die hier eingeführte, als Wahlkampfkostenerstattung getarnte staatliche Parteienfinanzierung macht die Parteispitzen auch finanziell von den Mitgliedern völlig unabhängig. Die private Finanzierung der politischen Parteien durch große Spenden natürlicher oder juristischer Personen wurde durch dieses Gesetz dagegen nicht wirksam unterbunden.

In den fünfziger Jahren war die Staatstätigkeit in der BRD durch eine Steuer- und Vermögenspolitik zugunsten der großen Kapitaleigentümer gekennzeichnet[53]. Dem entsprachen die Beherrschung des Parlaments durch die bürgerlichen Parteien und der starke, öffentlich nicht kontrollierbare Einfluß der Vertreter von Kapitalinteressen auf die Exekutive. Seit dem Beginn der sechziger Jahre intensivierten sich die gesellschafts- und wirtschaftspolitischen Aufgaben des Staates. Die wissenschaftlich-technische Revolution, in der sich die Wissenschaft zunehmend in eine unmittelbare Produktivkraft verwandelt, verlangt Investitionen in einem Ausmaß, wie sie die einzelnen Monopole nicht mehr aufbringen können. Der Verschlechterung der Verwertungsbedingungen des Kapitals in dieser Periode wirkt der Staat dadurch entgegen, daß er die notwendigen Infrastrukturmaßnahmen und die Stützung der privaten Akkumulation zunehmend planmäßig und in stärkerem Ausmaße als zuvor betreibt[54].

Kernstück der staatsmonopolistischen Regulierung ist die mittelfristige Finanzplanung, die die gesamte staatliche Finanzwirtschaft umfaßt und das wichtigste Mittel zur Umverteilung des Nationaleinkommens zugunsten der Monopole und zur Planung der entsprechenden Investitionsbedingungen ist[55]. Ihre Funktionsfähigkeit hängt ab von der Einschränkung der Tarifautonomie der Gewerkschaften durch die Konzertierte Aktion[56]. Besondere Bedeutung kommt dem 1967 verabschiedeten

53  Vgl. J. Huffschmid, Die Politik des Kapitals. Konzentration und Wirtschaftspolitik in der Bundesrepublik. Frankfurt/M.: 1969, S. 139–143; H.-H. Hartwich, Sozialstaatspostulat und gesellschaftlicher Status quo. Köln, Opladen: 1970, S. 119–272.
54  Vgl. J. Hirsch, Wissenschaftlich-technischer Fortschritt und politisches System. Organisation und Grundlagen administrativer Wissenschaftsförderung in der BRD. Frankfurt/M.: 1970, S. 55 f.
55  Vgl. Autorenkollektiv, Spätkapitalismus ohne Perspektive. Tendenzen und Widersprüche des westdeutschen Imperialismus am Ende der sechziger Jahre. Frankfurt/M.: 1970, S. 141–151.
56  Vgl. Ökonomie und Politik einer Wirtschaftskrise. In: DWI-Berichte 19, 1968, Heft 2, S. 34–54; Spätkapitalismus ohne Perspektive, a.a.O., S. 94–155, bes. S. 125 ff.; Huffschmid, Die Politik des Kapitals, a.a.O., S. 137 ff.

Stabilisierungsgesetz zu, das, ermöglicht durch eine Änderung von Art. 109 GG, der Exekutive direkte Möglichkeiten der Wirtschaftslenkung ohne parlamentarische Kontrolle einräumt [57]. Die Verschmelzung der Macht der Monopole mit der durch die ökonomische Entwicklung notwendig gewordenen stark erweiterten ökonomischen und politischen Macht des Staates, die die Konkurrenz der Monopole untereinander nicht aufhebt, sondern sie auf den Kampf um den Einfluß auf den Staatsapparat ausdehnt, läßt den klassischen Ort für die Austragung der Interessengegensätze der herrschenden Klasse, das Parlament, an Wichtigkeit verlieren zugunsten neugeschaffener Institutionen, durch die die Monopole direkt oder durch Vertreter ihrer Organisationen ihre Interessen vertreten. Die Unternehmerverbände als politische und ökonomische Organisationen des Kapitals, vor allem der Bundesverband der Deutschen Industrie (BDI), die Bundesvereinigung der Deutschen Arbeitgeberverbände (BDA) und der Deutsche Industrie- und Handelstag (DIHT), die wiederum von den Monopolen beherrscht werden, haben vielfältige Möglichkeiten der Kooperation und der direkten Einflußnahme auf den Staatsapparat. Dazu gehören:

1. die persönliche Repräsentanz von Konzernvertretern in Staatsorganen (ein Beispiel unter vielen ist die Übernahme des Staatssekretärspostens im Verteidigungsministerium durch Mommsen, Vorstandsmitglied des stark in der Rüstungsproduktion engagierten Thyssen-Konzern),

2. direkte Verhandlungen zwischen den Spitzen der Unternehmerverbände und der Regierung und der Ministerialbürokratie,

3. die Einflußnahme auf Gesetzentwürfe im Referentenstadium [58]. Auf der Grundlage der gemeinsamen Geschäftsord-

57  Vgl. Huffschmid, a.a.O., S. 139–143.
58  Vgl. R. Steigerwald, Wie wirken die Monopolverbände und der Staat zusammen? In: Machtstrukturen des heutigen Kapitalismus. Beiträge zu einer internationalen wissenschaftlichen Tagung. Marxistische Blätter, Sonderheft 1, 1967, S. 91; W. Hennis, Verfassungsordnung und Verbandseinfluß: Bemerkungen zu ihrem Zusammenhang im politischen System der Bundesrepublik. In: Politische Vierteljahresschrift 2, 1961, S. 23–35.

nung der Bundesministerien vom 1. August 1958 ist die direkte Mitwirkung der Monopolvertreter an der Ausarbeitung von Gesetzesentwürfen, Verordnungen und allgemeinen Verwaltungsvorschriften legitimiert, wobei kein Zwang zur Offenlegung des Maßes der Mitwirkung der Verbände gegenüber den Vertretern der Legislative besteht. Den Abgeordneten ist auch, im Gegensatz zu den Vertretern der Monopole, die Einsichtnahme in die Regierungsvorlagen ohne ausdrückliche ministerielle Genehmigung verwehrt. Paragraph 50 der GGO weist den Vertretern der „Legislative" als „amtlich unbeteiligt" den gleichen Status bei der Ausarbeitung der Gesetzesvorlagen zu wie z. B. den Pressevertretern [59].

Welche Möglichkeiten der direkten Einflußnahme auf die Gesetzgebung diese Regelungen bieten, erhellt die Tatsache, daß der größte Teil der vom Parlament verabschiedeten Gesetze auf Regierungsinitiativen zurückgeht [60] und Verordnungen – wie z. B. die vom Innenministerium vorbereiteten Schubladenverordnungen für den „Notstandsfall" – die formale Zustimmung des Parlaments nicht benötigen.

Über 100 Beiräte und Ausschüsse, die den einzelnen Ministerien zugeordnet sind und zum Teil beschließende Funktion haben, sind überwiegend mit Vertretern der Monopole als „Fachleuten" besetzt. Die Einführung von „Hearings" vor Bundestagsausschüssen, in denen wiederum vor allem Monopolvertreter zu Wort kommen, sorgen für die Akklamation der Parlaments-

---

59  Vgl. C. Schirmeister, Zur Rolle der Unternehmerverbände bei der Formierung der politischen Herrschaft des Finanzkapitals in Westdeutschland. In: DWI-Berichte 20, 1969, Heft 12, S. 11.

60  In der Legislaturperiode von 1957–1961 kamen von insgesamt 613 Gesetzesentwürfen 401 von der Bundesregierung, 207 aus dem Parlament und 5 vom Bundesrat. 348 (= 87 %) Regierungsvorlagen wurden angenommen, nur 74 (= 36 %) der Entwürfe der Parlamentarier. Vgl. G. von Eynern, Grundriß der politischen Wirtschaftslehre, Köln, Opladen: 1968, S. 164, zit. n. Schirmeister, Zur Rolle der Unternehmerverbände bei der Formierung der politischen Herrschaft des Finanzkapitals in Westdeutschland, a.a.O., S. 11.

abgeordneten zu dem „Sachverstand" der „Fachleute", der der Sachverstand im Dienste der Monopole ist [61].

Einen weiteren Kompetenzverlust des Parlaments bedeutet schließlich die Gründung supranationaler Gremien (etwa im Rahmen der NATO und der EWG), deren Entscheidungen von der Zustimmung nationaler Parlamente vielfach unabhängig sind und dennoch auch die nationale Politik bestimmen [62].

Dennoch verzichtet auch diese neue Variante bürgerlicher Machtausübung nicht auf die formale Beibehaltung des Parlamentarismus: solange fundamentale Alternativen nicht zum Durchbruch kommen, ist die periodische Wahlentscheidung ungefährlich und wirkt so herrschaftsstabilisierend. Eine weitere Transformation des bürgerlichen Staates bis hin zur endgültigen Aufhebung des Parlamentarismus durch ein faschistisches Regime erscheint so zwar vorderhand unnötig, doch zeigt das Erstarken des Rechtsextremismus seit der Mitte der 60er Jahre, daß diese Alternative durch das bestehende parlamentarisch-technokratische System nicht beseitigt, im Gegenteil gefördert wird und damit der Kapitalistenklasse ebenso weiterhin zur Verfügung bleibt, wie sich diese bereits mit den 1968 verabschiedeten Notstandsgesetzen die verfassungsrechtliche Handhabe zur endgültigen Eskamotierung des Parlaments sicherte [63]. Zugleich schufen die Notstandsgesetze mit dem „Gemeinsamen Ausschuß" eine Institution, die bereits vor dem Eintreten des „Notstandsfalls" existierte und trotz ihres parlamentarischen Ursprungs letztlich – unter faktischer Aufhebung der Gewaltenteilung [64] – als Organ der Exekutive fungiert.

In der DDR waren zu Beginn der sechziger Jahre neue Voraus-

---

61 Vgl. Steigerwald, Wie wirken die Monopolverbände und der Staat zusammen? A.a.O.
62 Vgl. Autorenkollektiv, Imperialismus heute. Der staatsmonopolistische Kapitalismus in Westdeutschland. Berlin: 1965, S. 203. Diese Entwicklung begann bereits in den fünfziger Jahren, sie verstärkte sich aber mit der zunehmenden Integration Westeuropas.
63 Vgl. D. Sterzel (Hrsg.), Kritik der Notstandsgesetze. Mit dem Text der Notstandsgesetze. Frankfurt/M.: 1968.
64 Vgl. J. Seifert, Der Notstandsausschuß. Frankfurt/M.: 1968.

setzungen für eine Weiterentwicklung ihres gesellschaftlichen und politischen Systems entstanden:

Mit der endgültigen Durchsetzung der sozialistischen Produktionsverhältnisse [65] nach der Kollektivierung der Landwirtschaft waren die alten Klassengegensätze aufgehoben; an ihre Stelle trat nun – durch einen Prozeß der Klassenannäherung – die Kooperation von Arbeiterklasse, Bauern, Intelligenz und anderen Schichten (Reste des privaten Unternehmertums, die jedoch politisch und ökonomisch in das sozialistische System einbezogen sind; die Mitglieder der Produktionsgenossenschaften des Handwerks u. a.) in der „sozialistischen Menschengemeinschaft" [66] – in der weiterhin der Arbeiterklasse die Führungsrolle zukommen soll. Zugleich wurde durch die Schließung der Grenze zu Westberlin am 13. 8. 1961 die ökonomische und ideologische Offensive der BRD und der anderen imperialistischen Staaten gegen die DDR geschwächt. Beide Tatsachen: die Überwindung des Klassenantagonismus und die Verminderung der äußeren, immer wieder auch innenpolitische Schwierigkeiten produzierenden Bedrohung der DDR, ermöglichten die Reduzierung der klassischen staatlichen Funktionen der Repression als des politischen Ausdrucks von Klassenherrschaft durch eine politische Ordnung, die stärker als je zuvor durch das Zusammenwirken zentraler Leitungstätigkeit mit breit entfalteter Masseninitiative gekennzeichnet ist. Weitere Bedingungen für die Schaffung eines „entwickelten gesellschaftlichen System des Sozialismus" [67] sind ein hoher Bildungsstand immer breiterer Kreise der Bevölkerung [68], eine zunehmende Integration von Intelligenz und Arbeiterklasse durch die in den sechziger Jahren vorangetriebene sozialistische Gemeinschaftsarbeit [69] und eine wachsende politische Qualifikation der Werk-

65  Vgl. Doernberg, Kurze Geschichte der DDR., a.a.O., S. 390–402.
66  Vgl. Ulbricht, Die Rolle des Staates bei der Gestaltung des entwikkelten gesellschaftlichen Systems des Sozialismus, a.a.O., S. 11 f.
67  Vgl. Das System der sozialistischen Gesellschafts- und Staatsordnung in der Deutschen Demokratischen Republik. Dokumente. 2., erw. Aufl., Berlin: 1970, S. 9–222.
68  Vgl. Ottinger, Bewußtsein und Bildung, a.a.O., S. 60–66.
69  Vgl. R. Weidig, Sozialistische Gemeinschaftsarbeit. Eine sozio-

tätigen, die diese zur aktiven und bewußten Teilnahme an den Prozessen der Planerstellung, Planerfüllung und zu allgemeiner gesellschaftlicher Aktivität befähigt. Zu den seit 1948 weiterentwickelten Formen der Masseninitiative: Wettbewerb, Rationalisatoren- und Neuererbewegung trat im 1963 errichteten neuen Ökonomischen System eine Akzentuierung des Prinzips der individuellen materiellen Interessiertheit.

Die das entwickelte gesellschaftliche System des Sozialismus kennzeichnende Verbindung der „zentralen staatlichen Planung und Leitung der Grundfragen des gesellschaftlichen Gesamtprozesses ... mit der eigenverantwortlichen Planungs- und Leitungstätigkeit der sozialistischen Warenproduzenten einerseits und mit der eigenverantwortlichen Regelung des gesellschaftlichen Lebens im Territorium durch die örtlichen Organe der Staatsmacht andererseits unter aktiver und unmittelbarer Einbeziehung der Werktätigen in den Prozeß der Ausarbeitung und Realisierung des Plans" [70] bedeutet keine Schwächung zentraler Instanzen: die in der DDR angestrebte Durchsetzung des Prinzips, daß alle Entscheidungen jeweils auf der Ebene gefällt werden sollen, auf der am sachkundigsten entschieden werden kann, schließt nicht nur eine weitgehende Delegation von Entscheidungsbefugnissen „nach unten" ein, sondern auch die Aufrechterhaltung zentraler Planungs- und Weisungsinstitutionen.

In der industriellen Produktion [71] sind die alleinverantwortlichen Leitungen der Betriebe und der VVB einbezogen in ein System von beratenden, kontrollierenden und bei der Planerstel-

logische Studie zur Entwicklung von Gemeinschaftsarbeit, Arbeitskollektiv und Persönlichkeit im sozialistischen Industriebetrieb. Berlin: 1969.

70 Protokoll der Verhandlungen des VII. Parteitages der Sozialistischen Einheitspartei Deutschlands. 17. bis 22. April 1967 in der Werner-Seelenbinder-Halle zu Berlin. Bd. 1, 1.–3. Beratungstag. Berlin: 1967, S. 142.

71 Die Entwicklung der Produktionsdemokratie in der Landwirtschaft, die durch die starke Stellung der Mitgliederversammlungen der LPG gekennzeichnet ist, soll hier nicht behandelt werden.

lung mitentscheidenden [72] Körperschaften, mit denen die Leiter zusammenwirken und denen sie Rechenschaft ablegen müssen (Belegschaftsversammlung, Vertrauensleutevollversammlung, Ständige Produktionsberatung, Betriebs- und Abteilungsgewerkschaftsleitung, Gesellschaftliche Räte bei den VVB, Produktionskomitees). Die Mitglieder der gewählten Kontroll-, Beratungs- und Mitwirkungsorgane sind ihrerseits wieder ihren Wählern rechenschaftspflichtig. Hinzu kommt die Wahrung der Führungsrolle der SED auch auf Betriebsebene: sie leitet die Produktionskomitees [73] an.

Die Weiterentwicklung des politischen Systems der DDR in den sechziger Jahren zeigt sich auch in der Heranziehung immer weiterer Kreise der Bevölkerung zur Teilnahme an Vertretungskörperschaften, in der Qualifizierung der Auswahl der Abgeordneten in diesen Gremien, im Ausbau der Zusammenarbeit dieser Vertretungskörperschaften mit ihren Wählern und in der Übernahme von ehemals staatlichen Funktionen durch gesellschaftliche Organe:

Durch die Vergrößerung der Zahl von kontrollierenden und mitbestimmenden Körperschaften innerhalb und außerhalb des Bereichs der unmittelbaren materiellen Produktion erhöhte sich zwangsläufig die Zahl derjenigen Bürger, die als Mitglieder dieser Organe an den Entscheidungen über gesellschaftliche Prozesse mitwirken: heute nehmen von den zwölf Millionen Wahlberechtigten der DDR drei Millionen ehrenamtlich an der Leitung des Staates und der Wirtschaft teil [74].

Die Auswahl der Abgeordneten in den Volksvertretungen wur-

---

72  Das System der sozialistischen Demokratie im Bereich der industriellen Produktion ist zusammenfassend dargestellt in: Politische Ökonomie des Sozialismus und ihre Anwendung in der DDR. Berlin: 1969, S. 709–724. Zum Prozeß der Planerstellung: G. Siebert, Mitbestimmung drüben. Aus der Betriebsarbeit des Gewerkschafters in der DDR. Hamburg: 1967, S. 55–64.

73  Zu den Produktionskommitees vgl. Siebert, Mitbestimmung drüben. Aus der Betriebsarbeit des Gewerkschafters in der DDR, a.a.O., S. 52–55.

74  Vgl. H. Luft, Demokratie in der sozialistischen Wirtschaft. Berlin: 1969, S. 60.

de in den sechziger Jahren vor allem dadurch qualifiziert, daß der Prozeß ihrer Nominierung durch die Parteien und Massenorganisationen, der Stellungnahme von Wählerversammlungen und der Prüfung der Kandidaten in den Wählervertreterkonferenzen immer mehr Gewicht gegenüber dem puren Wahlakt gewinnt [75]. Seit 1963 werden Kandidaten zunehmend von ihren Arbeitskollektiven vorgeschlagen [76].

Der qualitativ neue Charakter der politischen Ordnung der DDR, der sich seit dem Sieg der sozialistischen Produktionsverhältnisse herausgebildet hatte, fand seinen verfassungsrechtlichen Ausdruck in der Verfassung vom 8. 4. 1968 [77]. Ihre zentrale Bestimmung über die politische und gesellschaftliche Willensbildung – der Artikel 21 – erhebt das Recht und die Pflicht jedes Bürgers zur umfassenden Mitgestaltung des politischen, wirtschaftlichen, sozialen und kulturellen Lebens zum Verfassungsgrundsatz.

In diesem System der permanenten Mitbestimmung und Mitgestaltung der Bürger bei allen politischen und gesellschaftlichen Prozessen kommt der ständigen Einwirkungsmöglichkeit der Wähler auf die Beschlüsse der Gewählten entscheidende Bedeutung zu. In den sechziger Jahren wurden wichtige Gesetze (so das Strafgesetzbuch, das Gesetzbuch der Arbeit, die Verfassung selbst) vor der endgültigen Beschlußfassung einer Volksdiskussion unterworfen, in der Abänderungsvorschläge eingebracht werden konnten [78]. In den ständigen Kommissionen der

75  Graf, Seiler, Wähler, Wahlen, Entscheidungen, a.a.O., S. 53–59.
76  Ebd., S. 53 f.
77  Vgl. K. Sorgenicht, W. Weichelt, T. Riemann, H.-J. Semler (Hrsg.), Verfassung der Deutschen Demokratischen Republik. Dokumente. Kommentar. 2 Bde., Berlin: 1969.
78  Vgl. G. Karau, Demokratie in der DDR. Von Machtverhältnissen und gesellschaftlichen Lebensformen im sozialistischen deutschen Staat. Berlin: 1969, S. 77–79; E. Correns, Das Volk hat die Verfassung geschrieben. Bericht über die Ergebnisse der Volksaussprache zum Entwurf der neuen, sozialistischen Verfassung der Deutschen Demokratischen Republik, über die Änderungen zum Verfassungsentwurf und Begründung des gemeinsamen Antrags aller Fraktionen zur Annahme der Verfassung auf der 8. Tagung

örtlichen Volksvertretungen arbeiten auch Nichtabgeordnete mit [79]. Der FDGB hat das Recht der Gesetzesinitiative gegenüber der Volkskammer [80]. Die Abgeordneten sämtlicher Vertretungskörperschaften (auch innerhalb des Betriebs) sind grundsätzlich ihren Wählern rechenschaftspflichtig und abberufbar [81]. Die Eingaben der Bürger an die staatlichen Organe sind nach dem Eingabenerlaß des Staatsrats von 1969 nicht nur ein Mittel der Beschwerde und Abwehr gegen ungerechtfertigte staatliche Maßnahmen, sondern in wachsendem Maße Instrumente der Anregung und Mitwirkung [82].

In der Justiz wurden seit 1961 zunehmend ehemals staatliche Funktionen gesellschaftlichen Organen übertragen: nach dem Gesetzbuch der Arbeit vom 12. April 1961 wurden die Konfliktkommissionen, die zwar schon seit 1952 bestanden, aber bis dahin nur arbeitsrechtliche Streitigkeiten zu klären hatten, mit der Wahrnehmung von Teilen der Kriminalgerichtsbarkeit betraut [83]. In den LPG und in den Wohngebieten übernahmen diese Funktionen eigens dafür eingerichtete Schiedskommissionen [84].

Die Übernahme ehemaliger staatlicher Funktionen durch gesellschaftliche Organe und die Erweiterung der Möglichkeiten

der Volkskammer am 26. März 1968. In: Sorgenicht, Weichelt, Riemann, Semler, Verfassung der DDR, a.a.O., Bd. 1, S. 126–141.
79  Vgl. Karau, Demokratie in der DDR, a.a.O., S. 73.
80  VerfDDR 1968, Art. 45,2; vgl. auch Sorgenicht, Weichelt, Riemann, Semler, Verfassung der DDR, a.a.O., Bd. 2, S. 216–223.
81  VerfDDR 1968, Art. 57,2; siehe auch Sorgenicht, Weichelt, Riemann, Semler, Verfassung der DDR, a.a.O., Bd. 2, S. 398.
82  Vgl. Eingaben der Bürger – eine Form der Verwirklichung des Grundrechts auf Mitbestimmung und Mitgestaltung. Mat. d. 18. Sitzung d. Staatsrates der DDR am 20. Nov. 1969. Berlin: 1969.
83  Vgl. Erlaß des Staatsrates der Deutschen Demokratischen Republik über die Wahl und Tätigkeit der Konfliktkommissionen – Konfliktkommisionsordnung – vom 4. Oktober 1968. In: Gesetzbuch der Arbeit und andere ausgewählte rechtliche Bestimmungen. Textausgabe mit Anmerkungen und Sachregister. Berlin: 1969, S. 340–362.
84  Vgl. A. Eser, Gesellschaftsgerichte in der Strafrechtspflege. Neue Wege zur Bewältigung der Kleinkriminalität in der DDR. Tübingen: 1970.

zur permanenten Mitgestaltung gesellschaftlicher und politischer Prozesse durch die Bevölkerung konstituiert einen Vorgang, den bereis Engels und Lenin als „Absterben des Staates" charakterisiert haben. Dieses „Absterben des Staates" bedeutet jedoch nicht ein Erlöschen öffentlicher Funktionen, sondern umgekehrt eine Verstärkung der Tätigkeiten öffentlicher Institutionen, die durch die Steigerung öffentlicher Aufgaben im Sozialismus erzwungen wird [85]. Zu den staatlichen Funktionen, die in der DDR verbleiben, gehören überdies die Verteidigungsaufgaben des Staates im Systemkampf zwischen Imperialismus und Sozialismus. Nicht das etwaige Aufhören institutionalisierter öffentlicher Tätigkeit, sondern deren gewandelte Aufgabenstellung und Funktionsweise erlauben es, von einem „Absterben des Staates" zu sprechen, so daß der neue sozialistische Staat mit einem bürgerlichen nichts mehr gemein hat. Die Steigerung der Aufgaben eines solcherart neugestalteten Staatswesens ermöglicht die Feststellung, daß „von einer Verminderung der Rolle des sozialistischen Staates" in der DDR „gar keine Rede sein" kann [86], unter der Voraussetzung, daß unter „Staat" hier längst etwas anderes begriffen werden muß als im Kapitalismus.

Vergleicht man die Entwicklung der politischen Systeme in BRD und DDR in den sechziger Jahren, dann läßt sich als sehr vordergründige Gemeinsamkeit das Streben nach einer Effektivierung von staatlichen Leitungsfunktionen feststellen. Der verschiedenartigen Systemqualität sozialistischer und bürgerlicher Demokratie aber entspricht es, daß dieses Ziel völlig konträren Interessen dient und mit sehr unterschiedlichen Mitteln erreicht werden soll. In Westdeutschland wurden seit der Gründung der BRD, forciert aber mit Verabschiedung der Notstandsgesetze, Entscheidungsbefugnisse aus dem Gremium hinausverlagert, das nach dem ohnehin verengten bürgerlichen Demokratiebegriff oberstes Entscheidungsorgan sein soll: aus dem Parlament in außerparlamentarische oder nur noch schein-

---

85  Vgl. Ulbricht, Die Rolle des Staates bei der Gestaltung des entwickelten gesellschaftlichen Systems des Sozialismus, a.a.O., S. 11.
86  Ebd.

parlamentarische Institutionen. In der DDR erfolgte eine Stärkung und Funktionsveränderung der zentralen staatlichen Organe durch die Heranziehung immer weiterer Kreise der Bevölkerung zu Entscheidungen in einer Weise, die es erlaubt, trotz des Weiterbestehens zentraler Entscheidungsinstanzen von einem „Absterben" des Staates bei gleichzeitiger Steigerung von nichtrepressiven Funktionen, die ihm verbleiben, zu sprechen. Diese Trends, in denen einerseits die Entfernung der BRD von den Normen bürgerlicher Demokratie, andererseits die zunehmende Erfüllung des Anspruchs sozialistischer Demokratie in der DDR sichtbar wird, zeigen, daß das gesellschaftliche System der DDR sich der Realisierung seines Selbstanspruchs nähert, während die BRD sich selbst von den Normen bürgerlicher Demokratie immer mehr entfernt.

Reinhard Kühnl

# Die Auseinandersetzung mit dem Faschismus in BRD und DDR

## Historische Erfahrungen

Als das faschistische Herrschaftssystem im Mai 1945 zusammengebrochen war, bestand die zentrale Aufgabe offensichtlich darin, eine neue Staats- und Gesellschaftsordnung zu errichten, die faschistischen Tendenzen keinerlei Entfaltungsmöglichkeiten bot und damit die elementare Voraussetzung für eine demokratische Entwicklung schuf. Diese Aufgabenstellung war nicht gänzlich neu. Schon 1918 nach dem Zusammenbruch des monarchischen Obrigkeitsstaates hatten die demokratischen Kräfte vor dem Problem gestanden, auf den Trümmern eines autoritären Systems eine Demokratie aufzubauen. Aus den Fehlern dieses Versuchs, die in den Strukturschwächen der Weimarer Republik zum Ausdruck kamen und schließlich den Sieg des Faschismus ermöglichten, konnten nach 1945 die Konsequenzen gezogen werden.

Die Demokratie von Weimar krankte von Anfang an daran, daß ihr weder in personeller noch in struktureller Hinsicht eine grundlegende Änderung der Verhältnisse gelungen war. Sie hatte die sozialen Eliten des Kaiserreichs in ihren Machtpositionen in Militär und Wirtschaft, Justiz und Erziehungswesen, Ministerialbürokratie und Verwaltung belassen und der Reaktion damit die Chance geboten, von diesen Zentren aus die Demokratie wirksam zu bekämpfen. Sie hatte überdies die sozialökonomische Struktur nicht angetastet, sondern sich mit einer Demokratisierung des politischen Bereichs – der Überführung der halbabsolutistischen Monarchie in die parlamentarische Republik – begnügt. Die Gesellschaftsordnung, die das Kaiserreich getragen hatte, blieb im großen und ganzen erhalten: weder die Wirtschaft noch das Erziehungswesen, weder das Militär noch die Verwaltung wurden in ihrer autoritären

Struktur verändert und blieben damit Machtinstrumente in den Händen der herrschenden Klasse. Die Gesellschaftsordnung, die die Massen der Lohnabhängigen im ökonomischen Bereich im Status von Untertanen hielt, ermöglichte es dem Bürgertum, die autoritären Denk- und Verhaltensformen, die schließlich im Faschismus kulminierten, fortzusetzen.

Als die Grundlagen der bürgerlichen Gesellschaft dann in der Weltwirtschaftskrise in Gefahr gerieten, verbündete sich die herrschende Klasse – von ihrer Interessenlage aus ganz konsequent – mit der faschistischen Bewegung und liquidierte die parlamentarische Demokratie und den Rechtsstaat. Dieses Bündnis zwischen den relevanten Teilen des Großkapitals, dem Militär und der hohen Bürokratie einerseits und den Führungs-gruppen der faschistischen Massenbewegung andererseits, das das faschistische Herrschaftssystem kennzeichnete, besaß in ge-meinsamen Interessen und Zielen eine solide Grundlage: Zer-schlagung der Arbeiterbewegung, Vernichtung der bürgerlichen Demokratie und Überwindung der Krise durch eine forcierte Rüstungspolitik im Innern und militärische Expansion, um die imperialistischen Ziele des Ersten Weltkrieges doch noch durch-zusetzen, nach außen [1].

## Bruch mit dem Faschismus?

Die Konsequenzen, die sich aus dem Untergang der bürgerli-chen Demokratie von Weimar und der Herrschaftsstruktur des deutschen Faschismus für die Errichtung einer stabilen Demo-kratie nach 1945 ergaben, liegen offen zutage. Infolge der welt-politischen Konstellation und der dadurch bestimmten sozialen Machtverteilung in Deutschland wurden sie in Ost und West jedoch in sehr unterschiedlicher Weise verwirklicht.

1    Näheres in R. Kühnl, Formen bürgerlicher Herrschaft – Liberalis-mus und Faschismus. Reinbek: 1971, S. 118 ff.

Sollte die neue Demokratie über ein festes Fundament verfügen, so durften die Fehler von 1918 nicht wiederholt werden. Es kam also zunächst darauf an, die Führungsschichten, die das Dritte Reich gesellschaftlich, politisch und ideologisch getragen hatten, aus ihren Machtpositionen zu entfernen und durch zuverlässige Antifaschisten zu ersetzen. Die Alliierten hatten schon bei der Jalta-Konferenz im Februar 1945 scheinbar keinen Zweifel daran gelassen, daß sie entschlossen waren, „alle nationalsozialistischen und militaristischen Einflüsse aus den öffentlichen Dienststellen sowie dem kulturellen und wirtschaftlichen Leben des deutschen Volkes auszuschalten"[2]. Der alliierte Kontrollrat formulierte das Problem in seiner Direktive Nr. 24 vom 12. Januar 1946 in aller Klarheit: „Die Ausmerzung des Nationalsozialismus und Militarismus macht es erforderlich, Personen, die voraussichtlich undemokratische Traditionen verewigen würden, von allen ausschlaggebenden und einflußreichen Stellungen zu entfernen und auszuschließen." Damit war eindeutig klargestellt, daß es sich um eine politische und nicht um eine moralische oder strafrechtliche Frage handelte, daß es um die antidemokratische Mentalität der Betroffenen ging und nicht um ihre individuelle Schuld, daß ihr voraussichtlicher politischer Einfluß in der Zukunft und nicht ihre unmittelbare Beteiligung an den Verbrechen des Faschismus in der Vergangenheit zum entscheidenden Kriterium der Beurteilung erhoben werden mußte.

Dieses vom Kontrollrat proklamierte Konzept stimmte im wesentlichen mit den Zielen der deutschen Linken überein, wie sie während des Dritten Reiches im Widerstandskampf und in der Emigration entwickelt worden waren. In einem Aufruf des nach Prag emigrierten Parteivorstands der SPD von Januar 1934 wird verlangt: „Aburteilung der Staatsverbrecher, ihrer Mitschuldigen und Helfer in der Politik, der Bürokratie und

2 Amtsblatt des Kontrollrats in Deutschland, Ergänzungsblatt Nr. 1 v. 30. 4. 1946, S. 4, zit. nach R. Badstübner u. S. Thomas, Die Spaltung Deutschlands 1945–1949. Berlin: 1966, S. 25.

Justiz wegen Verfassungsbruchs, Mordes und Freiheitsberaubung unter Aberkennung der staatsbürgerlichen Rechte... Besetzung aller entscheidenden Stellen der Justiz mit Vertrauensmännern der revolutionären Regierung... Reinigung der Bürokratie und sofortige Umbesetzung aller leitenden Stellen... Völlige Erneuerung des Offizierskorps" [3]. Und die KPD verkündete in ihrer Resolution der „Berner Konferenz" 1939: „Die neue demokratische Republik wird die Schwächen der Weimarer Republik gegenüber der Reaktion nicht wiederholen, eine gründliche Demokratisierung des Staatsapparats durchführen und solche Maßnahmen zur Verteidigung der neu errungenen Freiheit treffen, die eine Wiederkehr der faschistischen Tyranney ein für allemal unmöglich machen" [4].

## SBZ und DDR

In der SBZ wurde die Entnazifizierung in diesem Sinne energisch durchgeführt. Nachdem gleich nach dem Zusammenbruch die vor allem aus Kommunisten, Sozialdemokraten und Gewerkschaftern zusammengesetzten Entnazifizierungskommissionen eine erste, noch unkoordinierte Säuberung vorgenommen hatten, erließen die Länder in den Monaten Juli bis September Verordnungen über die „Säuberung von Verwaltung und Wirtschaft", die die Entlassung aller NSDAP-Mitglieder anordneten [5]. Die Machtpositionen in Verwaltung, Polizei, Justiz und Wirtschaft wurden von Kräften besetzt, die entweder gegen den Faschismus gekämpft hatten und nun aus dem Untergrund auftauchten, aus KZ und Zuchthäusern kamen und aus der Emigration heimkehrten oder sich mindestens während der faschistischen Diktatur von politischer Betätigung fern gehalten

3 Zit. nach J. Fürstenau, Entnazifizierung. Ein Kapitel deutscher Nachkriegspolitik. Neuwied, Berlin: 1969, S. 11.

4 Die Resolution ist auszugsweise abgedruckt in: H. Weber (Hrsg.), Völker hört die Signale. Der deutsche Kommunismus 1916–1966. München: 1967, S. 177–183, bes. S. 181.

5 Vgl. D. Staritz, Die National-Demokratische Partei Deutschlands 1948–1953. Ein Beitrag zur Untersuchung des Parteiensystems der DDR, Diss. Berlin: 1968, S. 30 ff.

hatten. Der ersten Gruppe gehörten vor allem Kommunisten und Sozialdemokraten an, der zweiten hauptsächlich Angehörige der bürgerlichen Parteien, die sich 1933 von der Politik zurückgezogen hatten. Als in den 50er Jahren die Volksarmee der DDR aufgebaut wurde, gelangten auch hier Männer in die Spitzenpositionen, die ihre militärischen Erfahrungen im spanischen Bürgerkrieg auf der Seite der Antifaschisten gesammelt hatten oder dann im Laufe des Zweiten Weltkrieges sich vom Faschismus abgewandt und im Nationalkomitee Freies Deutschland mitgearbeitet hatten.

Aus diesen Gruppen konnten zwar die Spitzenpositionen in den politischen und gesellschaftlichen Institutionen besetzt, nicht aber die großen Lücken gefüllt werden, die auf der mittleren und unteren Ebene durch die Entlassung belasteter Personen entstanden waren [6]. Sollte beispielsweise in die Schulen ein wirklich neuer Geist einziehen, so reichte es nicht aus, die Posten des Volksbildungsministers und der Schuldirektoren neu zu besetzen. Vielmehr mußten alle Lehrer, die von autoritären und faschistischen Denkformen geprägt waren, aus ihren Positionen entfernt werden, wenn man verhindern wollte, daß die junge Generation in der gleichen Tradition erzogen wurde. Allzu deutlich war der Anteil, den die deutschen Lehrer im Kaiserreich, in der Weimarer Republik und im Dritten Reich an der Verbreitung autoritärer und imperialistischer Ideologien gehabt hatten. Nicht minder wichtig war die Entnazifizierung im Bereich von Justiz und Verwaltung.

Die neuen Lehrer, Richter und Verwaltungsangestellten, die aus den arbeitenden Klassen und der jungen Generation kamen, wurden auf ihre Aufgaben in Kurzlehrgängen vorbereitet. Da ihnen die Möglichkeit der Weiterbildung eröffnet wurde, war langfristig das erforderliche Niveau zu gewährleisten. Doch ein vorübergehender Qualitätsverlust war unvermeidlich; er wurde jedoch bewußt in Kauf genommen, um den politischen Neubeginn nicht zu gefährden. Man befand sich damit in Über-

---

6 Zahlenmaterial und Literaturhinweise über die Entnazifizierungsmaßnahmen, ebd., S. 38 f.

einstimmung mit den Direktiven des alliierten Kontrollrats, der die Entlassung von belasteten Personengruppen auch dann für erforderlich hielt, „wenn dies die Anstellung von Personen nach sich zieht, deren Eignung, ihren Aufgabenkreis zu erfüllen, geringer ist" [7].

Nun kam es freilich nicht nur darauf an, politisch belastete und von autoritärem Geiste geprägte Personen aus einflußreichen Positionen zu entfernen. Ebenso wichtig war es, die Millionenmassen der faschistischen Mitläufer nicht in ein Ghetto zu drängen, in dem sich ihre antidemokratische Mentalität hätte verhärten müssen, sondern zu positiver Mitarbeit zu gewinnen.

Obgleich viele Kommunisten und Sozialdemokraten, die die faschistischen Mitläufer am eigenen Leibe kennengelernt hatten, eine Radikallösung lieber gesehen hätten, setzte sich schließlich ein pragmatischer Kurs durch: Die einfachen Mitglieder der NSDAP und ihrer Nebenorganisationen wurden, soweit sie sich nicht in einflußreichen Stellungen befanden, nach einer ziemlich rigorosen Übergangsperiode relativ rücksichtsvoll behandelt. Am 30. Oktober 1945 beschloß die Einheitsfront der Parteien in der SBZ eine Resolution, die dieses Programm schon in ihrem Titel verkündete: „Strengste Bestrafung der Nazi-Verbrecher – Gerechte Sühnemaßnahmen gegen die aktivistischen Nazis – Der Weg der Eingliederung der Zwangs-Pgs in die demokratische Gemeinschaft" [8]. Dort hieß es über die nur nominellen Parteigenossen, sie seien „von der Bestrafung und Sühneleistung ausgenommen ... Sie dürfen jedoch in der öffentlichen Verwaltung nur dann beschäftigt werden, wenn andere Bewerber gleicher Eignung nicht vorhanden sind" [9]. Im August 1947 schloß sich die sowjetische Militärverwaltung dieser von deutscher Seite seit längerem praktizierten Auffassung an. Im Befehl Nr. 201 heißt es: „Eine allgemeine gerichtliche Belangung sämtlicher ehemaligen nominellen, nicht

7   Amtsblatt des Kontrollrats in Deutschland, S. 115.
8   Deutsche Volkszeitung v. 4. 11. 1945, zit. nach Staritz, Die National-Demokratische Partei Deutschlands 1948–1953, a.a.O., S. 33.
9   Ebd.

aktiven Mitglieder der Nazipartei würde nur der Sache des demokratischen Aufbaus Deutschlands schaden und dazu beitragen, daß die Überbleibsel der faschistischen ... Reaktion gefestigt werden" [10]. Die Entnazifizierungskommissionen sollten sich auf aktive „Faschisten, Militaristen, Nutznießer und Industrielle, die das Hitler-Regime ideell oder materiell gefördert haben oder sich durch den Krieg bereichert haben", konzentrieren [11] und diese Entnazifizierung innerhalb von drei Monaten abschließen. (Die Untersuchung strafbarer Handlungen war den zuständigen Gerichten zu übergeben.)

Die Entnazifizierung konzentrierte sich also auf die wirklichen Träger des faschistischen Systems, die durch ihre Funktion und ihre Aktivität besonders hervorgetreten waren. Mitläufer und kleinere Funktionäre erhielten Gelegenheit, sich durch ihre Mitarbeit beim Aufbau der neuen Ordnung als vollwertige Bürger zu qualifizieren. Selbst mittleren und höheren Funktionsträgern der faschistischen Gliederungen und der Wehrmacht war diese Möglichkeit nicht verschlossen, sofern sie sich schon im Laufe des Krieges vom Faschismus abgewandt und die Zusammenarbeit mit der antifaschistischen Opposition aufgenommen hatten. In dem 1943 gegründeten „Bund deutscher Offiziere", in dem sich Offiziere zusammengeschlossen hatten, die in der UdSSR in Kriegsgefangenschaft geraten waren, der dann im Nationalkomitee Freies Deutschland aufging, hatten diese Kräfte ihren organisatorischen Ausdruck gefunden.

Offiziere und Anhänger der NSDAP waren – wie die Mittelschichten und die bürgerliche Intelligenz generell – im Geiste des deutschen Nationalismus erzogen. Wollte man diese Gruppen nicht einfach aus dem politischen Raum verdrängen und ihre Aktivität unterdrücken, sondern allmählich für eine antifaschistische Politik gewinnen, so mußte man an die nationalen Denkformen dieser Gruppen anknüpfen. Es kam also darauf an, die in der deutschen Nationalgeschichte zwar spärlichen und vom herrschenden Geschichtsbild unterdrückten, aber im-

10    Zit. nach ebd., S. 36.
11    Anordnung vom 9. 10. 1947, zit. nach ebd.

merhin vorhandenen demokratischen Traditionen [12] der Vergessenheit zu entreißen und gegenüber dem autoritären Nationalismus, von dem sie überwältigt worden waren, abzusetzen. So wurde ein Strang der deutschen Geschichte ins Bewußtsein gehoben, der von Luther, Thomas Müntzer und den Bauernkriegen über die preußischen Reformer Stein, Scharnhorst und Gneisenau, die Befreiungskriege von 1813/14 und die Revolution von 1848/49 bis zum „Bund deutscher Offiziere" reichte und von den national empfindenden Schichten bei einigem gutem Willen akzeptiert werden konnte. Dieses Geschichtsbild sollte deutlich machen, daß die sozialistische Arbeiterbewegung der beste Bundesgenosse des demokratischen Bürgertums und der wahre Repräsentant der nationalen Traditionen und Interessen sei.

Auf der Ebene politischer Organisationen diente diesem Ziel die NDPD (National-Demokratische Partei Deutschlands), die im Juni 1948 gegründet wurde [13] und sowohl den ehemaligen Kriegsgefangenen wie den von der Entnazifizierung betroffenen Gruppen eine Möglichkeit politischer Betätigung schuf. Schon der SMAD-Befehl Nr. 35 vom Februar 1948 hatte betont, daß es „unter den ehemaligen Mitgliedern der Nazipartei vaterländisch gesinnte Menschen aus dem Volk gab und gibt, die imstande und gewillt sind, jetzt gemeinsam mit den demokratischen Kräften der Gesellschaft an der Sicherung der Einheit und der demokratischen Entwicklung Deutschlands ehrlich mitzuarbeiten" [14]. In den Justiz- und Polizeiapparat sowie in leitende Stellungen der Verwaltung durften entlassene NSDAP-Mitglieder freilich nicht zurückkehren.

Von der politischen Strategie der SED her gesehen, waren solche Konzessionen deshalb erforderlich, weil sie der Ansicht

---

12 Vgl. dazu: W. Berthold, G. Lorek, H. Meier, W. Schmidt (Hsrg.), Kritik der bürgerlichen Geschichtsschreibung. Köln: 1970; F. Mehring, Zur deutschen Geschichte I–III. In: ders., Gesammelte Schriften, Berlin: 1964–1965, Bd. 5–7.

13 Zu dieser Partei vgl. Staritz, Die National-Demokratische Partei Deutschlands 1948–1953, a.a.O.

14 Zit. nach ebd., S. 37.

war, daß nach dem Zusammenbruch des Faschismus eine sozialistische Revolution noch nicht in Betracht kam. Nach ihrer Meinung kam es zunächst darauf an, die in Deutschland im 19. Jahrhundert mißlungene und auch 1918 nur fragmentarisch geglückte bürgerliche Revolution nachzuholen, d. h. einige grundlegende Reformen durchzuführen, um dem deutschen Militarismus seine ökonomische Basis zu entziehen. Diese Strategie ermöglichte ein Bündnis mit den bürgerlichen Mittelschichten und nahm zugleich Rücksicht auf den desolaten Zustand des Bewußtsein der deutschen Arbeiter, das durch das zwölfjährige Propaganda- und Informationsmonopol des Faschismus in starkem Maße geprägt war. Schließlich spielte auch die Tatsache eine Rolle, daß von drei der vier Besatzungsmächte gegenüber sozialistischen Forderungen eine ablehnende Haltung zu erwarten war, die UdSSR aber an einem Konflikt mit den Westmächten nicht interessiert sein konnte. So ist es zu erklären, daß die KPD schon in ihrem ersten programmatischen Aufruf vom 11. 6. 1945 zum Kampf gegen „die Träger des reaktionären Militarismus" und seine „imperialistischen Auftraggeber . . .", die Herren der Großbanken und Konzerne" aufrief, aber um die „Offiziere und Soldaten" warb, die „völlig ungehinderte Entfaltung des freien Handels und der privaten Unternehmerinitiative auf der Grundlage des Privateigentums" verkündete und den Arbeitern lediglich „Schutz gegen Unternehmerwillkür und übermäßige Ausbeutung" zusicherte [15].

Westzonen und BRD

Auch in den westlichen Besatzungszonen dominierte zunächst die Absicht, die Kräfte, die den Faschismus getragen und unterstützt hatten, aus allen einflußreichen Positionen zu verdrängen. Nicht nur die Arbeiterparteien sondern auch die bürgerlichen Parteien, in denen die Antifaschisten zunächst die Führung hatten, begriffen die Entnazifizierung auch als eine poli-

15  Zit. nach: O. K. Flechtheim (Hrsg.), Dokumente zur parteipolitischen Entwicklung in Deutschland seit 1945. 3. Bd., Berlin: 1963, S. 313 ff.

tische Machtfrage. Große Teile der deutschen Bevölkerung verlangten die „Ausschaltung und Bestrafung der verantwortlichen Nazis" [16] und beteiligten sich spontan an den von den Linksparteien organisierten antifaschistischen Ausschüssen, die unmittelbar nach dem Zusammenbruch der faschistischen Herrschaft die Säuberung und Reorganisation des politischen Lebens in die Hand nahmen. Die drei Besatzungsmächte hatten sich durch eine Reihe von Vereinbarungen mit der UdSSR zu einer entschiedenen Entnazifizierungspolitik verpflichtet und nahmen dazu auch einige Anläufe. Das gilt besonders für die amerikanische Besatzungszone. Der amerikanische Kilgore-Ausschuß hatte im Frühjahr 1945 eine Liste von Nazi- und Kriegsverbrechern publiziert, die 42 Vertreter des Großkapitals nannte, u. a. Alfried Krupp von Bohlen und Halbach, Friedrich Flick, Robert Pferdmenges, Hermann R. Röchling und Hermann von Siemens [17]. Die amerikanische Direktive JCS 1067 vom Mai 1945 ordnete an, daß keine belastete Person in öffentlichen Ämtern oder wichtigen Stellungen in privaten Unternehmen „aus Gründen der verwaltungstechnischen Notwendigkeit, Bequemlichkeit oder Zweckmäßigkeit beibehalten werden" durfte.

Doch die Politik der Besatzungsmächte blieb höchst zwiespältig. Zwar setzte sogleich eine Welle von Verhaftungen und Entlassungen ein, doch unterdrückten die Besatzungsmächte jede Aktivität der deutschen Antifaschisten, um die auf eine Umwälzung drängenden Kräfte unter Kontrolle zu halten. Die antifaschistischen Ausschüsse wurden aufgelöst, die Bildung von Parteien und Gewerkschaften wurde im Vergleich zur SBZ relativ spät erst zugelassen, deren Kompetenz stark eingeengt. Zudem gab es in den Militärverwaltungen der westlichen Zonen von Anfang an auch Kräfte, die dafür sorgten, daß Teile der Konzernverwaltungen und der staatlichen Bürokratie als angeblich unentbehrliche „Fachleute" in ihren Positionen verblieben. Diese Kräfte gewannen an Einfluß und führten schon Ende September 1945 die Wende von einer relativ entschie-

16  Fürstenau, Entnazifizierung, a.a.O., S. 39.
17  In Deutschland am 12. 10. 1945 in der von den Amerikanern herausgegebenen „Allgemeinen Zeitung" in Berlin veröffentlicht.

denen amerikanischen Entnazifizierungspolitik „zu einer neuen restaurativen Linie" herbei: das Gesetz Nr. 8 stellte ganz auf die individuelle, strafrechtlich faßbare Schuld ab [18]. Im Laufe der Jahre 1946/47 gewann diese restaurative Tendenz allmählich die Oberhand. Sie bewirkte, daß effektive Entnazifizierungsmaßnahmen blockiert, die sozialistischen Kräfte behindert und die bürgerlich-konservativen in einflußreiche Stellungen gebracht wurden [19].

Das Resultat dieser Entwicklung war, daß ein beträchtlicher Teil der Führungsschichten des deutschen Faschismus entweder in seinen Positionen belassen wurde oder – nach vorübergehendem Ausscheiden – diese wieder besetzen konnte. Die Ursachen für diese Restaurationspolitik können hier nur knapp angedeutet werden:

18  Fürstenau, Entnazifizierung, a.a.O., S. 39.
19  Zur Behinderung der Linken und der Hilfestellung für das Kapital vgl. vor allem E. Schmidt, Die verhinderte Neuordnung 1945–1952. Zur Auseinandersetzung um die Demokratisierung der Wirtschaft in den westlichen Besatzungszonen und in der Bundesrepublik Deutschland. Frankfurt/M.: 1970. Marshall Montgomery, der Oberbefehlshaber der britischen Truppen in Deutschland, schreibt über seine Gewerkschaftspolitik: „Die Russen unterstützten die Gewerkschaften. Ich beschloß, das nicht zu tun ... Gingen wir ... zu schnell vor, so bestand die Gefahr, daß die Gewerkschaften in falsche Hände gerieten ..." (Memoiren, München: 1958, S. 428). Andererseits fungierte Hermann Josef Abs z. B., der die imperialistische Politik der Deutschen Bank maßgeblich bestimmt hatte (E. Czichon, Der Bankier und die Macht. Köln: 1970, S. 146), schon 1946 als Finanzberater des britischen Oberkommandierenden Sir Sholto Douglas (Badstübner, Thomas, Die Spaltung Deutschlands 1945–1949, a.a.O., S. 96 f.). In der britischen Zone blieb der „Reichsnährstand" sogar offiziell weiter bestehen, da die Militärregierung diese „Fachleute" als unentbehrlich ansah. Proteste und Streiks der Arbeiter gegen die Wiedereinsetzung belasteter Unternehmer in ihre „Eigentumsrechte" (wie z. B. bei der Lorenz AG oder bei Siemens in Berlin) fanden die Besatzungsmacht im allgemeinen auf der Seite der Unternehmer. (Belege bei Badstübner, Thomas, Die Spaltung Deutschlands 1945–1949, a.a.O., S. 100 f.; Schmidt, Die verhinderte Neuordnung 1945–1952, a.a.O., S. 57 f.).

1. Innerhalb der USA, der für die Westzonen maßgeblichen Besatzungsmacht, gewannen nach dem Tode des Präsidenten Roosevelt im April 1945 die Kräfte allmählich den entscheidenden Einfluß, die – gestützt auf das Atomwaffenmonopol – die Konfrontation mit der UdSSR suchten [20]. Ihnen kam es darauf an, die Westzonen zu einer antikommunistischen Bastion auszubauen und durch eine „Politik der Stärke" die UdSSR aus Osteuropa wieder zu verdrängen. Bei dieser Politik konnten die Führungsschichten des Faschismus, die ideologisch wie von ihren Interessen her auf den Antikommunismus fixiert waren, eher als Bundesgenossen dienen als die linksorientierten Antifaschisten.

2. In den Militärverwaltungen der Westzonen, in der französischen und britischen noch stärker als in der amerikanischen, gab es von Anfang an einflußreiche Gruppen, die dem Großkapital verpflichtet waren, politisch rechts standen und an einer Entnazifizierung, die sich nicht nur gegen die faschistischen Funktionäre, sondern notwendig auch gegen deren Bundesgenossen im Großbürgertum hätten richten müssen, kein Interesse zeigten [21].

3. Die Entnazifizierung in der amerikanischen Zone baute auf einem die gesamte Bevölkerung umfassenden Meldesystem auf, entschied nach ganz formalen Kriterien wie Mitgliedschaft in bestimmten Organisationen und lief auf eine Massenverfolgung der einfachen Mitglieder und kleinen Funktionäre hinaus [22].

20  Dazu G. Alperowitz, Atomare Diplomatie. Hiroshima und Potsdam. München: 1966; L. L. Matthias, Die Kehrseite der USA. Hamburg: 1964, S. 90 ff.; G. Kolko: The Politics of War. Allied Diplomacy and the World Crisis 1943–1945. London: 1969.

21  Materialien dazu bei Badstübner, Thomas, Die Spaltung Deutschlands 1945–1949, a.a.O., S. 92 ff.; vgl. auch Fürstenau, Entnazifizierung, a.a.O., S. 42 ff. Franzosen und Briten vergaben oft einflußreiche Stellungen an Personen, die von den Amerikanern gerade entlassen worden waren.

22  Ein Gesetzentwurf der Deutschen, der die Mitläufer von den „wirklich verantwortlichen Nazis" trennen und wieder eingliedern, andererseits das seit 1933 angehäufte Kapital der verantwortlichen Wirtschaftsunternehmen einziehen wollte, wurde von der Besatzungsmacht nicht genehmigt. (Dazu Fürstenau, Entnazi-

Diese Praxis rief bei breiten Schichten der deutschen Bevölkerung seit 1947 ein wachsendes Unbehagen gegen die Entnazifizierung überhaupt hervor. Die Meinung, die Kleinen würden ohnehin viel stärker bestraft als die Großen, fand weite Verbreitung [23]. Das alles bewog die deutschen Organisationen, denen die Entnazifizierung seit Ende 1945 allmählich übertragen worden war, sich immer stärker von ihr zu distanzieren und führte schließlich zu ihrer Einstellung. In der britischen Zone gab es kein umfassendes Meldesystem, doch war es hier vielen Nationalsozialisten möglich, sich der Entnazifizierung, „soweit sie finanzielle Reserven hatten", überhaupt zu entziehen [24]. Da die Verfahren unter Ausschluß der Öffentlichkeit stattfanden und die letzte Entscheidung hier ohnehin immer bei der Militärregierung lag, entstand bei der Bevölkerung der Eindruck, es handele sich um einen bloßen Rachefeldzug der Sieger. Das Resultat war das gleiche wie in der amerikanischen Zone: die Bevölkerung lehnte schließlich die Entnazifizierung im ganzen ab. Die französische Besatzungsmacht gab die Entnazifizierungskompetenzen überhaupt nicht an deutsche Stellen ab, ohne doch die Entnazifizierung selbst praktisch zu betreiben [25]. Wer bereit war, mit den Franzosen zusammenzuarbeiten, blieb im allgemeinen im Amt; allenfalls war er genötigt, die zuständigen Offiziere zu bestechen [26].

4. Die Haltung der Besatzungsmächte und die politische wie psychologisch bedenkliche Art der Entnazifizierung ermöglichte es den politischen Kräften in den Westzonen, die den Kampf gegen den Faschismus zu hemmen trachteten, die Entnazifizierung als ein höchst fragwürdiges Unternehmen zu denunzieren. Vor allem die Kirchen nützten ihr Ansehen, das sie sowohl bei den Besatzungsmächten wie bei der Bevölkerung ge-

fizierung, a.a.O., S. 59 ff.) Genauso verhielt sich die britische Besatzungsmacht gegenüber solchen Anträgen von deutscher Seite (ebd., S. 126).
23 Vgl. Fürstenau, Entnazifizierung, a.a.O., S. 188 f.
24 Ebd., S. 107.
25 Ebd., S. 134 ff.
26 Vgl. ebd., S. 137.

nossen, zu diesem Zweck, wobei sie zugleich ihre eigene Vergangenheit mit dem Mantel christlicher Barmherzigkeit zudeckten. So gab der Münchener Erzbischof Kardinal Faulhaber, dessen begeisterte Bekundungen über das Dritte Reich und seinen Führer nicht wenig zum treuen Gehorsam der katholischen Bevölkerung gegenüber dem faschistischen Staat beigetragen hatte [27], am 17. Juli 1946 seinem Klerus die Weisung: „Des Priesters Recht und Pflicht ist es, der Barmherzigkeit auch dort das Wort zu reden, wo andere zu Gericht sitzen und strafen müssen" [28].

Vor allem eine pauschale Verurteilung der SS und die Verhaftung von Wirtschaftsführern war in den Augen der katholischen Kirche Bayerns entschieden abzulehnen [29]. Auch der evangelische Landesbischof Lilje forderte in einem offenen Brief, es müsse die Möglichkeit beachtet werden, „daß jemand in guter Meinung und reiner Gesinnung einem politischen Irrtum verfallen ist" [30]. Solchermaßen gedeckt konnten die bürgerlichen Parteien alsbald die Begrenzung der Entnazifizierung auf strafrechtliche Delikte verlangen. Bereits 1947 war es ihnen z. B. möglich, öffentlich die Entnazifizierung mit der Diskriminierung der Juden durch den Faschismus zu vergleichen [31]. Dieses Plädoyer für „rechtsstaatliche Grundsätze" und für die „Versöhnung" aller Bevölkerungsgruppen hatte politisch ganz offensichtlich die Funktion, die Eliten des faschistischen Systems in ihren Stellungen zu halten, und diente außerdem noch dazu, die ehemaligen Parteigenossen als Wähler und Anhänger zu gewinnen [32].

27  Vgl. u. a. die Briefe Faulhabers an Adolf Hitler vom 24. 4. und 24. 7. 1933, seine Predigt vom 18. 5. 1933 usw. In: H. Müller, Katholische Kirche und Nationalsozialismus. Dokumente 1930 bis 1935. München: 1963, Dok. Nr. 45, 57 und 77.
28  Zit. nach Fürstenau, Entnazifizierung, a.a.O., S. 162.
29  Ebd., S. 160.
30  Sonntagsblatt Februar 1948, Nr. 1.
31  Vgl. Fürstenau, Entnazifizierung, a.a.O., S. 188.
32  Ebd., S. 171 f.; immerhin konnten die Linksparteien verhindern, daß die Entnazifizierung von Anfang an den Fachjuristen über-

So kam es, daß schon in der ersten Phase der Besatzungspolitik, als die wichtigsten Führungsgruppen des Faschismus von alliierten Militärgerichten als Kriegsverbrecher verurteilt und in der amerikanischen Zone teilweise recht rigorose Ansätze zur Entnazifizierung praktiziert wurden, eine beträchtliche personelle Kontinuität gegenüber dem Herrschaftsapparat des Faschismus aufrechterhalten blieb. Als dann die Wendung der amerikanischen Außenpolitik sich voll durchsetzte, die Spaltung vollzogen und die westlichen Zonen in Gestalt der BRD zum politischen und militärischen Stützpunkt dieser Außenpolitik ausgebaut wurden, nahmen sogar die in der ersten Phase entlassenen Gruppen zu einem erheblichen Teil wieder ihre alten Positionen ein. Zu Beginn der fünfziger Jahre nach der offiziellen Beendigung der Entnazifizierung erhielt dann eine große Zahl von Beamten und Richtern, Lehrer und Anwälten, Professoren und Redakteuren, die während des Dritten Reiches „treu ihre Pflicht erfüllt" hatte, wieder einflußreiche Stellungen in Staat und Gesellschaft und bestimmte von nun an die politische Atmosphäre der BRD wesentlich mit. Führer mächtiger Banken und Industriekonzerne, die – wie Hermann Josef Abs – von den amerikanischen Behörden auf die Kriegsverbrecherliste gesetzt oder – wie Flick – als Kriegsverbrecher bereits verurteilt worden waren, erhielten nicht nur alle politischen Freiheiten zurück, sondern übernahmen erneut das Kommando über ihre Wirtschaftsimperien. Aufbau und Befehlsgewalt der Bundeswehr schließlich übernahm jene Generation von Offizieren, die die Weimarer Republik bekämpft und den Faschismus unterstützt hatte und ihre autoritären Denk- und Verhaltensformen nun der jüngeren Generation weitervermittelte. In den Geheimdiensten wie in der Ministerialbürokratie, in der Polizei wie im diplomatischen Dienst etablierten sich die alten Führungs-

tragen wurde, die selbst mit dem Faschismus auf das beste zusammengearbeitet hatten. Die Spruchkammern bestanden zunächst hauptsächlich aus Vertretern der Parteien und Gewerkschaften, wobei die Linke nicht zufällig das Übergewicht hatte – bevor die Entnazifizierungsgremien von jenen unterwandert wurden, die eigentlich selbst auf die Anklagebank gehört hätten.

gruppen aufs neue [33]. So war es nicht verwunderlich, daß in den sechziger Jahren sogar die höchsten politischen Repräsentanten der BRD – der Bundespräsident Lübke und der Bundeskanzler Kiesinger – von jenen Gruppen gestellt wurden, die in der faschistischen Periode wichtige Funktionen bekleidet hatten.

Die Restauration der Machtpositionen der alten Führungsschichten wurde hauptsächlich mit zwei Argumenten begründet: Sie seien an den Verbrechen des Dritten Reiches persönlich nicht beteiligt gewesen [34], und sie seien zweitens als Fachleute unentbehrlich. Zum ersten, das sich auf die Frage der individuellen Schuld im strafrechtlichen oder moralischen Sinne konzentrierte, hatten schon die konservativen Gruppen des 20. Juli das Leitmotiv gegeben. Der als Reichskanzler vorgesehene Karl Goerdeler hatte eine Presseerklärung vorbereitet, in der es hieß: „Es geht nicht um die Frage: Parteigenossen oder Volksgenossen. Fort mit diesen Unterschieden, die artfremd dem deutschen Wesen aufgepfropft sind! Es geht nicht um die Frage: SS, SA oder welche Organisation auch immer. Es geht um die Frage: anständig oder unanständig" [35]. Und das zweite Argument suchte den Anschein zu erwecken, als handle es sich um eine Frage reiner Sachkompetenz. Die entscheidende Dimension, nämlich

33  Genauere Angaben über diesen Restaurationsprozeß in: W. Zapf, Wandlungen der deutschen Elite 1919 bis 1961. München: 1965; L. J. Edinger, Post-Totalitarian Leadership: Elits in the German Federal Republic. In: The American Political Science Review 49, 1960, Nr. 1; Nationalrat der Nationalen Front des demokratischen Deutschland (Hrsg.), Braunbuch. Kriegs- und Naziverbrecher in der Bundesrepublik und in Westberlin. Staat, Wirtschaft, Verwaltung, Armee, Justiz, Wissenschaft. 3. Aufl., Berlin: 1968.

34  Das tatsächlich begangene Unrecht als Kriterium der Verurteilung wurde dann bald durch das – natürlich nicht nachweisbare – Unrechtsbewußtsein ersetzt. Mit Hilfe dieses Tricks, der im Prinzip schon 1947 entwickelt wurde, konnte dann in der Bundesrepublik ein beträchtlicher Teil der angeklagten Nationalsozialisten freigesprochen werden.

35  Zit. nach R. Pechel, Deutscher Widerstand. Erlenbach, Zürich: 1947, S. 311; schon das Vokabular zeigt an, wie nahe Goerdeler dem Faschismus stand, den er stürzen wollte.

die politische, wurde von beiden ausgeklammert. Für den neuen Staat konnte es natürlich nicht ohne Folgen bleiben, wenn ein erheblicher Teil seiner Führungspositionen von jenen Gruppen besetzt war, die dem faschistischen Staat treu gedient und dort ihre Denk- und Verhaltensformen gelernt hatten und also ihrer ganzen Tradition und Mentalität nach autoritär orientiert waren – von ihren konkreten Interessen ganz zu schweigen [36].

## Die strukturelle Erneuerung: Demokratisierung

Um das Faschimusproblem politisch zu bewältigen, genügte es nicht, die Führungsschichten, die das faschistische Herrschaftssystem getragen hatten, aus ihren Positionen zu entfernen. Ebenso wichtig war es, die gesellschaftlichen Ursachen zu beseitigen, die den Faschismus hervorgebracht hatten. Es kam also erstens darauf an, das kapitalistische System, das die Wirtschaftskrise und damit den Aufstieg der NSDAP zur Massenbewegung produziert hatte, durch ein anderes zu ersetzen, in dem Wirtschaftskrisen, Massenarbeitslosigkeit und soziale Deklassierung breiter Schichten ausgeschlossen waren, d. h. durch ein System, das den Wirtschaftsprozeß nach dem Kriterium der gesellschaftlichen Bedürfnisse plante und nicht dem privaten Profitstreben der ökonomisch Mächtigen überließ. Und es kam zweitens darauf an, jenen sozialen Gruppen, die zum Zwecke der Krisenbewältigung und der Sicherung ihrer gesellschaftlichen Privilegien die Errichtung und die Politik des faschistischen Herrschaftssystems unterstützt hatten, die Grundlagen ihrer ökonomischen Macht zu entziehen, d. h. ein System

36 Daß der Bruch mit der faschistischen Tradition in personeller Hinsicht im östlichen Teil Deutschlands weit gründlicher vollzogen wurde als im westlichen, wird übrigens auch von westlichen Wissenschaftlern nicht bestritten: Die Entnazifizierung in der SBZ war nicht als „Racheakt ... sondern als politische Maßnahme geplant und durchgeführt worden. Dadurch war sie viel wirksamer als im Westen". (J. P. Nettl, die deutsche Sowjetzone bis heute. Politik, Wirtschaft, Gesellschaft. Frankfurt/M.: 1953, S. 35.)

zu errichten, in dem es demokratisch unkontrollierbare ökonomische Macht, die für die gesellschaftlichen Partialinteressen der sozialen Oberklassen politisch einsetzbar war, nicht mehr gab. Als Alternative bot sich eine Gesellschaft an, in der die Privilegien der oberen Klassen aufgehoben und alle gesellschaftlichen Bereiche nach den Prinzipien der Demokratie gestaltet waren.

Daß eine gesellschaftliche Umgestaltung in dieser Richtung erforderlich war, wurde sowohl von den Besatzungsmächten wie von den verschiedenen politischen Gruppierungen in Deutschland zunächst ausdrücklich versichert. Unterschiedliche Auffassungen gab es nur in der Frage der Reichweite solcher Maßnahmen. Die Alliierten verkündeten im Potsdamer Abkommen: „In praktisch kürzester Frist ist das deutsche Wirtschaftsleben zu dezentralisieren mit dem Ziel der Vernichtung der bestehenden übermäßigen Konzentration der Wirtschaftskraft, dargestellt insbesondere durch Kartelle, Syndikate, Trusts und andere Monopolvereinigungen." Von den deutschen Parteien wollten Sozialdemokraten und Kommunisten natürlich wesentlich weiter gehen als die bürgerlichen Parteien. Die SPD-Fraktion im nordrhein-westfälischen Landtag erklärte am 29. 4. 1948: „... eine wirkliche Entnazifizierung, die auch den Nationalsozialismus und Militarismus auflöst, ist nur möglich durch Überwindung der kapitalistischen Wirtschaftsordnung" [37]. Aber auch die bürgerlichen Parteien hielten anfänglich eine Vergesellschaftung der großen Unternehmen für unbedingt erforderlich. In den „Kölner Leitsätzen", einem vorläufigen Programmentwurf der CDU vom Juni 1945, heißt es: „Mit dem Größenwahnsinn des Nationalsozialismus verband sich die ehrgeizige Herrschsucht des Militarismus und der großkapitalistischen Rüstungsmagnaten ... die Vorherrschaft des Großkapitals, der privaten Monopole und Konzerne, wird gebrochen" [38]. In den Landesverfassungen, die in den Jahren 1946/47 entstanden,

---

37  Zit. nach Fürstenau, Entnazifizierung, a.a.O., S. 167.
38  Flechtheim (Hrsg.), Dokumente zur parteipolitischen Entwicklung in Deutschland seit 1945, a.a.O., Bd. 2, S. 30 und 32.

fanden diese Bestrebungen noch einen deutlichen Niederschlag [39].

## SBZ und DDR

Einige Probleme der oben skizzierten Demokratisierung wurden in der SBZ sogleich in Angriff genommen. Schon 1945/46 wurde durch eine Bodenreform der Großgrundbesitz aufgelöst. 2,1 Mill. ha Land wurden an Landarbeiter, Umsiedler, landlose und landarme kleine Bauern verteilt. Etwa ein Drittel des enteigneten Bodens erhielten Länder, Kreise und Gemeinden zur Bewirtschaftung. Es folgte auf dem Sektor der Industrie und des Bankwesens die Enteignung der „Kriegsinteressenten", „Naziverbrecher" und „aktiven Nazis" [40]. Diese Maßnahmen wurden in einer Volksabstimmung in Sachsen am 30. 6. 1946 von 77,6 % der Bevölkerung befürwortet und dann in der gesamten SBZ vollzogen. Nicht minder wichtig waren Schul- und Hochschulreform, die die Bildungsschranken für die unteren Klassen der Bevölkerung beseitigten, und Justizreform, die das Monopol des Bildungs- und Besitzbürgertums in der Rechtsprechung aufhob.

Diese Strukturreformen der ersten Phase bedeuteten keineswegs die Errichtung einer sozialistischen Gesellschaft. Die KPD und die im Februar 1946 gebildete SED vertraten vielmehr die Ansicht, daß es zunächst darauf ankomme, die bürgerliche Revolution konsequent zu Ende zu führen, dabei die bürgerlichen Mittelschichten als Bundesgenossen zu gewinnen und so den Weg zur Bildung eines gesamtdeutschen Staates offenzuhalten. Erst nach der Gründung der beiden Teilstaaten wurde

39  Zur sozialistischen und radikaldemokratischen Reformbewegung dieser Jahre vgl. W. Abendroth, Das Grundgesetz. Eine Einführung in seine politischen Probleme. Pfullingen: 1966, S. 19 ff.; R. Kühnl, Deutschland zwischen Demokratie und Faschismus. Zur Problematik der bürgerlichen Gesellschaft seit 1918. München: 1969, S. 67 ff.

40  Zit. nach O. Schröder: Der Kampf der SED in der Vorbereitung und Durchführung des Volksentscheids in Sachsen Februar bis 30. Juni 1946. Berlin: 1961, S. 73.

der „Aufbau des Sozialismus" in Angriff genommen [41], wobei der bei der Enteignung des Großgrundbesitzes und der „Kriegs- und Naziverbrecher" während der ersten Phase geschaffene öffentliche Sektor als Basis dienen konnte.

## Westzonen und BRD

Wie schon erwähnt, zeigten die Programme der Parteien und die Verfassungen der Länder in den Jahren 1945 bis 1947, daß man auch in den westlichen Zonen die Notwendigkeit struktureller Veränderungen klar erkannt hatte. Vergesellschaftung mindestens der Großindustrie und Enteignung des Großgrundbesitzes, Schul- und Justizreform, Stärkung der Volksvertretung gegenüber der Exekutive und direkte Gesetzgebung durch das Volk, kurzum: eine weitreichende Demokratisierung von Wirtschaft, Gesellschaft und Staat sollte nun der Demokratie ein festes Fundament geben.

Daß diese sozialistische und radikaldemokratische Reformbewegung, die zunächst das öffentliche Leben zu beherrschen schien, in den Anfängen stecken blieb und seit 1947/48 von den gegenläufigen Tendenzen besiegt wurde, lag an den gleichen Gründen, die für die mangelhafte Entnazifizierung verantwortlich waren und oben bereits dargelegt worden sind. Sollten die Westzonen zu einer zuverlässigen Bastion der amerikanischen Außenpolitik ausgebaut werden, so mußten die linken Kräfte zurückgedrängt werden.

Das Resultat dieser Politik, das sich nach 1948 immer deutlicher zeigte, bestand in der Restauration der alten Wirtschafts- und Gesellschaftsstruktur, die den Faschismus hervorgebracht hatte, und also in der Wiederherstellung der ökonomischen und gesellschaftlichen Macht jener Gruppen, die den Faschismus an die Macht gebracht und die Politik des Dritten Reiches maßgeblich mitbestimmt hatten. Die Sozialisierungsartikel der Länderverfassungen blieben ebenso auf dem Papier

---

41 Vgl. Protokoll der II. Parteikonferenz der Sozialistischen Einheitspartei Deutschlands, 9.–12. Juli 1952 in Berlin. Berlin: 1952, bes. S. 58 f.; Neues Deutschland vom 13. 7. 1952.

stehen wie der Artikel 15 des Grundgesetzes, der eine Sozialisierung von „Grund und Boden, Naturschätzen und Produktionsmitteln" immerhin noch für zulässig erklärt.

Zur entscheidenden Sicherung gegen eine Wiederkehr des Faschismus wurde in den westlichen Zonen die Ausgestaltung rechtsstaatlicher und parlamentarisch-demokratischer Verfassungsnormen erklärt. Die liberalen Grundrechte, die im Grundgesetz einen besonderen Rang erhielten, sollten Übergriffe der Staatsgewalt verhindern und die Freiheitssphäre der Bürger garantieren. Die parlamentarische Demokratie sollte eine demokratische Willensbildung gewährleisten. Ein Bundesverfassungsgericht wurde errichtet, das die Einhaltung dieser Verfassungsprinzipien sichern sollte. Daß demokratische und rechtsstaatliche Verfassungsnormen gegen die Übermacht sozialökonomischer Tatsachen im Ernstfall nicht standhalten können, lehrt allerdings sowohl die Geschichte wie die Herrschaftsstruktur der bürgerlichen Gesellschaft der Gegenwart.


## Die Folgen

Die Art und Weise der Auseinandersetzung mit dem Faschismus schuf für die beiden Teilstaaten unterschiedliche Ausgangsbedingungen, die ihre weitere Entwicklung maßgeblich mitbestimmt haben.

Im östlichen Teil entstanden durch die Entfernung der politisch belasteten Gruppen erhebliche Lücken in Wirtschaft, Wissenschaft, Verwaltung und Erziehungswesen, die die Effektivität des neuen Systems für eine längere Übergangsperiode beträchtlich verminderten. Die Heranbildung neuer Führungsschichten in neuem Geiste benötigte ihre Zeit. Hinzu kam, daß die Mentalität der breiten Massen, besonders der bürgerlichen Schichten, durch Tradition, soziale Interessenlage und faschistische Propaganda entschieden antikommunistisch geprägt war, so daß das neue System bei dem Bestreben, sie zur aktiven Mitarbeit zu bewegen, tief verwurzelte und zähe Widerstände zu überwinden hatte.

Zusammen mit den hohen Reparationsleistungen, die SBZ und DDR vor allem an die UdSSR und Polen zu erbringen hatten, und der fehlenden Rohstoff- und Schwerindustriebasis führten diese hemmenden Faktoren zu einem beträchtlichen Rückstand des wirtschaftlichen Aufstiegs gegenüber der durch Dollarkredite geförderten und mit Rohstoffen und Schwerindustrie vorzüglich ausgestatteten Bundesrepublik, der seinerseits dazu beitrug, die gegen das System gerichteten Stimmungen zu verstärken. Unter diesen Bedingungen waren die Führungsgruppen der DDR – wollten sie an ihrem Kurs festhalten – auch auf bürokratisch-repressive Maßnahmen angewiesen, die ihrerseits nicht dazu angetan waren, die Widerstände in der Bevölkerung abzubauen. Erst seit der ökonomischen Stabilisierung nach dem Bau der Berliner Mauer 1961 begannen sich diese Spannungen zu lockern.

Unzweifelhaft aber ist, daß es in der DDR gelang, mit den faschistischen Traditionen zu brechen und eine Wiederkehr des Faschismus unmöglich zu machen: Seine ökonomischen und sozialen Grundlagen sind vernichtet, seine Repräsentanten wie seine Bundesgenossen sind ihrer Machtpositionen beraubt. Zwar gibt es sicherlich in den Denkformen der Angehörigen der älteren Generation noch Relikte faschistischer Ideologien, doch da ihnen jede Gelegenheit fehlt, sich publizistisch zu verbreiten, politisch zu formieren und mit ökonomischen und sozialen Machtgruppen zu verbünden, stellen sie keine Gefahr mehr dar.

Dagegen bleibt in der Bundesrepublik der Faschismus als Tendenz und Drohung bestehen. Da die Macht des großen Kapitals ungebrochen ist und wichtige gesellschaftliche Führungspositionen in den Händen jener Gruppen sind, die mit dem Faschismus paktierten, vom Faschismus profitierten und von ihm geistig geprägt wurden, ist es nicht verwunderlich, daß hier autoritäre und faschistische Tendenzen in vielfältigen Formen am Werke sind: Ob man die Schulbücher oder die Tagespresse, die Illustrierten oder die Boulevardblätter, die „Landserhefte" oder die „Comic Strips", die politische Bildung in der Bundeswehr oder die Agitation der Vertriebenenverbände untersucht – es erweist sich, daß autoritäre und faschistische Ideologie massiv auf die Bevölkerung einwirken [42]. Die Rechtsparteien haben daraus schon früh Kapital geschlagen. Sie haben ehemalige Funktionsträger des Dritten Reiches in Führungspositionen ihrer Parteien übernommen und in ihrer Propaganda wesentliche Elemente der faschistischen Ideologie fortgeführt: das gilt für den Antikommunismus, der von CDU/CSU und FDP von Anfang an mit allen Mitteln aufgepeitscht wurde und in dieser Form in keiner anderen bürgerlichen Demokratie Europas seinesgleichen findet, wie für die Diffamierung kritischer Minderheiten, für nationalistisch-militaristische Ideologien wie für die Gewerkschaftsfeindlichkeit, für die reaktionäre Familien- und Sexualmoral wie für die Mobilisierung der Ängste der Kleineigentümer vor der Sozialdemokratie. So hat die CDU/CSU nicht nur die Massen der ehemaligen faschistischen Mitläufer auf ihre Seite gezogen, sondern die in der Bevölkerung tief verwurzelten autoritären Mentalitätsstrukturen weiter fortgeführt und verfestigt und so seit 1949 ihre politische Herrschaft abgesichert. Daß sich in der Rezessionsperiode 1966/67 eine Partei mit eindeutig faschistischem Charakter formieren, in Landtage und Gemeindeparlamente eindringen und auf ihrem Höhepunkt immerhin fast 10 % der Stimmen gewinnen konnte, war nur ein Symptom dieser restaurativen Entwicklung. Und daß die CSU und der rechte Flügel der CDU und der FDP (die NLA) wieder die gleiche nationalistische Demagogie betreiben, mit der die Rech-

42  Dazu R. Kühnl, Das Dritte Reich in der Presse der Bundesrepublik. Kritik eines Geschichtsbildes. Frankfurt/M.: 1966; G. Bienko, So steht es immer noch im Geschichtsbuch. In: Blätter für deutsche und internationale Politik 13, 1968, S. 623–643; E. Weick, Deutscher Widerstand 1933–1945. Aspekte der Forschung und der Darstellung im Schulbuch. Heidelberg: 1967; K. Th. Schuon, H. Wiedner, Politisch-soziologische Analyse historischer Kausalität und politische Bildung in der BRD. Weimarer Republik und Aufstieg des Nationalsozialismus im Spiegel der Schulgeschichtsbücher für die Oberstufe der Gymnasien. In: Blätter für deutsche und internationale Politik 13, 1968, S. 1288–1298 u. 14, 1969, S. 399–412.

te einst die bürgerliche Demokratie von Weimar zugrundege-
richtet hat, entspricht den Tendenzen, die in der deutschen
Rechten der Nachkriegsperiode von Anfang an angelegt waren. Die neue „Harzburger Front" hat sich als Bündnis der
„konservativen" und der faschistischen Rechten zwar politisch
erst in einigen Ansätzen formiert, doch ideologisch – in der
gemeinsamen Agitation gegen jede Form von Entspannung und
Demokratsierung – existiert sie bereits.

Die wesentlichen Faktoren, aus denen Faschismus sich bilden
kann, sind in der BRD also vorhanden: einerseits eine Bevölkerung, die in starkem Maße von autoritären und antidemokratischen Vorstellungen geprägt ist [43], andererseits eine herrschende Klasse, die Demokratie nach wie vor als Bedrohung
ihrer sozialen Privilegien empfindet und im „Ernstfall" nicht
zögern wird, das faschistische Potential zu mobilisieren. Bisher konnten Rechtsstaatlichkeit und bürgerliche Demokratie
gegen den Druck von rechts in einem erheblichen Umfange
verteidigt werden. Obwohl der demokratische Gehalt des
Grundgesetzes durch die politische Praxis wie durch Verfas-
sungsänderungen (von den Militärgesetzen bis zu den Notstandsgesetzen) schon stark ausgehöhlt wurde, ist die rechtsstaatliche bürgerliche Demokratie noch soweit intakt, daß sie
es den demokratischen Kräften ermöglicht, ihre Ansichten zu
artikulieren und ihre Opposition zu organisieren. Die kritischen
Tendenzen in Schule und Hochschule, in Verlagen und Zei-
tungsredaktionen, bei den Jungsozialisten und den Gewerkschaften und vor allem die Ansätze zu einem politischen Bewußtsein bei den Lohnabhängigen zeigen, daß die Chance,
den Faschismus in der BRD vollständig und radikal zu überwinden, noch nicht endgültig verspielt ist.

43  Belege und empirische Materialien dazu in R. Kühnl, R. Rilling,
    Ch. Sager: Die NPD. Struktur, Ideologie und Funktion einer
    neofaschistischen Partei. Frankfurt/M.: 1969, S. 326 ff.

Peter Römer

# Die Grundrechte in der BRD und der DDR

Nach dem Sieg der antifaschistischen Koalition und dem Untergang des Deutschen Reiches durch debellatio [1] waren sich die Siegermächte einig [2], daß dem deutschen Volk die Möglichkeit geboten werden sollte, „sich darauf vorzubereiten, sein Leben auf einer demokratischen und friedlichen Grundlage von neuem wiederaufzubauen" [3]. Dazu war u. a. notwendig: Die Beseitigung aller faschistischen und antidemokratischen Kräfte aus den öffentlichen Ämtern und von den „verantwortlichen Posten in wichtigen Privatunternehmungen" [4], Vernichtung der „bestehenden übermäßigen Konzentration der Wirtschaftskraft" [5], Reformierung des Erziehungs- und Gerichtswesens sowie der öffentlichen Verwaltung.

In den nach dem Zusammenbruch neu geschaffenen Länderverfassungen aller Besatzungszonen spiegelte sich diese objektive Situation wider. Der grundrechtliche Schutz des Eigentums

1  Vgl. W. Abendroth, Die Haftung des Reiches, Preußens, der Mark Brandenburg und der Gebietskörperschaften des öffentlichen Rechts für Verbindlichkeiten, die vor der Kapitulation vom 8. 5. 1945 entstanden sind. In: Neue Justiz 1, 1947, S. 73 ff. Zur Frage des Untergangs des Deutschen Reiches siehe auch R. Stödter, Deutschlands Rechtslage. Hamburg: 1950 und H. v. Mangoldt, Friedrich Klein, Das Bonner Grundgesetz, 2. Aufl., Berlin, Frankfurt/M.: 1957, S. 29 ff. (Überschrift VI); R. Schuster, Deutschlands staatliche Existenz im Widerstreit politischer und rechtlicher Gesichtspunkte. München: 1963 mit ausführlichen Literaturhinweisen.
2  Vgl. zum folgenden insbes. R. Badstübner, S. Thomas, Die Spaltung Deutschlands 1945–1949. Berlin: 1966; R. Badstübner, Restauration in Westdeutschland 1945–1949. Berlin: 1965; zur Entstehung der BRD siehe auch P. H. Merkl, Die Entstehung der Bundesrepublik Deutschland. Stuttgart: 1965.
3  Zit. nach: E. Deuerlein (Hrsg.), Potsdam 1945, Quellen zur Konferenz der „Großen Drei". München: 1963, S. 353, 354.
4  Ebd., S. 355.
5  Ebd., S. 357.

wurde durchbrochen zugunsten zum Teil verpflichtender Sozialisierungsaufträge [6]. Die übernommenen liberalen Freiheitsrechte wurden durch eine Fülle von sozialen Grundrechten ergänzt, die allen Bürgern die reale Chancengleichheit garantieren und ihnen die Möglichkeit der Mitbestimmung auf allen wichtigen Gebieten des staatlichen und gesellschaftlichen Lebens eröffnen sollten [7].

Die verschiedenartige gesellschaftliche und politische Entwicklung in Ost und West führte zu unterschiedlichen verfassungsrechtlichen Normen: Nachdem in den Westzonen durch die Währungsreform die formale Gleichheit in der Distributionssphäre aufgehoben worden war und zugleich die Sach- und Produktionsmittelbesitzer sich in der totalen Niederlage als die Gewinner erwiesen hatten, war es unausweichlich, daß diese politisch-ökonomische Lage sich auch im Grundgesetz des westdeutschen Staatsfragments und insbesondere in dessen Grundrechtsteil widerspiegelte. In dem Kompromiß der politischen und sozialen Kräfte, der sich in den Normen des Grundgesetzes ausdrückte, mußten indes auch jene antifaschistischen Kräfte Berücksichtigung finden, deren Ziel die sozialistische Umgestaltung der Eigentumsverhältnisse war, weil sie in diesen eine wesentliche Ursache des Nationalsozialismus sahen und weil ihnen eine sinnvolle menschliche Existenz erst dann möglich erschien, wenn die beiden grundlegenden Prinzipien der Demokratie, die der Gleichheit und der Mitbestimmung, auch auf den wirtschaftlichen, kulturellen und gesellschaftlichen Bereich ausgedehnt werden würden. Jedoch waren diese Kräfte nicht mehr stark genug, ihre Forderungen im Grundgesetz verankern zu können. Es gelang ihnen lediglich, die Möglichkeit offenzuhalten, die politische Demokratie in die soziale zu überführen [8]; solche Bestrebungen sollten nicht als verfassungswid-

6  Vgl. die Nachweise bei W. Abendroth, Das Grundgesetz. Eine Einführung in seine politischen Probleme. Pfullingen: 1966, S. 27.
7  Ebd.
8  Vgl. auch W. Abendroth, Die soziale Struktur der Bundesrepublik und ihre politischen Entwicklungstendenzen. In: ders., Antagonistische Gesellschaft und politische Demokratie. Aufsätze zur poli-

rig angesehen werden können. Die Formel, die Bundesrepublik sei ein „demokratischer und sozialer Bundesstaat", Art. 20 GG [9], und die durch Art. 15 geschaffene Ermächtigung, durch Gesetz Produktionsmittel, Grund und Boden sowie Naturschätze zum Zwecke der Vergesellschaftung in Gemeineigentum zu überführen, waren die Einbruchsstellen des Sozialstaates in das liberal-rechtsstaatliche System. Konkrete soziale Grundrechte im Grundgesetz zu fixieren gelang indes nicht. Demgegenüber vermochten die Kirchen in Art. 6 Abs. 1 – 3 GG, Schutz von Ehe und Familie, und Art. 7 Abs. 3 und 4 GG, Religionsunterricht als ordentliches Lehrfach und Gewährleistung des Rechts zur Errichtung von privaten Schulen, den verfassungsrechtlichen Schutz ihrer Interessen durchzusetzen [10]. Ebenso die Beamten, Art. 33 Abs. 4 und 5 GG, die es erreichten, daß die „hergebrachten Grundsätze des öffentlichen Dienstes" in der Verfassung zementiert wurden [11]. Ansonsten wurden die überkommenen liberalen Freiheitsrechte – Freiheit der Person, Recht auf körperliche Unversehrtheit, Gewährleistung von Rechtsgarantien bei Freiheitsentzug, Glaubens-, Gewissens- und Religionsfreiheit, Meinungs-, Presse- und Informationsfreiheit, Versammlungs- und Wissenschaftsfreiheit, Vereinigungsfreiheit, Petitionsrecht, Freizügigkeit, Asylrecht, Gewährleistung des Brief-, Post- und Fernmeldegeheimnisses und der Unverletzlichkeit der Wohnung sowie die Eigentumsfreiheit – normiert. Der

    tischen Soziologie. Neuwied, Berlin: 1967, S. 17 ff.; ders., Die verfassungspolitische Entwicklung des Bundes, a.a.O., S. 48 ff.

9   Zur Sozialstaatsklausel und ihrem Verhältnis zum Rechtsstaatsprinzip s. W. Abendroth, Zum Begriff des demokratischen und sozialen Rechtsstaates im Grundgesetz der Bundesrepublik Deutschland. In: A. Herrmann (Hrsg.), Festschrift zum 70. Geburtstag von Ludwig Bergsträsser. Düsseldorf: 1954, Wiederabdruck in: E. Forsthoff, Rechtsstaatlichkeit und Sozialstaatlichkeit, Aufsätze und Essays. Darmstadt: 1968, S. 114 ff., und die übrigen Aufsätze in diesem Sammelband.

10  Vgl. dazu W. Sörgel, Konsensus und Interessen. Eine Studie zur Entstehung des Grundgesetzes für die Bundesrepublik Deutschland. Stuttgart: 1969, insbes. S. 167 ff.; Merkl, Die Entstehung der Bundesrepublik Deutschland, a.a.O., S. 144 ff.

11  Merkl, a.a.O., S. 120 ff.

Grundsatz der Gleichberechtigung von Mann und Frau, die Berufsfreiheit und die Koalitionsfreiheit sind ebenso wie die geforderte Gleichstellung der unehelichen mit den ehelichen Kindern letztlich noch von liberaler Prägung, wenn auch im Liberalismus nicht gewährt und erst vom Sozialismus erkämpft. Insbesondere beim Koalitionsrecht und dem damit ververbundenen Streikrecht sowie bei der Arbeits- und Berufsfreiheit und der mit ihr materiell verknüpften Ausbildungsfreiheit zeigen sich allerdings bereits die Grenzen der liberalen Abwehrrechte gegen den Staat, denn inhaltlich sind diese Rechte bereits potentielle gesellschaftliche Betätigungs- bzw. soziale Anspruchsrechte.

Die Sicherung und Gewährleistung der Grundrechte wurde angesichts des Schicksals der Weimarer Verfassung und ihres Grundrechtsteils zwar als Problem gesehen, jedoch meinte man im Parlamentarischen Rat, es durch den Einbau juristischer Garantien [12] in das Grundgesetz lösen zu können. Es wurde nicht erkannt, daß die Grundrechtsgeltung nur durch materielle Garantien sichergestellt werden kann, die jedem einzelnen die Ausübung der Grundrechte ermöglicht und ihm damit zugleich das Bewußtsein vermittelt, daß seine Grundrechte und ihre aktive Inanspruchnahme nicht sein Recht als vom Staate isoliertes privates Individuum, sondern auch seine staatsbürgerliche und gesellschaftliche Pflicht ist (allerdings kann wohl nicht angenommen werden, daß diese materiellen Grundrechtssicherungen nur aus Unkenntnis dieser Sachlage unterblieben).

Mit der Norm, dergemäß die Grundrechte Gesetzgebung, vollziehende Gewalt und Rechtsprechung als unmittelbar geltendes Recht binden, Art. 1 Abs. 3 GG, sollte verhindert werden, daß entsprechend der Entwicklung in der Weimarer Republik die Grundrechte als rechtlich unverbindliche Programmsätze, als bloße „politische Lyrik" deklariert werden konnten. Resultat der schlechten Erfahrungen mit der Weimarer Verfassung waren auch die Vorschriften, daß Grundrechtseinschränkun-

---

12  Eine zusammenfassende Darstellung solcher juristischer Theorien gibt D. Rauschning, Die Sicherung der Beachtung vom Verfassungsrecht. Bad Homburg v. d. H., Berlin, Zürich: 1969.

gen durch Gesetz oder aufgrund eines Gesetzes allgemein und nicht nur für einen Einzelfall gelten müssen, Art. 19 Abs. 1 Satz 1, sowie das Zitiergebot, demgemäß ein jedes ein Grundrecht einschränkendes Gesetz das betreffende Grundrecht unter Angabe des Artikels nennen muß, Art. 19 Abs. 1 Satz 2 GG. Die in Art. 19 Abs. 2 GG normierte Unantastbarkeit des Grundrechts in seinem Wesensgehalt zeigt ebenso wie Art. 1 Abs. 1 GG (die Würde des Menschen ist unantastbar) und Abs. 2 (das Deutsche Volk bekennt sich zu unverletzlichen und unveräußerlichen Menschenrechten ...) die große Bedeutung, die der Grundgesetzgeber den Grundrechten beilegen wollte; allerdings handelt es sich dabei um äußerst unbestimmt gefaßte Begriffe, die der Konkretisierung und Auslegung bedürfen [13].

Die Sicherung der Grundrechte durch gerichtlichen Rechtsschutz wurde im Grundgesetz besonders betont. Der Rechtsweg, subsidiär der ordentliche Rechtsweg, steht jedermann offen, der in seinen Rechten verletzt worden ist, Art. 19 Abs. 4 GG. Die weitergehende Möglichkeit, bei Grundrechtsverletzungen mit Hilfe der Verfassungsbeschwerde das Bundesverfassungsgericht anzurufen, war zunächst nur durch einfaches Gesetz gegeben und nicht unmittelbar aufgrund der Verfassung [14]. Verfassungs- und grundrechtswidrige Gesetze können indes von den Gerichten dem Bundesverfassungsgericht zur Prüfung ihrer Übereinstimmung mit dem Grundgesetz vorgelegt werden, Art. 100 GG.

13  Vgl. zum Begriff der Menschenwürde W. Maihofer, Rechtsstaat und menschliche Würde. Frankfurt/M.: 1968; W. Wertenbruch, Grundgesetz und Menschenwürde. Ein kritischer Beitrag zur Verfassungswirklichkeit. Köln: 1958; zur Diskussion um die Wesensgehaltsgarantie vgl. H. Jaeckel, Grundrechtsgeltung und Grundrechtssicherung. Rechtsdogmatische Studie zu Art. 19 Abs. 2 GG. Berlin: 1967; E. v. Hippel, Grenzen und Wesensgehalt der Grundrechte. Berlin: 1965; P. Haeberle, Die Wesensgehaltsgarantie des Art. 19 Abs. 2 Grundgesetz. Zugleich ein Beitrag zum institutionellen Verständnis der Grundrechte und zur Lehre vom Gesetzesvorbehalt. Karlsruhe: 1962.

14  Durch Gesetz vom 29. 1. 1969 wurde die Verfassungsbeschwerde in das Grundgesetz, Art. 93 Abs. 4 a und b, eingefügt.

Mit der Konzeption liberaler Freiheitsrechte war das Miß-
trauen gegenüber dem staatlichen Gesetzgeber nicht recht vereinbar, denn im Prozeß „man versus state", in der Entgegensetzung privater gesellschaftlicher Freiheitsrechte gegen staatliche obrigkeitliche Gewalt war ursprünglich unter dem Staat
lediglich die staatlich-monarchische Exekutive verstanden worden, nicht aber das Parlament, das als Organ der Gesellschaft
angesehen wurde. Die schein-legale Machtergreifung Hitlers
und die Funktionsunfähigkeit des Parlamentes in der End-
phase der Weimarer Republik erzeugte bei oberflächlicher, lediglich die Institutionen, nicht die realen politisch-ökonomischen Verhältnisse ergreifender Betrachtungsweise die Vorstellung, die Gefahr für den Bestand der Grundrechte ginge nicht
zuletzt auch vom Gesetzgeber, dem Volk oder dem Parlament,
aus. Deshalb wurden Volksbegehren und Volksentscheid nicht
in das Grundgesetz aufgenommen, deshalb wurde die richter-
liche Gewalt zuungunsten der gesetzgebenden gestärkt, deshalb
wurden auch der Einschränkung der Grundrechte durch Gesetz oder durch Maßnahmen aufgrund eines Gesetzes enge
Grenzen gezogen; es sollte verhindert werden, daß die Grundrechte nur nach Maßgabe der Gesetze gelten [15]. Eine der liberalen Vorstellungswelt fremde und nur durch das vorangegan-
gene Dritte Reich erklärbare Vorschrift ist auch Art. 18 GG,
wonach durch Urteil des Bundesverfassungsgerichtes einzelne
Personen bestimmte Grundrechte verwirken können, wenn sie
diese zum Kampf gegen die freiheitliche demokratische Grundordnung mißbrauchen [16].

15  Zum Problem des Verhältnisses von Verfassungsrecht und gegen-
    über den Verfassungsnormen rangniederen Normen vgl. W. Leis-
    ner, Von der Verfassungsmäßigkeit der Gesetze zur Gesetzmäßig-
    keit der Verfassung. Betrachtungen zur möglichen selbständigen
    Begrifflichkeit im Verfassungsrecht. Tübingen: 1964.
16  Zu Art. 18 GG vgl. H.-U. Gallwas, Der Mißbrauch von Grund-
    rechten. Berlin: 1967; W. Schmitt-Glaeser, Mißbrauch und Ver-
    wirkung von Grundrechten im politischen Meinungskampf.
    Eine Untersuchung über die Verfassungsschutzbestimmung des
    Art. 18 GG und ihr Verhältnis zum einfachen Recht, insbesondere
    zum politischen Strafrecht. Bad Homburg v. d. H., Berlin, Zürich:
    1968.

Bei der Konkretisierung und Realisierung der Grundrechte durch Gesetzgebung, Exekutive und Rechtsprechung nach dem Inkrafttreten des Grundgesetzes war entscheidend, ob der Staat seine Aufgabe darin sah, die reale, gleichmäßige Geltung der Grundrechte für alle Staatsbürger zu ermöglichen und zu garantieren und das Gleichheits- und Sozialstaatsprinzip durchzusetzen oder ob er die Grundrechte, wenn auch vielleicht nicht nach Maßgabe der Gesetze, so doch jedenfalls nach Maßgabe der tatsächlichen ökonomischen und sozialen Verhältnisse wollte gelten lassen: in ihnen also Bastionen des vom Gemeinwesen isolierten, egoistischen Individuums erblickte.

Bekanntlich vollzog sich die tatsächliche Entwicklung nicht in Richtung auf eine Demokratisierung der wirtschaftlichen und der sozio-kulturellen Bereiche [17]. Vielmehr wurde auf dem ideologischen Hintergrund des Ordo-Liberalismus und der sozialen Marktwirtschaft die weitere Restauration der privatkapitalistischen Verhältnisse und die Stabilisierung der ökonomischen und damit auch politischen Machtpositionen vorgenommen. Stand das Grundgesetz bei seiner Entstehung bereits „rechts" von den Landesverfassungen und den politischen Vorstellungen aller maßgebenden politischen und gesellschaftlichen Kräfte, die sich unmittelbar nach dem Zusammenbruch artikulieren konnten, so wurde es von der weiteren Entwicklung zunehmend nach „links" gerückt. Bezeichnend dafür ist, daß nicht einmal die wenigen Gesetzgebungsaufträge, die im Grundrechtsteil des Grundgesetzes enthalten sind, in angemessener Frist erfüllt wurden. Dies galt insbesondere für die in Art. 3 Abs. 2 GG geforderte Gleichberechtigung von Mann und Frau. Es bleibt die Benachteiligung der Frau im Arbeitsprozeß, ihre fortbestehende Ankettung an Haus und Kind, erzwungen vom Mangel an Kinderkrippen, Kindergärten und

---

17  Vgl. W. Abendroth, Die soziale Struktur der Bundesrepublik und ihre politischen Entwicklungstendenzen. In: ders., Antagonistische Gesellschaft und politische Demokratie, a.a.O., S. 17 ff.; Urs Jaeggi, Macht und Herrschaft in der Bundesrepublik, Frankfurt/M.: 1969; H. H. Herzog, P. Oehlke, Intellektuelle Opposition im autoritären Sozialstaat. Neuwied, Berlin: 1970.

anderen Entlastungsmöglichkeiten, ideologisch verklärt durch eine öffentlich geförderte reaktionäre Ideologie von der Rolle der Frau in der Gesellschaft [18]. Ein Gesetz, das den unehelichen Kindern, wie in Art. 6 Abs. 5 GG gefordert, die gleichen Bedingungen für ihre leibliche und seelische Entwicklung und ihre Stellung in der Gesellschaft verschafft wie den ehelichen, wurde erst fast zwanzig Jahre nach dem Inkrafttreten des Grundgesetzes erlassen und unter dem Druck des Bundesverfassungsgerichtes, das erklärte, anderenfalls werde es Art. 6 Abs. 5 auch ohne Ausführungsgesetz als unmittelbar geltendes Recht anwenden [19]. Nicht nur, daß der Gesetzgeber von dem Sozialisierungsartikel, Art. 15 GG, keinen Gebrauch machte, durch seine Steuer- und Subventionsgesetzgebung beschleunigte er die Konzentration in der Wirtschaft [20], indes er für eine Vermögensbildung der großen Masse der abhängig Arbeitenden nichts Wirksames unternahm. Von der Möglichkeit, die Eigentumsfreiheit so einzuschränken, daß das Eigentum zugleich der Allgemeinheit dient, wurde ebenfalls kein effektiver Gebrauch gemacht, wie die Wasser- und Luftver-

18  Vgl. A. Mechtel, Von der Gesellschaft apathisch, passiv und unwissend gemacht: Frauen in der Bundesrepublik. In: F. Hitzer, R. Opitz (Hrsg.), Alternativen der Opposition, Köln: 1969, S. 277 ff.; H. Pross, Über die Bildungschancen von Mädchen in der Bundesrepublik. Frankfurt/M.: 1969.

19  BVerfGE 25, S. 167 ff. (s. Leitsatz Nr. 1: „Erfüllt der Gesetzgeber den ihm von der Verfassung in Art. 6 Abs. 5 erteilten Auftrag zur Reform des Unehelichenrechts auf dem Gebiete des bürgerlichen Rechts nicht bis zum Ende der laufenden (fünften) Legislaturperiode des Bundestages, so ist der Wille der Verfassung soweit wie möglich von der Rechtssprechung zu verwirklichen. Die Verfassungsnorm erlangt insoweit derogierende Kraft gegenüber entgegenstehendem einfachen Recht").

20  Siehe zu dieser: D. Grosser (Hrsg.), Konzentration ohne Kontrolle, Kritik Bd. II. Köln, Opladen: 1969; J. Huffschmid, Die Politik des Kapitals. Konzentration und Wirtschaftspolitik in der Bundesrepublik. Frankfur/M.: 1969; K. H. Stanzick, Der ökonomische Konzentrationsprozeß. In: G. Schäfer, C. Nedelmann (Hrsg.), Der CDU-Staat. München: 1967; H.-H. Hartwich, Sozialstaatspostulat und gesellschaftlicher status quo. Köln, Opladen: 1970.

schmutzung, das Desaster der Städteplanung, die Bau- und Bodenspekulation zeigen. Die Meinungsäußerungs- und Informationsfreiheit wurde, da der ungehemmten Pressekonzentration kein Riegel vorgeschoben wurde, zum Monopol einiger weniger, die, wie Springer [21], dies Monopol ungeniert politisch mißbrauchen. Die Ausbildungsfreiheit wurde realiter nicht gewährt, da, von wengen Ausnahmen abgesehen, das überkommene, auf die Interessen des Bürgertums ausgerichtete Schul- und Hochschulsystem im Kern unverändert beibehalten wurde; die geringe Zahl von Arbeiterkindern an den Universitäten und die Unterrepräsentation der Frauen geben ein deutliches Bild von der realen Freiheit jedes Deutschen, Ausbildungsstätte und Beruf frei zu wählen [22].

Die Koalitionsgarantie des Art. 9 Abs. 3 steht in besonders enger Beziehung zur Sozialstaatsklausel [23]. Sie umfaßt grundsätzlich ein kollektives Mitbestimmungsrecht der Gewerkschaften in der Unternehmens- und Betriebsverfassung [24]. Die Realisierung dieses Mitbestimmungsrechts ist in der Bundesrepublik bis jetzt noch nicht gelungen [25]. Die abhängig Arbeitenden vermochten es nicht, das Betriebsverfassungsgesetz, das einen erheblichen Rückschritt gegenüber der Montanmitbestimmung brachte, zu verhindern und das durch die Koalitionsfreiheit des Art. 9 Abs. 3 mitgarantierte Streikrecht der Disposition der höchstrichterlichen Rechtsprechung, vor allem des Bundes-

21  Vgl. B. Jansen, A. Klönne (Hrsg.), Imperium Springer. Macht und Manipulation. Köln: 1968.

22  G. Kath, Das soziale Bild der Studentenschaft in Westdeutschland und Berlin. Berlin 1964; H. Gerstein, Studierende Mädchen. Zum Problem des vorzeitigen Abgangs von der Universität. München: 1965.

23  Vgl. H. Lenz, Die unbehagliche Nähe der Koalitionsgarantie zum Sozialstaat. In: H. Maus (Hrsg.), Gesellschaft, Recht und Politik. Wolfgang Abendroth zum 60. Geburtstag. Neuwied, Berlin: 1968, S. 203 ff.

24  Ebd., S. 225.

25  Vgl. F. Deppe, J. v. Freyberg, Ch. Kievenheim, R. Meyer, F. Werkmeister, Kritik der Mitbestimmung. Partnerschaft oder Klassenkampf? Frankfurt/M.: 1969.

arbeitsgerichts, zu entziehen [26]; mit Hilfe des Begriffs der Sozialadäquanz [27], einer Leerformel, deren Ausfüllung sich das Bundesarbeitsgericht als Monopol anmaßte, wurde das Streikrecht vom Recht der Arbeiter auf kollektive Umgestaltung der Arbeitsverträge, tendenziell also der Produktionsverhältnisse, zu einem Recht umfunktioniert, das seine Grenze stets an der grundsätzlichen Aufrechterhaltung und Nichtgefährdung der privatkapitalistischen Produktionsverhältnisse findet. Das Grundrecht der freien Entfaltung der Persönlichkeit, Art. 2 Abs. 1 GG, wurde demgegenüber zusammen mit dem der Berufsfreiheit und der Eigentumsfreiheit von führenden Juristen der BRD zur institutionellen Sicherung der sozialen Marktwirtschaft umgedeutet [28].

Als besonders verhängnisvoll erwies sich die Pervertierung der politischen Beteiligungsrechte, insbesondere des Wahlrechts und der Vereinigungsfreiheit. Die im Grundgesetz enthaltenen Bestimmungen über das Verbot von Parteien und verfassungswidrigen Vereinigungen und die in ihnen zum Ausdruck gekommene Abkehr vom streng liberal-freiheitlichen Modell zugunsten des Grundsatzes: „Keine Freiheit für die Feinde der

26  Vgl. X. Rajewsky, Arbeitskampfrecht in der Bundesrepublik. Frankfurt/M.: 1970 mit weiteren Nachweisen, insbes. S. 60 ff.; B. Rüthers, Streik und Verfassung, Köln-Deutz: 1960.
27  Vgl. BAG AP Nr. 1 zu Art. 9 GG = BAG 1, S. 291 ff.; H. C. Nipperdey, Die Ersatzansprüche für die Schäden, die durch den von den Gewerkschaften gegen das geplante Betriebsverfassungsgesetz geführten Zeitungsstreik vom 27.–29. Mai 1952 entstanden sind (Gutachten). Schriftenreihe der Bundesvereinigung der Deutschen Arbeitgeberverbände, Heft 9. Köln: 1953.
28  Vgl. L. Enneccerus, H. C. Nipperdey, Allgemeiner Teil des Bürgerlichen Rechts. 1. Halbbd., 15. Aufl., Tübingen: 1959, S. 86 f.: „Wie der totale Staat die totale Planwirtschaft nach sich zieht, so entspricht dem freiheitlichen, sozialen Rechtsstaat notwendig und allein die soziale Marktwirtschaft. Sie ist institutionell garantiert" ... „Die soziale Marktwirtschaft ist ‚verfassungsmäßige Ordnung'", S. 89; diese Behauptung wird hauptsächlich auf Art. 1 und Art. 2 Abs. 1 GG gestützt. Zur Geltung des Rechts auf freie Entfaltung der Persönlichkeit im ökonomischen Bereich siehe auch: Maunz-Dürig, Grundgesetz. Kommentar. Lose-Blatt-Ausgabe, Art. 2, Abs. 1 RZ 11 ff.

Freiheit" boten den formalen Ansatzpunkt zur konsequenten Unterdrückung auch derjenigen Kräfte, die entschlossen waren, auf der Grundlage des GG die materiellen Bedingungen dafür zu schaffen, den sozialen Rechtsstaat zu verwirklichen. Waren die genannten Normen des GG ursprünglich ausschließlich dazu gedacht, das Wiedererstarken des Nationalsozialismus zu verhindern, so wurden sie im Laufe der Entwicklung immer mehr – mit Ausnahme von Art. 18 – dazu verwandt, die Wendung vom antifaschistischen zum antikommunistischen Staat verfassungsrechtlich abzusichern. Das Verbot der KPD [29], das ihm vorausgegangene Verbot der FDJ sowie anderer antifaschistischer und Friedensorganisationen und die ihm nachfolgenden Maßnahmen der Straf- und Zivilgerichte [30] sowie die Grundrechtseingriffe, die von den Verfassungsschutzämtern im Bereich der Intim- und Privatsphäre vorgenommen wurden [31], bedeuteten für viele Demokraten den

29  G. Pfeiffer, H.-G. Strickert, KPD-Prozeß. Dokumentarwerk zu dem Verfahren über den Antrag der Bundesregierung auf Feststellung der Verfassungswidrigkeit der Kommunistischen Partei Deutschlands vor dem Ersten Senat des Bundesverfassungsgerichts. 3 Bde., Karlsruhe: 1955; W. Abendroth, Das KPD-Verbotsurteil des Bundesverfassungsgerichts. Ein Beitrag zum Problem der richterlichen Interpretation von Rechtsgrundsätzen der Verfasung im demokratischen Staat. In: ders., Antagonistische Gesellschaft und politische Demokratie, a.a.O., S. 139 ff.; W. Abendroth, H. Ridder, O. Schönfeldt, KPD-Verbot oder Mit den Kommunisten leben. Reinbek: 1968.
30  Vgl. H. Hannover, Zur politischen Strafjustiz. In: KPD-Verbot, a.a.O., S. 36 ff.; H. Čopić, Grundgesetz und politisches Strafrecht neuer Art. Tübingen: 1967, insbes. S. 146 ff.; H. Ridder, Neue Nachricht vom Aufhören des Verfassungsrechts nebst einem Vorschlag, wie Abhilfe zu schaffen sei. In: Kritische Justiz 1970, S. 257 f.; D. Posser, Politische Strafjustiz aus der Sicht des Verteidigers. Karlsruhe: 1961; L. Lehmann, Legal und Opportun. Politische Justiz in der Bundesrepublik. Berlin: 1966; C. Nedelmann, Die Gewalt des politischen Staatsschutzes und ihre Instanzen. In: Schäfer, Nedelmann, Der CDU-Staat, a.a.O., S. 100 ff.
31  Vgl. H.-U. Evers, Privatsphäre und Ämter für Verfassungsschutz. Berlin: 1960; P. Römer, Der belauschte Staatsbürger. Die rechtlichen Grenzen für das Tätigwerden der Ämter für Verfassungs-

teilweisen oder völligen Verlust ihrer Grundrechte. Dieser Entwicklung, die durch die ökonomischen Verhältnisse und ihre Entwicklung und die politische Ausrichtung auf den Westen und gegen die UdSSR und die DDR bedingt war, wurde kaum Widerstand entgegengesetzt. Die Rechtstheorie unterstützte zum größten Teil die skizzierte Entwertung der Grundrechte. Ausgehend von der Trennung von Staat und Gesellschaft, interpretierte sie die Grundrechte gemäß der überkommenen Theorie als Abwehrrechte gegen den Staat und knüpfte im übrigen an den in der Weimarer Republik erreichten Stand der Grundrechtsforschung an [32], z. B. an die Schmittsche Theorie von den institutionellen Garantien und Institutsgarantien [33]. Bezeichnend für den Stand der Grundrechtstheorie ist, daß

---

schutz. In: Blätter für deutsche und internationale Politik 13, 1968, S. 40 ff.

32  Vgl. die Darstellung der Grundrechte im verbreiteten Lehrbuch des Staatsrechts der BRD: Th. Maunz, Deutsches Staatsrecht. Ein Studienbuch. 17. Aufl., München: 1969 und Mangoldt, Klein, Das Bonner Grundgesetz, a.a.O., S. 51 ff., Die Grundrechte, Vorbemerkungen. Kritik an der unkritischen Anknüpfung an Jellinek übt E. Stein, Lehrbuch des Staatsrechts, Tübingen: 1968, S. 220 ff. und eingehend K. Hesse, Grundzüge des Verfassungsrechts der Bundesrepublik Deutschland. 3. Aufl., Karlsruhe: 1969, S. 112. Ansätze zu einer nicht nur geistesgeschichtlichen und juristischen Betrachtungsweise finden sich dagegen bei E. Fechner, Die soziologische Grenze der Grundrechte. Versuch einer Ordnung der einwirkenden Kräfte zum Zwecke ihrer besseren Beherrschung. Tübingen: 1954; N. Luhmann, Grundrechte als Institution. Ein Beitrag zur politischen Soziologie. Berlin: 1965, will die Grundrechtsdogmatik durch eine „Grundrechtsanalyse mit den Mitteln der strukturell-funktionalen Systemtheorie" befruchten, a.a.O., S. 13; die soziale Funktion der Grundrechte ist nach Luhmann in erster Linie – Systemstabilisierung durch Rollenausfüllung der Grundrechtsträger. Zu dem Problem der Grundrechtsschranken, insbesondere der immanenten Grundrechtsschranken, vgl. die Darstellung und eindringliche Kritik der herrschenden Lehre von F. Müller, Die Positivität der Grundrechte. Fragen einer praktischen Grundrechtsdogmatik. Berlin: 1969.

33  C. Schmitt, Freiheitsrechte und institutionelle Garantien der Reichsverfassung. Berlin: o. J.

die Jellineksche Statuslehre [34] ganz allgemein auch für die Grundrechte des GG rezipiert wurde. Ebenso die Institution des besonderen Gewaltverhältnisses, die noch aus dem monarchischen Obrigkeitsstaat übernommen worden war [35]. Auch die neuere Lehre von der Drittwirkung der Grundrechte [36] im gesellschaftlichen Bereich, die sich nicht voll durchsetzen konnte, ist nur verständlich aufgrund der Annahme, Staat und Gesellschaft seien entsprechend dem liberalen Modell grundsätzlich getrennt, so daß ein „Übergriff" der Grundrechte in den gesellschaftlichen Bereich vorliege. Außer Abendroth war es im wesentlichen nur Ridder [37], der eine Interpretation des Grundgesetzes auf dem Hintergrund des antifaschistischen vorverfassungsrechtlichen Gesamtbildes forderte, den Charakter der Verfassung als eines politischen Kompromisses divergierender sozialer Interessen herausstellte und die Entgegensetzung von Rechts- und Sozialstaat als bürgerliche Ideologie entlarvte.

In der Rechtssprechung ist zwischen der des Bundesgerichtshofes, der anderer oberer Bundesgerichte und der des Bundesverfassungsgerichts zu unterscheiden. Das Bundesverfas-

34  G. Jellinek, System der subjektiven öffentlichen Rechte. 1. Aufl., Freiburg: 1892.
35  Vgl. zum besonderen Gewaltverhältnis Hesse, Grundzüge des Verfassungsrechts der Bundesrepublik Deutschland, a.a.O., S. 128 ff. mit weiteren Hinweisen.
36  Zur Drittwirkungslehre vgl. Maunz-Dürig, Grundgesetz, Kommentar, Art. 1 Abs. III RZ, S. 127 ff.; Enneccerus-Nipperdey, Allgemeiner Teil des Bürgerlichen Rechts, a.a.O., S. 91, dort S. 93, Anm. 62, ausführliche weitere Literaturhinweise; W. Leisner, Grundrechte und Privatrecht. München: 1960; J. P. Müller, Die Grundrechte und der Persönlichkeitsschutz des Privatrechts, Bern: 1964; G. Dürig, Grundrechte und Zivilrechtsprechung. In: Festschrift für Hans Nawiasky, München: 1956, S. 157 ff.
37  H. Ridder, Zur verfassungsrechtlichen Stellung der Gewerkschaften im Sozialstaat nach dem Grundgesetz für die Bundesrepublik Deutschland. Rechtsgutachten zur Frage der Verfassungsmäßigkeit des Urteils des Bundesarbeitsgerichts vom 31. 10. 1958. Stuttgart: 1960; ders., Meinungsfreiheit. In: F. L. Neumann, H. C. Nipperdey, U. Scheuner (Hrsg.), Die Grundrechte, Handbuch der Theorie und Praxis der Grundrechte. 2. Bd., 2. unveränd. Aufl., Berlin: 1968 (1. Aufl. 1954), S. 243 ff.

sungsgericht hat generell grundrechtsfreundlicher entschieden als die anderen Gerichte, und die Divergenzen zwischen den vom ihm gefällten Urteilen und denen der anderen Gerichte sind erheblich. Erinnert sei nur an die Auslegung des Gleichberechtigungsgrundsatzes von Mann und Frau [38] oder an die des Problems der Verfassungsmäßigkeit von § 90 a StGB [39]. Wenn das BVerfG die Grundrechte als Werte oder Rechtsgüter betrachtete, die das gesamte staatlich-gesellschaftliche Leben strukturieren, so ist dies ein Fortschritt gegenüber der überkommenen liberal-rechtsstaatlichen Grundrechtsinterpretation [40]; jedoch vermag das Gericht bei der Abwägung der Rechtsgüter keine Maßstäbe aufzustellen, die „Willkürformeln" [41] ausschließlich, wie sich, um nur ein Beispiel zu nennen, sehr deutlich bei der Rechtsprechung zum Grundrecht der Arbeits- und Berufsfreiheit zeigt [42].

Mit der Verschmelzung der ökonomischen Macht der Monopole mit der politischen Gewalt des Staates in staatsmonopolistischen Kapitalismus wurden selbst die liberalen Freiheitsrechte als störendes Element bei der Formierung der Gesellschaft erkannt und ihre potentielle Aufhebung für den Fall vorbereitet, daß bei Eintritt einer Krise die Integration der Arbeiterschaft in das System des staatsmonopolistischen Kapitalismus nicht mehr gelingen sollte. Die einfachen Notstandsgesetze und das Notstandsverfassungsgesetz von 1968 ermög-

38  BGHZ 30, S. 50 ff. gegen BVerfGE 15, S. 328 ff.
39  BGHZ 11, S. 233 ff. gegen BVerfG NJW 1961, S. 723 ff.
40  Gegen eine Interpretation der Grundrechte als Werte oder Rechtsgüter: E. Forsthoff, Die Umbildung des Verfassungsgesetzes. In: ders., Rechtsstaat im Wandel. Verfassungsrechtliche Abhandlungen 1950–1964. Stuttgart: 1964, S. 147 ff.; ders., Der introvertierte Rechtsstaat und seine Verortung, ebd., S. 213 ff.; C. Schmitt, Die Tyrannei der Werte. In: Säkularisation und Utopie. Ebracher Studien. Ernst Forsthoff zum 65. Geburtstag. Stuttgart, Berlin, Köln, Mainz: 1967, S. 37 ff.
41  Vgl. W. R. Beyer, Die Willkürformeln des Bundesverfassungsgerichts. In: Blätter für deutsche und internationale Politik 15, 1970, S. 68 ff.
42  Vgl. dazu J. Schwabe, Die Stufentheorie des Bundesverfassungsgerichts zur Berufsfreiheit. In: DÖV 22, 1969, S. 734 ff.

lichen die Aufhebung zahlreicher Grundrechte, wobei die Einführung des Arbeitszwanges in großem Umfang und ohne daß eine äußere Krisensituation vorzuliegen braucht, möglich ist. Die im Notstandsverfassungsgesetz vorgenommene Einfügung eines Widerstandsrechts, Art. 20 Abs. 4 GG, ist ein den Notstandsgegnern gemachtes Scheinzugeständnis, weil nur normiert wurde, was ohnedies geltendes Recht war, denn auch das Bundesverfassungsgericht hatte das Widerstandsrecht als legal anerkannt, obwohl es nicht im GG verankert war; zudem ist es in seinem Wesensgehalt verändert worden, weil es nicht mehr primär gegen die verfasungswidrig ausgeübte öffentliche Gewalt und die sie stützenden gesellschaftlichen Kräfte gerichtet ist, sondern gegen jedermann. Die Notstandsgesetze zeigen mit größter Deutlichkeit, daß die Grundrechte in der formierten Gesellschaft nur dann eine Chance haben fortzubestehen, wenn sie ihren Charakter als demokratische Teilnahmerechte fortentwickeln werden, anderenfalls stehen sie im Bewährungs- und Krisenfall zur Disposition der den Staat und seine Organe, einschließlich des Notstandsausschusses, beherrschenden stärksten ökonomischen Kräfte.

In der Verfassung der Deutschen Demokratischen Republik vom 6. April 1968 sind die Grundrechte eingehend normiert worden. Die Unterschiede bei der verfassungsrechtlichen Entwicklung im Grundrechtsbereich sind in der DDR und in der BRD offensichtlich: die 26 Grundgesetzänderungen in der BRD haben nirgends die Grundrechte erweitert, z. B. durch die Einfügung sozialer Grundrechte oder ihre Sicherung – sieht man von der Einfügung der Verfassungsbeschwerde ab – verstärkt, vielmehr wurden durch die Notstandsgesetzgebung zahlreiche Grundrechte auch schon für den Friedenszustand ihrer absoluten Bestandsgarantie entkleidet und durch die verfassungsrechtliche Absicherung des staatsmonopolistischen Kapitalismus inhaltlich ausgehöhlt.

In der Verfassung der DDR wurde demgegenüber versucht, die sozialistischen Grundrechte als Persönlichkeits- und Teilhaberechte zu entfalten, ihre materiellen Garantien rechtlich zu fixieren und die Grundrechte und Grundpflichten in den

Mittelpunkt der allseitigen Bemühungen der sozialistischen Gesellschaft und ihres Staates zu stellen.

An Freiheitsrechten [43] des Bürgers sind in der Verfassung der DDR garantiert worden [44]: Die Meinungsfreiheit, Art. 27 Abs. 1,

43 Ob der Begriff „Freiheitsrechte" den sozialistischen Persönlichkeitsrechten noch angemessen ist, muß füglich bezweifelt werden; zur neuen Qualität der sozialistischen Persönlichkeitsrechte vgl. weiter unten im Text. Wenn der Begriff hier gleichviel zunächst einmal verwandt wird, so deshalb, um zu zeigen, daß der Kern der klassischen Freiheitsrechte in der DDR bewahrt geblieben ist, und um Behauptungen wie denen von H. H. Mahnke, Menschen- und Grundrechte in beiden Teilen Deutschlands, Vereinte Nationen 17, 1969, S. 1 ff., S. 4: „Die persönlichen Freiheitsrechte sind im Vergleich mit der Verfassung von 1949 in wesentlichen Punkten eingeengt" und der Behauptung, es fehle in der Verfassung der DDR von 1968 die Garantie der Pressefreiheit (Art. 27 Abs. 2 lautet: „Die Freiheit der Presse, des Rundfunks und des Fernsehens ist gewährleistet"), auch vom Boden ihrer eigenen Begrifflichkeit entgegentreten zu können. Zur Systematisierung der Grundrechte und der Problematik der Differenzierung von politischen Freiheiten und sozialen Grundrechten in der DDR vgl. W. Büchner-Uhder, E. Poppe, R. Schüsseler, Probleme und Aufgaben bei der Erforschung und Verwirklichung der Grundrechte und Grundpflichten der Bürger in der Deutschen Demokratischen Republik beim umfassenden Aufbau des Sozialismus. In: Demokratie und Grundrechte. Ausgewähltes und überarbeitetes Protokoll der wissenschaftlichen Konferenz: Der Kampf der Arbeiterklasse und ihrer Partei um die Entwicklung der sozialistischen Persönlichkeit und die grundlegenden Rechte und Pflichten der Bürger des sozialistischen Staates. Hrsg. Institute für Staatsrecht der Universitäten Halle und Leipzig. Berlin: 1967, S. 30 ff., S. 49.

44 Zur Grundrechtsliteratur in der DDR vgl. die Bibliographie in: Demokratie und Grundrechte, a.a.O., S. 182–190; ferner die grundlegenden Monographien von H. Klenner, Studien über die Grundrechte. Berlin: 1964; G. Haney, Sozialistisches Recht und Persönlichkeit. Berlin: 1967; ferner die Übersicht von W. Büchner-Uhder, E. Poppe, R. Schüsseler, Grundrechte und Grundpflichten der Bürger in der DDR. Zur staatstheoretischen und staatsrechtlichen Grundrechtsforschung. In: Staat und Recht 15, 1966, S. 563 ff. und an neuerer Literatur: E. Poppe, H. Beil, Das Grundrecht der Meinungs- und Pressefreiheit in der sozialistischen Verfassung der DDR. In: Neue Justiz 23, 1969, S. 353 ff.; W. Loose, Sozialistischer Staat und sozialistische Persönlichkeit. In: Staat und Recht

die Freiheit der Presse, des Rundfunks und des Fernsehens, Art. 27 Abs. 2, die Versammlungsfreiheit, Art. 28, die Vereinigungsfreiheit, Art. 29, die persönliche Freiheit, Art. 29, das Recht auf Freizügigkeit innerhalb des Staatsgebiets, Art. 32, die Religionsfreiheit, Art. 39, die Wahrung des Post- und Fernmeldegeheimnisses, Art. 31.

Als grundlegendes Freiheitsrecht, auf dessen Boden sich die übrigen Freiheitsrechte erst entwickeln können, wird die Freiheit von der Irrationalität des kapitalistischen Systems, von den Verwertungszwängen des Kapitals, von der Perspektivlosigkeit des einzelnen im Spätkapitalismus, der Planung nur im Interesse der Monopole erlaubt, angesehen; eine Freiheit, die erst durch die Vergesellschaftung der Produktionsmittel ermöglicht wird.

Wenn von den westdeutschen Spezialisten für DDR-Grundrechte [45] vorgebracht wird, die Freiheitsrechte in der DDR seien an die Grundsätze und Ziele der Verfassung gebunden [46], so liegt der Einwand nur zu nahe, daß auch im Grund-

18, 1969, S. 1592 ff.; E. Poppe, Zum sozialistischen Menschenbild in der Verfassung der DDR. In: Staat und Recht 18, 1969, S. 1451 ff.

45 Zur westdeutschen Grundrechtsinterpretation vgl.: D. Müller-Römer, Die Grundrechte im neuen mitteldeutschen Verfassungsrecht. In: Der Staat 7. Bd., 1968, S. 307 ff.; ders., Die Grundrechte in Mitteldeutschland. Köln: 1965 mit ausführlicher Bibliographie; Ulbrichts Grundgesetz, Die sozialistische Verfassung der DDR, mit einem einleitenden Kommentar von D. Müller-Römer. 8. Aufl. Köln: 1968, S. 59 ff.; G. Brunner, Zur Wirksamkeit der Grundrechte in Osteuropa, In: Der Staat, 10. Bd., 1970, S. 187 ff.; H.-H. Mahnke, Menschen- und Grundrechte in beiden Teilen Deutschlands. Vereinte Nationen 17, 1969, S. 1 ff.; E. W. Böckenförde, Die Rechtsauffassung im kommunistischen Staat. München: 1967, insbes. S. 43 ff.

46 Müller-Römer, Ulbrichts Grundgesetz, a.a.O., S. 63: „Besonders die persönlichen Freiheitsrechte, die sich in den Artikeln 27–32 finden, erfahren im Vergleich zu ihrer Formulierung in der bisherigen Verfassung erhebliche Einengungen. Sie sind jetzt deutlich als zweckgebundene sozialistische Persönlichkeitsrechte erkennbar, weil sie ausdrücklich nur für verfassungskonforme Zwecke gewährt werden." Etwas differenzierter Böckenförde, Die Rechtsauffassung im kommunistischen Staat, a.a.O., S. 49.

gesetz die freiheitliche demokratische Grundordnung im Sinne des GG die Schranke für die Ausübung der Freiheitsrechte bildet. Wo besteht in der BRD die persönliche Freiheit, die freie Entfaltung der Persönlichkeit, das Post- und Fernmeldegeheimnis, die Meinungsfreiheit, die Versammlungsfreiheit für Sozialisten, die sich in der KPD organisieren wollen? Diese Argumentationsweise der Rechtsideologie in der BRD ist typisch für die westdeutsche Analyse der sozialistischen Grundrechte. Es wird von einem liberal-rechtsstaatlichen Grundrechtsverständnis ausgegangen, dieses in die Grundrechte des GG projiziert und dann das so gewonnene Ergebnis mit den Grundrechten in der DDR verglichen und triumphierend festgestellt, daß diese dem willkürlich zurechtgezimmerten Idealbild nicht entsprechen. So wird, wie oben gezeigt, mit Mißbilligung festgestellt, daß die Grundrechte in der DDR nur in Einklang mit den Grundsätzen der Verfassung ausgeübt werden dürfen, obwohl in der BRD ebenfalls die freiheitliche demokratische Grundordnung zu beachten ist, oder es wird behauptet: „für unser Rechtsdenken ist ein Kern von Rechtspositionen, ... den das Grundgesetz in Art. 1 Abs. 2 etwa als ‚unveräußerliche Menschenrechte' umschreibt, willkürlicher staatlicher Regulierung entzogen [47]", als ob nicht längst die herrschende bundesrepublikanische Rechtslehre von der naturrechtlichen und vorstaatlichen Begründung der Grundrechte abgerückt wäre und jedenfalls in diesem Punkt die Differenzen zwischen der Rechtslehre der DDR und der BRD nicht allzu groß sind.

Nicht die Bindung der Grundrechte an den jeweiligen Kernbestand der Verfassungen unterscheidet die Grundrechte in der DDR von denen in der BRD; die neue Qualität der Grundrechte in der DDR wird vielmehr aus der bewußten Absage an jene Grundrechtstheorie und -praxis in der BRD ersichtlich, dergemäß die Grund- und Freiheitsrechte in erster Linie immer noch als Rechte des einzelnen, isolierten, egoistischen Individuums und als Mittel der sozialen Schrankenziehung [48]

47 Müller-Römer, Ulbrichts Grundgesetz, a.a.O., S. 60.
48 Vgl. zur Theorie des Rechts als Schrankenziehung: Klenner, Stu-

angesehen werden. Da der Mensch ein gesellschaftliches Wesen ist und seine materielle und geistige Existenz nur in Verbindung und im Zusammenwirken mit anderen Menschen reproduzieren kann, ist Freiheit, die etwas anderes sein will als die Freiheit der Wolfsnatur, als die Freiheit des Stärkeren, im „freien Spiel der Kräfte" den anderen Menschen als Mittel zur Erreichung der eigenen egoistischen Zwecke auszubeuten, nur zu realisieren, wenn sie durch die Freiheit des anderen nicht beschränkt wird, sondern sich aufgrund gemeinsamer freier Entscheidung verwirklicht. Art. 21 Abs. 1 Satz 2 der DDR-Verfassung bestimmt deshalb: „Es gilt der Grundsatz ‚Arbeite mit, plane mit, regiere mit'." Das Recht auf Mitgestaltung und Mitbestimmung des politischen, wirtschaftlichen, sozialen und kulturellen Lebens und die Mitwirkung an der Leitung der gesellschaftlichen Entwicklung sind deshalb nach der Verfassung der DDR, Art. 19 und 21, die Basis der Grundrechte[49].

Eine besonders eingehende Regelung hat das Recht auf Arbeit erhalten, Art. 24 VerfDDR; dieses Recht und die freie Wahl des Arbeitsplatzes ist entsprechend den gesellschaftlichen Erfordernissen und der persönlichen Qualifikation jedem Bürger garantiert. Es besteht ein Anspruch auf leistungsgerechten Lohn und auf gleichen Lohn bei gleicher Arbeit. Eng mit dem Recht auf Mitgestaltung und dem Recht auf Arbeit sowie dem der Wahl des Arbeitsplatzes nach Maßgabe der persönlichen Qualifikation hängt das Grundrecht auf Bildung zusammen. Es schafft erst die Voraussetzung für Mitbestimmung und sinnvolle Arbeit. Gemäß Art. 25 hat jeder Bürger der DDR das gleiche Recht auf Bildung. Die Bildungsstätten stehen jedermann offen; jeder Bürger hat das Recht auf Teilnahme am kulturellen Leben. Ferner ist das Recht auf Freizeit

dien über die Grundrechte, a.a.O., S. 78 ff., S. 90; ferner D. Jesch, Gesetz und Verwaltung. Eine Problemstudie zum Wandel des Gesetzmäßigkeitsprinpips. 2. unveränd. Aufl., Tübingen: 1968, S. 10 ff.

49 Haney, Sozialistisches Recht und Persönlichkeit, a.a.O., S. 136 ff. und passim; Klenner, Studien über die Grundrechte, a.a.O., S. 123 ff.

und Erholung, Art. 34, und auf Schutz der Gesundheit und der Arbeitskraft, Art. 35, gewährleistet.

Das Recht auf Fürsorge der Gesellschaft im Alter und bei Invalidität, Art. 36, sowie das auf Wohnraum, Art. 36, sollen die menschenwürdige Gestaltung des materiellen Lebens sicherstellen. Mit der völligen Gleichstellung von Mann und Frau in allen Bereichen des gesellschaftlichen, staatlichen und persönlichen Lebens, Art. 20 Abs. 2, 24 Abs. 1, 38 Abs. 2, wurde die alte sozialistische Forderung nach Gleichberechtigung der Frau in der Verfassung verankert.

Die Sicherung der Grundrechte, die in der BRD vor allem durch die Rechtsprechung, insbesondere die des Bundesverfassungsgerichts, erreicht werden soll, ist in der DDR durch ein System von materiellen Garantien gewährleistet. So unzweifelhaft es ist, daß der Schutz der Grundrechte den Organen der Rechtsprechung ebenfalls obliegt, so zweifelhaft muß andererseits sein, ob der gerichtliche Rechtsschutz allein zur Sicherung der Grundrechte ausreicht. Unabhängigkeit der Rechtsprechung bedeutet nicht tatsächliche Unabhängigkeit des einzelnen Richters von Vorurteilen, von Beeinflussung durch seine soziale Herkunft und durch seine Ausbildung; hinzu kommt, daß die Berufung der Richter, vor allem die des Bundesverfassungsgerichts, ein politischer Akt ist, in den die Interessen der berufenden Gremien an einer bestimmten Ausrichtung der Rechtsprechung notwendig miteingehen. Schließlich kann kein Richterspruch eine Schule, eine Universität, eine Wohnung, einen Arbeitsplatz schaffen, sondern allenfalls eine eingeschränkte Bedeutung bei der Distribution der vorhandenen materiellen Güter und dem Gebrauch der vorhandenen Einrichtungen gewinnen. Die Gewährleistung der Grundrechte ist nur durch eine entsprechende Gestaltung der ökonomischen und gesellschaftlichen Verhältnisse zu erreichen.

Von dieser Erkenntnis ausgehend, sind in der Verfassung der DDR die materiellen Garantien umfassend ausgestaltet worden. So wird das Recht auf Arbeit gewährleistet: „durch sozialistisches Eigentum an den Produktionsmitteln; durch die sozialistische Planung und Leitung des gesellschaftlichen Reproduktionsprozesses; durch das stetige und planmäßige Wachstum der sozialistischen Produktivkräfte und der Arbeitsproduktivität; durch die konsequente Durchführung der wissenschaftlich-technischen Revolution; durch ständige Bildung und Weiterbildung der Bürger und durch das einheitliche sozialistische Arbeitsrecht", Art. 24 Abs. 3. Wie sich auch aus der Aufzählung dieser Garantien ergibt, ist ein so einfaches, zum Kernbereich menschlicher Würde gehörendes Grundrecht wie das auf Arbeit zugleich der Generalnenner für die revolutionären Ansprüche des Proletariats [50]. Das einheitliche Arbeitsrecht [51] ist durch das Gesetzbuch der Arbeit von 1961 und durch das Gesetz über die landwirtschaftlichen Produktionsgenossenschaften verwirklicht worden; im Arbeitsgesetzbuch sind auch die Mitwirkungsrechte der Werktätigen an der Leitung des Betriebes, die dem Recht auf Arbeit wesenseigen sind, und die Aufgaben der Gewerkschaften im einzelnen geregelt, die auch in der Verfassung, Art. 41 ff., 44 ff. verankert sind.

Das Recht auf Bildung wird gewährleistet durch die in der Verfassung festgelegte zehnjährige Oberschulpflicht sowie durch die Errichtung von Sonderschul- und -ausbildungseinrichtungen, Art. 25 Abs. 4 und 5. Die Möglichkeit, zur jeweils nächsthöheren Bildungsstufe bis zu den Universitäten und Hochschulen überzuwechseln, ist vom Staat zu sichern, Art. 26 Abs. 1. Es besteht Schulgeldfreiheit, Stipendien und Studienbeihilfen werden nach sozialen Gesichtspunkten und nach Leistung gewährt. Bereits durch Gesetz von 1965 war das einheitliche sozialistische Bildungssystem geschaffen worden; die zehnklassige allgemeinbildende polytechnische Oberschule wurde schon 1959 eingeführt, als man in Bayern noch die einklassige Volksschule förderte. Mit den Grundsätzen für die Weiterentwicklung der Berufsausbildung als Bestandteil des einheitlichen sozialistischen Bildungssystems von 1968 wurde nach

50  Vgl. K. Sorgenicht, W. Weichelt, T. Riemann, H.-J. Semler (Hrsg.), Verfassung der Deutschen Demokratischen Republik. Dokumente. Kommentar. Bd. 2, Berlin: 1969, S. 78 f.
51  Vgl. dazu: P. Römer, Für und wider ein Gesetzbuch der Arbeit. In: Arbeit und Recht. Zeitschrift für Arbeitsrechtspraxis 18, 1970, S. 141 ff.

eingehender Volksaussprache die Grundlage für eine moderne Berufsausbildung geschaffen, die sich vor allem dadurch auszeichnet, daß im Grundberuf umfassende allgemeine Berufskenntnisse erworben werden können und außerdem vielfältige weitere spezielle Kenntnisse und Fähigkeiten, wie sie in einer hochtechnisierten Gesellschaft zur Entfaltung der eigenen Persönlichkeit und zur Weiterentwicklung des gesellschaftlichen Systems erforderlich sind.

Beachtenswert ist die Bestimmung der Verfassung, daß beim Übergang zur nächsthöheren Bildungsstufe auch die soziale Struktur der Bevölkerung zu berücksichtigen sei, Art. 26 Abs. 1. Das in der DDR stark betonte Leistungsprinzip erfährt insoweit eine gewisse Einschränkung. De facto wird in der BRD auch die soziale Struktur der Bevölkerung berücksichtigt, wenn über den Aufstieg in die höhere Schule oder die Universität entschieden wird. Der geringe Anteil von Arbeiterkindern an den Universitäten der BRD spiegelt die tatsächlichen sozialen Machtverhältnisse getreulich wider. Die Berücksichtigung der sozialen Struktur bei der Eröffnung von Bildungschancen in der DDR geht von der Erkenntnis aus, daß trotz intensiver Anstrengung von Staat und Gesellschaft die Kinder von Arbeitern und Genossenschaftsbauern nicht immer die gleichen Entwicklungsmöglichkeiten haben werden wie die Kinder der Intelligenz und der Führungskader. Es entspricht deshalb nur dem materiellen Gleichheitsprinzip, wenn die formale Gleichheit des Leistungsprinzips partiell durchbrochen wird.

Die Rechts- und Staatstheorie in der DDR hat sich erst relativ spät der Grundrechtsforschung zugewandt [52]. Bis 1960 sind grundlegende Arbeiten über die spezifische Bedeutung der Grundrechte beim Aufbau des Sozialismus nicht erschienen [53], obwohl einzelne Grundrechte, wie z. B. das auf Bildung, eine

---

52  Vgl. Büchner-Uhder, Poppe, Schüsseler, Grundrechte und Grundpflichten der Bürger in der DDR, a.a.O., S. 565 ff.
53  Vgl. Bericht: Tagung der Sektion Staatstheorie und Staatsrecht am 8. Juni 1961: Bürgerliche Grundrechte und sozialistische Persönlichkeitsrechte. In: Staat und Recht 10, 1961, S. 1920 ff.

breite, den neuen gesellschaftlichen Verhältnissen entsprechende Entfaltung erfahren hatten. Mit dem vollständigen und umfassenden Aufbau des Sozialismus gewann das Recht als Leitungsinstrument größere Bedeutung, wurde die Notwendigkeit, eine eigenständige sozialistische Rechts- und Staatstheorie zu schaffen, die sich radikal von der bürgerlichen Rechtstheorie zu unterscheiden weiß, immer klarer gesehen. In der Monographie Klenners wurden die Grundrechte als „Grundpfeiler der sozialistischen Demokratie" erkannt, „deren Wesen in nichts anderem liegt als in der allseitigen Entfaltung der schöpferischen Kräfte der Menschen beim Aufbau der sozialistischen Gesellschaftsordnung" [54]. Die Besonderheit der sozialistischen Grundrechte liegt darin, daß ohne ihre Ausübung und Realisierung die sozialistische Gesellschaftsordnung nicht geschaffen werden kann. Insofern sind sie „ein Instrument der staatlichen Führung der Gesellschaft" [55]. Sie sind ein objektiv notwendiger Beitrag, den der einzelne bei der Entwicklung der Produktivkräfte und des Sozialismus zu leisten hat. Deshalb besteht für die sozialistischen Grundrechte die Einheit von Grundrecht und Grundpflicht; die Wahrnehmung des Grundrechts durch den Grundrechtsträger ist Recht und Pflicht zugleich. Die Realisierung des Grundrechts ist mithin ein bedeutsamer Hebel für die Verwirklichung des Sozialismus. Das Grundrecht ist aber zugleich individuelles Recht, begründet einen Anspruch, daß die staatlichen und gesellschaftlichen Organe den einzelnen in seiner grundrechtlichen Sphäre schützen und ihm die freie Entfaltung seiner Persönlichkeit ermöglichen. Sozialistische Grundrechte sind also sozialistische Persönlichkeitsrechte [56], dienen der allseitigen Entwicklung der Kräfte und Fähigkeiten des Menschen. Die dialektische Einheit von Grundrecht und Grundpflicht, von objektivem und subjektivem Recht, von Persönlichkeitsentfaltung und Entfaltung der sozialistischen ge-

54  Klenner, Studien über die Grundrechte, a.a.O., S. 11.
55  Ebd., S. 63.
56  Vgl. insbesondere: Haney, Sozialistisches Recht und Persönlichkeit, a.a.O.; Wolfgang Loose, Sozialistischer Staat und sozialistische Persönlichkeit. In: Staat und Recht 18, 1969, S. 1592 ff.

sellschaftlichen Verhältnisse ist nicht ein für allemal gegeben und rechtstheoretisch zu fixieren, sondern muß stets neu bestimmt werden; es hängt vom Stand der Produktivkräfte und den konkreten gesellschaftlichen Verhältnissen ab, wie diese Einheit in ihrem Widerspruch rechtstheoretisch erkannt, weiterentwickelt und praktisch realisiert wird. Eine Überbetonung der Pflicht gegenüber dem Recht, der Leitungstätigkeit gegenüber der schöpferischen Mitwirkung des Grundrechtsträgers, wie sie gelegentlich bei Klenner [57] erkennbar ist, macht nicht genügend deutlich, daß die Grundrechte „juristische Organisationsformen der gewissen Selbstregulierung und der Optimierung des gesellschaftlichen Handelns der einzelnen Gesellschaftsmitglieder" [58] sind, die dem Bürger die Möglichkeit verschaffen, nach eigener Entscheidung das gesellschaftlich Notwendige mitzuerkennen und zu gestalten, indem er zugleich seine eigene Persönlichkeit entfaltet. Weil im Sozialismus die antagonistischen Widersprüche, die zwischen den Produktionsmittelbesitzern und den abhängig Arbeitenden bestehen, aufgehoben sind, ist es möglich, daß mit dem eigenen Interesse zugleich das allgemeine verfolgt wird; weil andererseits nichtantagonistische gesellschaftliche Widersprüche weiterbestehen, sind die Grundrechte wichtige Instrumente zu deren Auflösung [59]. Auch ihre Bedeutung als Abwehrrechte gegen Über-

---

57  So wenn Hermann Klenner (Studien über die Grundrechte, a.a.O., S. 63) sagt: „Die sozialistischen Grundrechte sind ein Instrument der staatlichen Führung der Gesellschaft" oder durchgehend von der Identität von Grundrecht und Grundpflicht spricht, S. 88 ff., und von ihrer Wesensgleichheit, S. 98. Vgl. auch S. 75; „Die subjektiven Rechte als Erscheinungsform des sozialistischen Rechts sind erforderlich, um den einzelnen auf die Durchsetzung der gesellschaftlichen Erfordernisse als in seinem persönlichen Interesse liegend zu orientieren."

58  Büchner-Uhder, Poppe, Schüsseler, Grundrechte und Grundpflichten der Bürger in der DDR, a.a.O., S. 596; E. Poppe, Zum sozialistischen Menschenbild in der Verfassung der DDR. In: Staat und Recht 18, 1969, S. 1451 ff., insbes. S. 1437.

59  Vgl. E. Poppe, R. Schüsseler, Sozialistische Grundrechte und Grundpflichten der Bürger. In: Staat und Recht 12, 1963, S. 208 ff., insbes. S. 217 ff.

griffe staatlicher und gesellschaftlicher Organe haben sie nicht verloren [60]. Sie indes lediglich als Abwehrrechte zu verstehen verbietet sich, wenn, wie im Sozialismus, der Staat nicht mehr im Gegensatz zur Gesellschaft steht. Solange aber der Kommunismus noch nicht verwirklicht ist und staatliche Organe existieren, ist die Möglichkeit, daß einzelne staatliche Organe ihre Pflicht verletzen, nicht auszuschließen und muß deshalb durch die Grundrechte die Abwehr solcher Übergriffe gewährleistet sein [61].

Die eigentliche und neue Qualität der sozialistischen Grundrechte, die sie von den bürgerlichen Grundrechten unterscheidet, besteht jedoch darin, daß sie „erforderlich sind, um die allgemeine Persönlichkeitsentwicklung und damit zugleich die gesellschaftliche Kraftentfaltung zu organisieren und die Bürger zu einem aktiven Handeln in dieser Richtung anzuhalten" [62] und daß sie statt der formalen Rechtsgleichheit jedem Bürger die reale Chance eröffnen, in gleicher Weise wie alle anderen seine Fähigkeiten zu entwickeln, seine Kräfte zu entfalten und an der Gestaltung von Gesellschaft und Staat mitzuwirken [63].

60  Ebd. S. 217; Klenner, Studien über die Grundrechte, a.a.O., S. 51.
61  So sehr klar: Poppe, Schüsseler, Sozialistische Grundrechte und Grundpflichten der Bürger, a.a.O., S. 219, zugleich in Auseinandersetzung mit G. Haney, Das Recht der Bürger und die Entfaltung der sozialistischen Persönlichkeit. In: Staat und Recht 11, 1962, S. 1063 ff.
62  Vgl. Büchner-Uhder, Poppe, Schüsseler, Grundrechte und Grundpflichten der Bürger in der DDR, a.a.O., S. 566.
63  Ebd., S. 566 f.

Herbert Lederer, Hans-Jochen Michels

# Sozialistische und bürgerliche Rechtsordnung am Beispiel DDR und BRD

Gerade die deutsche Nachkriegsgeschichte zeigt sehr deutlich, daß das Recht nicht als metaphysisch abgeleitete Größe und von dieser delegiertes Unabänderliches zu begreifen ist, sondern als Ausdruck des menschlichen Willens, der aus der dialektischen Spannung verschiedener gesellschaftlicher Bedingungen und Kräfte als Sieger hervorgeht, dessen Rechtsgedanken widerspiegelt [1], somit verhaltensregulierender Willensausdruck der jeweils herrschenden Klasse ist [2]. Die Unterschiedlichkeit, später der Antagonismus der Produktionsverhältnisse in den beiden deutschen Staaten bedingte deren unterschiedliche, später antagonistische Rechtsentwicklung. Es begann mit den Militäradministrationen, die an die Stelle des imperialistischen deutschen Einheitsstaates getreten waren. Die westlichen Administrationen unter Führung der USA gaben antinazistisches Engagement recht schnell auf zugunsten der Sicherung derjenigen sozial-ökonomischen Herrschaftsinteressen, die den eigenen in ihrem Land entsprachen. Gegen eindeutige Sozialisierungsvoten der Bevölkerung in Nordrhein-Westfalen und Hessen unterstützten und forcierten sie die Restauration der Herrschaft des Großkapitals. Damit war die entscheidende Klassenauseinandersetzung für die arbeitende Bevölkerung verloren, auch wenn das Grundgesetz selbst in gewisser Hinsicht einen Kompromißcharakter erhielt [3] und damit eine scheinbare Unentschiedenheit vorspiegelte.

1   Vgl. W. R. Beyer, Recht und Rechtsordnung. Meisenheim: 1951, S. 15. Eine Zusammenfassung der wichtigsten Marx-Stellen zum Recht findet sich in der Fleißarbeit von H. Lottig, Marx und das Recht. Hamburg: 1961. Vgl. auch H. Klenner, Der Marxismus-Leninismus über das Wesen des Rechts. 2. Aufl., Berlin: 1955.
2   Vgl. Philosophisches Wörterbuch, 6. Aufl., Berlin: 1969, S. 915.
3   Vgl. W. Abendroth, Die verfassungspolitische Entwicklung des Bundes. In: ders., Antagonistische Gesellschaft und politische De-

Entgegen der Proklamation Nr. 3 des Alliierten Kontrollrats für Deutschland, nach der an die Stelle der faschistischen Justiz eine Rechtspflege treten sollte, „die sich auf die Errungenschaften der Demokratie, Zivilisation und Gerechtigkeit gründet", und nach der nur solchen Personen der Zugang zum Richteramt erlaubt war, die diese Grundsätze anerkannten, blieb die personelle Struktur der westdeutschen Rechtspflege im wesentlichen unangetastet. Die Besetzung selbst der obersten Gerichte auch mit aktiven Faschisten war nur eine Frage der Zeit. Für die Durchsetzung des schon 1951 ausgesprochenen Verbots der Freien Deutschen Jugend (FDJ) und die damit einsetzende Verfolgung von dezidierten Antifaschisten mit dem Instrumentarium eines teilweise später als verfassungswidrig gekennzeichneten politischen Strafrechts [4] taugten nicht ehemalige Widerstandskämpfer. Normative Anpassung an die neuen faktischen Herrschaftsbedingungen bedeutete Ausrichtung nicht nur der rechtsprechenden Organe, sondern vor allem der Strafverfolgungs- und Strafvollzugsorgane. Zur Formierung trug weiterhin das Verbot der Vereinigung Demokratischer Juristen bei. Die Beamtenschaft wurde 1950 noch vor dem Verbot der KPD durch einen Erlaß der Bundesregierung, der die Mitgliedschaft in der KPD für eine Dienstpflichtverletzung erklärte [5], gesäubert und präventiv abgesichert. Polizei und Staatsanwaltschaft konnten schon bald auf Experten der Himmler- und Freisler-Zeit zurückgreifen [6].

Mit Forsthoff, Maunz, von der Heydte, Nipperdey, H. Krüger, Ule, Bartholomeyczik, Baur u. a. besetzten Professoren die Lehrstühle in den juristischen Fakultäten, deren Bekenntnis

mokratie. Aufsätze zur politischen Soziologie. Neuwied, Berlin: 1967, S. 54 f.

4  Vgl. B. Hartmann, Umstrittene Justiz. In: Neue Kritik Nr. 18, S. 22 f. und die dort befindliche Literaturliste, insbesondere die Veröffentlichungen des erweiterten Initiativausschusses für Amnestie und der Verteidiger in politischen Strafsachen.

5  Vgl. I. von Münch, Öffentlicher Dienst. In: ders. (Hrsg.), Besonderes Verwaltungsrecht. Bad Homburg: 1969, S. 23.

6  Hierzu vgl. etwa W. Zapf, Wandlungen der deutschen Elite (1919–1961). München: 1965.

zum Grundgesetz angesichts ihrer treuen Dienerschaft im Dritten Reich zweifelhaft wirken mußte [7]. So wurden Generationen von Juristen herangezogen, die weiter wahre Orgien wissenschaftlicher Auseinandersetzungen zum Eigentümer-Besitzer-Verhältnis [8] des nicht zu Unrecht „Bürgerlich" genannten Gesetzbuchs feiern lernten, denen der Primat des Verfassungsrechts für alle Rechtsprechung und Gesetzesanwendung aber fremd blieb. So konnte ohne jeden Widerspruch zur herrschenden Meinung werden, daß das Rechtsgut „eingerichteter und ausgeübter Gewerbebetrieb" absolut geschützt sei im Sinne des § 823 BGB [9].

Im strafrechtlichen Bereich setzten sich die Anhänger des Sühne- und Rachegedankens durch. Anhänger der Resozialisierung wie der hessische Generalstaatsanwalt Fritz Bauer blieben allenfalls belächelte Einzelgänger.

Natürlich blieb auch das aus einer der ersten Notverordnungen Friedrich Eberts resultierende Streikverbot für Beamte bestehen.

Wo die Gesetze selbst noch nicht ganz eindeutig waren, sorgten die obersten Gerichte dafür, vorkonstitutionelle Rechtstradition durchzusetzen. So sicherte die Rechtsprechung des Bundesarbeitsgerichts durch ihre kaum verschleierte Parteinahme zuungunsten der arbeitenden Bevölkerung und der Gewerkschaften wirksam die bestehenden ökonomischen Machtstrukturen [10].

7  Vgl. R. Seeliger, Braune Universität, Bde. 1–6. München: 1966–1968.
8  Siehe die bei Palandt, Bürgerliches Gesetzbuch, 29. Aufl., München: 1970, in der Einführung vor § 985 auszugsweise zitierte Literatur.
9  Kritisch dazu: R. Wiethölter, Zur politischen Funktion des Rechts am eingerichteten Gewerbebetrieb. In: Kritische Justiz 3, 1970, S. 121 ff.
10  Vgl. Th. Ramm, Die Rechtsprechung des Bundesarbeitsgerichts. In: Juristenzeitung 19, 1964, S. 464 ff., 546 ff., 582 ff.; 21, 1966, S. 214 ff.; W. Abendroth, Innergewerkschaftliche Willensbildung, Urabstimmung und ‚Kampfmaßnahme'. Verfassungsrechtliche Probleme im Urteil des BAG vom 31. 10. 1958. In: ders., Antagonistische Gesellschaft und politische Demokratie, a.a.O., S. 251 ff.; H. Jobst, Klassenjustiz im Jahre 1969. In: Unsere Zeit (UZ) vom 30. 5. 1970.

Anders die Entwicklung in der DDR. Die Besatzungstruppen dort gehörten der Armee des Staates an, der als erster die von Marx, Engels und Lenin entwickelte Staatstheorie in die Praxis umzusetzen versucht hatte. Das verführte die Sowjetische Militäradministration in Deutschland (SMAD) nicht, die Herrschaft der Arbeiterklasse als Exportartikel zu begreifen und den Volksmassen in der damaligen SBZ zu oktroyieren [11].

Nach einer zwölfjährigen Periode des staatlich organisierten Terrors, der sowohl eine intensive ideologische Verhetzung der Bevölkerung als auch eine weitgehende Vernichtung des aktiven Kerns der revolutionären Arbeiterbewegung mit sich gebracht hatte, waren dafür vor allem die subjektiven Bedingungen nicht gegeben. Ziel war allerdings die Durchführung der Potsdamer Beschlüsse, die Ausrottung des Nazismus und Militarismus verlangten. Die SMAD erfüllte insoweit ihre Funktion als Garant dieser Entwicklung, unterstützte die Kräfte, die eine antifaschistisch-demokratische Ordnung errichten wollten und bot ihnen die dafür erforderliche Entfaltungsfreiheit. Deren konsequentester Teil hatte die fehlenden Voraussetzungen für eine sozialistische Revolution analysiert und daher als Tagesaufgabe die antifaschistisch-demokratische Revolution und das daraus folgende Bündnis mit allen auf dieses Ziel verpflichteten Kräften erkannt [12]. Ihnen gemein war die Erkenntnis, daß es notwendig war, den alten Staatsapparat und das ihm entsprechende Rechtssystem zu zerschlagen. Diese Erkenntnis resultierte nicht nur aus den historischen Erfahrungen mit

11  Als revolutionstheoretischer und -historischer Überblick eignet sich vor allem: F. Oelßner, Die Rolle der Staatsmacht beim Aufbau des Sozialismus. In: Probleme der politischen Ökonomie. Jahrbuch des Instituts für Wirtschaftswissenschaften der Deutschen Akademie der Wissenschaften zu Berlin 2, 1959, S. 7 ff., 23 ff.

12  Vgl. W. Ulbricht, Der Leninismus und der Aufbau des Sozialismus in der DDR. In: Die DDR – Entwicklung, Aufbau und Zukunft. Frankfurt/M.: 1969, S. 11–30; F. Oelßner, Die Übergangsperiode vom Kapitalismus zum Sozialismus in der Deutschen Demokratischen Republik. Berlin: 1955; G. Benser, Grundzüge des revolutionären Übergangsprozesses vom Kapitalismus zum Sozialismus in der DDR. In: M. Kossock (Hrsg.), Studien über die Revolution. Berlin: 1969, S. 458 ff.

den Fehlern der Pariser Commune von 1871 und deren Verarbeitung durch Marx, Engels und Lenin [13], sondern vor allem aus den leidvollen Erfahrungen der deutschen Arbeiterbewegung mit dem Scheitern der Weimarer Republik und dem Anteil, den die Politik der sozialdemokratischen Führung daran hatte [14]. Die Intensität und Konsequenz, mit der Veränderungen im Bereich der Justiz durchgeführt wurden, erklärt sich weiter daraus, daß noch 1948 festgestellt werden mußte, die Justiz sei bisher am wenigsten von den sozialökonomischen Veränderungen erfaßt worden. Die besondere und bevorrechtigte Stellung der Jurisprudenz in der bürgerlichen Gesellschaft als klassische Weltanschauung der Bourgeoisie [15] bewirkte ihre Zähigkeit, was Beispiele im nachrevolutionären Rußland ebenfalls zeigten. „So wie das Recht die letzte, die reifste Frucht darstellt, die aus den Eigentumsverhältnissen und an den Bedürfnissen der bürgerlichen Gesellschaftsordnung entstanden ist, so ist auch das Recht die letzte Bastion, mit deren Hilfe die absterbende Bourgeoisie den Ansturm der zukunftstragenden jungen Klasse des Proletariats aufzuhalten versucht" [16]. So hatte die Arbeiterklasse in der DDR, die im Verlauf des revolutionären Prozesses sukzessiv zur Trägerin der Staatsmacht wurde [17], ihre spezifischen historischen Erfahrungen mit

13  Vgl. W. I. Lenin, Marxismus und Staat. Berlin: 1960, worin die relevanten Stellen von Marx (Bürgerkrieg in Frankreich, Brief an Kugelmann usw.) und Engels zur Pariser Commune zusammengefaßt sind; ders., Staat und Revolution. Frankfurt/M.: 1969; M. Choury, La Commune au Cœur de Paris. Paris: 1967.

14  Vgl. W. Abendroth, Aufstieg und Krise der deutschen Sozialdemokratie. Frankfurt/M.: 1964, S. 51 ff.; L. Berthold, H. Neef, Militarismus und Opportunismus gegen die Novemberrevolution. Berlin: 1958.

15  Vgl. F. Engels, Juristen – Sozialismus. In: Marx, Engels, Werke, Bd. 21, Berlin: 1962, S. 492; ders., Ludwig Feuerbach und der Ausgang der klassischen deutschen Philosophie. In: Marx, Engels, Werke, Bd. 21, a.a.O., S. 259-307, erschienen auch als selbständige Publikation Frankfurt/M.: 1970

16  M. Fechner, Volk und Justiz. In: ders. (Hrsg.), Beiträge zur Demokratisierung der Justiz. Berlin: 1948, S. 9.

17  Vgl. G. Benser, Grundzüge des revolutionären Übergangsprozesses vom Kapitalismus zum Sozialismus in der DDR, a.a.O., S. 458 ff.

der sogenannten Dritten, der rechtsprechenden Gewalt, die ihre Zweifel an der proklamierten Unabhängigkeit dieses Zweiges bürgerlicher Herrschaftsausübung genährt hatte. Die Unabhängigkeit der Dritten Gewalt hatte die Arbeiterklasse stets nur zu spüren bekommen als Unabhängigkeit vom Willen des Volkes, in dessen Namen sie Recht zu sprechen vorgab. Richter waren vielfach schon als Corpsstudenten, aber auch später als Amts- oder Reichsgerichtsräte in der Weimarer Zeit oftmals an den Anschlägen gegen die Republik, z. B. in den Freikorps, beteiligt. Ihre Milde gegenüber rechtsradikalen Putschisten war umgekehrt proportional der Härte, mit der sie Republikaner und vor allem Kommunisten verurteilten [18]. Diese Entwicklung fand fast nahtlos ihren barbarischen Höhepunkt in der bedingungslosen Unterordnung des größten Teiles der deutschen Richterschaft unter den nazistischen Unrechtstaat und seine Normen [19]. So mußte Hilde Benjamin feststellen, daß in der damaligen SBZ 80 % der nach dem Sieg über den Faschismus vorgefundenen Richter und Staatsanwälte Mitglieder der NSDAP oder einer ihrer Gliederungen gewesen waren. Den Rest von ihnen – großenteils „unpolitische" Richter alter Schule, die teils wegen zu hohen Alters nicht mehr Mitglied der NSDAP geworden waren, teils weil ihnen das „Sozialistische" im Nationalsozialismus noch zu proletarisch war [20] – konnte man in der antifaschistisch-demokratischen Etappe der Revolution nicht entfernen. Es war notwendig, ihm ein demokratisches Gegengewicht zu schaffen. In dieser Situation wurde das Projekt des „Volksrich-

18  Vgl. E. J. Gumpel, Vom Fememord zur Reichskanzlei. Heidelberg: 1962; H. Hannover, E. Hannover-Drück, Politische Justiz 1918–1933. Frankfurt/M.: 1966; B. Dietrich, Zur Funktion der judikativen Institutionen. In: W. Abendroth, K. Lenk (Hrsg.), Einführung in die politische Wissenschaft. Bern: 1968, S. 221 ff.

19  Vgl. I. Staff, Justiz im Dritten Reich. Frankfurt/M.: 1964; H. Göppinger, Der Nationalsozialismus und die jüdischen Juristen. Villingen: 1963, S. 42 ff.; R. Schmid, Justiz im Dritten Reich. In: DIE ZEIT vom 28. 5. 1965.

20  Vgl. H. Benjamin, Volksrichter – Träger einer demokratischen Justiz. In: Fechner (Hrsg.), Beiträge zur Demokratisierung der Justiz, a.a.O., S. 165.

ters" geboren [21]. Es ging zurück auf die „Grundsätze und Ziele der SED" vom Vereinigungsparteitag der KPD und SPD, in deren Ziffer 4 die „systematische Ausbildung befähigter Werktätiger als Beamte der Selbstverwaltungsorgane, als Lehrer, *Volksrichter* und Betriebsleiter unter besonderer Förderung der Frauen" [22] gefordert wurde. Daß dies nur gegen erbitterten Widerstand durchgeführt werden konnte, versteht sich aus der Differenziertheit des revolutionären Prozesses. Trotzdem behielten die Propheten des alten Systems mit ihrem Kassandra-Ruf, die Rechtspflege werde zusammenbrechen, nicht recht [23]. Ende 1947 konnte festgestellt werden, daß kein einziges Urteil, das unter Vorsitz eines Volksrichters ergangen war, erfolgreich durch die Nichtigkeitsbeschwerde angefochten worden war, wohl aber verschiedene Urteile sogenannter Volljuristen, die sich über die „Galopp-Juristen" amüsiert hatten [24].

Der im Marxschen Sinne radikale Bruch zeigt sich im Vergleich der personellen Struktur der Richterschaft, insbesondere derjenigen an den Obergerichten. So hat sich die traditionelle Frauenemanzipationsfeindlichkeit des feudalistischen und auch noch des bürgerlichen Staates ungebrochen in der BRD fortgesetzt. Noch 1968 stellte der Bremer Oberlandesgerichtspräsident Dr. Richter fest, daß der Anteil der Frauen aller Gerichtszweige in den Jahren 1959 nur 2,5 %, 1962 2,9 % betragen habe [25]. An den Oberlandesgerichten waren es ganze 1,2 %, wobei sich davon die Hälfte am Kammergericht Westberlin

21  Vgl. H. Benjamin, Zum Bild des sozialistischen Richters. In: Festschrift für Arthur Baumgarten. Berlin: 1964, S. 5 ff.
22  L. Berthold, E. Diehl (Hrsg.), Revolutionäre deutsche Parteiprogramme. Vom kommunistischen Manifest zum Programm des Sozialismus. Berlin: 1964, S. 203.
23  Die bürgerliche Polemik gegen die Volksrichter, wie sie etwa von dem Strafprozeßler Eberhard Schmid vorgetragen wurde, wies treffend A. Baumgarten in seinem Artikel „Über die Rechtspflege in der Ostzone", in: Neue Justiz 1949, S. 275 ff., zurück.
24  Vgl. W. Hoeniger, Juristen und Volksrichter. In: Tägliche Rundschau vom 24. 12. 1947.
25  Vgl. W. Richter, Zur soziologischen Struktur der deutschen Richterschaft. Stuttgart: 1968, S. 5.

befand, während es in Bayern, Bremen, Hamburg, Niedersachsen, Rheinland-Pfalz und Schleswig-Holstein noch keine einzige Frau in dieser Position gab [26]. Am Bundesgerichtshof (BGH) waren im Zeitpunkt der Untersuchung immerhin drei Frauen unter den 110 Richtern, die allerdings in den Gründungsjahren gewählt worden waren. „Dabei mag der Wunsch, die Gleichberechtigung an deutlich sichtbarer Stelle zu demonstrieren, mit der Notwendigkeit zusammengetroffen sein, politisch Unbelastete für das oberste Gericht zu finden" [27]. Trotzdem wurden politisch belastete Richter den Frauen vorgezogen. So waren über dreißig der späteren Bundesrichter in der Zeit von 1933–1945 zu Landgerichtsdirektoren oder Oberlandesgerichtsräten befördert worden, zwei weitere zu Oberlandesgerichtspräsidenten, der BGH-Präsident Dr. Heusinger im Jahre der Machtergreifung durch die NSDAP, zwei weitere waren Ministerialräte im Reichsjustizministerium [28]. Die geringe Zahl der Oberlandesgerichtsrätinnen, also der potentiellen Bundesrichterinnen, beweist deren ausgesprochenen Ausnahmecharakter. „Der gesellschaftliche Fortschritt läßt sich exakt messen an der gesellschaftlichen Stellung des schönen Geschlechts (die Häßlichen eingeschlossen)" [29]. Das „schöne Geschlecht" ist in der DDR an den Bezirksgerichten, die dem Oberlandesgericht vergleichbar sind, mit 30 %, an den Kreisgerichten mit 33 % vertreten. Entsprechend ist der Anteil der Jurastudentinnen 30 %, während er in der BRD zu Beginn des Studiums nur ca. 11 % beträgt [30].

26  Vgl. J. Feest, Die Bundesrichter. In: W. Zapf (Hrsg.), Beiträge zur Analyse der deutschen Oberschicht. München: 1965, S. 111.
27  Ebd.
28  Vgl. ebd., S. 104.
29  K. Marx, Brief an Kugelmann vom 12. Dez. 1868. In: Marx, Engels, Werke, Bd. 32, S. 583.
30  Vgl. Richter, Zur soziologischen Struktur der deutschen Richterschaft, a.a.O., S. 6; für die DDR-Zahlen: H. Steiner, Die soziale Herkunft und Struktur der Richter in der DDR. In: Staat und Recht 15, 1966, S. 1784 ff., 1793. Dieser Beitrag entbehrt nicht der kritischen Implikation, daß der Umstrukturierungsprozeß noch konsequenter durchgeführt werden müsse.

Die neue Qualität der Justiz der DDR als integrierter Bestandteil und nicht Hemmschuh historisch-progressiver, an den Interessen der Bevölkerung orientierter Entwicklung zeigt sich weiter daran, daß der Beruf des Richters und des Staatsanwalts nicht mehr der Beruf der Oberschicht, sondern in der sozialen Zusammensetzung im wesentlichen Abbild der Bevölkerungsstruktur ist. 75 % haben Arbeiter-, 14,6 % Angestellteneltern, deren gesellschaftlicher Anteil zusammen 83,2 % beträgt [31]. Die Wertvorstellungen dieser Richter unterscheiden sich zwangsläufig von denen ihrer westdeutschen Kollegen, über deren soziale Herkunft sich folgendes Bild ergibt: „Von diesen Vätern gehörten zur oberen Mittelschicht 40,5 %, zur unteren Mittelschicht (Beamte des gehobenen Dienstes, selbständige Handwerker) 54,6 %, zur oberen Unterschicht 2,7 % und zur unteren Unterschicht (Industriearbeiter) 0,1 % ... Von den Vätern der Richter war jeder zweite Beamter, jeder vierte Unternehmer, selbständiger Gewerbetreibender oder Landwirt, jeder zehnte Angestellter. Mehr als 50 % der Richter rekrutieren sich aus einer Schicht, die nur 5 % der Bevölkerung ausmacht" [32]. Der Anteil der Richter aus den obersten Schichten nimmt mit der Höhe der Position in der Hierarchie zu [33]. Das ist eine entscheidende Grundlage dafür, daß die Interessen und Ansichten der ökonomisch Herrschenden ihre Widerspiegelung [34] in der Rechtsprechung finden. Daraus läßt sich das Phänomen der Klassenjustiz ableiten, die nicht unbedingt bewußte Rechtsbeugung sein muß. Es handelt sich eher um unbewußte Hineinnahme der in Erziehung und Umwelt gewonnenen Wertvorstellungen in die Rechtsprechung [35]. Dies ist na-

---

31  Vgl. H. Kern, T. Riemann, Recht und Gesetz in der DDR. Berlin: 1969, S. 17.

32  X. Berra, Im Paragraphenturm. Eine Streitschrift zur Entideologisierung der Justiz. 2. Aufl., Neuwied, Berlin: 1967, S. 23.

33  Vgl. Feest, Die Bundesrichter, a.a.O., S. 106 ff.

34  Zum dialektischen und differenzierten Verständnis des Begriffs „Widerspiegelung" siehe: W. R. Beyer, Der Spiegelcharakter der Rechts-Ordnung. Meisenheim: 1951.

35  Vgl. E. Fraenkel, Zur Soziologie der Klassenjustiz. Darmstadt: 1968 (Nachdruck); R. Geffken, Erscheinungsformen und Ursachen

türlich auch in der DDR-Rechtsprechung gegeben – allerdings mit klassenmäßig anderem Vorzeichen.

Die personelle Umbesetzung der Richterschaft war nur eine Seite der revolutionären Veränderungen innerhalb der Justiz. Eine andere war die strukturelle Veränderung, die zunächst mit der Ideologie von der Unabhängigkeit des Dritten Standes aufräumte und an deren Stelle den Grundsatz der Volkssouveränität durchsetzte. Auch die BRD-Verfassung enthält das Prinzip der Volkssouveränität, allerdings modifiziert durch den Grundsatz der Dreigewaltenteilung. Historisch ist die Unabhängigkeit der rechtsprechenden Gewalt, einer der drei postulierten Gewalten, begründet in den Auseinandersetzungen zwischen dem Absolutismus und dem zur Herrschaft strebenden Bürgertum [36]. Notwendigerweise mußte dieses System seine Kontrollfunktion verlieren, nachdem Exponenten derselben herrschenden bürgerlichen Klasse alle drei Gewalten in Beschlag nahmen [37]. Unabhängigkeit der rechtsprechenden Gewalt beschränkte sich damit letztlich auf Unabhängigkeit vom Volk. Die Abhängigkeit der Richterschaft von der Exekutive zeigt sich schon in der beherrschenden Rolle der für Einstellung, Beförderung, Versetzung und Ausscheiden maßgebenden Justizverwaltung, einem Exekutivorgan [38].

von Klassenjustiz im kapitalistischen Deutschland. In: facit Nr. 20, 1970, S. 42 ff.; H. Rottleutner, Klassenjustiz? In: Kritische Justiz 2, 1969, S. 1 ff.; ders., Zur Soziologie richterlichen Handelns. In: Kritische Justiz 3, 1970, S. 283 ff. (Dort, wo Rottleutner gegenüber materialistischen Analysen der Klassenjustiz originell sein will, wird der Realitätsgehalt seiner Aussagen durch die theoretische Anlehnung an die ,Frankfurter Schule' stark eingeschränkt.); E. Fechner, Funktionen des Rechts in der menschlichen Gesellschaft. In: Die Funktionen des Rechts in der modernen Gesellschaft. Jahrbuch für Rechtssoziologie und Rechtstheorie 1, 1970, S. 99 ff.

36 Vgl. W. Abendroth, Die Justiz in den Länderverfassungen der sowjetischen und amerikanischen Besatzungszone. In: Neue Justiz 1947, S. 112 ff.

37 Vgl. K. Polak, Gewaltenteilung – Menschenrechte – Rechtsstaat. In: ders., Reden und Aufsätze. Berlin: 1968, S. 126 ff.

38 Vgl. R. Wassermann, Richter, Reform, Gesellschaft. Karlsruhe: 1970, S. 61 ff.

Der neue Sinn, den der Begriff der Unabhängigkeit der Richter in der DDR bekam, reduzierte sich auf die Unabhängigkeit von Eingriffen in die Entscheidung des konkreten Rechtsfalles, bei der der Richter nur dem Gesetz unterworfen ist und Weisungen gleich welcher Art und Herkunft abzulehnen hat. Nicht dagegen ist er unabhängig vom Volk und seinen Vertretungen. Das führt notwendig zur Wählbarkeit und Abwählbarkeit des Richters. „Alle Richter, Schöffen und Mitglieder der gesellschaftlichen Gerichte werden durch die Volksvertretungen oder unmittelbar durch die Bürger gewählt. Sie erstatten ihren Wählern Bericht über ihre Arbeit. Sie können von ihren Wählern abberufen werden, wenn sie gegen die Verfassung oder die Gesetze verstoßen oder sonst ihre Pflichten gröblich verletzen." (Art. 95 Verf. DDR.) Dies ist keineswegs platonischer Programmsatz, wenn auch gerade solche Möglichkeiten mit wachsendem sozialistischem Bewußtsein in Zukunft intensiver genutzt werden können und damit die Vergesellschaftung der Justiz qualifiziert wird [39].

Der Prozeß der Demokratisierung der Justiz wird am augenfälligsten in der Einrichtung der gesellschaftlichen Gerichte [40]. Die Mitglieder der Konflikt- oder Schiedskommissionen werden von den Belegschaftsmitgliedern der Betriebe, den Mitgliedern der Produktionsgenossenschaften oder den örtlichen Volksvertretungen gewählt. Mehr als ein Drittel aller Straftaten wird vor ihnen verhandelt (1968 waren es mehr als 37,7 %) [41]. Sie haben weniger strafende als erzieherische Funktionen. Deshalb kann auch jeder anwesende Bürger bei der Beratung mitwirken. Ziel solcher Beratungen ist es, jeden Streitfall möglichst einverständlich beizulegen und Strafen zu vermeiden. Eine Bestrafung durch die anderen Gerichte ist damit ausgeschlossen. Allerdings

---

39 Vgl. W. I. Lenin, Referat über die Revision des Parteiprogramms und die Änderung des Namens der Partei. In: ders., Werke, Bd. 27, S. 122.
40 Vgl. M. Benjamin, Konfliktkommissionen – Strafrecht – Demokratie. Berlin: 1968.
41 Vgl. Kern, Riemann, Recht und Gesetz in der DDR, a.a.O., S. 47.

kann der Betroffene gegen die Entscheidung gesellschaftlicher Gerichte Einspruch zum Kreisgericht erheben.

Nicht zu vergleichen damit sind die Betriebsgerichte der Großindustrie in der BRD. Bei ihnen handelt es sich um gesellschaftlich nicht kontrollierte, verlängerte Hebel der Betriebsleitung, die schon vorhandene ökonomische Abhängigkeit der Belegschaft durch die zusätzliche Aneignung staatsanwaltschaftlicher, richterlicher und strafvollziehender Funktion in der Hand des Unternehmers ausbauen [42].

Die Vergesellschaftung der DDR-Gerichtsbarkeit muß im Kontext der marxistischen Staatstheorie und ihrer Umsetzung in die soziale Wirklichkeit gesehen werden. An ihr wird das Theorem vom „Absterben des Staates" [43] konkretisiert, das immer wieder in mißverstandener und verfälschter Weise von bürgerlichen und revisionistischen Kritikern den sozialistischen Staaten empfohlen wird. Es beinhaltet in erster Linie die Rücknahme ursprünglicher gesellschaftlicher Ordnungsfunktionen, die – durch die Klassenspaltung bedingt – von dem scheinbar über den Klassen stehenden Staat der ökonomisch herrschenden Minderheit in deren Auftrag okkupiert worden waren [44]. Es ist Teil der Anstrengungen, das mysteriöse priesterliche Wesen des Staates in ein lichtes, allen zugängliches und gehöriges Laienwesen, den Staat in das Fleisch und Blut der Staatsbürger zu verwandeln und damit der Macht der vereinigten Individuen zu unterwerfen [45].

Zu diesem permanenten Lern- und Heranführungsprozeß an die Lenkungs- und Leitungsaufgaben gehört auch das Gesetzgebungsverfahren selbst, wobei das weitgehende Gesetzesinitiativrecht gesellschaftlicher Organisationen wie z. B. des FDGB

42  Vgl. H. Lederer, Betriebsjustiz – etwas außerhalb der Legalität? In: Gewerkschaftliche Monatshefte 1965, S. 215 ff.; 1966, S. 629 ff.
43  Vgl. ders., Staat und Absterben des Staates in der DDR. In: facit Nr. 19, 1970, S. 21 ff. sowie die dort zu diesem Thema angegebene marxistische Literatur.
44  Vgl. F. Engels, Der Ursprung der Familie, des Privateigentums und des Staates. Frankfurt/M.: 1969, S. 192 ff.
45  Vgl. K. Marx, F. Engels, Die deutsche Ideologie. In: Marx, Engels, Werke, Bd. 3, Berlin: 1958, S. 9–530, hier: S. 70.

und der FDJ unerörtert bleiben und nur auf die unmittelbare Rolle der Bevölkerung eingegangen werden soll. Entscheidende Gesetze (Verfassung, Familien-, Strafrecht z. B.) werden erst intensiv von der Bevölkerung diskutiert, Veränderungsvorschläge eingereicht, die auch oft zu wichtigen Veränderungen gegenüber dem ursprünglichen Vorschlag geführt haben [46]. Das Fundamentale an diesem Verfahren ist, daß die Bürger nicht mehr von den Gesetzen überrascht werden, daß sie die Notwendigkeit und Folgen vorweg kollektiv und massenhaft diskutieren, daß die damit verbundenen neuen Wertmaßstäbe zunächst vor ihnen bestehen müssen und somit die Gesetze ihnen nicht als von außen aufgezwungene Normen erscheinen [47].

Von dem demokratischen Umstrukturierungsprozeß wurde auch die Staatsanwaltschaft betroffen. Jahrhundertelang war der Staatsanwalt noch mehr als der Richter Sinnbild bürgerlicher Klassenrepression – und das nicht nur in den Karikaturen Daumiers und Georg Grosz'. Im junkerlichen Stil des ehemaligen Reserveoffiziers, der er vor seiner juristischen Karriere zumeist war [48], ermittelte er nur das, was zu Lasten des von seinem Anklagemonopol betroffenen Beschuldigten ging, es sei denn, jener gehörte zur Oberschicht. Darum galt es, die Staatsanwaltschaft aus der Sphäre der Abhängigkeit von einer herrschenden und unterdrückenden Minderheit in die gesellschaftlich verantwortliche Tätigkeit für die Massen zu rücken, deren oberstes Machtorgan und einziges verfassungs- und gesetzgebendes Organ die Volkskammer ist (Art. 48 Verf. DDR) [49].

46  Vgl. G. Karau, Demokratie in der DDR. Berlin: 1968, S. 74 ff. mit Beispielen.
47  Der einzige Fall, in dem in der BRD vor Verabschiedung ein Gesetzentwurf der Bevölkerung bekanntgegeben worden war, ist demgegenüber eher bezeichnend: wenige Tage vor Verabschiedung der Notstandsgesetze verkündete die Bundesregierung in Zeitungsanzeigen, daß sie auf Anforderung den Gesetzesentwurf zusenden werde.
48  Vgl. E. Kuttner, Klassenjustiz! Berlin: 1913, S. 27 f.; Fraenkel, Zur Soziologie der Klassenjustiz, a.a.O., S. 10.
49  Vgl. auch R. Helm, Aufgabe und Funktion der Staatsanwaltschaft. In: Fechner (Hrsg.), Beiträge zur Demokratisierung der Justiz, a.a.O., S. 193.

Während die der Weisungsbefugnis der Exekutive (Justizminister) unterworfene Staatsanwaltschaft in der BRD strukturell unverändert blieb und ihr Funktionieren bei den politischen Prozessen der Nachkriegszeit erwies, wurde die am Leitbild des Volksanwalts orientierte Staatsanwaltschaft der DDR sowohl strukturell als auch funktional geändert [50]. Sie ist nicht mehr nur Strafverfolgungsbehörde, sondern gleichzeitig Strafverhütungsinstitution [51]. Dies korrespondiert mit dem neuen Inhalt der Strafgesetzgebung und dem dahinterstehenden kriminologischen und anthropologischen Verständnis [52]. Die Verantwortung des Staatsanwalts endet daher nicht wie in der BRD mit dem Strafe bzw. Freispruch verlangenden Schlußplädoyer und der bloß formalen Überwachung der Strafvollzugsakten. Nach dem Urteil eröffnet sich für den Staatsanwalt in der DDR ein neuer Verantwortungsbereich, nämlich die ständige Überprüfung des Vollzugs selbst mit der stringenten Befugnis, gegen einzelne Vollzugsmaßnahmen von Amts wegen und nicht nur auf Beschwerde des Betroffenen Protest zu erheben und für Änderung zu sorgen [53].

Die Voraussetzungen für die späteren grundlegenden Unterschiede in der Funktion der Juristen in der BRD und der DDR werden in der Ausbildung geschaffen. Die in der Bundesrepublik nach dem Studium einsetzende Referendarausbildung, die mit einem weiteren Staatsexamen abschließt, erzieht den Juristen zu Anpassung und Gehorsam seinen Vorgesetzten gegenüber, von deren Beurteilung er abhängig ist [54]. Einer der

50  Vgl. ebd., S. 193 ff.
51  Vgl. J. Streit, Zur Geschichte der Staatsanwaltschaft in der DDR. In: Staat und Recht 18, 1969, S. 1265.
52  Dazu z. B.: E. Buchholz, R. Hartmann, J. Lekschas, Sozialistische Kriminologie. Berlin: 1966.
53  Gesetz über die Staatsanwaltschaft vom 17. April 1963. In: Das System der sozialistischen Gesellschafts- und Staatsordnung in der Deutschen Demokratischen Republik. Dokumente. Berlin: 1969, S. 186 ff.
54  Vgl. Berra, Im Paragraphenturm, a.a.O., S. 28 ff.; T. Rasehorn, Reform der Juristenausbildung als Anfang einer Rechtsreform. In: Neue Juristische Wochenschrift (NJW) 1970, S. 1166 ff.;

wenigen radikaldemokratischen Professoren, Rudolf Wiethölter, kennzeichnet das Resultat dahin, der Jurist sei juristisch und politisch den Aufgaben nicht mehr gewachsen und daher um so gesetzestreuer, je autoritärer der Staat, und um so hilfloser und ablehnender, je demokratischer der Staat ist [55]. Die ständige Erziehung hin auf die herrschende Meinung, die in ihren Grundentscheidungen die Meinung der Herrschenden wiedergibt, und der man in Klausuren und Relationen um den Preis des Bestehens zu folgen hat, beseitigt regelmäßig die letzten kritischen Impulse beim Referendar. Ein System rechtlicher und sozialer Zwänge sorgt somit für die systemkonforme Disziplinierung und stutzt den jungen Juristen auf eine den Herrschenden genehme Einstellung zurecht [56]. „Diese Ausbildung, ..., die unterscheidet sich doch gar nicht so sehr von der, die Hitlers Richter genossen haben. Also eine Ausbildung, die zwischen dem Gesetz zum Schutze des deutschen Blutes und der deutschen Ehre, ..., der Polenstrafrechtsverordnung einerseits und dem Hypothekenrecht ... andererseits rechtlich und moralisch nicht zu unterscheiden wußte" [57]. Eine derartige „Wertneutralität" hat in der Juristenausbildung der DDR, die von Aufbau und Inhalt her den Zusammenhang von Theorie und Praxis, von Recht und gesellschaftlichen Interessen betont, keine Basis. Erklärtes Ziel ist, die Verselbständigung der zukünftigen Juristen vom Volk zu verhindern und ihm das Selbstverständnis zu vermitteln, mit seiner Tätigkeit dem weiteren Aufbau des entwickelten gesellschaftlichen Systems des Sozialismus und den dieses System tragenden Volksmassen zu dienen. Daraus ergibt sich folgende einstufige Ausbildung: dreisemestriges Grundstudium (Marxismus-Leninismus, Leitungswissen-

H. Ostermeyer, Richter, Recht und Macht. In: Wie frei ist unsere Justiz? München: 1969, S. 31 ff.

55 Vgl. R. Wiethölter, Rechtswissenschaft. Frankfurt/M.: 1968, S. 40.

56 Vgl. R. Wassermann, Erziehung zum Establishment? Das Dilemma der Juristenausbildung. In: ders. (Hrsg.), Erziehung zum Establishment. Karlsruhe: 1969, S. 39.

57 T. Rasehorn, F. Hasse, Schulbank statt Richterstuhl. In: T. Rasehorn, H. Ostermeyer, D. Huhn, F. Hasse, Im Namen des Volkes? Neuwied, Berlin: 1968, S. 159.

schaft, Staats- und Rechtstheorie, Rechtsgeschichte, wobei pädagogisch das selbständige wissenschaftliche Arbeiten kombiniert
mit der ständigen Mitarbeit in der Praxis der staatlichen Tätigkeit und die Bildung von wissenschaftlichen Kollektiven im
Vordergrund stehen, hinzu kommt eine zweite Fremdsprache,
elektronische Datenverarbeitung, Kybernetik); viersemestriges
Fachstudium, aufgeteilt nach Rechtspflege- und Wirtschafts-
juristen; ein Semester Spezialstudium in dem Bereich, aus dem
die Diplomarbeit stammt. Die Struktur der Sektion Staats-
und Rechtswissenschaft entspricht der nach der dritten Hochschulreform vervollständigten demokratischen Struktur der
Hochschulen überhaupt [58].

Von sozialdemokratischer Seite wird die enge Verbindung des
Juristen zum realen Sozialismus als konservative Erziehung
zur Affirmation bezeichnet und dagegen die Herausbildung
eines abstrakt kritischen Juristen gesetzt [59]. Angriffspunkt ist
das gesellschaftswissenschaftliche Grundstudium. Dies allein
aber garantiert, daß der Jurist nicht losgelöst von den gesellschaftlichen Verhältnissen gleichsam über den Bürgern schwebt,
sondern kritische Intellektualität verbindet mit dem Ziel, optimal in seinem Bereich die Interessen der arbeitenden Bevölkerung durchzusetzen.

Daß diese Interessen das entscheidende Kriterium sozialistischen Handelns sind, formuliert die Verfassung der DDR eindeutig: „Der Mensch steht im Mittelpunkt aller Bemühungen der
sozialistischen Gesellschaft und ihres Staates" (Art. 2, Abs. 1,
Satz 2).

Daran ist auch der Inhalt der DDR-Gesetzgebung zu messen. Da
die Exegese eines jeden Gesetzes hier zu weit führen würde,
sollen beispielhaft für den neuen Inhalt und die neue soziale
Konzeption die Gesetze untersucht werden, die die einschnei-

58  Vgl. W. Büchner-Uhde, Die Hochschulreform an den juristischen
    Bildungsstätten in der DDR. In: Staat und Recht 18, 1969, S.249 ff.;
    L. Lehmann, Reform der Juristenausbildung in der DDR. In:
    Juristische Sammlung (JUS) 1969, S. 195 f.
59  Vgl. P. Bull, DDR – Vorbild für uns? In: Neue Juristenausbildung.
    Hrsg. v. Loccumer Arbeitskreis. Neuwied: 1970, S. 167 ff.

dendsten Folgen für den Bürger haben und die in der alten Klassengesellschaft am ausgeprägtesten die Repression des Staates reproduzierten: Strafrecht und Strafvollzug [60]. Mit der Verabschiedung des neuen Strafgesetzbuchs (StGB), einer neuen Strafprozeßordnung, eines Ordnungswidrigkeitsgesetzes und eines Gesetzes über den Vollzug der Strafen mit Freiheitsentzug *und* über die Wiedereingliederung Strafentlassener in das gesellschaftliche Leben ist seit dem 12. Januar 1968 in der DDR das alte StGB von 1871 beseitigt [61].

In der Bundesrepublik dagegen ist trotz mancher Reformbestrebungen liberaler Wissenschaftler bei der Änderung des „Jahrhundertwerks" viel mehr als Flickschusterei nicht herausgekommen. Im Kern ist es das alte, auf obrigkeitsstaatlicher Gesinnung beruhende und kapitalistischem Güterschutz verpflichtete Reichsstrafgesetzbuch geblieben [62], wenngleich allergröbste Anachronismen (Zweikampf!) 1969 beseitigt wurden. Ohne die Bewegungen gegen Notstandsgesetze, Vietnamkrieg und Springer-Konzern wären die Bestimmungen über Auflauf, Aufruhr und Landfriedensbruch hinsichtlich des Strafmaßes nicht geändert worden. Im Bereich des Strafvollzuges gibt es, obwohl seit Jahren gefordert, immer noch kein Gesetz. Der Strafvollzug orientiert sich an einer verfassungsrechtlich umstrittenen Verordnung, die als Hausstrafe „hartes Lager" und „Schmälerung der Kost" vorsieht, Leibesstrafen also, die sich von der mittelalterlichen Folter nur in der Schwere, nicht aber im Charakter unterscheiden.

Die Fortschrittlichkeit des neuen StGB der DDR wird auch von nichtsozialistischen Autoren anerkannt. So bemerkt der

60 Vgl. E. Paschukanis, Allgemeine Rechtslehre und Marxismus. Frankfurt: 1966 (Nachdruck), S. 148 ff.
61 Wie konsequent der Prozeß bis dahin durchgeführt wurde, wie kompliziert er aber auch war, zeigt die Artikelserie von H. Benjamin, M. Becker, K. Görner, W. Schriewer, Der Entwicklungsprozeß zum sozialistischen Strafrecht in der DDR. In: Staat und Recht 18, 1969, S. 1112 ff., 1278 ff., 1835 ff.
62 Vgl. C. Nedelmann, Die Reform des Rechtsgüterschutzes unter dem Dogma des Strafprinzips. In: ders. (Hrsg.), Kritik der Strafrechtsreform. Frankfurt/M.: 1968, S. 15 ff.

westdeutsche Bundesrichter Woesner zur Bewertung der allgemeinen Kriminalität durch das StGB der DDR: „Das Gesetz wirft hier entschlossen eine Reihe veralteter Vorstellung über Bord und bekennt sich häufig zu progressiven Lösungen. Rational ermittelte Sozialschädlichkeit bestimmt weitgehend das gesetzgeberische Geschehen. An die Stelle metaphysischer Bekenntnisse und moralischer Verdikte tritt kriminologische oder doch zumindest realistische Betrachtung" [63]. Mangels anderer Angriffspunkte wird dann zum Ausgleich über die Verschärfung des politischen Strafrechts lamentiert [64]. Abgesehen davon, daß bei einer wissenschaftlichen Überprüfung von einer Verschärfung nicht die Rede sein kann, sondern allenfalls von einer Konkretisierung der Tatbestandsmerkmale, die ein höheres Maß an Rechtssicherheit gewährleistet [65], macht der DDR-Gesetzgeber in Art. 1 der dem StGB vorangestellten „Grundsätze" unmißverständlich klar: „Gemeinsames Interesse der sozialistischen Gesellschaft, ihres Staates und aller Bürger ist es, den zuverlässigen Schutz der Souveränität der Deutschen Demokratischen Republik und der sozialistischen Errungenschaften, des friedlichen Lebens und der schöpferischen Arbeit der Menschen, der freien Entwicklung und der Rechte jedes Bürgers zu gewährleisten. Der Kampf gegen alle Erscheinungen der Kriminalität, besonders gegen die verbrecherischen Anschläge auf den Frieden, die Souveränität der Deutschen Demokratischen Republik und auf den Arbeiter- und Bauern-Staat, ist gemeinsame Sache der sozialistischen Gesellschaft, ihres Staates und aller Bürger." Das politische Strafrecht der DDR ist nicht zuletzt Resultat der Nichtanerkennungspolitik und des seitens der imperialistischen Länder oft unternommenen Versuchs, die gesellschaftlich erreichten Verhältnisse gewaltsam wieder rückgängig zu machen [66]. Die historischen und aktuellen Erfahrungen mit dem Kapitalismus, insbesondere in

63  H. Woesner, Das neue Strafrecht der DDR. In: NJW 1969, S. 259.
64  Vgl. ebd., S. 257.
65  Vgl. W. Barthel, Schreckensherrschaft für den Feind – Zum neuen StGB der DDR. In: Extra-Dienst 1968, Nr. 5.
66  Vgl. K. H. Roth, Invasionsziel: DDR. Hamburg: 1970.

seiner faschistischen Variante, lassen es als legitim erscheinen, daß die DDR auch mit den Mitteln des Strafrechts einen Rückfall in dieses System zu verhindern sucht. Die als schärfste mögliche Strafart in einigen Fällen angedrohte Todesstrafe allerdings hat keine Existenzberechtigung mehr. Sie hat kriminologisch in dem humanistischen Strafensystem des neuen StGB keinen Platz. Von diesem Anachronismus abgesehen, ist das neue Strafrecht der DDR beispielhaft. Das zeigt sich insbesondere darin, daß die Gesamtstruktur des Strafrechts darauf angelegt ist (weitgehende Entkriminalisierung, Degradierung von typischen Eigentumsdelikten zu Ordnungswidrigkeiten, Enttabuisierung im Sexualstrafrecht), möglichst nicht angeangewandt zu werden. Die Ergebnisse der Rechtsprechung des Jahres 1968 weisen aus, daß 75 % aller Straftaten mit Strafen ohne Freiheitsentzug geahndet wurden [67]. Aber obwohl die Anzahl der von Freiheitsstrafen Betroffenen immer kleiner wird, sind alle Voraussetzungen dafür getroffen, daß einer, der straffällig geworden ist, nicht für alle Zeiten gebrandmarkt ist und in dem Teufelskreis Straffälligkeit = Arbeitslosigkeit = Geldlosigkeit = Obdachlosigkeit = Straffälligkeit steckenbleibt.

Für die Bundesrepublik hingegen gilt: „Das Gefängnis ist die perfekteste Asozialisierungsmaschinerie, die sich denken läßt. Alles, was zum Versagen geführt hat, wird hier vertieft, komplett gemacht. Alle Rudimente der Lebenstüchtigkeit werden vollends abgetragen. Dagegen ist alles, was im Zwangslehrverfahren hochgepäppelt wird, die beste Gewähr für ein erneutes Versagen in der Gesellschaft" [68]. Strafvollzugsleiter berichten, daß ca. 70 % aller zu Gefängnisstrafen Verurteilten rückfällig werden. Diese Zahlen werden durch statistische Erhebungen, die allerdings für das gesamte Bundesgebiet bisher noch nicht gemacht worden sind, weitgehend bestätigt [69]. We-

67  Vgl. Kern, Riemann, Recht und Gesetz in der DDR, a.a.O., S. 47.
68  Vgl. P. A. Borchert, Gefangenenbericht. In: Strafvollzug in Deutschland. Situation und Reform. Frankfurt/M.: 1967, S. 22.
69  Vgl. D. Rollmann, Konzeption für eine Strafvollzugsreform. In: Strafvollzug in Deutschland, a.a.O., S. 208.

sentlich dafür ist, daß ein Verurteilter regelmäßig seinen Arbeitsplatz verliert, was von der Rechtsprechung des Bundesarbeitsgerichts gedeckt wird. Hier zeigt sich, daß gesellschaftliche und individuelle Interessen an der Resozialisierung ihre objektiven Grenzen in der Vertragsfreiheit des kapitalistisch organisierten Unternehmens finden.

In der DDR sind die Räte der Kreise, Städte und Gemeinden, wo der Verurteilte seinen Wohn- oder Arbeitsplatz hat, verantwortlich dafür, daß noch vor der Entlassung aus der Strafanstalt für ihn ein Arbeitsplatz bereitsteht, wobei die Arbeitsaufnahme gemäß § 63 Abs. 1 des Wiedereingliederungsgesetzes möglichst in der früheren Arbeitsstelle erfolgen soll. Immer wieder wird in unterschiedlichen DDR-Gesetzen die Verantwortlichkeit aller gesellschaftlichen Gruppen und Organe normiert, die Ursachen der Kriminalität aufzudecken und zu beseitigen. So kann das Gericht, wenn es auf solche Ursachen stößt, in einer Gerichtskritik die dafür Verantwortlichen, die innerhalb von zwei Wochen dazu Stellung nehmen müssen, zur Beseitigung auffordern. Ähnliche Befugnisse (Protest) hat der Staatsanwalt. Die Leiter der Betriebe, Kollektive, Brigaden, jeder, der an irgendeiner Stelle Verantwortung trägt, muß in seinem Bereich Kriminalitätsursachen erforschen und festgestellte beseitigen. Der Kampf gegen die Kriminalität wird somit zu einer Sache der Gesellschaft und vermag tendenziell den Grundsatz zu verwirklichen, daß in der sozialistischen Gesellschaft niemand zum Verbrecher zu werden braucht [70]. Schon konnte der bisher beispiellose Erfolg erzielt werden, daß die Kriminalität im Gegensatz zu der in der BRD fast beständig gesunken ist. Im Jahre 1968 sind auf je 100 000 Einwohner in der DDR 586 Straftaten entfallen, während es in der Bundesrepublik 3588 waren, also etwa sechsmal so viel [71].

70  Vgl. Buchholz, Hartmann, Lekschas, Sozialistische Kriminologie, a.a.O., S. 174.
71  Vgl. Kern, Riemann, Recht und Gesetz in der DDR, a.a.O., S. 27; zum gesamten Komplex vgl. auch: H. J. Michels, Das neue sozialistische Strafrecht in der Deutschen Demokratischen Republik. In: Deutsche Volkszeitung (DVZ) vom 8. 8. 1969.

Das entwickelte gesellschaftliche System des Sozialismus in der DDR, unter den schwierigsten Bedingungen angegangen, ist sicherlich – auch wenn die Realität der Gegenwart nicht mit einem utopischen Maßstab gemessen wird – in vielen gesellschaftlichen Bereichen ausbaubedürftig. Für den Bereich der Rechtsordnung kann freilich festgestellt werden, daß sowohl unter dem Gesichtspunkt der Effizienz als auch unter dem der sozialistischen Demokratie und Humanität Vorbildliches geleistet worden ist.

Helga Deppe-Wolfinger, Jutta von Freyberg

# Materialien zur sozialen Lage der Frauen in BRD und DDR

In den Verfassungen der Bundesrepublik Deutschland und der Deutschen Demokratischen Republik ist die Gleichberechtigung von Mann und Frau jeweils als Grundrecht verankert. Gemeinhin sieht man darin schon eine Lösung der jahrhundertelangen Minderprivilegierung der Frau. Vergleicht man jedoch ihre soziale Lage in beiden Staaten, so ergibt sich, daß der juristische Anspruch auf Gleichstellung in unterschiedlichem Maße verwirklicht wurde. Diese Differenzen sind so erheblich, daß nach ihren gesellschaftlichen Voraussetzungen gefragt werden muß.

## Schul- und Berufsausbildung

Entscheidend für die Stellung der Frau in der Gesellschaft ist vor allem, ob ihre weitreichende Qualifizierung in Schule, Beruf und im öffentlichen Leben gefördert oder allenfalls geduldet wird. In der Bundesrepublik setzt sich die *geschlechtsspezifische Erziehung*, die schon im Elternhaus mit der einseitigen Festlegung der Mädchen auf ihre künftige Mutterrolle beginnt, in der Schule fort. So werden in staatlichen Richtlinien verschiedene Unterrichtsinhalte für Jungen und Mädchen propagiert: In den Richtlinien für die Oberstufe der bayerischen Volksschulen z. B. steht zu lesen: „Die Schule ... darf nicht übersehen, daß das Mädchen zur Entfaltung seiner Wesensart, zur Anbahnung seines Selbstverständnisses und für ein späteres Wirken im familialen Bereich einer besonderen unterrichtlichen und erziehlichen Führung bedarf"[1]. Auch der überproportionale Anteil der Mädchen an den Real-, Fach- und

---

[1] Zit. nach: E. Wisselinck (Hrsg.), Die unfertige Emanzipation. Die Frau in der veränderten Gesellschaft. München: 1965, S. 54.

Berufsfachschulen einerseits und ihre Unterrepräsentanz an den Höheren Schulen und Universitäten andererseits läßt auf eine Minderbewertung einer qualifizierten Bildung für Mädchen schließen. So betrug 1967 der Anteil der Mädchen an den Realschülern 52,4 % und an den Berufsfachschülern fast zwei Drittel. An den Gymnasien dagegen waren 42,5 % Mädchen vertreten, unter den Abiturienten 37,2 % und an den Wissenschaftlichen Hochschulen 1968 22,8 % (weibliche Studienanfänger: 25,6 %) [2]; Mädchen aus Arbeiterfamilien sind nur mit 1,7 % unter den Studierenden anzutreffen [3]. 65 % der Mädchen bleiben ohnehin auf die neunjährige Volksschule verwiesen [4].

Die DDR kennt keine Zersplitterung des Schulwesens in Volks-, Mittel- und Höhere Schulen mehr. Hier besuchen über 80 % aller Kinder die zehnjährige *polytechnische Oberschule* [5], das Abitur ist entweder über die zweijährige erweiterte Oberschule, über die Berufsausbildung oder über die Erwachsenenbildung zu erreichen. Der Anteil der Mädchen an der Abschlußklasse der erweiterten Oberschule betrug bereits 1965 48 %. Das bedeutet, „daß auch den Töchtern aus Arbeiterfamilien häufig, jedenfalls sehr viel leichter als in der Bundesrepublik, der Schritt auf die anspruchsvolleren Schulstufen gelingt" [6]. An den Hochschulen waren 1969 33,9 % der Studenten

2    Bericht zur Bildungspolitik, Drucksache des Deutschen Bundestages VI/925 vom 8. Juni 1970, S. 29, 36 u. 53.
3    Ch. César, Ch. Frach, F. Hervé-Murray, M. Sollmann, V. Sommerfeld, Die Diskriminierung der Schülerinnen, Sonderdruck aus: Blätter für deutsche und internationale Politik, Heft 9, 1970, S. 3.
4    Die Angabe bezieht sich auf die Mädchen, die 1966/67 die Klassen 5 bis 9 der Volksschulen in der BRD besuchten. Berechnet nach: Batelle-Institut e. V., Quantitative und qualitative Vorausschau auf den Arbeitsmarkt der Bundesrepublik Deutschland mit Hilfe eines Strukturmodells. Bericht für das Bundesministerium für Arbeit und Sozialordnung. Frankfurt: 1969. Textband, S. 17.
5    Vgl. H. Klein, Das Bildungssystem in der DDR und seine Entwicklungstendenzen. In: Die DDR – Entwicklung, Aufbau und Zukunft. Frankfurt/M.: 1969, S. 84.
6    H. Pross, Über die Bildungschancen von Mädchen in der Bundesrepublik. Frankfurt/M.: 1969, S. 67.

weiblichen Geschlechts [7], wobei zu berücksichtigen ist, daß der Anteil der Studentinnen an den Neuzulassungen in den letzten Jahren stark gestiegen ist: 1968 betrug er 45 % [8].

Diese Daten vermögen zwar *Tendenzen größerer Chancengleichheit* für die Mädchen in der DDR anzudeuten, sie bleiben allerdings solange abstrakt, als sie nicht im Zusammenhang mit den Bildungsinhalten und -schwerpunkten betrachtet werden. In der Bundesrepublik sind Schul- und Berufsausbildung sowohl institutionell als auch von ihrer Stoffauswahl her getrennt. Eine systematische Vorbereitung auf die wissenschaftlichen, technischen und sozialen Anforderungen des Produktionsprozesses findet in unseren Schulen kaum statt, besteht doch auch mit der Einführung der *Arbeitslehre* an den Volksschulen weder die Absicht, Teile der Berufsausbildung vorwegzunehmen, noch die Schüler über die Prinzipien kapitalistischen Wirtschaftens aufzuklären [9]. – Nur unzulänglich vorbereitet beginnt die Mehrzahl der Jugendlichen eine Berufsausbildung, die – da sie von den Unternehmen durchgeführt wird – notwendig den Prinzipien privater Gewinnmaximierung unterliegt. Nicht nur werden Lehrlinge noch immer in rückständigen Kleinbetrieben ausgebildet, nicht nur stellen sie billige Arbeitskräfte dar, auch bleiben ihre Kenntnisse auf den momentanen Bedarf einzelner Unternehmen beschränkt, so daß die zukünftigen Facharbeiter nicht – wie in der DDR – vielseitig im Produktionsprozeß einsetzbar sind [10]. An der mangelnden Dis-

---

7  Statistisches Jahrbuch 1969 der DDR. S. 22.
8  Bilanz unserer Erfolge. 20 Jahre DDR in Zahlen und Fakten. Hrsg. von der staatlichen Zentralverwaltung für Statistik. Berlin: 1969, S. 45.
9  Über die Erziehung zur ‚Berufsfähigkeit', d. h. zu Anpassung und Disziplinierung, in der Schule und insbesondere in der Arbeitslehre vgl.: M. Baethge, Ausbildung und Herrschaft. Unternehmerinteressen in der Bildungspolitik. Frankfurt/M.: o. J. (1970), S. 125, 145 u. 180.
10 Die mangelnde Vorbereitung der Jugendlichen auf zukünftige technische Entwicklungen ist um so bedeutsamer, als bereits 1964 beinahe 50 Prozent aller Erwerbstätigen nicht mehr in ihren erlernten Berufen beschäftigt waren. Vgl.: Erlernter und ausgeüb-

ponibilität der Lohnabhängigen ändert sich grundsätzlich auch nichts durch die von der bürgerlichen Presse als „Revolution der Lehrlingsausbildung" [11] gefeierten neuen Ausbildungsformen wie Lehrwerkstätten und *Stufenpläne* [12]. Immerhin enthalten sie Ansätze einer breiteren praktischen Grundausbildung, die jedoch für die Mädchen weitgehend unwirksam bleiben, weil ihnen eben die technischen Berufe, in denen die Stufenausbildung vor allem praktiziert wird, verschlossen sind.

Anders die Entwicklung in der DDR: Dem durch Rationalisierung und Automatisierung in Gang gesetzten Prozeß der immer schnelleren Wissensabnutzung und -veraltung wird mit einem breiten technischen, naturwissenschaftlichen und sozialökonomischen Grundwissen begegnet, das in der Oberschule erworben, in der Berufsausbildung spezifiziert und in Fortbildungskursen erweitert wird. Die Befähigung zu größtmöglicher Disponibilität beginnt im polytechnischen Unterricht, in dem die Theorie und die Erlernung praktischer Fertigkeiten so vermittelt sind, daß sie als „Einheit von Technik, Ökonomie, Politik und Moral effektiv erfaßt und für die gesamte Schülerpersönlichkeitsbildung wirksam werden" [13] können. In der sich anschließenden Berufsausbildung, die hauptsächlich auf Großbetriebe konzentriert ist, stehen *Grundberufe* im Mittelpunkt, die die mathematisch-naturwissenschaftlichen, technischen, organisatorischen und ökonomischen Grundlagen verwandter Produktions- und Arbeitsprozesse sowie insbesondere neuere Technologien und

ter Beruf. In: Wirtschaft und Statistik 1967, S. 577; im übrigen vgl. zur Berufsausbildung in der BRD und DDR die Darstellung von D. Kramer, P. Schäfer, H. Schuler, M. Schuler in diesem Buch.

11  Handelsblatt Nr. 70 vom 9./10. 4. 1965.

12  Zu der Problematik von Lehrwerkstätten und Stufenplänen vgl.: Berufsausbildung und beruflicher Bildungsweg. Schriftenreihe der IG Metall Nr. 51. Frankfurt/M.: o. J.; W. Petschick, Berufsausbildung und technische Revolution in Westdeutschland. In: DWI-Forschungshefte 3, 1968, Heft 4.

13  H. Vogt, Bildung und Erziehung in der DDR. Stuttgart: 1969, S. 123; zum polytechnischen Unterricht vgl. auch K. H. Günther, G. Uhlig, Geschichte der Schule in der Deutschen Demokratischen Republik 1945 bis 1968. Berlin: 1969.

Arbeitsverfahren umfassen [14]. – Die Kontinuität der polytechnischen Ausbildung und ihr Bezug auf neueste technologische Verfahren wie Elektronik, Datenverarbeitung und Betriebsmeß-, Steuerungs- und Regelungstechnik (BMSR) einerseits und auf die ökonomischen und politischen Erfordernisse der sozialistischen Gesellschaft andererseits, haben zur Folge, daß in der DDR die Zahl der Mädchen, die in zukunftweisenden Berufen lernen und arbeiten, ständig zunimmt.

*Anteil der weiblichen Lehrlinge an verschiedenen technischen Berufen in der DDR 1968* [15]

| | |
|---|---|
| Facharbeiter für BMSR-Technik | 23,8 Prozent |
| Facharbeiter für Datenverarbeitung | 79,4 Prozent |
| Zerspanungsfacharbeiter | 18,4 Prozent |
| Vorfertigungsmechaniker | 31,5 Prozent |
| Technische Rechner | 71,0 Prozent |
| Mechaniker für elektronische Bauelemente | 61,0 Prozent |
| Facharbeiter für Plastverarbeitung | 78,0 Prozent |

In der Bundesrepublik erhielten 1963 von den Schülerinnen aller Berufsschulen nur knapp 8 % Unterricht in der Abteilung Industrie und Handwerk, der Anteil an den Berufsgruppen Elektrotechnik und Metall lag unter 1 % [16]. An diesem Verhältnis hat sich bis 1968 kaum etwas geändert.

14  Zu Aufgabe und Funktion der Grundberufe in der DDR vgl.: A. Knauer, Die Dynamik des Inhalts der Ausbildungsberufe bei der Gestaltung des entwickelten gesellschaftlichen Systems des Sozialismus in der DDR unter den Bedingungen der wissenschaftlich-technischen Revolution. In: Berufsausbildung heute und morgen. Hrsg. vom Deutschen Institut für Berufsausbildung. Berlin: 1970, S. 11–67, insbesondere S. 19–34.
15  Zusammengestellt aus: Bilanz unserer Erfolge, a.a.O., S. 67; I. Lange, I. Hieblinger, Die Rolle der Frau im Produktionsprozeß bestimmt ihre Stellung in der sozialistischen Gesellschaft. In: Einheit 24, 1969, S. 343; Die Frau in der sozialistischen Gesellschaft der DDR. In: Einheit 24, 1969, S. 622.
16  Pross, Über die Bildungschancen von Mädchen in der Bundesrepublik, a.a.O., S. 26.

*Anteil der weiblichen Lehrlinge an verschiedenen technischen Berufen in der BRD 1968* [17]

| | |
|---|---|
| Elektriker | 0,07 Prozent |
| Metallerzeuger und -verarbeiter | 0,68 Prozent |
| Schlosser, Mechaniker und verwandte Berufe | 1,20 Prozent |
| Ingenieure, Techniker und verwandte Berufe | 3,17 Prozent |
| Kunststoffverarbeiter | 0,00 Prozent |
| Chemiewerker | 1,23 Prozent |

Diese Daten, die überwiegend auch von dem kürzlich vorgelegten ‚Bericht zur Lage der Nation‘ bestätigt werden [18], sind Ausdruck der geltenden Vorstellung, daß technische Berufe ‚unweiblich‘ seien.

Auch auf den Hochschulen der BRD meiden die Studentinnen die technischen und naturwissenschaftlichen Fächer. Im Wintersemester 1966/67 betrug ihr Anteil in der Mathematik 20 %, in der Chemie 12 %, in der Physik etwa 4 % und in der Elektrotechnik 0,6 % [19]. In der DDR wählten die Mädchen bisher überwiegend die gleichen Fachrichtungen wie bei uns, nämlich Sprachwissenschaften, Pädagogik und Medizin. 1966 waren dort unter den Mathematikstudenten 16 % Mädchen vertreten,

17 Errechnet nach: Statistisches Jahrbuch für die BRD 1970, S. 128.
18 Die Tabellen für die DDR und die BRD sind nicht unmittelbar vergleichbar, da es sich nicht um dieselben Berufsbilder handelt. Allerdings werden die hier angedeuteten Tendenzen auch von den ‚Materialien zum Bericht zur Lage der Nation 1971‘ bestätigt: Danach betrug 1967 in der BRD der Anteil der weiblichen Lehrlinge an den Lehr- und Anlernlingen bei den: Metallerzeugern und -bearbeitern 1,0 %; Schmieden, Schlossern, Mechanikern und verwandten Berufen 1,2 %; Elektrikern 0,1 %; Chemiewerkern 18,7 %; Kunststoffverarbeitern 0,0 % und bei den Ingenieuren, Technikern und verwandten Berufen 3,7 %. In der DDR betrug der Anteil der weiblichen Lehrlinge ebenfalls 1967 an den Lehrlingen unter den: Metallerzeugern und -verarbeitern 8,8 %; Elektrikern 11,5 %; Chemiewerkern 70,1 %; Kunststoffverarbeitern 77,9 % und unter den technischen Berufen 56,4 %. Vgl. Materialien zum Bericht zur Lage der Nation 1971, Drucksache des Deutschen Bundestages VI/1690 vom 15. 1. 1971, S. 364 und 365.
19 Statistisches Jahrbuch für die BRD 1968, S. 86.

unter den Studierenden der Regelungstechnik 10 % und in der theoretischen Elektronik 14 % [20]. Freilich geht aus dem Anteil der Neuzulassungen hervor, daß sich die Mädchen auch an der Universität zunehmend den für den gesellschaftlichen Produktionsprozeß relevanten Disziplinen zuwenden: 1968 waren 35,5 % der Studenten, die in der DDR das Studium auf mathematisch-naturwissenschaftlichem Gebiet aufnahmen, weiblichen Geschlechts [21].

## Die Frau im Beruf

Nicht nur die Einbeziehung der Frauen in die zukunftweisenden Berufe gibt Auskunft über ihre gesellschaftliche Stellung, sondern auch ihr Anteil an der volkswirtschaftlichen Wertschöpfung insgesamt. Die Probleme der weiblichen Berufstätigkeit können auch in der Bundesrepublik nicht länger mit dem Hinweis, daß die Frau vor allem für Haushalt und Familie zu sorgen habe, verharmlost werden, denn immerhin sind seit Beginn der sechziger Jahre kontinuierlich über 35 % aller Erwerbspersonen Frauen [22]; beinahe jede dritte von ihnen hat Kinder unter vierzehn Jahren zu versorgen [23]. In der DDR beträgt der Anteil der weiblichen Berufstätigen an allen Beschäftigten heute 48 % [24].

In der BRD sind von den 9,6 Millionen berufstätigen Frauen etwa 3 Millionen als Angestellte und 3,5 Millionen als Arbeiterinnen beschäftigt. 45 % der in der Produktion tätigen Frauen sind ungelernte, 46 % angelernte Kräfte und nur 9 % ver-

20 Pross, Über die Bildungschancen von Mädchen in der Bundesrepublik, a.a.O., S. 74.
21 Dokumente des 2. Frauenkongresses der DDR. Hrsg. vom Demokratischen Frauenbund Deutschlands. Berlin: o. J. (1969), S. 26.
22 Vgl.: Bericht der Bundesregierung über die Situation der Frauen in Beruf, Familie und Gesellschaft. Drucksache des Deutschen Bundestages V/909 vom 14. September 1966, S. 58, und Statistisches Jahrbuch für die BRD 1970, S. 118.
23 Vgl.: Statistisches Jahrbuch für die BRD 1970, S. 118 u. 124.
24 Vgl.: Statistisches Jahrbuch 1969 der DDR, S. 19.

fügen über einen Facharbeiterbrief [25]. Trotz des so hohen Anteils an unqualifizierter Frauenarbeit wurden bisher weder durch die Schulen noch durch staatliche Institutionen Anstrengungen unternommen, um die Ausbildung der Frauen *besonders* zu fördern. Von den vom Bundesminister für Arbeit gewährten Beihilfen zur *beruflichen Fortbildung* entfielen von 1962 bis 1965 5,8 % auf Frauen, wobei die geringe Beteiligung von verheirateten Frauen besonders auffallend ist: Von den 4822 Frauen, die einen Beihilfeantrag gestellt hatten, waren nur 485 verheiratet [26]. 95 % aller verheirateten Frauen und Mütter verzichten auf eine Weiterbildung [27], obwohl eine Untersuchung des Infas-Institutes 1968 ergeben hat, daß 45 % aller abhängig beschäftigten Frauen dazu bereit wären [28]. Offenbar stehen der Verwirklichung des Wunsches nach höherer Qualifikation objektive Barrieren – wie z. B. die mangelnde Anzahl von Kindertagesstätten und Ganztagsschulen – im Wege [29].

Unzureichende Ausbildungs-, Förderungs- und Arbeitsbedingungen treffen vor allem die dreieinhalb Millionen Arbeiterinnen. Nicht nur sind 60 % von ihnen in einen kräfte- und nervenverzehrenden Akkord eingespannt [30], auch erhalten sie erheblich niedrigere Löhne als die männlichen Arbeiter [31]. Da der

25 Metall Nr. 1, 1968 u. Statistisches Jahrbuch für die BRD 1970, S. 118.
26 Bericht der Bundesregierung über die Situation der Frauen in Beruf, Familie und Gesellschaft, a.a.O., S. 213.
27 A. Mechtel, Frauen in der Bundesrepublik. In: F. Hitzer, R. Opitz (Hrsg.), Alternativen der Opposition. Köln: 1969, S. 281.
28 Vgl. Protokoll der 6. Bundes-Frauenkonferenz des Deutschen Gewerkschaftsbundes. Düsseldorf: o. J., S. 54.
29 Auch das 1969 verabschiedete Berufsbildungsgesetz und das Ausbildungsförderungsgesetz berücksichtigen nicht die besonderen Schwierigkeiten der Frauen, liegt doch der gewährte Förderungsbetrag so niedrig, daß eine ausreichende Versorgung der Familie keineswegs gewährleistet ist.
30 Vgl. U. M. Meinhof, Falsches Bewußtsein. In: Ch. Rotzoll (Hrsg.), Emanzipation und Ehe. München: 1968, S. 43.
31 1969 lagen die Nettoeinkommen von über 80 Prozent der Arbeiterinnen zwischen 250 und 600 DM, dagegen verdienten über 90 Prozent der Arbeiter zwischen 600 und 1200 DM netto. Vgl. Statistisches Jahrbuch für die BRD 1970, S. 122.

Grundsatz „Gleicher Lohn für gleiche Arbeit" bis heute noch nicht realisiert worden ist [32], sind die meisten Arbeiterinnen in Leichtlohngruppen anzutreffen, die nur noch vereinzelt für Männer gelten. Überdies sind es ihre Arbeitsplätze, die in Konjunkturkrisen der stärksten Gefährdung ausgesetzt sind: so waren nach den Ergebnissen des Mikrozensus im April 1967 6,3 % Arbeiterinnen weniger beschäftigt – im verarbeitenden Gewerbe ohne Bauwirtschaft sogar 8,2 % – als im April 1966, bei den männlichen Arbeitern betrug der Rückgang 4,8 % [33].

In der DDR verfügen gegenwärtig 23 % der Produktionsarbeiterinnen über einen Facharbeiterbrief [34], ihr Anteil wird in den nächsten Jahren stark zunehmen, da bereits 1964 von allen weiblichen Schulabgängern, die kein Hochschul- oder Fachschulstudium aufnahmen, 85 % einen Beruf lernten, 1968 waren es 97 % [35]. Aber nicht nur die jungen Frauen [36] werden in der DDR bei der Entfaltung ihrer Fähigkeiten mehr gefördert als bei uns, besondere Bedeutung kommt in der DDR der *Erwachsenenqualifizierung* zu. Über 40 % aller in den letzten fünf Jahren ausgebildeten Facharbeiter erreichten ihren Abschluß über Maßnahmen der Erwachsenenbildung [37]. Daß 1968 50,3 % der Absolventen von Facharbeiterlehrgängen Frauen waren, ist auf die *Frauenförderungspläne* zurückzuführen, die

32 Geschäftsbericht der Abteilung Frauen im Bundesvorstand des Deutschen Gewerkschaftsbundes, Frauenarbeit 1965–1967. Düsseldorf: o. J., S. 29.
33 Ebd., S. 9 f.
34 H. Kuhrig, Die gesellschaftliche Stellung der Frau in der DDR. In: Die DDR – Entwicklung, Aufbau und Zukunft, a.a.O., S. 201 und Lange, Hieblinger, Die Rolle der Frau im Produktionsprozeß bestimmt ihre Stellung in der sozialistischen Gesellschaft, a.a.O., S. 342.
35 Die Frau in der sozialistischen Gesellschaft der DDR, a.a.O., S. 621 u. Bilanz unserer Erfolge, a.a.O., S. 67.
36 Schon 1964 stellten die Mädchen in der DDR 44 Prozent aller Lehrlinge, in der BRD dagegen nur 34,2 Prozent. Vgl. Pross, Über die Bildungschancen von Mädchen in der Bundesrepublik, a.a.O., S. 68 u. Bericht der Bundesregierung über die Lage der Frauen in Beruf, Familie und Gesellschaft, a.a.O., S. 193.
37 Bilanz unserer Erfolge, a.a.O., S. 67.

Bestandteil der Betriebskollektivverträge sind und sowohl der beruflichen Weiterbildung der Frauen als auch ihrem Einsatz in führenden betrieblichen Positionen dienen [38]. An den Fachschulen bestehen seit einigen Jahren Frauensonderklassen, die es den Frauen ermöglichen, sich auch dann zum Ingenieur, Ökonom oder Ingenieurökonom ausbilden zu lassen, wenn sie eine Familie zu versorgen haben. Entweder studieren sie drei Jahre im Direktstudium und erhalten 80 % ihres Lohnes als Stipendium oder sie arbeiten drei Tage wöchentlich im Beruf und besuchen an zwei Tagen die Schule [39]. Wie sehr diese Einrichtung den Bedürfnissen der Frauen entgegenkommt, zeigt sich darin, daß sich gegenwärtig 8000 Frauen in 330 dieser Frauensonderklassen auf ihren Fachschulabschluß vorbereiten [40].

Durch die umfangreiche schulische und berufliche Förderung ist die Verwirklichung der Chancengleichheit in der Berufswahl von Jungen und Mädchen schon heute soweit fortgeschritten, daß „die Schere zwischen der Gesamtzahl der ausgebildeten und der Zahl der entsprechend ihrem Wissen und Können eingesetzten Frauen immer größer" wird [41]. Lange und Hieblinger begründen diese Tendenz mit den ideologischen Hemmnissen, die der vollen Integrierung der Frauen auch in Führungspositionen noch entgegenstehen. Für die weitere Entwicklung der sozialistischen Gesellschaft läßt sich aber absehen, „daß die Gesamtzahl der gegenwärtig ausgebildeten Kader" – also auch die der qualifizierten Frauen – „bei weitem nicht ausreicht und bedeutend erhöht werden muß" [42].

38  Vgl.: G. Siebert, Mitbestimmung drüben. Aus der Betriebsarbeit des Gewerkschafters in der DDR. Hamburg: 1967, S. 68 u. Wo lebt man besser? Lebensstandard in der DDR. Hrsg. vom Staatssekretariat für westdeutsche Fragen. Berlin: 1970, S. 65.
39  Kuhrig, Die gesellschaftliche Stellung der Frau in der DDR, a.a.O., S. 202.
40  Ebd.
41  Lange, Hieblinger, Die Rolle der Frau im Produktionsprozeß bestimmt ihre Stellung in der sozialistischen Gesellschaft, a.a.O., S. 344.
42  Ebd.

Die faktische Verantwortung der Frau in der BRD für Haushalt und Kinder und tradierte geschlechtsspezifische Vorurteile über das „Wesen" der Frau sind wichtige Momente für das weitgehende Fehlen einer Motivation des Mädchens – besonders der unteren Schichten –, gegen subjektive wie objektive Hemmnisse eine qualifizierte Schul- und Berufsausbildung durchzusetzen. Die in der Bundesrepublik vorherrschenden Stereotypen über das „Wesen" der Frau: Passivität, Unsachlichkeit, Emotionalität, mangelnde Abstraktionsfähigkeit und technische Begabung, fehlender politischer Verstand stellen erhebliche Barrieren für das Interesse und die Beteiligung der Frau am politischen und gesellschaftlichen Leben dar [43].

Was die *Bewußtseins- und Vorurteilsstruktur* anlangt, so ist in der DDR die mit der BRD gemeinsame Vergangenheit noch nicht vollständig überwunden. Auch hier stellt das Vorurteil über das „weibliche Wesen" eine Behinderung für die Gleichberechtigung dar. Doch die Auseinandersetzungen, die auf allen Ebenen des gesellschaftlichen Lebens „mit großer Offenheit" [44] geführt werden und die den sogenannten geschlechtsspezifischen Charakter der Frau einer historisch-materialistischen Prüfung unterziehen [45], haben die „offiziellen Mächte auf ihrer Seite" [44].

Die Ergebnisse verschiedener Interpretation von Gleichberechtigung und die Auswirkungen unterschiedlicher Förderung durch die „offiziellen Mächte" im Verlauf von ca. 20 Jahren können mit folgenden Zahlen nur angedeutet werden.

43  Vgl. hierzu: Pross, Über die Bildungschancen der Mädchen in der Bundesrepublik, a.a.O., S. 40.
44  Ebd., S. 75.
45  Vgl. hierzu: H. Hörz, Die Frau als Persönlichkeit. Philosophische Probleme einer Geschlechterpsychologie. Berlin: 1968, S. 75–120.

*Bundestag und Volkskammer* [46]

|  | Abgeordnete insgesamt | darunter weiblich | weiblich in % |
|---|---|---|---|
| BRD | | | |
| 1. Wahlperiode | 410 | 29 | 7,1 |
| 3. Wahlperiode | 519 | 48 | 9,2 |
| 5. Wahlperiode | 518 | 36 | 6,9 |
| DDR | | | |
| 1. Wahlperiode | 387 | 92 | 23,8 |
| 3. Wahlperiode | 466 | 128 | 27,5 |
| 5. Wahlperiode | 500 | 153 | 30,6 |

*Länderparlamente und Bezirkstage* [47]

|  | Abgeordnete insgesamt | darunter weiblich | weiblich in % |
|---|---|---|---|
| BRD | | | |
| 1949–52 | 1167 | 82 | 7,0 |
| 1957–60 | 1252 | 84 | 6,7 |
| 1961–65 | 1208 | 81 | 6,7 |
| DDR | | | |
| 1961 | 2825 | 684 | 24,2 |
| 1965 | 2829 | 886 | 31,3 |
| 1970 | 2838 | 926 | 32,6 |

Für den prozentualen Anteil der weiblichen Abgeordneten in den Länderparlamenten (BRD) ist zudem als charakteristisch anzumerken, daß er in den Stadtstaaten überdurchschnittlich hoch ist (Hamburg 1961: 15,8 % und Bremen 1963: 11 %), während er in den übrigen Länderparlamenten für den Zeit-

46  Vgl. hierzu: Bericht der Bundesregierung über die Situation der Frauen in Beruf, Familie und Gesellschaft, a.a.O., S. 513. Die hier aufgeführten Zahlen über Westberlin wurden von den Verfassern nicht berücksichtigt. Statistisches Jahrbuch 1956 der DDR, S. 137 und 1970, S. 487. Kuhrig, Die gesellschaftliche Stellung der Frau, a.a.O., S. 198.
47  Vgl. hierzu: Bericht der Bundesregierung über die Situation der Frauen ..., a.a.O., S. 519 f.; Statistisches Jahrbuch 1962 der DDR, S. 147; 1967, S. 584 f. und 1970, S. 488 f.

raum 1961–1965 nur 5,2 % erreichte [48]. Über die Beteiligung von Frauen in den kommunalen Vertretungen der BRD liegen bisher keine vollständigen Daten vor. Die Frauenenquete gibt den Anteil der Frauen an den ehrenamtlichen Ratsmitgliedern in kreisfreien Städten und kreisangehörigen Gemeinden mit Stadtrecht mit 5,4 % an [49]. Nach einer Untersuchung von Mechtild Fülles liegt der Anteil der Frauen in den kommunalen Vertretungen bei 10,3 % in den kreisfreien Städten, bei 4,1 % in den Kreistagen und bei ca. 1 % in den kreisangehörigen Gemeinden [50].

In der DDR hingegen stieg der Anteil der Frauen in Vertretungen auf Kreisebene von 22,9 % im Jahre 1961 auf 36 % im Jahre 1970; auf Kommunalebene von 19,2 % auf 29 % im gleichen Zeitraum. Insgesamt waren im Jahre 1970 über 60 000 Frauen in den Vertretungen auf kommunaler und Kreisebene tätig [51].

Mangelnde Schul- und Berufsausbildung, die der ifas-report „Frau und Öffentlichkeit" als Hauptursachen der erheblichen Unterrepräsentierung der Frau in der Öffentlichkeit der BRD darstellt [52], werden im Programm des DGB für Arbeitnehmerinnen von 1969 zu Recht nur als Momente der „Diskriminierung" der Frau betrachtet [53]. Der DGB als wichtigster Interessenvertreter der berufstätigen Frau spiegelt indes selbst die bestehenden Verhältnisse der Ungleichheit wider. So sank die Zahl der im DGB organisierten Frauen von 1 077 652 im Jahre 1957 kontinuierlich auf 976 793 im Jahre 1967 und ihr Anteil an der Zahl der Organisierten insgesamt von 17,3 %

48  Bericht der Bundesregierung über die Situation der Frauen..., a.a.O., S. 519 f.
49  Ebd., S. 239.
50  Vgl. M. Fülles, Frauen in Partei und Parlament. Köln: 1969, S. 70.
51  Vgl. hierzu: Statistisches Jahrbuch 1962 der DDR, S. 148–152 und 1970, S. 490 f.
52  Vgl. ifas-report, Frau und Öffentlichkeit. Hrsg.: Institut für angewandte Sozialwissenschaft. Bad Godesberg: 1965, S. 46.
53  Vgl. hierzu: Frauen und Arbeit. Programm des DGB für Arbeitnehmerinnen. Grundsätze und Forderungen. Bochum: 1969, S. 7 f.

im Jahre 1957 auf 15,7 % im Jahre 1965 [54]. Über den Anteil von Frauen in gewerkschaftlichen Funktionen schreibt die Frauenenquete: „Nur wenige Frauen sind als Bezirks- oder Landesleiter eingesetzt ..." [55], und im Vorstand des DGB ist nur eine Frau vertreten.

Ein noch krasseres Bild ergibt die gewerkschaftliche Schulungs- und Bildungsarbeit: an den dreiwöchigen grundlagenbildenden Lehrgängen des DGB waren 1964 zu 6 % Frauen beteiligt, 1967 5 % (= 57) Frauen, an den Lehrgängen des DGB insgesamt 11,6 % Frauen im Jahre 1965 und 13,4 % im Jahre 1967 [56].

Die Einbeziehung der Frau in das öffentliche Leben ist in der DDR auf gewerkschaftlicher Ebene noch weiter vorangeschritten als es in den politischen Vertretungen der Fall ist. 1955 waren ca. 2,1 Mio Frauen (= 39 % aller Organisierten) im FDGB organisiert, 1966 waren es 3 Mio Frauen und 1969 3,3 Mio (= 47 % aller Organisierten) [57]. Auch der Anteil der organisierten an den berufstätigen Frauen übertrifft den in der BRD bei weitem. So waren 1968 in der BRD nur 13 % der berufstätigen Frauen im DGB organisiert, während in der DDR 96 % dem FDGB als Mitglieder angehörten. 967 000 der über 3 Mio weiblichen FDGB-Mitglieder waren mit gewählten Funktionen betraut; die Hälfte der Vorstandsmitglieder waren Frauen [58]. Zur besonderen Förderung der berufstätigen Frau werden Frauenförderungspläne aufgestellt, die von

---

54  Vgl. hierzu: Die Frau im Staat, in Haushalt und Familie. Ein Zahlenbericht aus der amtlichen Statistik. Hrsg. v. Bundesministerium für Ernährung, Landwirtschaft und Forsten. Bonn: 1960, Bl. A V 3. Geschäftsbericht der Abteilung Frauen im Bundesvorstand des DGB, a.a.O., S. 13 und Bericht der Bundesregierung über die Situation der Frauen ..., a.a.O., S. 254.

55  Ebd.

56  Vgl. hierzu: Geschäftsbericht der Abteilung Frauen im Bundesvorstand des DGB, a.a.O., S. 43.

57  Vgl. hierzu: Statistisches Jahrbuch 1956 der DDR, S. 129 und 1970, S. 495.

58  Kuhrig, Die gesellschaftliche Stellung der Frau in der DDR, a.a.O., S. 197.

der Gewerkschaft mit dem Betrieb vertraglich vereinbart und von den unter Mitwirkung des FDGB gebildeten betrieblichen Frauenausschüssen kontrolliert werden [59].

*Soziale Voraussetzungen für die Beteiligung der Frau am gesellschaftlichen Leben*

Zu den wichtigsten objektiven Voraussetzungen für die Berufstätigkeit der Frau und ihre Beteiligung am öffentlichen Leben gehören die Institutionen von Kinderkrippen, Kindergärten, Schulhorten etc., denen weder in der DDR noch in der BRD ausschließlich Aufbewahrungs- sondern auch pädagogische Aufgaben zugesprochen werden.

Die absolute Zahl der *Kindergartenplätze* in der BRD ist von 750 594 im Jahre 1956 nur langsam angestiegen und erreichte 1968 erst 1 050 707; 1965 hatten 32,7 % aller Kinder im Alter von 3 bis 6 Jahren einen Platz im Kindergarten, 1968 waren es noch immer erst 34,1 % [60]. Nach dem Bericht zur Bildungspolitik 1970 sind „nur etwa 45 % des Personals in Kindergärten ... heute fachlich für diese Aufgabe ausgebildet. Im Durchschnitt gibt es für fünfzig Kinder eine voll ausgebildete Fachkraft" [61]. Die Frauenenquete muß die traurige Bilanz ziehen, daß zwar der Bedarf an außerfamiliären Einrichtungen „als Folge des Strukturwandels der Gesellschaft" [62] ständig zunimmt, daß aber die Forderung „jedem Kind ein Platz im Kindergarten" gegenwärtig nicht durchführbar ist. Die Gründe, die für diese Mißstände vorgebracht werden, sind angesichts der Summen, die für Rüstungsausgaben zur Verfügung stehen, ebenso unsinnig wie entlarvend: „Die Errichtung weiterer Kin-

59 G. Polikeit, Die sogenannte DDR. Zahlen, Daten, Realitäten. Jugenheim: 1966, S. 67.
60 Die Frau im Staat, in Haushalt und Familie, a.a.O., Bl. A IV 7 und Bericht der Bundesregierung zur Bildungspolitik, a.a.O., S. 18.
61 Ebd., S. 17.
62 Bericht der Bundesregierung über die Situation der Frauen ..., a.a.O., S. 30.

dertagesstätten ist dabei nicht nur eine Finanzierungsfrage, sondern mehr noch eine Frage der Gewinnung und Heranbildung der erforderlichen Fachkräfte" [63].

Probleme der Finanzierung und Ausbildung scheinen jedoch in der DDR nicht unüberwindlich zu sein:

Zwischen 1955 und 1969 wurde die Zahl der Plätze je 100 Kinder in *Kinderkrippen* und *Säuglingsheimen* von 8,0 auf 23,7, in *Kindergärten* und *-wochenheimen* von 28,1 auf 55,4 erhöht; gleichzeitig sank die Zahl der Kinder im Vorschulalter je Erzieher von 16,9 auf 15,2 [64]. Die koordinierte Planung, die der Ausbildung von Fachkräften und dem Bau von Kinderkrippen und -gärten zugrunde liegt, wird auch in Zukunft das Verhältnis von Plätzen, Kindern und Erziehern weiter und in vergleichsweise kurzen Zeiträumen verbessern.

Ähnlich gravierende Unterschiede zeigen sich auch bei der außerfamiliären Versorgung der *Kinder im Schulalter:* Gab es in der BRD 1964 nur 73 554 Plätze in Schulhorten [65], so betrug in der DDR 1963 die Zahl der Plätze in Einrichtungen der Tageserziehung an den allgemeinbildenden polytechnischen Oberschulen schon 390 721 – bei 26 Schülern je Erzieher – und 1969 533 622 – bei 20,6 Schülern je Erzieher [66].

*Die gesellschaftliche Bewertung der Berufstätigkeit und das Familienrecht*

Die unzureichende Versorgung mit Plätzen in Kindergärten etc. in der BRD ließe an sich schon den Schluß zu, daß die Berufstätigkeit der Frau nicht durchwegs sanktioniert ist. Der oben erwähnte ifas-report bestätigt dies: 72 % der befragten Männer und 68 % der befragten Frauen halten es nicht für normal, daß Frauen berufstätig sind. Die Berufstätigkeit der

63 Ebd.
64 Statistisches Jahrbuch 1970 der DDR, S. 365, 422.
65 Bericht der Bundesregierung über die Situation der Frauen . . ., a.a.O., S. 28 f.
66 Statistisches Jahrbuch 1970 der DDR, S. 370.

Mutter wurde von 90 % der Frauen abgelehnt [67]. So verwundert es nicht, daß der berufstätigen Mutter der Makel anhaftet, sie vernachlässige ihre Kinder (Schlüsselkinder, Jugendkriminalität etc.) und ruiniere ihre Ehe [68]. Die Bundesregierung beklagt zwar das „unzeitgemäße weibliche Rollenbild" [69] der Eltern, das die Bildungschancen der Mädchen verringere und das bei den „Ehefrauen und Müttern zu einer in besonderm Maße öffentlichkeitsfremden und ablehnenden Haltung" [70] führe; sie charakterisiert diese Haltung als „Fehlentwicklung", die „schließlich zu einer nicht den Grundvorstellungen in unserem Gemeinwesen, und nicht der Situation im gespaltenen Deutschland entsprechenden sozialen Eingliederung und personalen Selbstverwirklichung der jungen Generation" [71] führe. Doch das Familiengesetz der BRD propagiert eben dieses beklagte Rollenbild noch immer.

Bezeichnend für den Charakter des *Ehe- und Familienrechts* der BRD ist schon die juristische Formulierung seines Inhalts: „Gegenstand des Ehe- und Familienrechts sind die rechtlichen Beziehungen persönlicher wie vermögensrechtlicher Art zwischen den Ehegatten und den Familienangehörigen" [72]. Tatsächlich beschränkt sich die Regelung der Rechte und Pflichten der Ehegatten weitgehend auf vermögensrechtliche Fragen. Doch von wirtschaftlicher Gleichberechtigung schweigt das Familienrecht. So auch der Passus über die Unterhaltspflicht der Ehegatten (§ 1356 Abs. 1 neues Familienrecht), nach welchem „die Ehegatten durch ihre Arbeit und mit ihrem Vermögen für den Unterhalt der Familie gemeinsam aufzukommen haben,

67  Vgl. hierzu: ifas-report, Frau und Öffentlichkeit, a.a.O., S. 22 u. 48.
68  Metall, Nr. 1, 1968, S. 15.
69  Bericht über die Lage der Familien in der Bundesrepublik Deutschland – Familienbericht. Hrsg.: Der Bundesminister für Familie und Jugend. Bonn: 1968, S. 76.
70  Ebd., S. 84 f.
71  Ebd., S. 85.
72  K. Schäfer, Das Recht der Ehe und Familie. In: Hausbuch für die deutsche Familie. Hrsg. v. Bundesverband der deutschen Standesbeamten e. V. Frankfurt: o. J., S. 15.

wobei die Frau ihre Verpflichtung, zum Unterhalt durch Arbeit beizutragen, in der Regel durch die Führung des Haushalts erfüllt. Soweit dies mit ihren Pflichten in Ehe und Familie vereinbar ist, darf die Frau erwerbstätig sein" (§ 1356 Abs. 1 n. F.). Zu einer Erwerbstätigkeit ist sie jedoch verpflichtet, wenn die Einkünfte aus der Arbeit des Mannes und aus dem Vermögen der Eheleute zum Unterhalt der Familie nicht ausreichen[73] (§ 1360 n. F.).

Selbst wenn man akzeptieren wollte, daß „die Leistungen von Mann und Frau für die Familie gleichwertig nebeneinander stehen"[74], so ist doch die Frau hierdurch auf die Familie als einzigen Ort verwiesen, wo ihre Arbeit anerkannt wird; außerhalb der Familie ist ihre Existenz irrelevant.

Auch im Entwurf für eine Reform des *Ehescheidungsrechts* wird mit der Mahnung, daß „die übermäßige Belastung eines Ehegatten mit Erwerbstätigkeit und Hausarbeit oder die Vernachlässigung der Kinder"[75] vermieden werden soll, eben die Frau an den Herd verwiesen – und nicht der Mann. Die Beseitigung des „Schuldprinzips" ändert nichts am Charakter der bürgerlichen Ehe als einer „Versorgungsinstitution". Solange die Frau in materieller Abhängigkeit vom Mann gehalten wird, kann es keine vernünftige Regelung der Scheidung geben; solange sie in erster Linie auf Haushalt und Familie verwiesen ist, wird auch das Problem der Isolierung der Familie und besonders der Hausfrau nicht gelöst werden. Die vom neuen Entwurf des Scheidungsrechts vorgesehene „Aufwertung der Hausfrauentätigkeit"[76] hat weder eine Aufwertung der Berufstätigkeit der Frau und ihrer Bildungschancen, noch weniger eine Veränderung ihres Rollenbildes zur Folge. So erweist sich das Ehe- und Familienrecht als wesentliches Hindernis für

73  Bericht der Bundesregierung über die Situation der Frauen..., a.a.O., S. 13 f.
74  Ebd., S. 15.
75  Reform des Rechts der Ehescheidung und der Scheidungsfolgen. Diskussionsentwurf des Bundesministeriums der Justiz. Bonn: 1970, S. 4.
76  Ebd.

die Verwirklichung des Gleichheitsgrundsatzes, der schon vom „unzeitgemäßen weiblichen Rollenbild", das angeblich den „Grundvorstellungen" der bundesrepublikanischen Gesellschaft nicht entspricht, eingeschränkt ist.

Das *Familiengesetzbuch (FGB)* der DDR hat – nach eigenem Selbstverständnis – gegenüber dem westdeutschen Familienrecht ein grundsätzlich verschiedenes Anliegen, nämlich: „die Entwicklung der Familienbeziehungen in der sozialistischen Gesellschaft zu fördern" [77]. Es soll vor allem den jungen Menschen bei der bewußten Gestaltung der Ehe helfen, „Familienkonflikten vorbeugen und auftretende Konflikte überwinden helfen" [78]. Hierbei wird die besondere Verantwortlichkeit der staatlichen Organe und Institutionen, der sozialistischen Kollektive, der gesellschaftlichen Organisationen und jedes einzelnen Bürgers für den Schutz und die Entwicklung der Familie hervorgehoben [79].

Die Beziehungen zwischen Mann und Frau bestimmt im wesentlichen § 2 des FGB: „Die Gleichberechtigung von Mann und Frau bestimmt entscheidend den Charakter der Familie in der sozialistischen Gesellschaft. Sie verpflichtet die Ehegatten, ihre Beziehungen zueinander so zu gestalten, daß beide das Recht auf Entfaltung ihrer Fähigkeiten zum eigenen und zum gesellschaftlichen Nutzen voll wahrnehmen können. Sie erfordert zugleich, die Persönlichkeit des anderen zu respektieren und ihn bei der Entfaltung seiner Fähigkeiten zu unterstützen" [80]. Dieser Grundsatz regelt den gemeinsamen Haushalt und betrifft auch die Verantwortung der Ehegatten für Erziehung und Pflege der Kinder. „Die Beziehungen der Ehegatten zueinander sind so zu gestalten, daß die Frau ihre berufliche und gesellschaftliche Tätigkeit mit der Mutterschaft vereinbaren kann" [81].

77  Familiengesetzbuch der Deutschen Demokratischen Republik mit wichtigen Nebengesetzen. Hrsg.: Ministerium der Justiz. Berlin: 1970, S. 19.
78  Ebd., S. 20.
79  Vgl. ebd.
80  Ebd.
81  § 10 Familiengesetzbuch der DDR, vgl. ebd., S. 43.

Die Beziehungen innerhalb der Familie und die zwischen Familie und Gesellschaft beruhen demnach auf dem Prinzip der Verantwortlichkeit füreinander und der gegenseitigen Förderung; und dieses Prinzip liegt allen gesetzlichen Regelungen – sei es der Erziehung oder der Scheidung etc. – zu Grunde. Gegenseitige Verantwortung und Förderung sind jedoch nicht bloße moralische Postulate, sie finden ihren konkreten Ausdruck u. a. in der Beseitigung der Isolierung der Familie und ihrer aktiven Einbeziehung in die Gestaltung des gemeinschaftlichen Lebens und seiner unmittelbaren Probleme, wie es z. B. durch das Arbeitskollektiv im Betrieb, die Mietergemeinschaft im Haus oder die Elterngemeinschaft in der Schule geschieht [82].

## Perspektiven der Emanzipation der Frau in DDR und BRD

Das Beispiel des Familienrechts verdeutlicht, wie der Verfassungsanspruch der Gleichberechtigung in der DDR auf den verschiedenen Ebenen der gesellschaftlichen Organisation verankert ist und zunehmend verwirklicht wird, wenn auch in historisch bedingtem unterschiedlichem Umfang.

Mit dem Aufbau des Sozialismus in der DDR wurde zwar prinzipiell die ökonomische Basis der Ausbeutung und der Herrschaft von Menschen über Menschen beseitigt, doch mußten neue gesellschaftliche, politische und organisatorische Bedingungen geschaffen werden, „die dazu führen, die Familienbeziehungen von den Entstellungen und Verzerrungen zu befreien, die durch die Ausbeutung des Menschen, die gesellschaftliche und rechtliche Herabsetzung der Frau, durch materielle

82 Solche und ähnliche gesellschaftliche Gremien haben überwiegend die Aufgabe, die Erziehung der Menschen zu sozialistischen Persönlichkeiten zu unterstützen: das Arbeitskollektiv z. B. durch Integrierung straffällig gewordener Kollegen oder durch die Bürgschaftsverpflichtung, die Straffällige vor Strafen mit Freiheitsentzug bewahren kann; der Elternbeirat z. B. durch die Förderung von Bereitschaft und Initiative der Eltern, die Bildungs- und Erziehungsarbeit der Schulen u. a. gesellschaftlicher Kräfte zu unterstützen usw.

Unsicherheit und andere Erscheinungen der bürgerlichen Gesellschaft bedingt waren" [83].

So wurde die Beseitigung der wirtschaftlichen Abhängigkeit der Frau vom Mann mit einer besonderen Förderung der beruflichen und politischen Qualifizierung der Frau verknüpft, die gleichzeitig – wie auch die Schulbildung – geschlechtsspezifisches Verhalten als gesellschaftlich bedingt und historisch überholt erkennt. Das früher fast ausschließlich auf den familiären Bereich beschränkte Interesse der Frau und die Isolierung der Familie werden durch die wachsende Einbeziehung ihrer Mitglieder in die gesellschaftliche Arbeit und das Zusammenwirken der Individuen mit gesellschaftlichen und staatlichen Institutionen bei der Lösung familiärer Probleme und Aufgaben ersetzt. Die auch heute noch fortbestehende Mehrbelastung der Frau durch Haushalt und Familie wird allgemein als Problem der Entwicklung sozialistischer Beziehungen und der Entfaltung der Produktivkräfte gesehen, die eine bewußte Gestaltung durch den einzelnen wie durch das Kollektiv erfordern. So ist z. B. die Entlastung der Frau von Hausarbeit sowohl an die Steigerung der Produktion von Haushaltsgeräten und von gesellschaftlichen Dienstleistungen wie Wäschereien, Schulspeisestätten, werkseigenen Näh-, Flick- und Bügelstuben etc. gebunden, als auch an die Entwicklung von Formen kollektiver Haushaltorganisation. Sie ist aber auch eine Frage des wachsenden Bewußtseins des Mannes, das durch die politisch-ideologische Erziehungsarbeit von Staat und Gesellschaft gefördert werden muß.

Zu Recht wird deshalb bei der Kritik an Betriebsleitern, Wirtschafts-, Partei- und Staatsfunktionären, die den Einsatz von Frauen entsprechend ihrer Qualifikation hintertreiben, immer wieder die Notwendigkeit betont, nicht nur „die Kaderarbeit mit den Frauen zu verbessern, sondern die Kaderarbeit überhaupt" [84]; und das heißt konkret: gründliche Überzeugungsar-

83  Familiengesetzbuch der DDR, a.a.O., S. 19.
84  Lange, Hieblinger, Die Rolle der Frau im Produktionsprozeß bestimmt ihre Stellung in der sozialistischen Gesellschaft, a.a.O., S. 345.

beit unter den Männern – den Ehemännern und den Kadern – zu leisten [85].

Die Notwendigkeit, „die schwach entwickelten ideologischen Bedingungen für den Einsatz von Frauen in leitenden Funktionen zu verstärken ... [und] die materiellen Voraussetzungen für die Vereinbarkeit von beruflicher Tätigkeit, Weiterbildung und den familiären Aufgaben der Frau rascher zu verbessern" [86], ergibt sich einmal aus dem im Zuge der wissenschaftlich-technischen Revolution wachsenden Bedarf an qualifizierten Kadern. Das entwickelte gesellschaftliche System des Sozialismus fordert dabei nicht die „Einbeziehung der Frauen in den gesellschaftlichen Produktionsprozeß schlechthin", sondern „ihre Einbeziehung in qualifizierte Tätigkeiten" [87]. Zum anderen ist die Fähigkeit, alle Fragen des gesellschaftlichen Arbeitsprozesses selbst mitzubestimmen und mitzugestalten, nicht nur ein Recht jedes einzelnen, sondern „wesentlicher Ausdruck des sozialistischen Charakters der Arbeit" [88]. Diese Fähigkeit aber ist abhängig von einer qualifizierten Schul- und Berufsausbildung, von den Erfahrungen, die durch die Teilnahme an innerbetrieblichen und gesellschaftlichen Leitungsprozessen gewonnen werden.

Die Einbeziehung der Frau ins gesellschaftliche und Berufsleben und ihre Qualifizierung entsprechen sowohl der politisch-moralischen Forderung nach Gleichberechtigung der Frau als auch der ökonomischen Notwendigkeit der Entfaltung der Produktivkräfte im sozialistischen Gesellschaftssystem; beide Kriterien jedoch sind notwendige Voraussetzungen dafür, daß Frau und Mann ihre Fähigkeiten in zunehmendem Maße entfalten, ihre Persönlichkeit entwickeln können und immer mehr in die Lage versetzt werden, ihr Leben in Familie, Beruf und Gesellschaft bewußt und planend zu gestalten.

85  Ebd., vgl. hierzu auch: Hörz, Die Frau als Persönlichkeit, a.a.O., S. 96–118.
86  Lange, Hieblinger, Die Rolle der Frau im Produktionsprozeß ..., a.a.O., S. 346.
87  Ebd., S. 340.
88  Ebd.

In der Bundesrepublik wurde die Gleichberechtigung der Frau trotz des verfassungsmäßigen Anspruchs nur in Ansätzen verwirklicht. Die Begrenzung der Frau auf ihre Rolle als „sorgende" Hausfrau und Mutter schlägt sich juristisch im Ehe- und Familienrecht nieder, ideologisch im Bewußtsein des größten Teils der bundesrepublikanischen Bevölkerung und praktisch in der mangelhaften Schul- und Berufsausbildung sowie in der ungenügenden staatlichen Unterstützung der Frau mittels Kinderkrippen, -gärten und Ganztagsschulen. Da die Möglichkeiten, sich auch noch als Erwachsener zu qualifizieren, sehr eingeengt sind und auch kaum wahrgenommen werden, ist der Lebensweg der Frauen und damit ihre Klassen- und Schichtzugehörigkeit spätestens mit zwanzig Jahren vorgezeichnet. Gelingt es einzelnen Mädchen aus den Unterschichten, trotz vielfältiger gesellschaftlicher Hemmnisse auf die Universität zu gelangen oder sich eine höhere berufliche Position zu erkämpfen, so handelt es sich zumeist um einen kontrollierten Aufstieg, der mit weitgehender Anpassung an den gesellschaftlichen status quo erkauft werden muß. Denn die kapitalistische Wirtschaft hat „nur insofern ein Interesse an einem sozialen Aufstieg von Mitgliedern der unteren Sozialschichten auf dem Weg über Schulbildung . . ., wie die technisch-industrielle Entwicklung es unerläßlich macht, Berufspositionen mangels Nachwuchses aus der Oberschicht mit begabten Angehörigen der Unterschicht zu besetzen" [89].

Die Minderbewertung der Berufstätigkeit der Frau und ihrer Teilnahme am öffentlichen Leben ist nicht bloß mit dem Nachwirken jahrhundertealter Traditionen zu erklären. Solange unsere Wirtschaft und mittelbar auch der Staat dem Verwertungsinteresse des Kapitals unterliegen, solange kommt den Frauen – gemeint sind vor allem die Arbeiterinnen und unteren Angestellten – eine ganz bestimmte ökonomische und politische Bedeutung zu: Ökonomisch ermöglichen sie den Unternehmern hohe Extraprofite, denn sie arbeiten entweder bei gleicher Leistung für weniger Lohn als die Männer oder sie verrichten

89 F. Nyssen, Schule im Kapitalismus. Der Einfluß wirtschaftlicher Interessenverbände im Felde der Schule. Köln: 1969, S. 121.

solche einförmigen und monotonen Arbeiten, für die Männer in Perioden der Vollbeschäftigung nur schwer zu gewinnen sind. Im ersten Fall drücken sie die Löhne und werden damit zur Konkurrenz der Männer in den unteren Positionen; im anderen Fall stellen sie eine industrielle Reservearmee dar, die – ähnlich den ausländischen Arbeitskräften – in der Konjunktur eine volle Ausschöpfung der vorhandenen Produktionskapazitäten erst ermöglicht, die in Krisenzeiten jedoch ohne großen Widerstand aus dem Arbeitsprozeß verdrängt werden kann, da sich die Frauen stärker mit ihrer Rolle als Betreuerin der Familie identifizieren als mit ihrem Beruf.

Wird die Berufstätigkeit von Ehefrauen ohne Kinder noch akzeptiert, so ist die Mütterarbeit nachgerade zu einem Schimpfwort geworden. Entweder geben die Frauen ihren Beruf wegen der Kinder auf, „und das dürfte das Menschliche an ihnen sein, daß sie sich mit ihren Kindern erpressen lassen, daß sie die Forderung, primär für ihre Kinder da zu sein, selbstverständlich akzeptieren" [90]. Oder aber sie gehen ihrem Beruf mit der Belastung nach, ihre Kinder objektiv oder auch nur angeblich zu vernachlässigen. Das auf diese Weise entstandene schlechte Gewissen bei der berufstätigen Frau hat die politische Funktion, daß sie gegen schlechte Arbeitsbedingungen, mangelhafte Entlohnung und gegen Entlassungen nicht aufbegehrt. Der Grundstein für ihr mangelndes Selbstbewußtsein wurde bereits in der geschlechtsspezifischen Schul- und Berufsausbildung gelegt. Noch stärker als die Jungen werden Mädchen zu personalisierendem und individualisierendem Denken erzogen; weder im Elternhaus noch in der Schule lernen sie abstrakt-analytisch zu denken und damit nach den gesellschaftlichen Hintergründen ihrer privaten und beruflichen Probleme zu fragen. So haben sie auch im Beruf kaum die Chance, Konflikte als gesellschaftliche zu durchschauen, zumal viele Frauen meinen, durch den Rückzug in die Familie den Schwierigkeiten in der Arbeitswelt ausweichen zu können. Sie begreifen deshalb die Notwendigkeit solidarischen Handelns auch

90   Meinhof, Falsches Bewußtsein, a.a.O., S. 46/47.

weniger leicht als die Männer, denen die Alternative Haushalt oder Beruf verschlossen ist.

Die Durchsetzung *einzelner* Forderungen zur Verbesserung der Arbeits- und Lebensbedingungen der Frau beinhaltet keine Harmonisierung oder Beseitigung des gesellschaftlichen Antagonismus zwischen vergesellschafteter Arbeit und privater Aneignung. Sie begünstigt jedoch den Prozeß, in dem die Frauen ihre Situation als klassenbedingte erkennen, und schafft überdies bessere soziale und politische Voraussetzungen für die Emanzipation, als sie heute bestehen.

Hans-Ulrich Deppe, Erich Wulff

# Medizinische Versorgung und gesellschaftliche Arbeit: der werksärztliche Dienst und die Betreuung geistig schwer behinderter Kinder

Dem Verhältnis zwischen der Entstehung und der Behandlung von Kranken einerseits und der Struktur der gesellschaftlichen Arbeits- und Klassenverhältnisse andererseits, wird in der BRD und der DDR unterschiedliche Bedeutung beigemessen. Dieser Zusammenhang soll im folgenden an zwei medizinischen Bereichen, die sich durch ihre besonderen Beziehungen zum Arbeitsprozeß hervorheben, untersucht werden.

Hierzu zählt vorab die Werksmedizin. Im Gegensatz zu anderen medizinischen Disziplinen hat sie Zugang zum Arbeitsplatz ihrer Patienten. Daher sieht sie auch vor allem ihre Aufgabe in der Prävention und Behandlung von Erkrankungen, die unmittelbar aus den Einflüssen des Produktionsprozesses resultieren. Durch diese Nähe zum Produktionsprozeß werden zugleich wirtschaftliche Funktionen der Werksmedizin transparent, die freilich — wie noch auszuführen ist — den jeweiligen Gesellschaftssystemen entsprechende Unterschiede aufweisen. Solche systemspezifischen gesellschaftlichen Bedingungen prägen ferner auch einen anderen medizinischen Bereich, der mit den gesellschaftlichen Arbeitsverhältnissen gar nichts zu tun zu haben scheint: nämlich die Betreuung geistig schwer behinderter Kinder, die zunächst von jeder eigenen wirtschaftlichen Aktivität ausgeschlossen sind.

*Zur werksärztlichen Betreuung*

In der BRD ist der werksärztliche Dienst nicht durch gesetzliche Bestimmungen geregelt. Die ärztlichen Berufsordnungen legen lediglich eine Reihe allgemeiner Rechte und Pflichten für den Werksarzt als Arzt fest. Einzige Rechtsgrundlage ist die tarifliche „Vereinbarung zwischen der Bundesvereinigung der deutschen Arbeitgeberverbände, dem Deutschen Gewerkschaftsbund und der Werksärztlichen Arbeitsgemeinschaft über den werksärztlichen Dienst" vom 1. 3. 1953 [1]. Auch diese ist rechtlich unverbindlich, da nach § 2 sich „die Bundesvereinigung der deutschen Arbeitgeberverbände verpflichtet ..., ihren Mitgliedern die Anstellung von Werksärzten zu *empfehlen*, soweit Größe und Art des Betriebes dies erfordern" [2].

Funktion und Position des Werksarztes werden in dieser Vereinbarung wie folgt beschrieben [3]:

„Der werksärztliche Dienst hat die Aufgabe, die sich aus den besonderen Bedürfnissen des Betriebes ergebenden arbeitsmedizinischen und sozialärztlichen Verhältnisse im Betrieb zu regeln und fortlaufend zu überwachen, die Werksleitung und den Betriebsrat in einschlägigen Fragen zu beraten und die Belegschaft bei der Arbeit und für die Arbeit zu betreuen." (§ 4) Hierzu zählt vor allem die Erstbehandlung von akut auftretenden Erkrankungen und Unfällen, die sich im Betrieb ereignen.

„Einstellung und Entlassung des Werksarztes erfolgen durch die Werksleitung im Einvernehmen mit dem Betriebsrat, ... Der Werksarzt untersteht dem Werksleiter oder dessen Vertreter in der Werksleitung unmittelbar; er ist jedoch in seiner Tätigkeit nur seinem ärztlichen Gewissen verantwortlich, ... Rechte und Pflichten des Werksarztes werden durch schriftlichen Vertrag zwischen der Werksleitung und dem Werksarzt geregelt. Der Vertrag muß ... die Unabhängigkeit des Werksarztes in seiner ärztlichen Tätigkeit sichern sowie seinen Kündigungsschutz festlegen." (§ 5)

„Die Kosten des werksärztlichen Dienstes trägt der Betrieb." (§ 8)

---

1  Vereinbarung zwischen der Bundesvereinigung der Deutschen Arbeitgeberverbände, dem Deutschen Gewerkschaftsbund und der Werksärztlichen Arbeitsgemeinschaft über den werksärztlichen Dienst. In: Bundesarbeitsblatt 10, 1953, S. 270–272.
2  Ebd. (Hervorhebung nicht im Original.)
3  Ebd.

Die Funktion des werksärztlichen Dienstes soll wesentlich eine *überwachend-präventive* Tätigkeit sein, die sowohl die Arbeitenden als auch die betrieblichen Einrichtungen erfaßt. Dazu zählen vor allem Einstellungs-, Wiederholungs-, Arbeitsplatzwechsel-, Rehabilitations- und gesetzlich vorgeschriebene Schutzuntersuchungen, mit denen herausgefunden werden soll, ob der Arbeiter oder Angestellte für einen Arbeitsplatz geeignet ist. Überdies sollten auch der Arbeitsplatz, die sanitären Anlagen sowie Einrichtungen wie Küchen, Kantinen, Kinderkrippen oder Erholungsheime unter arbeitshygienischen Gesichtspunkten immer wieder überprüft werden. Die *kurative* Tätigkeit des Werksarztes ist nach nahezu allen Verlautbarungen auf die Behandlung in dringenden Fällen am Arbeitsplatz beschränkt. Diese Verengung der kurativen Tätigkeit auf die Erstbehandlung läßt sich weder mit medizinisch-wissenschaftlichen Argumenten begründen noch dient sie zur Förderung der Gesundheit der Lohn- und Gehaltsabhängigen. Gleichwohl erfüllt sie außer-medizinische Interessen sowohl der Unternehmer als auch der niedergelassenen Ärzte. Die Unternehmer sind nämlich an einer ausgedehnten Behandlung innerhalb des Werks nicht interessiert, da diese für sie Kosten bedeutet. Den niedergelassenen Ärzten hingegen ist die Behandlung der im Betrieb nicht vollständig versorgten Patienten eine zusätzliche Einnahmequelle. Beide Gruppen versprechen sich also, von dieser scharfen Funktionseingrenzung wirtschaftliche Vorteile. Ferner soll der Werksarzt die Werksleitung und den Betriebsrat in allen arbeitsmedizinischen und sozialärztlichen Fragen *beraten* sowie bei der Planung und Erstellung neuer Betriebsanlagen, bei Arbeitsstudien, bei der Entwicklung neuer Arbeitsmethoden, Arbeitsmittel und Arbeitsstoffe *mitwirken.* Die Werksärzte haben, wie alle Ärzte, die Pflicht, sich medizinisch *fortzubilden.* Zu ihrem spezifischen Aufgabenbereich gehört noch, die Belegschaft mit der Anwendung der ersten Hilfe vertraut zu machen und auf die Werksangehörigen in Fragen der Gesundheit und Hygiene pädagogisch einzuwirken.

Diese Aufgaben soll der Werksarzt sowohl unter den „besonderen Bedürfnissen des Betriebes" erfüllen als auch zugleich

„in seiner Tätigkeit nur seinem ärztlichen Gewissen verantwortlich" sein. Da der Zweck eines erwerbswirtschaftlichen Unternehmens aber stets die Verwertung von Kapital bedeutet und das Ziel des Arztes sich an der Heilung von Kranken orientiert, muß es an dieser Stelle zu unauflöslichen Widersprüchen kommen. Dem versucht man allerdings insofern vorzubeugen, als nämlich dem Werksarzt nur beratende Funktionen eingeräumt werden, die selbst mit der Unterstützung des Betriebsrates de jure nicht gegen die Kapitalinteressen durchgesetzt werden können. Überdies ist der hauptberuflich tätige Werksarzt selbst Lohnabhängiger. Er erhält nämlich sein Entgelt als Äquivalent für unselbständig verrichtete Arbeit, da er außer über seine Arbeitskraft über sonst keine Produktions- und Erwerbsmittel verfügt. Demzufolge ist er auch den typischen Pressionsmöglichkeiten ausgesetzt, die alle Lohnempfänger in wirtschaftlichen Flauten und Krisen treffen können. Dies bestätigte sich z. B. deutlich Ende 1965, als – vor allem im Ruhrgebiet – bei einer Reihe von Unternehmen infolge schlechter Ertragslage der werksärztliche Dienst entweder aufgelöst oder in seiner Ausstattung so erheblich verkleinert wurde, daß der Werksarzt mangels ausreichender Arbeitsmöglichkeiten selbst kündigte [4]. – Die sozial und ökonomisch abhängige Position des Werksarztes von privaten Interessen läßt schließlich bezweifeln, daß er den von ihm geforderten ärztlichen Aufgaben in vollem Ausmaß gerecht werden kann.

Aus Umfragen, die im Auftrag des Bundesministeriums für Arbeit und Sozialordnung durchgeführt wurden, ergaben sich für die werksärztliche Betreuung der Erwerbstätigen folgende Daten:

*Entwicklung der Werksärzte*

|  | 1963 | 1967 | 1968 |
|---|---|---|---|
| Hauptberufliche Werksärzte [5] | 382 | 469 | 472 |

4  Vgl. M. Pusch, Rechtliche und rechtspolitische Fragen zum werksärztlichen Dienst. In: Werksärztliches. Informationen für Werksärzte der Firma Dr. August Wolff KG, Bielefeld 3, 1968, S. 21 f.

| | | | |
|---|---|---|---|
| Nebenberufliche Werksärzte [5] | 903 | 973 | 1 062 |
| Gesamtzahl der Erwerbstätigen (in: 1000) [6] | 26 880 | 26 292 | 26 343 |

Geht man davon aus, daß ein hauptberuflicher Werksarzt etwa 2 500 Personen [7] und ein nebenberuflicher Werksarzt etwa 500 Personen [8] betreuen kann, so kommt man zu dem Ergebnis, daß 1963: 5,2 %, 1967: 6,2 % und 1968: 6,4 % der Erwerbstätigen werksärztlich versorgt wurden [9]. Von 1963 bis 1968 erhöhte sich also die werksärztliche Betreuung um etwa 1,2 Prozentpunkte.

5    Vgl. R. Wagner, Vorschriften über ärztliche Untersuchungen zum Schutze der Gesundheit der Berufstätigen in der BRD. Zit. nach: D. Diehr, R. Flake, L. Hüttemeister, G. Stümpfig, Untersuchungen der wirtschaftlichen Auswirkungen werksärztlicher Tätigkeit – Möglichkeiten der Produktivitätssteigerung, Bad Godesberg: 1970, S. 116.
6    Statistisches Jahrbuch für die Bundesrepublik Deutschland 1970, S. 119.
7    Vgl. hierzu: Empfehlung der EWG-Kommission an die Mitgliedstaaten betreffend die betriebsärztlichen Dienste in den Arbeitsstätten. In: Bundesarbeitsblatt. Fachteil Arbeitsschutz 1, 1963, S. 101–104; H. Katzer, Richtlinie zur werksärztlichen Betreuung der Arbeitnehmer und zur Einrichtung werksärztlicher Dienste in den Betrieben und Unternehmen. In: Bundesanzeiger vom 16. 6. 1966, Nr. 110, S. 2; Antrag der Fraktion der SPD, betr.: Vorlage eines Betriebsärztegesetzes. Deutscher Bundestag, 5. Wahlperiode, Drucksache V/2500.
8    R. Wagner, Wieviel Werksärzte brauchen wir? In: Bundesarbeitsblatt, Fachteil Arbeitsschutz 1, 1967, S. 7.
9    Rechnet man zu den hauptberuflichen Werksärzten noch die staatlich ermächtigten Überwachungsärzte (1963: 564 und 1967: 620, siehe R. Wagner und O. Körner, Arbeitsmedizin und arbeitsmedizinische Betreuung der Arbeitnehmer im Jahre 1967. In: Bundesarbeitsblatt. Fachteil Arbeitsschutz 1, 1968, S. 10, Tab. II), die allerdings nur überwachende Funktionen ausüben und daher nicht ohne weiteres zu den Werksärzten gezählt werden können, so erhöht sich die Versorgung pro Erwerbstätigem um etwa 5–6 % für 1963 und 1967.

Hinter diesen Ziffern verbirgt sich z. B. der Tatbestand, daß 1967 etwa 89,6 % der Industriebetriebe mit mehr als 200 Beschäftigten [10] und ganze Wirtschaftsbereiche – wie die Landwirtschaft und das Handwerk – nahezu vollständig von der arbeitsmedizinischen Betreuung ausgeschlossen waren.

Die bis 1967 erfaßten Werksärzte waren überwiegend in der chemischen Industrie, in der metallerzeugenden und -verarbeitenden Industrie, im Straßenfahrzeugbau, im Bergbau und in Hüttenwerken sowie in der Großindustrie, der Elektroindustrie und Feinmechanik, in der keramischen Industrie, in Werften, Raffinerien, in Zigarettenfabriken, Gummiwerken, Verlagshäusern und in der Nahrungsmittelindustrie tätig.

1967 gab es überdies zwei Werksarztzentren, d. h. werksärztliche Dienste, die gemeinsam von mehreren – vor allem mittleren und kleineren – Betrieben und Unternehmungen eingerichtet wurden, drei weitere waren zu diesem Zeitpunkt in der Planung [11]. Die hieraus entstehenden laufenden Kosten dürften sich in der Größenordnung zwischen 40,– DM und 60,– DM pro Jahr und pro Beschäftigtem bewegen, was in etwa auch für betriebseigene werksärztliche Dienste zutreffen wird [12].

Das Bundesministerium für Arbeit und Sozialordnung kommt nach den von ihm ermittelten Untersuchungsergebnissen zu dem Schluß, daß „das bisher auf diesem Gebiet Erreichte keine ermutigenden Hinweise dafür (gibt), daß der eingeschlagene, rein freiwillige Weg der richtige ist … Vielleicht wäre jetzt die Erarbeitung und der Erlaß einer Lex imperfecta mit Rahmenvorschriften auf Bundesebene das mehr Erfolg versprechende Instrument, zumal die notwendigen Voraussetzungen, nämlich Ausbildung und Weiterbildung der Ärzte … sich deutlich verbessert haben" [13]. Das war 1967. Bis heute – auch nach

10  R. Wagner und O. Körner, a.a.O., S. 10, Tab. 2.
11  Ebd., S. 10.
12  R. Wagner, Wieviel Werksärzte brauchen wir? A.a.O., S. 9; in dieser Arbeit wird überdies eine detaillierte Aufschlüsselung der fehlenden Werksärzte gegeben.
13  R. Wagner und O. Körner, Arbeitsmedizin und arbeitsmedizinische Betreuung der Arbeitnehmer im Jahr 1967, a.a.O., S. 10–11; R.

dem Regierungswechsel – hat sich in der arbeitsplatznahen ärztlichen Versorgung in der BRD nichts Wesentliches geändert.

In der DDR ist der betriebliche Gesundheitsschutz verbindlich geregelt. Seine gesetzlichen Grundlagen sind das Gesetzbuch der Arbeit (§ 87 – § 96) [14] und die Arbeitsschutzverordnung vom 22. 9. 1962 [15]. Hier heißt es zur Verantwortlichkeit und Kontrolle der Schutzvorschriften:

„§ 88,1. Für den Gesundheits- und Arbeitsschutz sind die Betriebsleiter und die ihnen übergeordneten Organe verantwortlich ...

4. Der Freie Deutsche Gewerkschaftsbund übt durch die Arbeitsschutzinspektion die Kontrolle über den Arbeitsschutz aus.

5. Die Kontrolle über den Arbeitsschutz in den Betrieben wird von den Organen des staatlichen Gesundheitswesens durchgeführt.

6. Die Arbeitsschutzinspektoren des Freien Deutschen Gewerkschaftsbundes, die Organe des staatlichen Gesundheitswesens und der technischen Überwachung haben alle zur Durchführung der Kontrolle erforderlichen Rechte, insbesondere können sie den Betriebsleitern verbindliche Auflagen zur Durchführung des Gesundheits- und Arbeitsschutzes sowie der technischen Sicherheit erteilen" [16].

Wagner ist Ministerialrat im Bundesministerium für Arbeit und Sozialordnung.
Die medizinische Betreuung am Arbeitsplatz in der BRD kann freilich nicht allein als werksärztliche Aufgabe verstanden werden. Sie müßte vielmehr im Kontext mit der außerbetrieblichen Krankenversorgung, der Gewerbeordnung, den Unfallverhütungsvorschriften der Berufsgenossenschaften oder gesetzlicher Anordnungen zum Betriebsschutz untersucht werden. Deshalb können am werksärztlichen Dienst nur Tendenzen aufgezeigt werden, die sich indessen erhärten ließen, wenn die oben genannten Aspekte berücksichtigt würden.

14 Gesetzbuch der Arbeit [GBA] und andere ausgewählte rechtliche Bestimmungen. Hrsg. v. Staatlichen Amt für Arbeit und Löhne beim Ministerrat, 7., erw. Aufl., Berlin: 1969, S. 70–74.
15 Ebd., S. 255–268.
16 Ebd., S. 71.

Diese Bestimmungen demonstrieren, daß der Gesundheitsschutz am Arbeitsplatz nicht der privaten Initiative von Unternehmern anempfohlen wird, sondern der staatlichen und gewerkschaftlichen Kontrolle unterliegt. D. h., daß in der DDR die Arbeitenden selbst oder deren Organisationen dazu legitimiert sind, ihre Arbeitsplätze zu überwachen und im Falle der Gesundheitsgefährdung Änderungen zu verlangen. Das scheint nicht zuletzt deshalb möglich, weil hier privatwirtschaftliche Gesetzlichkeiten und deren Eigendynamik aus dem Prozeß der Arbeit nahezu völlig eliminiert sind. Daher müssen auch die Betreuungsmöglichkeiten des Betriebsarztes, dem nicht wie in der BRD je nach Ertragslage mit dreimonatiger Frist zum Jahresschluß gekündigt werden kann [17], unter anderen Aspekten gesehen werden.

In der DDR hat der Betriebsarzt die Pflicht, „in seinem Versorgungsbereich unter Beachtung der Einheit zwischen Vorbeugung, Behandlung und Nachsorge die ambulante Betreuung zu sichern sowie die Grundsätze der Hygiene zu verwirklichen" [18]. Zu seinen Aufgaben zählen Maßnahmen wie: Eignungs- und Überwachungsuntersuchungen, regelmäßige Routineuntersuchungen aller Werktätigen mindestens einmal jährlich, Betreuung der Unfallverletzten und akut Erkrankten, allgemeine hygienische Maßnahmen, Überprüfung der Arbeitseinrichtungen, Festlegung der Mängel und seiner Beobachtung in einem Kontrollbuch, Führung einer Gesundheitskartei zur Erfassung epidemiologischer Veränderungen, Beratung des Betriebsleiters bei der Bekämpfung betrieblicher Gesundheitsgefahren. Überdies hat „der Betriebsarzt ... das Recht, dem Betriebsleiter Auflagen zur Abwendung akuter Gesundheitsgefährdung der Werktätigen zu erteilen" [19]. Die gesetzlich definierte Rolle des Betriebsarztes – vor allem die strenge Bindung

17  Siehe: Muster-Vertrag für hauptberufliche Werksärzte in der BRD, § 8.
18  Arbeitsschutzverordnung § 24, in: GBA, a.a.O., S. 263.
19  Ebd.; vgl. hierzu auch: H. Symanski, Der Werksarzt. In: Handbuch der gesamten Arbeitsmedizin, Bd. IV, 2. Teilbd., Berlin, München, Wien: 1963, S. 744 f.

an die Normen des sozialistischen Arbeitsrechts [20] – garantiert dafür, daß das Prinzip der Eigenerwirtschaftung der Mittel [21] für die Erweiterung der betrieblichen Reproduktion nicht auf Kosten der Gesundheit der Arbeitenden verfolgt wird und so tatsächlich eine bedarfsorientierte ärztliche Betreuung durchgeführt werden kann, die dem gegenwärtigen Stand der medizinisch-wissenschaftlichen Entwicklung entspricht.

Das Betriebsgesundheitswesen der DDR kennt folgende Einrichtungen:

In Betrieben der Industrie, des Verkehrs und der Landwirtschaft mit einer Beschäftigtenzahl von

200– 500 Schwesternsanitätsstellen
500–2000 Arztsanitätsstellen
2000–4000 Betriebsambulatorien
über 4000 Betriebspolikliniken

In allen übrigen Betrieben mit einer Beschäftigtenzahl von

500–1000 Schwesternsanitätsstellen
1000–3000 Arztsanitätsstellen
über 3000 Betriebsambulatorien.

Am 31. 12. 1968 verfügten die Betriebe der DDR über 3645 betriebliche Gesundheitseinrichtungen, die etwa 48 % der werktätigen Bevölkerung betreuen. Von 7 858 325 Berufstätigen wurden 2 914 757 (ca. 37 %) durch Betriebsärzte, 523 054 durch Schwesternsanitätsstellen und 309 061 durch andere Einrichtungen des Gesundheitswesens (letzten beiden ca. 11 %) versorgt. Wenn auch die DDR im Vergleich zur BRD auf einen recht stattlichen Ausbau des betrieblichen Gesundheitsschutzes verweisen kann, so wird sie dennoch von dem arbeits-

20  Siehe: Autorenkollektiv unter Leitung von J. Michas, Arbeitsrecht der DDR. Eine Systematische Darstellung und Erläuterung des Gesetzbuches der Arbeit der DDR und weiterer wichtiger arbeitsrechtlicher Bestimmungen. 2. erw. und überarb. Aufl., Berlin: 1970, S. 414–468.
21  H. Nick, Gesellschaft und Betrieb im Sozialismus. Zur zentralen Idee des ökonomischen Systems des Sozialismus. Berlin: 1970, S. 23 und 30.

medizinischen Betreuungsgrad in der VR Bulgarien und der ČSSR übertroffen [22].

Da die Intentionen erwerbswirtschaftlicher und vergesellschafteter Produktion unterschiedliche sind, kann es kaum wundern, wenn auch die medizinischen Institutionen zur Sicherung und Qualifikation der menschlichen Produktivkraft wesentlich differieren. Während in der BRD der werksärztliche Dienst – seine Einrichtung und Durchführung – von privatwirtschaftlichen Interessen geprägt ist, wird der betriebliche Gesundheitsschutz in der DDR gesellschaftlich geregelt. Während in der BRD die Verwertung des Kapitals das Geschehen am Arbeitsplatz bestimmt, können in einer bedarfsorientierten Wirtschaftsweise Elemente persönlicher Daseinssicherung vorrangig berücksichtigt

*Arbeitsunfälle in vH der Beschäftigten* [23]

| Jahr | DDR [1] | | | BRD [2] | | |
|------|-------------------|-----------------|-------------|-------------------|--------------------|-------------|
|      | Arbeits-<br>unfälle | Wege-<br>unfälle | zusam-<br>men | Arbeits-<br>unfälle | Wege-<br>unfälle [3] | zusam-<br>men |
| 1961 | 4,7 | 0,7 | 5,4 | 10,8 | 1,2 | 12,0 |
| 1962 | 4,4 | 0,8 | 5,2 | 10,2 | 1,1 | 11,3 |
| 1963 | 4,4 | 0,8 | 5,2 | 9,7  | 1,3 | 11,0 |
| 1964 | 4,2 | 0,8 | 5,0 | 10,0 | 1,1 | 11,1 |
| 1965 | 4,2 | 0,9 | 5,1 | 9,9  | 1,0 | 10,9 |
| 1966 | 4,1 | 0,8 | 4,9 | 9,5  | 1,0 | 10,5 |

[1] Meldepflichtige Arbeitsunfälle. Da nach der VO vom 14. 11. 1957 (GBl. I 1958, S. 1) auch Berufskrankheiten meldepflichtig sind, dürften in den Zahlen auch Berufskrankheiten enthalten sein. – [2] Der gesetzlichen UV angezeigte Arbeitsunfälle und Fälle von Berufskrankheiten; einschl. West-Berlin und Saarland. – [3] Einschl. Berufskrankheiten.

*Quellen:* DDR: Wochenbericht des DIW, Nr. 44/1966, Tab. D 2.
Statistische Jahrbücher der DDR.
BRD: Statistische Jahrbücher der BRD; Arbeits- und Sozialstatistische Mitteilungen.

22 Zu den Angaben über betriebliche Gesundheitseinrichtungen und -versorgung vgl.: W. Caspar, P. Giersdorf, W. Schneider, H. Ziesemer (Hrsg.), Das Gesundheitswesen der DDR 4, 1969, S. 227 bis 236.

23 P. Mitzscherling, Soziale Sicherung in der DDR. Ziele, Methoden und Erfolge mitteldeutscher Sozialpolitik. Berlin: 1968, S. 83.

werden. Dies geht u. a. aus der Gegenüberstellung der noch immer auftretenden Arbeitsunfälle hervor, die tendenziell einen Gradmesser für die Effizienz der medizinischen Versorgung am Arbeitsplatz darstellen (vgl. die Tab. auf der vorhergehenden Seite).

In den „Materialien zum Bericht zur Lage der Nation" [24] werden für meldepflichtige Arbeitsunfälle (ohne Wegeunfälle) für 1967 und 1968 folgende Angaben gemacht:

|      | DDR (in % der Berufstätigen) | BRD (in % der Erwerbstätigen) |
|------|------------------------------|-------------------------------|
| 1967 | 4,12                         | 8,3                           |
| 1968 | 4,12                         | 8,8                           |

Von 100 Beschäftigten wurden also in den letzten Jahren in der BRD etwa 11 Beschäftigte von einem Arbeitsunfall betroffen – in der DDR nur 5. „Offensichtlich", schrieb selbst Mitzscherling dazu, „sind die Bemühungen um einen ausreichenden Arbeitsschutz in Mitteldeutschland bisher weitaus erfolgreicher gewesen als in der Bundesrepublik" [25].

*Zur Behandlung geistig schwer behinderter Kinder*

Die ärztliche und heilpädagogische Versorgung der geistig behinderten, insbesondere der geistig schwer behinderten Kinder, betrifft einen Personenkreis, von dem der größte Teil, wenn überhaupt, nur durch einen sehr hohen Kostenaufwand in die Produktion eingegliedert werden kann. Auch und gerade an der Gruppe der geistig behinderten Kinder, die noch gar nicht in die Produktion eingetreten sind und zu einem großen Teil dazu auch niemals in vollem Ausmaße in der Lage sein werden, ließe sich erweisen, ob der Anspruch der sozialistischen Gesellschaft der DDR, sich allein an den menschlichen Bedürfnissen zu orientieren, zu Recht besteht.

24 Materialien zum Bericht zur Lage der Nation 1971. Deutscher Bundestag, 6. Wahlperiode, Drucksache VI/1690, S. 128.
25 Mitzscherling, Soziale Sicherung in der DDR, a.a.O., S. 84.

Bei jedem Geburtenjahrgang muß man mit einem Anteil von 12 % psychisch defektiver Kinder rechnen [26]. Das wären in der Bundesrepublik bei einem Geburtsjahrgang von etwa 900 000 Kindern 108 000, in der DDR bei etwa 270 000 Lebendgeborenen jährlich etwa 33 000 [27]. Davon sind 2,5 % schulfähige Schwachsinnige – sog. „Debile" – (22 000 in der BRD, 6750 in der DDR) –, etwa 1 % sog. „Imbezille", d. h. nicht schulfähige, aber förderungsfähige Kinder – (9000 in der BRD, 2700 in der DDR) – sowie 0,5 % als pflegebedürftig und nicht mehr förderungsfähig eingestufte Kinder, sog. Oligophrene 3. Grades – (4500 in der BRD, 1350 in der DDR) [28]. Bei den übrigen (72 000 in der BRD, 22 200 in der DDR) handelt es sich zumeist um verhaltensgestörte Kinder ohne gröbere Intelligenzmängel, die zu einem großen Teil jedoch ebenfalls hirngeschädigt sind. In der Bundesrepublik besteht keinerlei Meldepflicht für geistige Behinderungen im Kindesalter. Bekannt sind etwa 84 000 Hilfsbedürftige [29], von denen nur 33 000 betreut werden können. 2 1/2 Geburtsjahrgänge würden letztere Zahl allein an Imbezillen und Oligophrene III. Grades produzieren. In der DDR, wo Meldepflicht besteht, wurde eine Gesamtzahl von 99 250 psychisch behinderter Kinder erfaßt (2,06 % der Bevölkerung unter 18 Jahren). Gerechnet werden muß bei der Bevölkerungsgruppe bis zu 18 Jahren mit 7,5 % geistig behinderten Kindern, so daß in der DDR immerhin etwas mehr als ein Viertel, in einzelnen Bezirken etwas mehr als die Hälfte der Betroffenen tatsächlich erfaßt ist.

26  L. L. Eichler . . . in: Verhandlungen des Rates für Planung und Koordinierung der medizinischen Wissenschaft beim Ministerium für Gesundheit, Bd. 6. Nationales Symposion: Sozialismus, wissenschaftlich-technische Revolution und Medizin. Berlin: 1969, S. 234.
27  G. Göllnitz, . . . zitiert nach M. Döring, J. Quandt, Fortschritte bei der Rehabilitation hirngeschädigter Kinder. In: G. Brüschke (Hrsg.), Forschung von heute, Gesundheit von morgen. Berlin: 1969, S. 24.
28  Das Gesundheitswesen der DDR 4, 1969, a.a.O., S. 280–282.
29  M. Regus, Das Krankenhaus im gesellschaftlichen Widerspruch. In: Blätter für deutsche und internationale Politik 15, 1970, S. 9.

Wegen der fehlenden Meldepflicht und der uneinheitlichen Zuständigkeiten für die Betreuung dieser Kinder und der daraus
erwachsenden institutionellen Zersplitterung ist es in der BRD
zur Zeit schwierig, sich ein Gesamtbild von den Verhältnissen
in der Kinderpsychiatrie zu machen. Es existieren einige Uni-
versitätskliniken und universitätsklinische Abteilungen, in deren Behandlung sich in der Hauptsache neurotisch Verhaltensgestörte oder durch Hirnschädigung Verhaltensgestörte befin-
den, sowie einige, meist konfessionell geführte Spezialkranken-
häuser, die für die schwereren, oft kaum therapierbaren Fälle
da sind. Einige psychiatrische Landeskrankenhäuser haben
ebenfalls kinderpsychiatrische Abteilungen, zumeist von Asyl-
charakter. In manchen dieser Abteilungen werden die schwer
geistig behinderten Kinder in den Betten angebunden, „damit
sie sich nicht verletzen". Neben diesen stationären Einrichtungen haben einige Stadtbezirksverwaltungen Betreuungsstel-
len für psychisch behinderte Kinder eingerichtet, die zumeist
nebenamtlich, zum Teil auch ehrenamtlich von Psychiatern,
gelegentlich auch von Kinder-Psychiatern versorgt werden. An-
derenortes werden solche Einrichtungen auch von konfessionel-
len Wohlfahrtsverbänden getragen oder auch von Hilfsverei-
nen, die sich auf solche Aufgaben spezialisiert haben – z. B.
die „Lebenshilfe". Solche ambulanten Einrichtungen halten
ein- bis zweimal monatlich ärztliche Sprechstunden ab und
müssen sich gewöhnlich darauf beschränken, die Kinder dia-
gnostisch einzugruppieren, einen Teil zu weiteren Untersuchungen in die Kliniken zu schleusen sowie danach die angebrachten
Förderungsmaßnahmen zu empfehlen, die jedoch wegen Mangels einer genügenden Zahl von Förderungsstätten meist gar
nicht durchgeführt werden können.
Eine kontinuierliche ambulante Betreuungsmöglichkeit für geistig schwer behinderte Kinder gibt es nur ausnahmsweise. Ta-
ges- und Wochenkliniken sind für sie unseres Wissens überhaupt
nicht vorhanden. Ist die Schädigung nicht allzu schwer, kann
eine geschützte Werkstätte einspringen, in der die dort Tätigen
jedoch mit einem Taschengeld abgefunden werden und Plätze
nur schwer zu bekommen sind. Eine einheitliche *Behandlungs-*

*und Betreuungsstrategie,* die planvoll versuchen würde, die bisherigen Erfahrungen aller mit dem Problem befaßter Institutionen auszuwerten und aufgrund dieser Informationen schrittweise die nötigen Einrichtungen zu schaffen, ist bisher nicht entworfen worden. Dem stellen sich auch institionelle Schwierigkeiten entgegen, einmal wegen der Zersplitterung der Zuständigkeiten und dem Behandlungsmonopol der niedergelassenen Ärzte gegenüber poliklinischen Einrichtungen, zum anderen, weil die meisten Kinder-Psychiater persönliche Erfahrung vor allem im klinischen therapeutischen Sektor haben und deshalb dazu neigen, administrative, institutionelle und soziale Gegebenheiten nicht in genügendem Ausmaße zu berücksichtigen. Allenfalls beschäftigen sie sich mit der Frage, wie die Familie auf ein hirngeschädigtes Kind „reagiert" und dieses wieder auf deren Reaktionen. Die faktischen Beobachtungen der Konflikte werden dabei oft als „schicksalhafte Abläufe" hingestellt, deren Auswirkungen man höchstens etwas mildern kann. Aufgrund dieser Verhältnisse besteht sowohl bei den Eltern geistig schwer behinderter Kinder, als auch in der Gesellschaft zumeist die Tendenz, diese Kinder in Heime oder psychiatrische Asyle abzugeben. Eine Minderzahl von Eltern versucht im Gegensatz dazu, alle Probleme durch besonders liebevolle Zuwendung und Herstellung einer symbiotischen Beziehung, die dem Kind überhaupt keine eigene Entwicklung zur Selbständigkeit erlaubt, im Rahmen der Familie zu lösen. Die finanziellen Verhältnisse spielen bei der Entscheidung, welche von beiden Möglichkeiten gewählt wird, eine ganz erhebliche Rolle. Keine dieser beiden elterlichen Verhaltenstypen liegt im objektiven Interesse des behinderten Kindes. Gegen beide wird zwar gelegentlich von fachlicher Seite polemisiert, aber nichts Planvolles unternommen, um sie zu korrigieren oder überflüssig zu machen.

In der DDR besteht bereits seit 1954 Meldepflicht für alle geistig behinderten Kinder [30]. Dabei handelt es sich einfach

---

30  G. Jun, Die Aufgaben einer psychiatrischen Betreuungsstelle für Kinder und Jugendliche unter besonderer Berücksichtigung der

um die Vorbedingung dazu, möglichst alle geschädigten Kinder einer „zielgerichteten Betreuung" [31] zuzuführen. Überwunden werden müssen Vorurteile der Eltern, die z. T. immer noch in der geistigen Behinderung ihres Kindes eine „Schande" für die Familie zu erblicken meinen. Die Angst vor dieser „Schande" verzerrt oft die eigene Wahrnehmung der Eltern und läßt diese die psychischen Defekte ihrer Kinder über lange Zeit nicht erkennen. Dadurch wird den Kindern eine optimale Betreuung und Behandlung vorenthalten. Die Gesetzgebung der DDR hat hier ganz eindeutig den Anspruch der Kinder auf Hilfe und Betreuung als höheres Rechtsgut gegenüber dem Wunsch mancher Eltern nach „Wahrung der Familienehre" eingestuft. Das höchste gesetzgebende Organ der DDR, die Volkskammer, hat 1968 auch inhaltlich mit dem Problem der geistig behinderten Kinder befaßt und Richtlinien zu der institutionellen Gestaltung ihrer Behandlung und Betreuung ausgearbeitet [32]. Danach soll in den nächsten 5 Jahren in allen städtischen Wohngebieten ein einheitliches Betreuungsmodell eingeführt werden.

Dieses Betreuungsmodell geht von der Erfahrung aus, daß eine begrenzte Beteiligung am Produktionsprozeß auch bei geistig schwer behinderten Kindern – den Imbezillen – erreichbar ist und auch ein Teil der Oligophrenen III. Grades – in psychiatrischen Lehrbüchern der BRD noch Idioten genannt [33] – die Fertigkeiten der Eigenbesorgung (Essen, Beherrschung der Ausscheidungsfunktionen, Sauberhaltung, An- und Ausziehen, begrenzte Verkehrssicherheit) ganz oder teilweise erlernen kann. Die Vorbedingungen dazu sind allerdings „Früh-

Oligophrenen. In: Das deutsche Gesundheitswesen 25, 1970, S. 1464 f.

31  Döring, Quandt, Fortschritte bei der Rehabilitation hirngeschädigter Kinder, a.a.O., S. 25.
32  Ebd., S. 24.
33  Z. B. in: E. Bleuler, Lehrbuch der Psychiatrie. Umgearbeitet von M. Bleuler. Berlin, Göttingen, Heidelberg: S. 482; G. Kloos, Grundriß der Psychiatrie. München: S. 153; H. J. Weitbrecht, Psychiatrie im Grundriß. Berlin, Göttingen, Heidelberg: 1963, S. 173.

erfassung und Frühförderung"[34]. Denn die typischen Verhaltensweisen der schwer schwachsinnigen Kinder – Negativismus, Angst, dranghaftes Beharren, unkontrollierte Wutausbrüche, motorische Stereotypien – sind zu einem wesentlichen Teil Produkte einer pathologischen Interaktion mit der Umgebung – eine Antwort auf Vernachlässigung, Lieblosigkeit, unverstandene Erziehungsmaßnahmen der Eltern, intellektuelle Überforderung etc.[35] Einmal eingeschliffen, werden solche pathologischen Verhaltensweisen auch durch fachgerechte Betreuung und Erziehung nur sehr schwer zu beseitigen sein. Es geht also darum, ihre Entstehung zu verhindern. Schon bei dieser Argumentation fällt auf, daß Verhaltensweisen, die von der klassischen deutschen Kinderpsychiatrie als typische Symptome des „erethischen Schwachsinns" klassifiziert und damit als „schicksalhafte Folge" der organischen Hirnschädigung angesehen werden, hier als – durch therapeutische und pädagogische Maßnahmen – weitgehend vermeidbare Produkte der sozialen Interaktion beschrieben sind.

Zur rechtzeitigen Erfassung werden nun in der DDR die *Mütterberatungsstellen* eingeschaltet. Drei obligatorische Prüfungstermine – der 5. bis 8., der 13. bis 17. Lebensmonat sowie die Dreijahresgrenze – sind vorgesehen, dazu ein weiterer bei der Einschulung[36]. Die hierbei auf geistige Behinderung als verdächtig eingestuften Kinder werden einer komplexen Diagnostik in kinderpsychiatrischen Ambulatorien oder stationären Abteilungen zugeführt. Klinische und ambulante Zentren für die *Behandlung* der erfaßten schwer hirngeschädigten Kinder sind in allen Bezirken vorgesehen, dazu sonderpädagogische Einrichtungen sowie Tages- und Wochenstätten und eine kinderpsychiatrische Sprechstunde auf Kreisebene. Nach den Pla-

34  Jun, Die Aufgaben einer psychiatrischen Betreuungsstelle für Kinder und Jugendliche unter besonderer Berücksichtigung der Oligophrenen, a.a.O., S. 1466.

35  Döring, Quandt, Fortschritte bei der Rehabilitation hirngeschädigter Kinder, a.a.O., S. 25.

36  Ebd., S. 24. Seit dem 1. 1. 1971 werden freiwillige Untersuchungen der Kleinkinder auch in der BRD von der gesetzlichen Krankenversicherung finanziert.

nungen dürften diese Einrichtungen in etwa 5 Jahren in der ganzen DDR vorhanden und funktionsfähig sein.

Das Prinzip der *Betreuung* geistig schwer behinderter Kinder geht davon aus, daß innerhalb einer wissenschaftlich orientierten Therapie das „Geborgenheitserlebnis in der häuslichen *Familienatmosphäre*" mit Beibehaltung einer nachbarschaftlichen Sozialbeziehung für die Förderungschancen des Kindes ebenso wichtig ist wie eine „Systematisierung von Entwicklungsanreizen in einer heilpädagogisch geführten Kindergruppe" [37]. Daraus ergibt sich, daß die erfaßten Kinder zunächst kurzfristig auf einer *Diagnostik-Therapie-Station* einer kinderpsychiatrischen Abteilung aufgenommen werden, wo ein *Behandlungs- und Förderungsplan* entwickelt wird, der sich sowohl nach den Leistungsgrenzen, aber auch nach der familiären und sozialen Situation des Kindes richtet. In der Diagnostik ist auch eine Untersuchung des Elternverhaltens eingeschaltet. Sodann wird mit den *Eltern* der Behandlungsplan besprochen und in Zusammenarbeit mit allen beteiligten Institutionen (Tagesstätten, evt. Sonderschulen, Ambulanzen etc.) verwirklicht. Die Formen der Zusammenarbeit sind institionell vorgezeichnet, die Zuständigkeiten genau abgegrenzt. Das erste Ziel ist, das Kind je nach dem Schweregrad seines Defektes für eine längere Zeitspanne auf einer Tages- oder Wochenklinik aufzunehmen. Dies geschieht allerdings nur, wenn zumindest ein Elternteil sich verpflichtet, an regelmäßigen Besprechungen und Schulungsabenden mindestens einmal wöchentlich, optimal an einer „Elternschule im Gruppensystem" teilzunehmen. So bleibt der häusliche und familiäre Kontakt aufrechterhalten. Gleichzeitig wird durch die Aufnahme des Kindes in der Tagesklinik erreicht, daß beide Eltern wieder in den Produktionsprozeß eingeschaltet werden können und kein Grund mehr für sie besteht, die Verärgerung über die Halbierung des Haushaltsbudgets durch die sonst nötige häusliche Betreuung des kranken

37  Jun, Die Aufgaben einer psychiatrischen Betreuungsstelle für Kinder und Jugendliche unter besonderer Berücksichtigung der Oligophrenen, a.a.O., S. 1467.

Kindes an diesen sozusagen als „Sündenbock" [38] auszulassen. Erst so wird dem Kind die häusliche Geborgenheitsatmosphäre tatsächlich vermittelt werden können. Ein Teil der Mütter kann zudem als Hilfspflegerinnen in der kinderpsychiatrischen Abteilung oder auf einer Tagesstätte eingestellt werden, wo sie eine fachliche Ausbildung erfahren, die dann auch dem eigenen Kinde in der häuslichen Betreuung zugute kommt.

Aber nicht nur die Aufrechterhaltung und Intensivierung der Familienbeziehung gehört zu den Prinzipien der Behandlung. Auch die *Nachbarn* sollen an die Gegenwart hirngeschädigter Kinder gewöhnt werden. Deshalb werden Tages- und Wochenkliniken zunehmend aus den Krankenhäusern herausgenommen und in Wohnhäuser verlegt, deren Erdgeschoß sie zumeist einnehmen. Die übrigen Etagen bleiben den bisherigen Mietern überlassen. So werden die geschädigten Kinder im Schutz ihrer Betreuungspersonen an die Reaktionen der Umwelt und Nachbarschaft, auf ihren Anblick und an ihr Verhalten gewöhnt, und diese Reaktionen können in therapeutischen Prozessen auch aufgearbeitet werden. Ergänzt wird diese Form der Eingliederung in die Familien- und Wohngemeinschaft durch aufklärende Vorträge über hirngeschädigte Kinder in den verschiedenen gesellschaftlichen Gruppierungen – den Betriebsgruppen, Gewerkschaften, den Haus- und Nachbarschaftsgemeinschaften, den Frauenverbänden, der FDJ usw. So versucht man, bestehende Vorurteile abzubauen – was dadurch erleichtert wird, daß solche Vorurteile in der DDR keine gesellschaftliche Basis mehr haben, keine Reaktionen auf die Angst mehr sind, Profit und Privilegien reduziert zu sehen, sondern nur noch psychische und kulturelle Rudimente inzwischen veränderter Produktionsverhältnisse. In der BRD würden alle Appelle, Wohnungen für solche Tagesstätten zur Verfügung zu stellen,

---

38  Über die Sündenbockrolle psychisch kranker Kinder. S. Vogel, E. F. und N. W. Bell in: Bateson, Jackson, Lietz, Laing, Wynne u. a., Schizophrenie und Familie. Frankfurt/M.: 1969, S. 245 ff., sowie H. E. Richter, Eltern, Kind und Neurose. Reinbek: 1969, S. 197 ff. In diesen Arbeiten wird auf die ökonomischen Motivationen der Eltern allerdings nicht eingegangen.

nichts fruchten, weil die Hauseigentümer zu Recht fürchten müßten, daß die Anwesenheit behinderter Kinder den Marktwert der Wohngegend mindern würde.

Die *Behandlung* in der Tagesklinik selbst hat die Erlernung der Eigenversorgung und die Anbahnung von konstanten emotionalen Beziehungen zur Grundlage. An Spielgruppen und krankengymnastischen Übungen der Haltungs-, Bewegungs-Gangfunktionen schließt sich ein intensives Sprach- und wenn möglich auch Lese- und Schreibtraining an. Die gesamte elementare Förderungsschulung (Motorik, Eigenbesorgung, Sprachfunktionen) dauert 5 Jahre [39]. Anschließend daran kann ein Teil auch der imbezillen Kinder an Sonderschulen Anschluß gewinnen. Aber auch, wo dies nicht möglich ist, wird versucht, sie an einfache Arbeitsprozesse heranzuführen, wobei wieder Spiele als Gleitschiene dienen. Arbeitanalysen in den Betrieben, wo die Behinderten tätig sein sollen, dienen dazu, „schwierige Arbeitsgänge in einfache zu zerlegen" [40] und für jeden Arbeitsgang das optimale Arbeitstempo ausfindig zu machen. Arbeitsplätze für Behinderte sollen an möglichst vielen Betrieben geschaffen werden – nicht nur im Ghetto besonderer beschützender Werkstätten. In manchen Bezirken ist diese Forderung schon teilweise erfüllt und die Behinderten sind in der Lage, zusammen mit Gesunden im Arbeitsprozeß zu kooperieren und für einen Teil ihres Unterhalts selbst aufzukommen. Das stärkt ihr Selbstvertrauen und zugleich auch ihr Ansehen in der Gesellschaft. So wird der Circulus vitiosus zwischen der Schädigung und ihren sozialen Folgen allmählich abgebaut [41].

39  Döring, Quandt, Fortschritte bei der Rehabilitation hirngeschädigter Kinder, a.a.O., S. 26.
40  Eichler, Nationale Symposion: Sozialismus, a.a.O., S. 236.
41  Zu den Vorbeugungsmaßnahmen, die die Entstehung frühkindlicher Hirnschädigung verhindern sollten, siehe: Döring, Quandt, Fortschritte bei der Rehabilitierung hirngeschädigter Kinder, a.a.O., S. 24. Für hirngeschädigte und verhaltensgestörte, aber nicht wesentlich intelligenzgeminderte Kinder sind an verschiedenen Schulen der DDR Sonderklassen mit einer veränderten Stunden- und Pausenregelung, sehr kleinen Klassenverbänden und heilpädagogisch ausgebildeten Lehrern eingerichtet worden. Siehe Jun, Die

Man erkennt jetzt besser, was der Begriff der „zielgerichteten Betreuung" bedeutet: Die therapeutische und heilpädagogische Vorbereitung auch der geistig schwer behinderten Kinder auf ihre Eingliederung in den Produktionsprozeß und in die Gesellschaft. Um dieses Ziel zu erreichen, werden weder personeller Einsatz noch Kosten gescheut, die volkswirtschaftlich kaum in einer Relation zu der Arbeitsproduktivität der Imbezillen stehen dürften. Die Eingliederung in die Produktion ist also kein in erster Linie volkswirtschaftliches Ziel: Sie bezweckt vor allem, auch den Behinderten zu einem gleichwertigen Mitglied der Gesellschaft zu machen, das nach seinen Kräften durch seine Teilnahme am Produktionsprozeß zur gesellschaftlichen Fortentwicklung beiträgt.

Erkennbar wird auch, wie durch *zentrale Planung*, einheitliche Zuständigkeit und die Vergesellschaftung sowohl der Produktionsmittel, aber auch des über den Eigenbedarf hinausgehenden Grund- und Hausbesitzes ein komplexes Behandlungs- und Betreuungssystem für die geistig behinderten Kinder verwirklicht werden kann, das den vorhin angeführten Betreuungs- und Behandlungszielen auf eine optimale Weise dienlich ist. Zweifelsohne müssen auch hier Interessengegensätze – etwa zwischen dem Gesundheitswesen, Volksbildungswesen und der industriellen Produktion – ausgetragen und überwunden werden. Aber diese Gegensätze haben keinen antagonistischen Charakter; nicht muß sich eine Behörde mit einem Fabrikanten, einer privaten Wohlfahrtseinrichtung oder einer ärztlichen Standesorganisation auseinandersetzen, sondern zwei Institutionen miteinander, die beide für das gleiche Ziel arbeiten.

Der Gegensatz zwischen „dem Menschen" – was immer im Kapitalismus darunter verstanden sein mag – und seiner werteschöpfenden Arbeitskraft ist, wie auch das Beispiel der hirngeschädigten Kinder zeigt, kein anthropologischer Wesensunterschied, sondern er ist charakteristisch nur für die kapitalistischen Produktionsverhältnisse. Sozialistischer Humanismus be-

Aufgaben einer psychiatrischen Beratungsstelle für Kinder und Jugendliche mit besonderer Berücksichtigung der Oligophrenen, a.a.O., S. 1465.

steht gerade darin, es auch einem Behinderten zu ermöglichen, daß er seine Arbeitskraft in den Dienst einer bedarfsorientierten Produktion stellen und als Subjekt an der Gestaltung einer sich emanzipierenden Gesellschaft – d. h. aber auch seiner eigenen natürlichen und sozialen Umwelt – mitwirken kann. Gerade daraus bezieht der Behinderte sein Selbstvertrauen, dadurch werden vitiöse Zirkel zwischen seiner Behinderung und den sozialen Reaktionen auf diese weitgehend – wenngleich wohl niemals ganz – abgebaut. Um dies zu erreichen, hat die sozialistische Gesellschaft in der DDR hohe unproduktive Kosten auf sich genommen. In der BRD sind „Staat und Gesellschaft" dazu bisher in gleichem Ausmaß nicht bereit gewesen. Die öffentlichen Ausgaben zur Behebung und Linderung chronischer Leiden, bei denen eine baldige Restituierung der Arbeitskraft nicht erwartet werden kann, liegen hier niedriger als in allen anderen Bereichen der Medizin [42]. Die Gesetze des Kapitals setzen eben auch im Gesundheitswesen ihre eigenen Prioritäten, denen die staatlichen Behörden und öffentlich-rechtlichen Institutionen, aber auch die „freien Wohlfahrtsverbände" in weitgehendem Ausmaße unterworfen sind.

In der werksärztlichen Versorgung der Werktätigen und der Betreuung geistig schwer behinderter Kinder lassen sich in beiden gesellschaftlichen Systemen grundlegende Unterschiede aufzeigen. Diese sind nicht zuletzt das Resultat divergierender theoretischer und praktischer Konzepte über die Funktionen gesellschaftlicher Arbeit. Während in der BRD privatwirtschaftlichen Interessen der Vorrang eingeräumt wird und das Prinzip der Kapitalverwertung die Beziehungen und den Umgang zwischen den Menschen bestimmen, orientiert sich in der DDR die programmatische Konzeption der gesellschaftlichen

42  Z. B. für psychiatrische Krankenbetten nur $^1/_{10}$ der Gesamtausgabe für Krankenbetten überhaupt, wobei die psychiatrischen Betten aber $^1/_6$ der Gesamtbettenzahl ausmachen. Berechnet nach: Wirtschaft und Statistik 7, 1969, S. 389 ff.; siehe dazu auch: Regus, Das Krankenhaus im gesellschaftlichen Widerspruch, a.a.O., S. 9.

Arbeitsverhältnisse an den historischen Möglichkeiten der Befriedigung gesellschaftlicher, kollektiver und individueller Bedürfnisse. An den beiden diskutierten medizinischen Bereichen treten diese Divergenzen mit aller Deutlichkeit hervor.

André Leisewitz, Rainer Rilling

# Wissenschafts- und Forschungspolitik in BRD und DDR

Für die Entfaltung von Forschung und Entwicklung (FE) in der DDR sind zwei Momente entscheidend: die strukturelle Benachteiligung der DDR als Folge der Teilung des deutschen Wirtschaftsgebietes und der Aufbau der antifaschistisch-demokratischen und später sozialistischen Ordnung. Nach 1945 waren die materiellen FE-Kapazitäten auch infolge weitreichender Kriegseinwirkungen gerade für den naturwissenschaftlich-technischen Bereich äußerst unzureichend. Im Verlauf der antifaschistisch-demokratischen Umwälzung mußten zahlreiche qualifizierte Kräfte aufgrund ihrer Nazi-Vergangenheit von der Arbeit ausgeschlossen werden [1]. Das Fehlen der entscheidenden Rohstoffe und die Disproportionen zwischen Grundstoff- und Produktionsgüterindustrie einerseits und Investitionsgüterindustrie andererseits erzwang die Konzentration der Forschungsarbeit auf umfangreiche Substitutionsprobleme und führte notwendig zur Vernachlässigung langfristig entscheidender Forschungsbereiche; die finanziellen Aufwendungen blieben gering [2].

In der Phase der Grundlegung und des Aufbaus des Sozialismus war die Wissenschafts- und Forschungspolitik der DDR immer eindeutiger von den Feststellungen geprägt, daß „das Wachstum der Produktivkräfte und die ökonomische Stärke eines Staates maßgeblich durch das Entwicklungsniveau und das Entwicklungstempo von Wissenschaft und Technik bestimmt" [3] ist und die „erfolgreiche Meisterung der wissenschaft-

---

1 An der Universität Leipzig etwa mußten 170 von 222 Lehrkräften entlassen werden, vgl. E. Schwertner, A. Kempke, Zur Wissenschafts- und Hochschulpolitik der SED (1945/46–1966). Berlin: 1967, S. 21.
2 Sie machten 1950 rund 1 % des Nationaleinkommens aus, vgl. A. Lange (Hrsg.), Forschungsökonomie. Berlin: 1969, S. 17.

lich-technischen Revolution" als „Hauptaufgabe im Klassenkampf" [4] gilt, wenn die ökonomische Auseinandersetzung als
Hauptform des internationalen Klassenkampfes zwischen Sozialismus und Imperialismus eingeschätzt wird. Als weiterer
bestimmender Faktor der Wissenschaftspolitik in dieser zweiten Phase erwiesen sich die Probleme, die sich aus dem Übergang von extensiver (Beseitigung von Kriegszerstörungen und
Disproportionen, Schaffung der materiellen Grundlagen des
Sozialismus) und intensiver (umfassender Aufbau des Sozialismus) Phase ergaben [5] und auch durch eine kontinuierliche
Wissenschaftspolitik, die bereits mit relativ langfristiger Perspektive plante, nicht umgangen werden konnten. Inhaltlich
bestimmt wurde die Entfaltung des sozialistischen FE-Systems
weiter durch die sich aus den strukturellen Benachteiligungen
ergebenden Faktoren, durch den Zwang zur „Störfreimachung"
(Unabhängigkeit von Produkten kapitalistischer und speziell
westdeutscher Herkunft zur Sicherung der Bedingungen kontinuierlichen Wachstums), durch die spezifischen Bedürfnisse
der entwickelten sozialistischen Volkswirtschaft und durch die
internationale sozialistische Kooperation im Rahmen des RGW.

3   W. Ulbricht, Grundlegende Aufgaben im Jahre 1970. Berlin:
    1969, S. 14.
4   G. Speer, Aktuelle Probleme der Ökonomisierung von Forschung
    und Entwicklung unter den Bedingungen des umfassenden Auf-
    baus des Sozialismus in der Deutschen Demokratischen Republik.
    In: Wiss. Z. Techn. Univers. Dresden 17, 1968, S. 717; vgl. auch
    W. Ulbricht, Zur Gestaltung des entwickelten gesellschaftlichen
    Systems des Sozialismus in der Deutschen Demokratischen Repu-
    blik. In: ders., Zum ökonomischen System des Sozialismus in
    der DDR, Bd. 2. Berlin: 1968, S. 220: „Unter den Be-
    dingungen der befreiten Arbeit in der sozialistischen Gesellschaft
    gilt es nunmehr, die Überlegenheit des Sozialismus über den
    Kapitalismus durch die hohe Arbeitsproduktivität mittels voller
    Entfaltung der Wissenschaft im ökonomischen System des Sozialis-
    mus unter Beweis zu stellen."
5   Vgl. hierzu H. Maier, Probleme des intensiven ökonomischen
    Wachstums im Sozialismus unter den Bedingungen der wissen-
    schaftlich-technischen Revolution. In: Wirtschaftswissenschaft 18,
    1970, S. 1 ff., sowie: Politische Ökonomie des Sozialismus und ihre
    Anwendung in der DDR. Berlin: 1969, S. 84 ff.

366

Dabei zeigt sich, daß die allgemeinen Gesetzmäßigkeiten der wissenschaftlichen Entwicklung und der Herausbildung der Wissenschaft als unmittelbarer Produktivkraft zwar sowohl für kapitalistische wie für sozialistische Staaten gelten, sich aber in grundlegend verschiedener Weise durchsetzen. Während sie sich unter kapitalistischen Bedingungen aufgrund der spezifischen ökonomischen Gesetzmäßigkeiten der kapitalistischen Produktionsweise nur über das jeweilige, *isolierte Profitinteresse kapitalistischer Unternehmen spontan* realisieren, werden sie unter sozialistischen Produktionsverhältnissen *planmäßig* zur Befriedigung materieller und geistiger Bedürfnisse *im Rahmen gesellschaftlicher Organisation* wirksam. Das heißt jedoch keineswegs, daß im Sozialismus die Entfaltung der Produktivkräfte und insbesondere der Produktivkraft Wissenschaft und ihre gesellschaftliche Entwicklung, Organisation und Planung widerspruchsfrei vor sich geht. Doch die bei der Entwicklung des in die sozialistische Ökonomie integrierten FE-Systems auftretenden Widersprüche haben wiederum grundsätzlich anderen Charakter als jene Widersprüche, die etwa gerade in den letzten Jahren in der BRD in aller Schärfe hervorgetreten sind. Widersprüche bei der Entwicklung des FE-Systems der DDR ergaben und ergeben sich vor allem aus dem *spezifischen, relativ selbständigen Charakter des Teilsystems Forschung und Entwicklung im ökonomischen System des Sozialismus,* der daraus hervorgeht, daß sich die Struktur der Wissenschaft nicht nur aus ihrer engen Verknüpfung mit der materiellen Produktion, sondern auch aus bestimmten *inneren* Entwicklungsbedingungen herstellt [6].

Aufgrund dieses relativ selbständigen Charakters des Teilsystems Forschung und Entwicklung ergaben sich ständig eine Reihe großer Probleme, deren bedeutsamstes das Problem der ständigen *Synchronisierung und Verbindung von Wissenschaft und Produktion* ist. Die Herstellung einer zureichenden plan-

6 Vgl. H. Seickert, Zu einigen Problemen der Produktivkraft Wissenschaft. In: Probleme der politischen Ökonomie, Bd. 10. Berlin: 1967, S. 9–76 sowie H. Krauch, Die organisierte Forschung. Neuwied: 1970.

mäßigen und schwerpunktorientierten Verbindung von Wissenschaft und Produktion erwies sich lange Zeit als Hauptproblem der FE-Politik der DDR.

Das Forschungspotential der DDR war aufgrund der Kriegszerstörungen und der ersten Phase des extensiven wirtschaftlichen Aufbaus quantitativ wie qualitativ völlig unterentwickelt. Es gab nicht nur zuwenig Wissenschaftler und entsprechende Arbeitsplätze, sondern auch eine starke personelle und materielle Zersplitterung. Der Typus des nachgerade handwerklichen Kleinforschungsinstituts herrschte vor. Noch 1966 hatten nur rund 14 % der insgesamt 1800 FE-Stellen (die rund 73 % aller in der FE Tätigen beschäftigten) mehr als 100 Mitarbeiter [7]. Auch die technische Ausstattung und personelle Zusammensetzung der FE-Stellen war unzureichend [8]. Der Anteil der Beschäftigten mit Hoch- oder Fachschulausbildung in der industriellen FE war, gemessen an internationalen Maßstäben, ebenso zu gering wie der Anteil der Forschungs- und Entwicklungskräfte in den VVB insgesamt [9]. Hemmend für eine enge Verbindung von Wissenschaft und Produktion wirkte sich weiter aus, daß zunächst die traditionelle Dreigliederung des Wissenschaftsbereichs (industrielle FE-Stätten, Akademien, Hochschulen) beibehalten wurde und somit vor allem die Hochschulen und Akademien weitgehend einem relativ industriefernen Selbstlauf überlassen wurden. Entsprechend wurden auch keine systematischen und umfassenden Kooperationsbeziehungen zwischen diesen drei Bereichen hergestellt. Diese

7   Vgl. W. Rühle, Die Einbeziehung der Grundlagenforschung in den volkswirtschaftlichen Reproduktionsprozeß. In: Wirtschaftswissenschaft 1968, 3, S. 365: „Neben der noch unzureichenden Zusammenarbeit existiert zur Zeit eine große Zersplitterung, beispielsweise soll ein Forschungskomplex im Perspektivzeitraum an 11 Instituten mit 27 Wissenschaftlern, davon in 6 Instituten mit je einem Wissenschaftler und in zwei Instituten mit je zwei Wissenschaftlern, bearbeitet werden." Im übrigen ausführlich: H. Kusicka, W. Leupold, Industrieforschung und Ökonomie. Berlin: 1966, S. 38–59.

8   Vgl. Kusicka, Leupold, Industrieforschung und Ökonomie, a.a.O., S. 40–53.

9   Ebd.

Verhältnisse reflektierten sich in einem unzureichenden Planungs- und Leitungssystem, das nur allmählich und unter großen Schwierigkeiten Anfang der 60er Jahre mit dem System der allgemeinen Wirtschaftsplanung und -Leitung verbunden wurde [10], sogar industrienahe Forschungsinstitute oft partikularistischem Selbstlauf überließ [11] und nicht in der Lage war, das Problem der Überleitung von Forschungsergebnissen in die Produktion zu lösen und die Betriebe an der Einführung neuer Techniken umfassend zu interessieren [12]. Entsprechend lassen

10  Dies bezieht sich zunächst auf die Entwicklung eines Prognose-, Programm- und Planungssystems des gesamten Bereichs der naturwissenschaftlich-technischen Entwicklung, das dann immer mehr zum eigentlichen Kern des Systems der Wirtschaftsplanung und -leitung wurde. Vgl. H. Arnold u. a., Die wissenschaftlich-technische Revolution in der Industrie der DDR. Berlin: 1967; H. Such, VVB und wissenschaftlich-technischer Fortschritt. Berlin: 1964; H. Borchert, Die Finanzierung des wissenschaftlich-technischen Fortschritts und die ökonomischen Hebel seiner schnellen Durchsetzung. In: Wiss. Z. Martin-Luther-Univers. Halle-Wittenberg, Sonderheft 1964. Halle: 1964. Zum System der ökonomischen Hebel im FE-Sektor vgl. H. Matthes, Wege zur komplexen Stimulierung von Forschungs-, Entwicklungs- und Überleitungsarbeiten auf der Grundlage der Netzwerkplanung. In: Wiss. Z. Techn. Univers. Dresden 17, 1968, S. 725–734, bes. Bild 1.
11  Das führte zur Disproportionen zwischen der Anzahl der wissenschaftlich Beschäftigten und den Anforderungen des jeweiligen Industriezweigs, vgl. Die Wirtschaft v. 16. 5. 1962, S. 5.
12  Zum Überleitungsproblem schreibt H. Pöschel, Leitung von Forschung und Technik und wissenschaftlicher Meinungsstreit. Berlin: 1964, S. 29: „In den letzten Jahren wurden durchschnittlich 200 Millionen DM an verausgabten Forschungs- und Entwicklungsmitteln ausgebucht, das heißt als volkswirtschaftlicher Verlust abgeschrieben, weil sie nicht entsprechend in der Produktion realisiert werden konnten." Andernorts wird gesprochen von „rund 400 abgeschlossenen Forschungs- und Entwicklungsaufgaben, für die 35 Millionen Mark aufgewandt" und die „nicht in die Produktion übergeleitet" wurden (H. Kusicka, P. Nothnagel, Probleme der Organisation von Forschung und Entwicklung. In: Wirtschaftswissenschaft 1968, 7, S. 1089). Insgesamt drückten sich diese Schwierigkeiten auch darin aus, daß z. B. 1963 nur 73 % der bearbeiteten Themen des Staatsplans Forschung und Entwicklung termingerecht abgeschlossen wurden; vgl. Neues Deutschland v. 26. 1. 1964.

sich die Hauptprobleme der Forschungspolitik der DDR Ende der 50er/Anfang der 60er Jahre in drei Punkten zusammenfassen: *1. Die wissenschaftliche Arbeit war zu unproduktiv. 2. Sie war inhaltlich zu wenig auf kurz- und langfristige Bedürfnisse der materiellen Produktion orientiert. 3. Die Überleitungsproblematik erbrachter Ergebnisse in die Produktion war ungelöst.* Verursacht wurden diese Probleme durch die spezifischen historischen Entwicklungsbedingungen des FE-Systems der DDR und durch den relativ selbständigen Charakter des Teilsystems FE, der natürlich teilweise auch diese Bedingungen prägte. Diese Situation stand immer stärker im Widerspruch zu den Anforderungen, die sich ergaben aus verschärften internationalen Klassenauseinandersetzungen, dem Zwang zur internationalen sozialistischen Kooperation und dem notwendigen Übergang zu einer Phase intensiven Wirtschaftswachtums. *In den 60er Jahren und vor allem seit 1966/67 wurde das gesamte Forschungssystem der DDR tiefgreifend verändert.* Dieser Vorgang – häufig als technokratische Reform denunziert [13] – ist noch keineswegs beendet.

Die finanziellen Aufwendungen stiegen scharf an. Zwischen 1958 und 1969 investierte die DDR weit über 20 Mrd. Mark allein in Forschung und Entwicklung. Die Aufwendungen verdreifachten sich zwischen 1956 und 1965 und wiesen bis 1968 Zuwachsraten von 17 bis 21 % auf. 1969 erhöhten sich die FE-Aufwendungen um 22 % gegenüber 1968 und betrugen 3,6 Mrd. Mark (= 3,5 % des Nationaleinkommens). Dabei stiegen die Aufwendungen für industrielle FE besonders schnell an und gingen zu rund 80 % in die metallverarbeitende Industrie (vor allem Maschinenbau) und in die chemische Indu-

13 Dieses Urteil verbindet sich progressiv gebende „Ostforscher" mit ultralinken „Kritikern". Beide abstrahieren von den sozioökonomischen Verhältnissen und geben entweder vor, daß sich die Entfaltung des Wissenschaftsprozesses ausschließlich von inneren Entwicklungsgesetzen her definiert oder meinen, großzügig von dem Systemzusammenhang, innerhalb dessen Wissenschaft und Forschung entwickelt werden, und den hier wirksamen ökonomischen Gesetzmäßigkeiten absehen zu können.

strie [14]. Die Grundlagenforschung, für die etwa 11 % der Gesamtmittel aufgewandt werden, wurde nun auch in der Industrie aufgebaut [15]. Die vorhandenen oder projektierten Kapazitäten wurden auf Spitzenindustrien (Chemie, wissenschaftlicher Gerätebau, EDV) konzentriert. Durch diese Konzentration und den Aufbau umfassender Kooperationsbeziehungen sollte die inhaltliche Orientierung auf volkswirtschaftliche Bedürfnisse befördert und die Überleitungsproblematik gelöst werden. In den Hochschulen wurde die Zahl der wissenschaftlichen Einrichtungen um zwei Drittel verkleinert; die sporadischen Kooperationsbeziehungen wurde abgelöst durch die Entwicklung der Auftragsforschung (1967 war schon fast ein Drittel der FE-Kapazität der Hochschulen durch Vertragsforschung gebunden), die zugleich eine Konzentration auf volkswirtschaftlich relevante Themen bewirkte [16]. Die Forschungsstellen der Deutschen Akademie der Wissenschaften wurden von ca. 90 auf 30 zusammen-

14  Vgl. R. Köhler, K. Morgenstern, Nationale Zweigstruktur – zweigspezifischer Aufwand – sozialistische internationale Arbeitsteilung. In: Wirtschaftswissenschaft, 1969, 1, S. 66 und Maier, Probleme des intensiven ökonomischen Wachstums im Sozialismus unter den Bedingungen der wissenschaftlich-technischen Revolution, a.a.O., S. 11. Die rasche Intensivierung des gesamten Reproduktionsprozesses wurde bis in die letzten Jahre wegen des mangelhaften Vorlaufs immer wieder gehemmt; auf die Metallbearbeitung entfiel Mitte der 60er Jahre nur 1 % der Aufwendungen für Grundlagenforschung.

15  Vgl. W. Rühle, Die Einbeziehung der Grundlagenforschung in den volkswirtschaftlichen Reproduktionsprozeß, a.a.O., S. 362.

16  Das implizierte keine „Verschulung" des Studiums; das Prinzip „Lernen durch Forschen" wurde vielmehr ebenfalls durch Aufnahme von Kooperationsbeziehungen zwischen Hochschulen und industriellen FE-Einrichtungen ausgebaut. Vgl. V. Stanke, Student und Studium in der DDR. Berlin: 1969, S. 67 ff., Zum Ausbau der Auftragsforschung vgl. F. Pohlisch, Bilanz eines Jahres. Auftragsgebundene Forschung im Hochschulwesen. In: Das Hochschulwesen 1968, 2, S. 99; H.-O. Schützenmeister, Zur Kooperation zwischen Wissenschaft und Produktion auf dem Gebiet der Grundlagenforschung. In: Staat und Recht 15, 1966, S. 948; L. Kannengießer, Die Organisation der Beziehungen zwischen Wissenschaft und Produktion. Berlin: 1967 und Such, VVB und wissenschaftlich-technischer Fortschritt, a.a.O., S. 158.

gefaßt; rund 90 % dieser Forschungskapazität sind inzwischen durch Industrieaufträge gebunden [17].

Parallel zu den umfangreichen Konzentrationsprozessen in der Industrie vor allem seit 1968 setzte der Übergang zur *sozialistischen Großforschung* ein. Diese Bildung von Großforschungsverbänden, die momentan noch im Gange ist, „ist ein Bestandteil des planmäßigen Vergesellschaftungsprozesses der Produktivkräfte im Sozialismus, der sich in anderen Bereichen durch die Bildung von Kombination oder von Kooperationsverbänden vollzieht. Der Verband stellt also eine neue, höhere Organisationsform der Produktivkraft Wissenschaft, eine kooperative Zusammenfassung vorher voneinander weitgehend isolierter Forschungskapazitäten zu einem komplex geleiteten Potential für einen strukturbestimmenden Industriezweig dar" [18]. Über die Großforschung soll die ‚Einheit von Wissenschaft und Produktion' erreicht werden. Die umfassende Durchsetzung des Prinzips der einheitlichen Vergabe und Finanzierung von Forschungsprojekten (seit 1968), das die Bildung von Großforschungsverbänden einleitete, garantiert die Orientierung auf volkswirtschaftlich relevante Zielsetzungen (die von Auftraggebern wie -nehmern gemeinsam erarbeitet werden), die Überwindung der bislang vorherrschenden undifferenzierten Globalfinanzierung und eine stärkere Verbindung zwischen gesellschaftlichen Erfordernissen und materiellen Interessen der wissenschaftlich Arbeitenden. Die äußerst schnell ablaufende Bildung integrierter Großforschungsverbände hat jedoch bislang nur geringfügig zur Synchronisierung der forschungspolitischen Systeme in den einzelnen sozialistischen Staaten und zur Entwicklung der internationalen sozialistischen Arbeitsteilung beigetragen [19]. Auch ist bislang nicht

17  Vgl. Effekt 1969, 5, S. 22.
18  W. Bohn, Wissenschaftsorganisatorische Probleme der Bildung eines Großforschungsverbandes. In: Das Hochschulwesen 1969, 9–10, S. 644.
19  Zur technisch-wissenschaftlichen Kooperation innerhalb des RGW vgl. T. Asarow, Zur Koordinierung wissenschaftlicher und technischer Forschungen. In: Wirtschaftswissenschaft 1964, 4 und G. M. Sorokin, Die sozialistische internationale Arbeitsteilung – ein wich-

voll ersichtlich, ob die Gefahr eines Selbstlaufs bei der Entwicklung verschiedener Typen von Großforschungsorganisationen ausgeschaltet werden kann. Fraglich ist auch, ob die grundlegende Neuorganisation des FE-Systems in der DDR ausreichend verbunden wird mit einer eindeutigen Zieldefinition der wissenschaftlichen Arbeit [20] und diese ausreichend in der Bevölkerung verankert ist [21]. Gerade die Entwicklung in den

tiger Faktor des Wirtschaftswachstums. In: Wirtschaftswissenschaft 1970, 1; K. Morgenstern (Erfordernisse und Wege zur Weiterentwicklung der sozialistischen internationalen Spezialisierung und Kooperation. In: Wirtschaftswissenschaft 1970, 5) führt das Zurückbleiben der wissenschaftlich-technischen Zusammenarbeit im RGW, ähnlich wie die Entwicklung von FE in der DDR selbst, auf „die historischen Nachwirkungen aus dem Kapitalismus, die noch vorhandenen Unterschiede im ökonomischen und im wissenschaftlich-technischen Niveau der einzelnen sozialistischen Volkswirtschaften" (S. 673) zurück. Offenbar sei nicht jedes Land des RGW „ein interessanter, nutzbringender Partner der Spezialisierung und der Kooperation" – zumindest nicht auf allen FE-Sektoren. Morgenstern betont die Notwendigkeit einer internationalen Plankoordination zur Koordinierung der einzelnen Volkswirtschaftspläne noch vor der Aufstellung der einzelnen nationalen Strukturkonzeptionen. Klose, Koß und Voigtberger (Die Rolle der sozialistischen Forschungskooperation bei der Konzentration und effektiven Nutzung des Forschungs-Potentials der DDR. In: Wirtschaftswissenschaft 1970, 9) sprechen in ihrem Beitrag denn auch recht vorsichtig von nationaler und internationaler Kooperation „als p o t e n t i e l l e r Produktivkraft beim Hervorbringen wissenschaftlich-technischer Spitzenleistungen" (S. 1338 f.).

20 Gemeint ist hier die etwas problematische Orientierung an der Kategorie des ‚Welthöchststands‘ angesichts der deformierten und militarisierten Wissenschaftsentwicklung in den kapitalistischen Staaten. Vgl. dazu die kritischen Bemerkungen von Thießen in: G. Scholl, Investitionen und wissenschaftlich-technischer Höchststand. In: Einheit 1960, 4, S. 578.

21 Nach einer Umfrage bei einigen hundert Fachleuten in der Industrie, die in Effekt 1969, 4, S. 21 wiedergegeben wird, bleiben die Zielvorstellungen der Befragten in der Regel hinter den ökonomischen Zielvorgaben zurück. Die Diskussion über wissenschaftspolitische Zielvorstellungen und Möglichkeiten ihrer Realisation ist in der DDR jedoch unvergleichlich intensiver und breiter als in der BRD; ebenso ist die theoretische Aufarbeitung der sich aus der

60er Jahren zeigt jedoch die keineswegs nur prinzipielle Überlegenheit des in die sozialistische Ökonomie integrierten FE-
Systems in der DDR. *Die Hauptprobleme bei der Entwicklung
des FE-Systems in der DDR ergeben sich aus dem spezifischen,
relativ selbständigen Charakter des Teilsystems Forschung und
Entwicklung im ökonomischen System des Sozialismus* (aus
dem sich etwa Probleme der exakten Ermittlung der Wert-
größen, des ökonomischen Nutzeffekts, der Planvorgaben usw.
ergeben) *und aus dem Prozeß der sich ständig erweiternden
Reproduktion der sozialistischen Produktionsverhältnisse* [22].
Daraus entwickelt sich die Frage nach der ständigen Synchronisierung und Verbindung von Wissenschaft und Produktion
und die Frage nach dem Verhältnis zwischen gesellschaftlicher
Organisation der wissenschaftlich-technischen Arbeit (und deren Zentrum, der Planungsmethodik und -organisation) und
der im Rahmen der sozialistischen Ökonomik notwendigen
Entfaltung der Produktivkraft Wissenschaft selbst [23]. Die konkrete Weise, wie sich die Verbindung von Wissenschaft und Produktion und die Entwicklung dieses Verhältnisses vollziehen,
stellt sich dar als Prozeß der ständigen Wiederherstellung
der Übereinstimmung persönlicher, kollektiver und gesellschaftlicher Interessen. Ausdruck dieses Vorgangs ist etwa die
ständige Qualifikation und Entfaltung des Plans und z. B. des

Entfaltung der Produktivkraft Wissenschaft ergebenden Fragen
viel weiter fortgeschritten.

22  Vgl. R. Walter, Interessen im ökonomischen System. Berlin: 1970,
und U. Reichenberg, Probleme der Stellung und Funktion des
Teilsystems Forschung und Entwicklung im ökonomischen System
des Sozialismus. In: Wiss. Z. Hochschule f. Ökonomie 14, 1969,
S. 137–143, bes. S. 139.

23  In einer Bestandsaufnahme im Jahre 1967 vermerkte G. Speer zum
Verhältnis zwischen Entfaltung der Produktivkraft Wissenschaft
und gesellschaftlicher Organisation, „daß die gesellschaftliche
Organisation der wissenschaftlich-technischen Arbeit hinter den
Erfordernissen der sozialistisch organisierten technischen Revolution zurückgeblieben ist" (Speer, Aktuelle Probleme der Ökonomisierung von Forschung und Entwicklung unter den Bedingungen
des umfassenden Aufbaus des Sozialismus in der Deutschen Demokratischen Republik, a.a.O., S. 718).

Systems der ökonomischen Hebel. Unter den Bedingungen des staatsmonopolistischen Kapitalismus dagegen ergeben sich die wesentlichen Widersprüche des FE-Systems aus ihrer prinzipiellen Kapitalgebundenheit, also gerade aus der – sich eben nur über das Profitinteresse herstellenden – Bezogenheit auf die kapitalistische Produktion. Entscheidend für Stellung und Funktion der Wissenschaft innerhalb verschiedener Gesellschaftssysteme ist also nicht die Frage nach den inneren Entwicklungsbedingungen der Wissenschaftsentwicklung selbst, sondern nach den Gesetzmäßigkeiten des Reproduktionsprozesses und der gesamtgesellschaftlichen Entwicklung, denen die Wissenschaft unterworfen ist [24].

Für die Entfaltung der Wissenschaft in der kapitalistischen Bundesrepublik ist zunächst charakteristisch, daß sich der technisch-wissenschaftliche Fortschritt ebenso wie das Innovationstempo seit dem letzten Drittel der fünfziger Jahre ungeheuer beschleunigt und entsprechend die Monopolisierung der Produktionsbedingungen fortgeschritten ist zur *Monopolisierung der Wissenschaft*. Während so auf der einen Seite in den letzten 20 Jahren in der BRD rund 100 Mrd. DM für Forschung und Entwicklung ausgegeben wurden, bestimmen auf der anderen Seite heute einige wenige Großkapitalien Richtung und Tempo der Wissenschaftsentwicklung. Fünf der zehn größten westdeutschen Konzerne (Siemens, AEG, BASF, Bayer, Hoechst) gaben 1969 für unternehmenseigene FE 2,248 Mrd. DM aus, was ungefähr 35 % der gesamten unternehmenseigenen FE-Ausgaben in der BRD und 15-20 % der gesamten westdeutschen FE-Aufwendungen ausmacht. Aus der hier deutlich werdenden *Subsumtion der Wissenschaft unter das Monopolkapi-*

24  Vgl. zum folgenden im wesentlichen: J. Hirsch, Wissenschaftlich-technischer Fortschritt und politisches System. Frankfurt: 1970, bes. S. 91–264; H. Krauch, Prioritäten für die Forschungspolitik. München: 1970; ders., Die organisierte Forschung. Neuwied: 1970. R. Rilling, Kriegsforschung und Vernichtungswissenschaft in der BRD. Köln: 1970; ders., Kriegsforschung und Wissenschaftspolitik in der BRD. In: Blätter für deutsche und internationale Politik 14, 1969, S. 1272–1293 und 15, 1970, S. 52–68; Autorenkollektiv, Wissenschaft im Klassenkampf. Berlin: 1968.

*tal* ergeben sich eine Reihe entscheidender Konsequenzen für die Wissenschaftsentwicklung, Konsequenzen, die in der Verwandlung der Wissenschaft in eine Anlagesphäre des Kapitals bereits strukturell angelegt sind.

Bis 1955/56 waren in der BRD die allgemeinen Reproduktionsbedingungen des Kapitals außerordentlich günstig gewesen. Die Rekonstruktion der Wirtschaftsanlagen war weitgehend zugleich mit einer von den USA unterstützten [25] relativ umfassenden Modernisierung Hand in Hand gegangen; eine mäßige Lohnentwicklung und die nur langsam sich verkleinernde industrielle Reservearmee sowie der stete Zufluß qualifizierter Arbeitskräfte aus der DDR hatten dem westdeutschen Kapital schnell eine starke Stellung auf dem Weltmarkt verschafft, ohne daß hohe FE-Investitionen notwendig waren. In den Jahren 1956/57 – zusammen mit dem Beginn der Remilitarisierung und des staatlichen Atomforschungsprogramms – setzte der allmähliche Übergang zu einem Wachstumstyp ein, der durch eine nahezu gleichrangige Orientierung auf die extensive wie intensive Erweiterung der Stufenleiter der Produktion gerichtet war. Diese Entwicklung verschärfte und beschleunigte sich Anfang der 60er Jahre und vor allem seit 1966/67 außerordentlich. Unter dem Eindruck der verschärften internationalen Konkurrenz vor allem mit den USA und des zunehmenden Systemkampfes wurden der rapide Ausbau der unternehmenseigenen FE und die Mobilisierung des Staates eine dringende Notwendigkeit; das Kapital alleine sah sich nicht in der Lage, dabei den Prozeß der Vergesellschaftung der Forschung und Entwicklung zu bewältigen. Die schroffe Steigerung der Kapitalintensität der FE, die wachsende Mindestgröße in der Forschungsorganisation, die zunehmende Internationalisierung der FE und das relativ hohe ,Risiko' bzw. die erst nach längerer Zeit mögliche Verwertung des eingesetzten Forschungskapitals erforderten die Einschaltung des

25  So flossen 1950/51 ca. 30 Mio. DM Marshallplangelder in die „wirtschaftsnahe Forschung", vgl. Arbeitsgemeinschaft für Forschung des Landes NRW (Hrsg.), Heft 17, Düsseldorf, Köln-Opladen: 1953, S. 79.

Staates nicht nur bei der Ingangsetzung (Finanzierung und Aufgabenstellung), sondern immer mehr auch bei der gesamten Planung, Leitung und Organisation von Forschungsprojekten und führten zur Herausbildung einer *staatsmonopolistischen Forschungspolitik* [26].

Dabei werden die Richtung und Qualität des so organisierten wissenschaftlich-technischen Fortschritts nach den *Verwertungsbedürfnissen des Kapitals* orientiert und nicht nach gesellschaftlichen Möglichkeiten und Notwendigkeiten. 1969 investierte der Bund weit über 80 % seiner gesamten FE-Ausgaben in die Kriegs-, Atom- und Weltraumforschung [27]; ebenso wie für diese gilt auch im wesentlichen für die weiteren staatlichen Forschungsprogramme die Bemerkung der Zeitschrift „Wehr und Wirtschaft" zum Schwerpunktprogramm Meeresforschung des Bundes: „Hier soll Forschung betrieben werden, die Profit bringt" [28]. Joachim Hirsch kommt nach einer Analyse der westdeutschen Forschungspolitik zu dem Schluß: „Es dürfte daher kaum übertrieben sein, den finanziellen Hauptteil der staatlichen Anstrengungen auf dem Gebiet der Wissenschafts- und Forschungspolitik als eine Verlängerung und Absicherung privatwirtschaftlicher Forschungsstrategien zu betrachten" [29]. Gesamtgesellschaftliche Bedürfnisse spielen dagegen eine untergeordnete Rolle. Für die Erforschung von Umweltproblemen etwa wurde 1969 innerhalb der EWG bei einem durchschnittlichen Gesamtaufwand für öffentliche Forschungsausgaben von 22 Dollar pro Kopf gerade ein halber Dollar ausgegeben; ebenso ist die Qualität des wissenschaftlich-technischen Fortschritts durch die spezifischen Erforder-

26  Diese Entwicklung ist nachgezeichnet in: Rilling, Kriegsforschung und Wissenschaftspolitik in der BRD, a.a.O., S. 1272–1276 und 52 ff.

27  Vgl. Krauch, Prioritäten für die Forschungspolitik, a.a.O., S. 14. Krauch stellt fest: „Die meisten Mittel werden für Forschungszwecke entfremdeter Technologien ausgegeben, die schließlich massiver Gewaltanwendung zugute kommen." (S. 43 f.).

28  Wehr und Wirtschaft, 1969, 10, S. 550.

29  Hirsch, Wissenschaftlich-technischer Fortschritt und politisches System, a.a.O., S. 233.

nisse des kapitalistischen Reproduktionsprozesses gekennzeichnet. Ein riesiger Teil der industriellen FE-Aufwendungen wird
zum Beispiel in absatzfördernde Produktvariationen investiert,
die in keiner Weise zur Hebung des technisch-wissenschaftlichen Entwicklungsstandes beitragen [30].

Neben dem Verwertungsinteresse des Kapitals ist das zweite
wesentliche Motiv für oder gegen die Entwicklung bestimmter
Wissenschaftszweige die Erweiterung der *Möglichkeiten politischer Machtausübung*. Vom westdeutschen Staat wurde bis

30  Vgl. D.-J. Böning, Bestimmungsfaktoren der Intensität industriel-
    ler Forschung und Entwicklung. Göttingen: 1969, S. 201: „In Er-
    mangelung ‚echter Probleme‘ wächst die Neigung, modische Va-
    riationen als technische Weiterentwicklungen auszugeben. Die For-
    schungs- und Entwicklungstätigkeit im Fahrzeugbau und in der
    Mineralölverarbeitung, soweit die Benzinherstellung betroffen ist,
    liefert die sichtbarsten Beispiele ... In der Regel werden nicht die
    wesentlichen technischen Eigenschaften der Produkte verändert,
    sondern lediglich die äußere Form der Produkte." 1970 gab die
    westdeutsche Automobilindustrie für ‚Forschung und Entwick-
    lung‘ 1,5 Mrd. DM aus. Der technische Stand ist mehr oder weni-
    ger seit 30–40 Jahren derselbe geblieben. Daß die staatlichen
    Schwerpunktprogramme wenig mit der Gewinnung wissenschaft-
    licher Erkenntnisse zur Befriedigung gesellschaftlicher Bedürfnisse,
    viel aber mit dem privaten Profitinteresse des Kapitals zu tun
    haben, zeigen zwei neuerdings bekanntgewordene Beispiele: Die
    neue „Höchstspannungs-Gleichstrom-Übertragungstechnik", die
    von westdeutschen Konzernen erstmals bei dem berüchtigten Kolo-
    nialprojekt Cabora Bassa angewandt wird, geht auf Forschungs-
    arbeiten zurück, die u. a. an den Technischen Hochschulen Karl-
    ruhe und Darmstadt durchgeführt und vom Bundeswissenschafts-
    ministerium und der ‚Deutschen Forschungsgemeinschaft‘ getragen
    und mit 20 Mio. DM finanziert wurden. Im Rahmen des For-
    schungsprogramms Weltraumforschung wurde am 8. November
    der erste westdeutsche Forschungssatellit in den Raum geschossen.
    Der Zweck dieses 80-Millionen-DM-Projekts wurde von dem
    wissenschaftlichen Berater des Projekts am 29. 6. 1970 in den
    „VDI-Nachrichten" eindeutig gekennzeichnet: Der Satellit „Azur
    war ein Lernprojekt. Er sollte der Industrie die Möglichkeit geben,
    eine technisch-technologische Lücke zu schließen, die anders ver-
    mutlich nicht hätte geschlossen werden können. Die wissenschaft-
    liche Thematik hat dagegen vergleichsweise immer im Hintergrund
    gestanden".

378

1970 die militärische Forschung und Entwicklung mit ebenso-
viel Geld bedacht, wie er seit der Währungsreform bis Anfang
1968 insgesamt für den Neu- und Ausbau von Hochschulen
ausgab. Vor allem im Zusammenhang mit der zunehmenden
neokolonialistischen Aktivität der BRD in den letzten Jahren
und verschiedenen Modifikationen in der Strategie der kapitalistischen Staaten gegen die sozialistischen Länder wird aber
auch seit etwa 1967 verstärkt eine Forschungspolitik betrieben, die auf der Grundannahme beruht, „daß politische Substanz zu einem erheblichen Umfang jetzt auch aus dem Ver-
folgen ziviltechnologischer Projekte gewonnen werden kann
und daß auch daraus politische Handlungsfähigkeit entstehen
kann" [31]. Beide Motive – das Interesse an optimaler Kapitalverwertung wie an gesteigerten Möglichkeiten politischer
Machtausübung – haben vor allem in den USA, aber auch
in der BRD, entscheidend auf die Wissenschaftsentwicklung
eingewirkt. Helmut Krauch stellt zu den Verhältnissen in den
USA fest, daß „es zu einer einseitigen Entwicklung des gesamten Wissensgebäudes und seines Wachstums gekommen [ist].
Nicht nur innerhalb der Naturwissenschaften hat es Verlage-
rungen auf Gebiete gegeben, die größten militärischen Macht-
zuwachs versprechen, wie Atomphysik und Raumforschung.
Auch gegenüber Medizin und den Sozialwissenschaften wurden
die Naturwissenschaften unverhältnismäßig stark gefördert" [32].
Unter den Bedingungen der Monopolisierung der Wissenschaft
wird die *Konkurrenz* als die „innere Natur des Kapitals"
(Marx) teilweise aufgehoben und zugleich im Maßstab der
Volkswirtschaft und international verschärft. Dieses Verhältnis hat weitestgehende Auswirkungen auf die ‚Produktion'
und ‚Zirkulation' von Forschungsergebnissen, ohne daß diese

---

31  W. Häfele/Seetzen, Prioritäten der Großforschung, in: C. Gross-
    ner u. a. (Hrsg.), Das 198. Jahrzehnt. Hamburg: 1969. Vorreiter
    dieser Strategie sind westdeutsche Elektronik- und Chemiekon-
    zerne. Siemens etwa ist gegenwärtig dabei, die Sektoren Atom-
    forschung und -technik sowie Elektronische Datenverarbeitung in
    einigen lateinamerikanischen Ländern (Argentinien, Brasilien) zu
    monopolisieren.
32  Krauch, Die organisierte Forschung, a.a.O., S. 160.

freilich angesichts der gewaltigen Entfesselung der wissenschaftlichen Produktivkräfte, die die kapitalistische Produktionsweise als ihr historisches Verdienst aufweisen kann, auf den ersten Blick sichtbar werden. Zunächst werden auch in der BRD umfangreiche wissenschaftliche Kapazitäten eingesetzt, um dieselben Forschungsergebnisse zu erzielen. Nach Angaben von Karlheinz Bund bringen in dem von ihm untersuchten Bereich der Industrieforschung „nur 40 % der Arbeiten ... einen technischen Fortschritt hervor, die übrigen 60 % werden parallel dazu vollzogen" [33]. Ein bekanntes Beispiel ist aus jüngerer Zeit, daß jeweils England, Frankreich und die BRD in den letzten Jahren mit einem Kostenaufwand zwischen 1 und 1,5 Mrd. DM ‚schnelle Brüter' entwickelten [34]. Diese konkurrenzgebundene Parallelarbeit vollzieht sich blind und spontan und hat mit der bewußten „Suchforschung" parallel arbeitender Forscherkollektive nichts zu tun. Auf der anderen Seite hat die Monopolisierung der Wissenschaft innerhalb des Konkurrenzverhältnisses ebenso entscheidende Auswirkungen auf die „Zirkulation" der erbrachten FE-Ergebnisse. Um sich konkurrenzfähig zu erhalten und zugleich aber auch nicht sofort den Wert der eigenen Anlagen zu vernichten, werden technische Erkenntnisse in großem Maßstab monopolisiert und nicht in den Produktionsprozeß eingeführt, wodurch das Tempo des wissenschaftlich-technischen Fortschritts zwar nicht absolut, aber doch relativ verrringert wird. Die betriebliche FE-Arbeit vollzieht sich unter strengster Geheimhaltung [35] und ihre Ergebnisse — etwa in Form von Paten-

33  K. Bund, Die Parallelarbeit im Rahmen industrieller Forschungs- und Entwicklungtätigkeit. Diss. Berlin: 1962, S. 98.
34  Vgl. Ch. Layton, Technologischer Fortschritt für Europa – Ein Integrationsprogramm. Köln: 1969, S. 110 ff.
35  Nach Capital 1970, 11, S. 116 wurde das Scheitern des bereits erwähnten westdeutschen Satellitenprojekts „Azur" dadurch verursacht, daß der SEL-Konzern der das Projekt leitenden Firma Messerschmitt-Bölkow-Blohm die Unterlagen nicht vollständig zur Verfügung stellte, weil er „befürchtet(e), daß die Lenkwaffen-Fabrik MBB dieses Know-how für ihre Panzerbrecher ‚Cormoran' und ‚Cobra' übernehmen werde." Vgl. auch Capital, 1971, 2, S. 94.

ten – werden monopolisiert und einer volkswirtschaftlichen Nutzung entzogen.

Die Konzentration der wichtigsten wissenschaftlichen Produktivkräfte und die Entwicklung einer staatsmonopolistischen Forschungspolitik bedeutet die Einbeziehung der wissenschaftlichen Produktivkräfte in das *staatlich erweiterte Herschaftsverhältnis des Monopols*. Die Entfaltung der Wissenschaft wird unter den Bedingungen der monopolistischen Konkurrenz bestimmt durch die Anwendung ökonomischer und außerökonomischer Macht und Gewalt durch das Monopol. Gerade die in der BRD vorherrschenden staatsmonopolistischen Großforschungsprogramme, in denen „das Forschungs- und Entwicklungspotential des Staates und der jeweils interessierten Monopole ökonomisch, politisch und administrativ über das jeweils zu erforschende Projekt langfristig zusammengefaßt wird" [36], zeigen, daß sich die Bestimmung und Durchsetzungschance von forschungspolitischen Prioritäten in der Industrieforschung wie in den staatlichen FE-Programmen auf Spitzengruppen der staatlichen Administration und des industriellen Managements beschränkt und die wissenschaftlich Arbeitenden keinen Einfluß haben. Zugleich wird das über den Staat mobilisierte Kapital (FE-Investitionen etc.) so angewandt, daß die Verwertung dieses Kapitals sich bei den Monopolen vollzieht. Das gegenseitige ‚Kooperationsverhältnis' ist also durch „das Prinzip bestimmt, daß die Industrie die Gewinne einer solchen Zusammenarbeit privatisierte, mögliche Verluste aber dem Staat aufbürdete, als ‚sozialisierte'" [37]. Gesamtgesellschaft-

Im übrigen hielten nach der ‚Konzentrationsenquête' von 1964 im April 1962 1,2 % aller Patentinhaber in der BRD 45,5 % aller inländischen Patente, und in der Elektronikindustrie wurden die Rechte von 75 % aller Patente nicht ausgenutzt.

36  G. Speer, G. Wetzel, Forschung und Konzentrationsprozeß. In: Wiss. Z. Techn. Univers. Dresden 1967, 5, S. 1516. Nachweise zur Zusammensetzung der Entscheidungsgremien der FE-Politik vgl. Hirsch, Wissenschaftlich-technischer Fortschritt und politisches System, a.a.O., S. 225–230 und Rilling, Kriegsforschung und Vernichtungswissenschaft in der BRD, a.a.O., S. 53, 68–79 und 171 ff.

37  So SPD-MdB Ulrich Lohmar in: Handelsblatt v. 30. 9. 1970.

liche Bedürfnisse bleiben dabei auf der Strecke [38] oder werden (wie gegenwärtig im Falle der Umweltforschung) erst dann berücksichtigt, wenn ihre weitere Mißachtung eine direkte Bedrohung für die Durchsetzung privatwirtschaftlicher Profitinteressen heraufbeschwört. Die gegenwärtig unter der SPD/FDP-Regierung zu beobachtende teilweise Neuorientierung der westdeutschen Forschungspolitik dürfte sich im wesentlichen durch diesen Sachverhalt erklären lassen und bedeutet gerade im Zeichen der ‚technologischen Lücke' und der verstärkten neokolonialistisch inspirierten technisch-wissenschaftlichen ‚Kooperation' der BRD mit Ländern der Dritten Welt keine grundsätzliche Revision, sondern nur eine taktische Modifikation der westdeutschen Forschungspolitik [39].

Die Entfaltung der wissenschaftlich-technischen Revolution, wie sie vor allem in der Entwicklung der Wissenschaft zur

38  Die Zahl der Gewerkschaftsvertreter in den Entscheidungsgremien der FE-Politik tendiert gegen Null. Ebensowenig hat der vielgerühmte wissenschaftliche ‚Sachverstand' ein Sagen, wenn er nicht durch die ökonomische und politische Monopolmacht die nötige Durchschlagskraft erlangt. Helmut Krauch vermerkt zur Entstehung des staatlichen Schwerpunktprogramms Datenverarbeitung: „Seit über zehn Jahren haben einzelne Wissenschaftler eine Förderung der elektronischen Datenverarbeitung, der Informationswissenschaften überhaupt und der Kybernetik gefordert, deren enormen gesellschaftlichen und wissenschaftlichen Nutzen nachgewiesen und das allgemeine Interesse daran aufgezeigt. Diese Programme waren artikuliert und legitimiert, es fehlte ihnen aber die Unterstützung der entsprechenden Machtgruppen. Erst als vor über zwei Jahren die Großindustrie beim damaligen Forschungsminister Stoltenberg persönlich vorstellig wurde, konnte ein Schwerpunktprogramm ‚Elektronische Datenverarbeitung' in Gang gebracht werden." (Krauch, Prioritäten für die Forschungspolitik, i.a.O., S. 34 f.).

39  Vgl. zur Beurteilung der „sozial-liberalen" FE-Politik Rilling, Kriegsforschung und Vernichtungswissenschaft in der BRD, a.a.O., S. 214–238 und Hirsch, Wissenschaftlich-technischer Fortschritt und politisches System, a.a.O., S. 207–211 und 279–283 sowie Rilling, Kontinuität statt Erneuerung – Die Forschungspolitik unter der SPD/FDP-Regierung. In: Blätter für deutsche und internationale Politik, 1971, 3.

unmittelbaren Produktivkraft zum Ausdruck kommt, ist demnach keineswegs ein systemneutraler Prozeß. „Ihre Durchsetzung wird von den jeweiligen Produktionsverhältnissen und den ökonomischen Gesetzmäßigkeiten, von den Interessen der herrschenden Klassen bestimmt" [40].

Entsprechend ist auf der Grundlage der privaten Verfügung über die Produktionsbedingungen und des sich daraus ergebenden grundlegenden Interessenantagonismus zwischen Kapital und Arbeit [41] das Ziel der wissenschaftlichen Arbeit in der BRD von den Verwertungsbedürfnissen des Kapitals und den Anforderungen nach dessen politisch-militärischer und ideologischer Absicherung bestimmt. Dazu bedarf es der staatlich erweiterten privaten Monopolisierung der Wissenschaft, welche die Beschränkung der Einflußchancen der wissenschaftlich Arbeitenden auf die Gestaltung ihrer Arbeitsbedingungen und Zielsetzung ihrer Arbeit voraussetzt.

Während sich diese für hochentwickelte kapitalistische Systeme durchaus typischen Merkmale des FE-Systems [42] in der BRD relativ frühzeitig und ausgeprägt herausbildeten, verlief die Entwicklung in der DDR bis Anfang der sechziger Jahre durchaus uneinheitlich, was auf zwei Faktoren zurückzuführen ist:

1. Alle nichtsozialistischen Wirtschaftsformen mußten schrittweise zurückgedrängt, den ökonomischen Gesetzen des Sozialismus mußte Geltung verschafft werden.

2. Als Mitte der fünfziger Jahre die wissenschaftlich-technische Revolution einsetzte, besaß die DDR im Gegensatz zur BRD aufgrund der durch Krieg und kapitalistische Vergangenheit verursachten Disproportionen eine für die Entwicklung und

---

40  Politische Ökonomie des Sozialismus, a.a.O., S. 42.
41  Vgl. dazu den Beitrag von M. Tjaden-Steinhauer und K. H. Tjaden in diesem Band.
42  Vgl. Autorenkollektiv, Wissenschaft im Klassenkampf, a.a.O.,; H. L. Nieburg, In the Name of Science. Chicago: 1970; J. Klatte, Das staatsmonopolistische System der Programmierung und Regulierung von Forschung und Entwicklung in Großbritannien. In: Wirtschaftswissenschaft 1970, 8, S. 1213–1230.

Ausnutzung der Wissenschaft sehr ungünstige Industriestruktur und eine viel zu geringe Akkumulationskraft [43].

Beides verzögerte bis in die sechziger Jahre hinein den Aufbau eines sozialistischen Forschungssystems, und erst mit der Durchsetzung der sozialistischen Produktionsverhältnisse konnten auch auf dem Teilsystem Forschung und Entwicklung die ökonomischen Gesetze des Sozialismus uneingeschränkt wirksam werden: auf der Grundlage gesellschaftlicher Produktion und gesellschaftlichen Eigentums können die Menschen erstmals „bewußte, von ihrem Willen abhängige Produktionsverhältnisse" [44] eingehen. Dieser Vorgang stellt sich dar als ständiger Prozeß der Wiederherstellung der Übereinstimmung persönlicher und gesellschaftlicher Interessen, der sich ausdrückt in der sich ständig entwickelnden und qualifizierenden Verbindung zwischen zentraler staatlicher Planung und Leitung und eigenverantwortlicher Planungs- und Leitungstätigkeit der sozialistischen Warenproduzenten. Damit ist die Orientierung auf gesamtgesellschaftliche Bedürfnisse Ziel der wissenschaftlichen Arbeit und die kollektive Kontrolle der Produktionsbedingungen die notwendige Bedingung dafür, daß diese Zielsetzung verwirklicht wird. Wissenschaft und Technik wirken auf den Menschen nicht länger als „fremde Macht" (Marx), sondern werden zunehmend Bestandteil ihrer eigenen, bewußten Lebenspraxis.

43  Vgl. Politische Ökonomie des Sozialismus, a.a.O., S. 142 f. und W. Ulbricht, Die volle Wirksamkeit der ökonomischen Gesetze des Sozialismus gewährleisten. In: ders., Zum ökonomischen System des Sozialismus in der DDR, a.a.O., Bd. 1, S. 18.
44  Politische Ökonomie des Sozialismus, a.a.O., S. 190.

Dieter Kramer, Paul Schäfer, Helga Schuler, Michael Schuler

# Probleme des Bildungswesens in BRD und DDR: Das System der Berufsausbildung

Die folgenden Darstellungen zu den Ausbildungssystemen der BRD und der DDR beziehen sich auf die Berufsausbildung unterhalb der Fach- und Hochschulebene. Sie orientieren sich an der Frage, ob es auch im Zeitalter der staatsmonopolistischen Planungsansätze noch zutrifft, „daß kapitalistisch strukturierte Industriegesellschaften den für ihre eigene Existenz erforderlichen Bildungsstand der Massen ihrer Arbeitnehmer jeweils erst nach Entwicklung ihrer Produktivkräfte" herstellen und ob es im Gegensatz hierzu der sozialistischen gesamtgesellschaftlichen Planung in der DDR gelingt, „die Bildungsplanung für eine künftige Industriegesellschaft der tatsächlichen industriellen Entwicklung" vorangehen zu lassen [1]. Zu dieser Fragestellung sollen im folgenden einige Grundsachverhalte und Grundüberlegungen beigebracht werden.

*Zum Entwicklungsstand und zur Entwicklungsrichtung der Berufsausbildung in der BRD*

Das gegenwärtige Berufsbildungssystem in der BRD ist gekennzeichnet durch die Verbindung von praktischer Ausbildung, die in privaten Betrieben aller Größenklassen vorwiegend als „Beilehre" stattfindet, und begleitendem Berufsschulunterricht, der meist weniger als $1/5$ der Ausbildungszeit umfaßt. Die praktische Ausbildung in diesem „dualen" System wird meist von ungenügend qualifizierten Kräften mit unzulänglichen Methoden vorgenommen. Theorie und Praxis sind kaum vermittelt, die theoretische Fundierung ist völlig ungenü-

---

1    W. Abendroth, Wirtschaft, Gesellschaft und Demokratie in der Bundesrepublik. Frankfurt/M.: 1965, S. 26.

gend [2]. Aufgrund extremer Abhängigkeitsverhältnisse von ihren Lehrherren wird ein großer Teil der Lehrlinge vor allem im Handwerk und in Klein- und Mittelbetrieben zu ausbildungsfremden Tätigkeiten gezwungen.

Noch 1967 wurden annähernd $2/3$ der Lehrlinge im Handwerk auf vorindustrielle Produktionsweisen vorbereitet. Das Handwerk, der Einzelhandel sowie die kleinen und mittleren Betriebe versuchen, den Konkurrenzdruck der großen Konzerne dadurch aufzufangen, daß sie Arbeitsplätze mit Lehrlingen besetzen. Nach der Gesellenprüfung wechseln bis zu $2/3$ der im Handwerk Ausgebildeten den Arbeitsplatz und gehen in die Großindustrie, die sie zum Teil nur als Hilfskräfte übernimmt. Da ein solcher Berufswechsel meist mit totaler Qualifikationsentwertung verbunden ist, ist für die betroffenen Arbeiter und für die Gesamtgesellschaft eine solche Ausbildung vergeudete Zeit [3]. Sinnvoll ist sie allein für das kapitalistische System: Indem den kleinen warenproduzierenden und Dienstleistungsbetrieben in Form der unbezahlten Lohnarbeit der Lehrlinge eine – ihre Existenz verlängernde – Mehrwertquelle konserviert wird, bleiben dem Großkapital diese Mittelschichten auf Kosten der Arbeiterklasse als soziale und politische Stütze des Systems erhalten. Ferner wird die Arbei-

2  Deutscher Bildungsrat, Empfehlungen der Bildungskommission. Zur Verbesserung der Lehrlingsausbildung. Verabschiedet auf der 19. Sitzung der Bildungskommission am 30./31. Januar 1969. Bonn: o. J., S. 13 ff.

3  W. Petschick, Berufsausbildung und technische Revolution in Westdeutschland. In: DWI-Forschungshefte 3, 1968, Heft 4. Lehrzeit ist Leerzeit. In: Der Spiegel 24, 1970, Nr. 18, S. 54–78. Vgl. dazu auch E. Altvater, F. Huisken, Produktive und unproduktive Arbeit als Kampfbegriffe. In: Sozialistische Politik 2, 1970, Nr. 8, die u. a. schreiben: „Nirgendwo wird das massive Interesse des Kapitals, faux frais einzusparen, deutlicher, als gerade in den Versuchen, die Lehrlinge bereits während ihrer Ausbildungszeit produktiv arbeiten und auch den seiner Bestimmung nach unproduktiven ‚Ausbilder‘ als overlooker über einfache Durchschnittsarbeit produktiv fungieren zu lassen . . . Die Ausbeutung der Lehrlinge zeichnet sich . . . durch eine hohe Ausbeutungsrate (aus), da die Arbeitskraft des Lehrlings, wenn er zu produktiver Arbeit verwendet wird, weit unter ihrem Wert gekauft wird." (S. 86)

terjugend durch die im Handwerk vorherrschenden patriarchalisch-ständischen Ideologien und Verhaltensweisen von dem Einfluß der Organisationen der Arbeiterschaft abgeschirmt und fest an das staatsmonopolistische System gebunden.

Da die Unternehmer und ihre Verbände die Berufsausbildung unmittelbar kontrollieren, konnte sie bis heute nicht grundlegend reformiert werden [4].

Bei den Reformen, die infolge des verschärften Konkurrenzkampfes der imperialistischen Staaten unter den Bedingungen der wissenschaftlich-technischen Revolution und der Systemauseinandersetzung mit dem Sozialismus nunmehr notwendig geworden sind, muß die profitorientierte Wirtschaft Bildungsausgaben primär als profitmindernde Unkosten bewerten, die so gering, wie die aus dem Konkurrenzkampf resultierende Notwendigkeit zur „erweiterten Reproduktion der Arbeitskraft" und die organisierte Arbeiterbewegung es gestatten, zu veranschlagen sind. Sofern eine Ausweitung der Bildungsausgaben unvermeidlich geworden ist, versucht das Kapital die Kosten zu ‚sozialisieren', indem es die wachsenden Reproduktionskosten der Ware Arbeitskraft auf den Öffentlichen Haus-

---

4    Die Ordnungsmittel der industriellen und kaufmännischen Ausbildungsberufe (Berufsbilder, Ausbildungspläne usw.) werden von der Arbeitsstelle für betriebliche Berufsausbildung (ABB) ausgearbeitet, die vom Deutschen Industrie- und Handelstag, vom Bundesverband der Deutschen Industrie und von der Bundesvereinigung der Deutschen Arbeitgeberverbände getragen wird. Für das Handwerk ist das Institut für Berufserziehung im Handwerk an der Universität Köln und das Heinz-Piest-Institut für Handwerktechnik an der TH Hannover zuständig. Die Mitarbeit des Staates beschränkt sich dabei auf die Genehmigung dieser Ordnungsmittel. Siehe dazu: Bericht über den Stand von Maßnahmen auf dem Gebiet der Bildungsplanung. Deutscher Bundestag, 5. Wahlperiode, Drucksache V/2166. Bonn: 1967, S. 111. Die verfassungsrechtliche Frage, ob die weitgehenden Rechtsetzungskompetenzen der Organisationen der Privatwirtschaft für die Berufsausbildung überhaupt mit dem Grundgesetz vereinbar sind, wird von Matthias Wentzel verneint: M. Wentzel, Autonomes Berufsausbildungsrecht und Grundgesetz. Zur Rechtsetzung der Industrie- und Handelskammern und Handwerksorganisationen in der Berufsausbildung. Stuttgart: 1969.

halt abwälzt [5]. Dabei sollen die steigenden Investitionskosten nicht durch Änderung der Ausgabenprioritäten, beispielsweise durch Reduzierung des Rüstungshaushaltes, sondern durch verstärkten Konsumverzicht der lohnabhängigen Massen – etwa in Form von Steuererhöhungen – aufgebracht werden [6].

Die jetzt stattfindenden Reformen liegen im wesentlichen im Schnittpunkt der Einzelinteressen an Profitmaximierung und des Gesamtinteresses des Monopolkapitals an langfristiger Herrschaftssicherung. Die Reformen zielen bisher darauf ab, die negativen Folgen der strikten Trennung von öffentlichem und privatwirtschaftlichem Ausbildungssektor abzuschwächen, ohne dieses ,duale' System grundlegend zu verändern. Ziel ist dabei – neben der Erhöhung der theoretischen Bildung – stärkere Praxisbezogenheit des Schul- und Berufsschulunterrichts. Das erste Jahr der Berufsausbildung soll als Berufsgrundbildungsjahr gestaltet und aus der unmittelbaren Bindung an spezielle Tätigkeiten gelöst werden [7]. Die vorgesehene Einrichtung von überbetrieblichen Teilzeit-Lehrwerkstätten [8] er-

5   A. Gorz, Studium und Facharbeit heute. In: S. Leibfried (Hrsg.), Wider die Untertanenfabrik. Köln: 1967, S. 44. Vgl. dazu auch die Kritik Altvaters an: W. D. Winterhager, Kosten und Finanzierung der beruflichen Bildung. Stuttgart: 1969. In: Altvater, Huisken, Produktive und unproduktive Arbeit als Kampfbegriffe, a.a.O., S. 86 f.

6   Vgl. „Leussink fordert Konsumverzicht". In: Frankfurter Rundschau vom 15. Okt. 1970.

7   Bildungsbericht '70. Bericht der Bundesregierung zur Bildungspolitik. Der Bundesminister für Bildung und Wissenschaft. Bonn: 1970, S. 66.

8   Deutscher Bildungsrat, Zur Verbesserung der Lehrlingsausbildung, a.a.O., S. 28. Berufsbildungsgesetz. Vom 14. August 1969. § 22, 2. Erst 30 solcher zentralen Lehrwerkstätten sind errichtet worden, in denen mehrere Firmen ihre Lehrlinge gemeinsam ausbilden lassen. Diese haben zudem wirtschaftliche Schwierigkeiten, denn: „Die Mitgliedsfirmen haben verständlicherweise auf die Dauer wenig Interesse daran, Ausbildungsbeihilfen und Umlagen für Lehrlinge zu bezahlen, die ihnen im Betrieb nicht zur Verfügung stehen und von denen ein großer Teil seinen Lehrbetrieb nach bestandener Abschlußprüfung verläßt." Winterhager, Kosten und Finanzierung der beruflichen Bildung, a.a.O., zit. n. Lehrzeit ist Leerzeit, a.a.O., S. 76.

möglicht zwar eine relativ verbesserte praktische Ausbildung, erlaubt jedoch gleichzeitig, Lehrlinge auch weiterhin in eigentlich ungeeigneten Klein- und Mittelbetrieben auszubilden bzw. auszubeuten.

Dennoch kollidiert der Vorschlag, überbetriebliche Ausbildungszentren aus einem Gemeinschaftsfond zu unterhalten, mit bestimmten Interessen des Einzelkapitals, insbesondere mit dem Interesse an betriebsspezifischer Ausbildung und mit dem Interesse der Beschränkung des Ausbildungseffekts auf das eigene Unternehmen. Die Chancen der Realisierung dieser Reformvorschläge stehen deshalb dahin.

*Zum Entwicklungsstand und zur Entwicklungsrichtung der Berufsausbildung in der DDR*

In der DDR wurde die Aufhebung des „Widerspruchs zwischen progressiver Technik und Technologie und der relativen Stagnation des Bildungsinhaltes in der Berufsbildung" schon seit Ende der 50er Jahre in Angriff genommen. Dabei war im Berufsbildungssystem der DDR schon damals vieles verwirklicht, was in der BRD noch heute nur progressive Forderung ist: 12 Stunden Berufsschulunterricht (seit 1950), Lehrmeisterinstitute für die Ausbildung der berufspraktischen Ausbilder (seit 1954), die Zusammenfassung von Betriebsberufsschulen, Lehrwerkstätten und Lehrlingsheimen zu einheitlich organisierten Ausbildungsstätten (seit 1956), ein System von technischen Berufsschulen für die berufliche Weiterbildung [9].

Weitere wesentliche Veränderungen setzten Ende der sechziger Jahre ein: Zwischen 1966/67 und 1971/72 werden die Lehrpläne der zehnklassigen allgemeinbildenden polytechnischen Oberschulen so überarbeitet, daß sie höhere Vorleistungen für die Berufsbildung erbringen [10]. Das Deutsche Institut für Be-

9   K.-H. Günther / G. Uhlig, Geschichte der Schule in der Deutschen Demokratischen Republik 1945 bis 1968. Berlin: 1969, S. 73, 85, 99, 122, 168.
10  Ebd., S. 157.

rufsbildung überarbeitet unter Verantwortung des 1966 gegründeten Staatlichen Amtes für Berufsausbildung die Systematik der Ausbildungsberufe und erstellt neue Berufsbilder und Lehrpläne [11]. In der neuen Systematik wurden die Ausbildungsberufe von 900 auf 455 verringert [12], von denen 8 auf 25 % und 22 auf 46 % aller Lehrlinge entfallen [13].

In der Berufsschulausbildung wurden neue Grundlagenfächer für alle Ausbildungsberufe eingeführt, die als besonders wichtig für die „Verwirklichung der wissenschaftlich-technischen Revolution" erachtet werden: Grundlagen der Datenverarbeitung, der Elektronik, der Betriebsmeß-, Steuerungs- und Regelungs-Technik (BMSR). Kleine Betriebe schließen sich zu Ausbildungsgemeinschaften zusammen [14]; die Betriebsberufsschulen (die der Betriebsleitung und – in ihrer pädagogischen Arbeit – dem Ministerium für Volksbildung unterstehen [15]) in größeren Betrieben stellen vielfach für einen bestimmten Einzugsbereich ein „Bildungszentrum innerhalb des Systems der Aus- und Weiterbildung" dar und haben damit eine über den betrieblichen Rahmen hinausgehende Funktion [16].

Bei der berufspraktischen Ausbildung wird der „Ausbildung

11  Grundsätze für die Weiterentwicklung der Berufsausbildung als Bestandteil des einheitlichen sozialistischen Bildungssystems. In: R. Maerker, Jugend im anderen Teil Deutschlands. Schrittmacher oder Mitmacher? München: 1969, S. 130–144, S. 136. Das Deutsche Institut für Berufsbildung untersteht dem 1966 gegründeten Staatlichen Amt für Berufsausbildung, einem Organ des Ministerrates. Vgl. dazu: Sozialistisches Bildungsrecht. Bestimmungen und Dokumente für den Bereich des Ministeriums für Volksbildung. Hrsg. v. Ministerium für Volksbildung. Berlin: 1968, Anm. zu § 8 des Gesetzes über das einheitliche sozialistische Bildungssystem vom 25. 2. 1965, S. 252–331, S. 265.
12  Günther, Uhlig, Geschichte der Schule in der DDR, a.a.O., S. 122.
13  H. Vogt, Bildung und Erziehung in der DDR, Stuttgart: 1969, S. 221.
14  Grundsätze für die Weiterentwicklung der Berufsausbildung, a.a.O., S. 133, 138 f.
15  Vogt, Bildung und Erziehung in der DDR, a.a.O., S. 210.
16  Prognose – Leitung – Berufsausbildung. Ergebnisse, Erfahrungen und Probleme bei der Verwirklichung der Grundsätze für die Berufsausbildung. Berlin: 1969, S. 82.

der Lehrlinge in der Produktion" eine entscheidende Bedeutung beigemessen. Die Erfordernisse des Bildungsvorlaufs werden dadurch berücksichtigt, daß die Lehrlinge an den modernsten Produktionsanlagen bzw. Simulatoren solcher Anlagen ausgebildet werden, was bei „strukturbestimmenden Vorhaben" bereits in Zusammenarbeit von technologischer und pädagogischer Forschung „in die Objektplanung" einbezogen wird [17].

Berufstheoretische und berufspraktische Ausbildung sind eng verzahnt. Bei den seit 1968 eingeführten Grundberufen beträgt das Verhältnis Theorie-Praxis 1 : 1,4 und darunter; es soll weiter zugunsten der Theorie bis zu 1 : 1 verändert werden [18].

Auch die Weiterbildungsmaßnahmen sind integrierter Teil des Bildungssystems. Dies betrifft nicht nur die Vorbereitung der Lehrkräfte auf die Anforderungen etwa in den neuen Grundlagenfächern [19], sondern bedeutet auch, daß die Lehrlinge schon während der Berufsausbildung für die Weiterbildung an Hoch- und Fachschulen geworben und vorbereitet werden [20].

Daß von allen Weiterbildungsmöglichkeiten umfangreicher Gebrauch gemacht wird, liegt nicht zuletzt daran, daß Weiterbildung sowohl ideell – als „Wesensmerkmal der sozialistischen Persönlichkeit" – wie auch materiell – indem Freistellungen oder bezahlter Urlaub gewährt werden – gefördert wird [21]. Wenn auch die neueingeführten Lehr- und Ausbildungs-

17  Zur Weiterentwicklung der Berufsausbildung als Bestandteil des einheitlichen sozialistischen Bildungssystems im entwickelten gesellschaftlichen System des Sozialismus. Schriftenreihe des Staatsrates der Deutschen Demokratischen Republik, Heft 15, 3. Wahlperiode, o. O.: 1970, S. 36 f., S. 103. Vgl. dazu auch: Prognose – Leitung – Berufsausbildung, a.a.O., S. 27 ff. Großbetriebe mit gutausgestatteten Lehrwerkstätten bilden auch in der BRD an Simulatoren moderner Anlagen aus, aus Konkurrenzgründen jedoch nur für den betriebseigenen Bedarf.
18  Berufsausbildung für das Jahr 2000, Staatssekretariat für westdeutsche Fragen. Berlin: Mai 1970, S. 71 ff.
19  Zur Weiterentwicklung der Berufsausbildung, a.a.O., S. 34.
20  Maerker, Jugend im anderen Teil Deutschlands, a.a.O., S. 57 f., Grundsätze für die Weiterentwicklung der Berufsausbildung, a.a.O., S. 132; Günther, Uhlig, Geschichte der Schule in der DDR, a.a.O., S. 173.

pläne wohl kaum schon in allen Schulen und Betrieben im selben Ausmaß verwirklicht sind, so unternimmt die DDR doch große Anstrengungen, ihre Durchsetzung zu sichern, wie etwa die „Massenkontrolle über die Verwirklichung der Grundsätze der Berufsausbildung" Anfang 1970 zeigt [22].

## Stufenausbildung und Grundberufe

Die Differenz der Systeme kann an der Frage der Stufenausbildung verdeutlicht werden. Die in der BRD zuerst in Großbetrieben praktizierten und dann in die Reformpläne aufgenommenen Modelle einer „Stufenausbildung" [23], die nach jeder einjährigen Stufe einen „berufs"-qualifizierenden Abschluß ermöglicht, sind eindeutig von den Interessen des Großkapitals geprägt. In dieser Stufenausbildung erreichen die Lehrlinge zunächst bei geringen Ausbildungskosten eine niedrige Qualifikation und werden nur zum Teil und nach einer strengen Auslese zu einer höheren Qualifikation zugelassen. Bei dem vierstufigen Kruppschen Modell etwa endet die Ausbildung für 25 % der Lehrlinge bereits nach der ersten und für 45 % nach der zweiten Stufe; 20 % sollen die dritte Stufe und nur 10 % die letzte Stufe erreichen [24]. Für die jeweilige Ausbildungsstufe wird von vornherein der aktuelle Konzernbedarf an Nachwuchskräften festgelegt. Auf diese Weise wird eine Elite spezialisierter hochqualifizierter Fachkräfte gezüchtet, der die Masse von kaum mobilen, einseitig ausgebildeten Handlangern auf der unteren Ebene gegenübersteht.

Die in der DDR seit 1968 eingeführten Grundberufe haben ebenfalls eine gestufte Ausbildung. Aber hier erwerben die

21  Maerker, Jugend im anderen Teil Deutschlands, a.a.O., S. 57–59. Großbetriebe müssen bei der Werbung von Qualifizierungswilligen Mindestzahlen erreichen.
22  Zur Weiterentwicklung der Berufsausbildung, a.a.O., S. 27.
23  Berufsbildungsgesetz. Vom 14. August 1969. § 26.
24  Berufsausbildung und beruflicher Bildungsweg. Schriftenreihe der IG Metall Nr. 51. Frankfurt: o. J., S. 154.

Lehrlinge zunächst ein breit angelegtes Grundwissen und entscheiden sich dann erst für eine oder mehrere berufsqualifizierende Spezialisierungen. Der Grundwissensbestand ist so angelegt, daß er die Facharbeiter befähigen soll, sich möglichst schnell an sich verändernde Produktionsbedingungen anzupassen und die für neue Verfahren notwendigen Spezialkenntnisse anzueignen. Dies wird dadurch erleichtert, daß die Grundberufe technologisch gleiche Produktions- und Arbeitsprozesse zum Inhalt haben, die in mehreren oder allen Zweigen der Volkswirtschaft vorkommen (Querschnittsberufe); sie gehen also nicht mehr von gleichen Werkstoffen oder Erzeugnissen aus. 1970 sind bereits 21 Grundberufe eingeführt worden, in denen 35 % der Lehrlinge ausgebildet werden [25]. Diese Grundberufe sollen dazu führen, daß anstelle des Teilarbeiters der neue gesellschaftliche Universalarbeiter tritt, der, ausgehend von fundierten Kenntnissen in seinem Beruf, von einer Spezialisierung zur anderen wechseln kann. Dies ist eine Etappe auf dem Weg zum „‚berufslosen' Menschen, der imstande ist, das gesamte System der Produktion zu überschauen und von einem zum anderen Produktionszweig überzugehen" [26].

*Gesellschaftspolitische Zielsetzungen der Berufsausbildung in BRD und DDR*

Wenn in der DDR als Hauptziel der Berufsausbildung angegeben wird, sie solle „vor allem der allseitigen sozialistischen Persönlichkeitsbildung und damit der umfassenden Befähigung

25  Günther, Uhlig, Geschichte der Schule in der DDR, a.a.O., S. 189. Grundsätze für die Weiterentwicklung der Berufsausbildung, a.a.O., S. 130 ff., Zur Weiterentwicklung der Berufsausbildung, a.a.O., S. 29. Zu den ersten Grundberufen, die eingeführt wurden, gehören: „Metallurge für Stahlerzeugung", „Metallurge für Stahlformung", „Baufacharbeiter", „Facharbeiter für Datenverarbeitung".
26  S. Jenkner, Arbeitsteilung, allseitige Entwicklung des Menschen und polytechnische Bildung. Diss. Göttingen 1966, Braunschweig: 1966, S. 48.

der Jugend zur Wahrnehmung der Doppelfunktion als sozialistischer Eigentümer und Produzent" dienen [27], so wird damit die gesellschaftspolitische Funktion der Berufsausbildung in den Vordergrund gerückt. Im Rahmen des Versuchs, eine qualitativ neue Lebensweise der Menschen zu erreichen, bei der die Widersprüche zwischen den persönlichen und den gesellschaftlichen Interessen rational vermittelt werden können, wird auch die Aufhebung des traditionellen Verhältnisses von Arbeitszeit und Freizeit angestrebt, bei dem sich der Arbeiter „erst außer der Arbeit bei sich und in der Arbeit außer sich" fühlt [28]. Die Aufgabe des sozialistischen Bildungs- und Ausbildungssystems bei der Veränderung dieses Verhältnisses ist es, neben der Erziehung zu ‚sozialistischen Produzenten' zu gewährleisten, daß die Selbsttätigkeit auch im Freizeitraum durch „Arbeitsgemeinschaften, Kurse, Zirkel und Interessengemeinschaften" zur „systematischen außerschulischen naturwissenschaftlichen, technischen ... künstlerischen" und sportlichen Betätigung stimuliert wird [29].

Dadurch, daß die Wirtschaft privater Verfügungsgewalt entzogen ist, ist die entscheidende Voraussetzung dafür geschaffen, alle Institutionen der primären und sekundären Sozialisation – Eltern, Schule, Jugendverbände, Betrieb – in die diesem Bildungsziel verpflichtete Bildungsplanung demokratisch zu integrieren. Das Moment der „zentralistischen" Integration mit dem der „demokratischen Selbsttätigkeit" real zu vermitteln, stellt dabei das eigentliche praktische Problem der Bildungspolitik dar.

Der Versuch, den Gegensatz zwischen Freizeit und Arbeitszeit aufzuheben, korrespondiert mit dem Bemühen, das durch die Klassenverhältnisse bedingte und in der deutschen Geschichte besonders ausgeprägte Auseinanderfallen von Bildung und

27  Zur Weiterentwicklung der Berufsausbildung, a.a.O., S. 29.
28  K. Marx, Zur Kritik der Nationalökonomie. In: ders., Kleine ökonomische Schriften. Berlin: 1955, S. 101.
29  Anweisungen für die außerschulische Bildung und Erziehung der Schüler. Vom 30. 7. 1963. In: Sozialistisches Bildungsrecht, a.a.O., S. 501–512, S. 503.

Ausbildung zu überwinden. Auf allen Stufen des Bildungswesens werden allgemeine und besondere Bildungsziele gleichzeitig angestrebt. Von der Ausbildung in den zusammen mit den Grundberufen neu eingeführten Grundlagenfächern etwa wird erwartet, daß sie die „Fähigkeit zum Denken in Systemen und Strukturen" entwickeln und „zur selbständigen und verantwortlichen Arbeitsweise" erziehen [30]. Wenn die Lehrlinge, wie in dem Grundlagenfach Betriebsökonomik, mit den „Grundlagen der sozialistischen Betriebswirtschaftslehre, der wirtschaftlichen Rechnungsführung, der Operationsforschung" usw. vertraut gemacht werden [31], so werden damit Voraussetzungen dafür geschaffen, daß die Lehrlinge die Gesetzmäßigkeiten des Funktionierens ihrer Betriebe durchschauen und ihre Rolle als sozialistische Eigentümer ausfüllen können. Denn solche Kenntnisse sind unumgänglich für die potentielle Übernahme von Leitungsfunktionen und die Durchlässigkeit der Betriebshierarchie.

Gesellschaftspolitische Aufgabenstellungen für die Berufsausbildung, die auf die Befähigung zur Mitbestimmung zielen, werden auch in der BRD, insbesondere in der Reformdiskussion, angesprochen. Die eingeleiteten Reformen zielen jedoch darauf ab, durch verstärkte Bildungsinvestitionen positive Wachstumseffekte für die Privatwirtschaft zu erreichen und damit das kapitalistische Herrschaftssystem zu stabilisieren und zu effektivieren. Dabei werden in der Praxis nur solche Fähigkeiten der menschlichen Persönlichkeit entwickelt, die diese Zielsetzung fördern, während das emanzipatorische Effizienz-

---

30  Zit. n. Vogt, Bildung und Erziehung in der DDR, a.a.O., S. 237. Siehe auch: 1., 2. und 3. Durchführungsbestimmung zum Jugendgesetz der DDR. Vom 26. 3. 1965, 17. 5. 1965, 16. 9. 1965. In: Sozialistisches Bildungsrecht, a.a.O., S. 92–110. Damit sich die Auszubildenden in selbständigem und eigenverantwortlichem Handeln üben, werden ihnen ganze Produktionsabschnitte, insbesondere solche, die gleichzeitig ein Forschungsvorhaben zum Inhalt haben, als „Jugendobjekte" übertragen, werden „Berufswettbewerbe" und die „Messen der Meister von morgen" veranstaltet.
31  Grundsätze für die Weiterentwicklung der Berufsausbildung, a.a.O., S. 133.

kriterium, das die Überwindung der systembedingten Unterprivilegierung der Arbeiterklasse mißt, außer Betracht
bleibt [32].

Dem entspricht, daß im kapitalistischen Betrieb der Facharbeiter „modern", „dynamisch", „anpassungsfähig", „mobil"
und „leistungsfähig" sein soll, jedoch „kritische Haltung und
demokratisches Engagement nicht gefördert" werden [33]. Demokratische Entscheidungsstrukturen und kapitalistischer Betrieb
schließen einander aus. Disziplinierung und Vermittlung autoritären, bestenfalls formaldemokratischen Denkens ist sowohl
für die Berufsschule als auch für die betriebliche Ausbildung
kennzeichnend, denn die Unternehmer haben sich einen prägen-
den Einfluß auf die gesellschaftspolitischen Vorstellungen, die
durch die Berufsschule vermittelt werden, zu sichern ge-
wußt [34].

Es ist kein Zufall, daß die Lehrlinge „bei der Vermittlung
der Lehrinhalte ... meist nur mit den ausführenden Tätigkeiten vertraut gemacht" werden, denn damit wird „die personelle Trennung von planender und ausführender Tätigkeit
bereits in der Lehre institutionalisiert" [35]. Die Forderung, bei
der Berufsausbildung auch Einsicht in wirtschaftliche und ge-

32  Vgl. C. Offe, Bildungsökonomie und Motive der Bildungspolitik.
    In: Neue Kritik 7, 1966, Nr. 35, S. 32–38.
33  H. Lemke, Zur Verabschiedung des Berufsbildungsgesetzes. In:
    Blätter für deutsche und internationale Politik 15, 1970, S. 1303
    bis 1312, S. 1308. Vgl. W. Lempert, Zur Kritik des Berufsbildungs-
    gesetzes. Erziehungswissenschaft und Verbandsinteressen als ge-
    staltende Faktoren des westdeutschen Lehrlingswesens. Wunsch-
    bild und Realität, Neue Sammlung 1970, S. 316–329. Ferner:
    A. Kell, Der Einfluß wirtschaftlicher Interessenverbände auf die
    Ordnung der Ausbildungsberufe. In: Die Deutsche Berufs- und
    Fachschule 1969, S. 452–466.
34  F. von Auer, Ein Rad im Getriebe. Zur Ideologie der Berufs-
    ausbildung. In: Allgemeine Deutsche Lehrer-Zeitung 22, 1970,
    Nr. 10, S. 14. Siehe dazu: F. Nyssen, Gewerkschaft und Schule. In:
    Die Deutsche Berufs- und Fachschule, 1965, Nr. 6. Ders., Arbeit-
    geberverbände (BDA) im Felde der Schule. In: Blätter für deut-
    sche und internationale Politik 12, 1967, S. 1047–1058.
35  Deutscher Bildungsrat, Zur Verbesserung der Lehrlingsausbildung,
    a.a.O., S. 17.

sellschaftliche Prozesse sowie soziale Strukturen zu vermitteln [36], die über eine bloße Indoktrination der Vorstellungswelt der Unternehmer hinausgeht, muß verbal bleiben, solange die privaten Betriebe direkt und indirekt die Ausbildung bestimmen.

## Gesellschaftliche Integration der Berufsausbildung

Das Berufsausbildungswesen in der DDR ist untrennbarer Teil des einheitlichen sozialistischen Bildungssystems und mit den übrigen Bildungseinrichtungen auch institutionell vielseitig verschränkt. „Das sozalistische Bildungssystem ist so aufgebaut, daß jedem Bürger der Übergang zur jeweils nächsthöheren Stufe bis zu den höchsten Bildungsstätten, den Universitäten und Hochschulen, möglich ist" [37]. Die Eingangsvoraussetzungen für die höheren Qualifikationsstufen bzw. Bildungswege werden entweder mit der Abschlußqualifikation der darunter liegenden Qualifikationsstufe erworben oder können unmittelbar aufbauend auf dieser Stufe erworben werden. Auf diese Weise werden Sackgassen und perspektivelose Berufswege vermieden.

Weiterbildung wird vor allem als Mittel zur Erweiterung der Qualifikation auf dem durch den erlernten Beruf charakterisierten Tätigkeitsgebiet verstanden. Die Rekrutierung des Nachwuchses für Spitzenfunktionen in Betrieben und Institutionen findet daher nicht auf einem Bildungsweg abseits der Rekrutierung der Facharbeiter statt (wodurch der soziale Unterschied der Qualifikationsstufen stark betont würde), sondern die Träger solcher Positionen differenzieren sich durch Leistung und Fähigkeiten allmählich aus dem allgemeinen Bildungsprozeß heraus. Allgemeinverpflichtender polytechnischer Unterricht und enge Verbindung von Theorie und Praxis in der Berufsausbildung bedeuten eine tendenzielle Aufhebung des

36  Ebd., S. 21.
37  Gesetz über das einheitliche sozialistische Bildungssystem vom 25. Februar 1965, § 2, 4.

Auseinanderfallens von Theorie und Praxis, der Arbeitsteilung zwischen Hand- und Kopfarbeitern. „Die Produktionsstätten werden mehr und mehr zugleich Lehrstätten" [38]. Damit wird auch der fomale Unterschied zwischen Arbeiten und Lernen aufgehoben. „Lebenslanges Lernen" wird tendenziell selbstverständlicher Teil der praktischen Tätigkeit. Die Erwachsenenqualifizierung wird davon befreit, bloßes Mittel des sozialen Aufstieges und der Berufsveränderung zu sein. Bildungsplanung beinhaltet die Aufgabe, das Bildungswesen mit den Planzielen der sozialistischen Ökonomie zu koordinieren. Das in jeder industrialisierten Gesellschaft bestehende und bei Arbeitskräftemangel manifest werdende Problem, den Nachwuchs so zu lenken, daß die einzelnen Bereiche der Volkswirtschaft ausreichend mit Arbeitskräften versorgt werden, wird in der DDR als Teil der Planung des Bildungssystems verstanden: Berufsberatung dient gleichzeitig der Berufslenkung [39]. Die Verfassung von 1968 garantiert daher freie Berufswahl als Recht auf freie Wahl des Arbeitsplatzes „entsprechend den gesellschaftlichen Erfordernissen und der persönlichen Qualifikation" [40]. Das in der Verfassung von 1949 (Art. 35,1) noch enthaltene liberale Grundrecht auf freie Berufswahl, das unter den gegebenen Bedingungen nur begrenzt materialisierbar ist, wird ersetzt durch das weitergehende materiale Grundrecht auf Bildung (Art. 25,1 Verfassung DDR 1968), das einen Rechtsanspruch des Bürgers an die Gesellschaft beinhaltet. Gleichzeitig gibt die Verfassung von 1968 allen Jugendlichen „das Recht und die Pflicht, einen Beruf zu erlernen" (Art. 25,4).

38  Prognose – Leitung – Berufsausbildung, a.a.O., S. 21.
39  Gesetz über das einheitliche sozialistische Bildungssystem, a.a.O., § 77, 3.
40  Verfassung der DDR vom 8. April 1968. Art. 24, 1; vgl. auch Art. 19, 3; vgl. zur Garantie der freien Berufswahl: E. Poppe, Mensch und Bildung in der DDR. Erforschung und Darstellung des Rechts auf Bildung als sozialistisches Menschenrecht zur Förderung und Entwicklung allseitig gebildeter Menschen. Berlin: 1965. Ferner: W. Kuhrt, Zu aktuellen Fragen der Berufswahl und Berufsberatung in beiden deutschen Staaten. In: Berufsausbildung heute und morgen. Berlin: 1970, S. 168–187.

Konflikte im einheitlichen sozialistischen Bildungssystem und Konflikte zwischen Bildungssystem und Gesellschaft sind in der DDR keine Konflikte antagonistischer Interessen, sondern resultieren primär aus der Diskrepanz zwischen Zielvorstellungen und objektiv begrenzten Möglichkeiten. Das gilt auch für vorhandene unterschiedliche Interessen einzelner Wirtschaftszweige, von Groß- und Kleinbetrieben, für Konflikte zwischen bestimmten Formen der produktiven Tätigkeit von Lehrlingen und Ausbildungsinteressen.

In der BRD ist das Recht auf freie Berufswahl durch Art. 12,1 GG garantiert. Die Realisierung dieses liberalen Grundrechtes ist genau wie die des Rechtes auf Bildung, das aus dem Recht auf freie Entfaltung der Persönlichkeit und dem Gleichheitsgrundsatz ableitbar ist, abhängig von den konkreten Bedingungen des Bildungs- und Gesellschaftssystems. Die Chance der freien Berufswahl findet ihre konkrete Grenze im Angebot an freien Lehrstellen. Die Gleichheit der Bildungschancen ist auch nicht annähernd garantiert, wenn in der Berufsbildung negative Faktoren wie geographische Lage, Elternhaus, mangelnde Schulbildung und unzureichende Ausbildungsstätten kumulieren [41] und nicht durch geeignete kompensatorische Maßnahmen aufgefangen werden. Die Kluft zwischen Berufsausbildung und allgemeinem Bildungswesen ist in der BRD ebenso wenig verändert worden wie das „Prinzip der vertikalen Gliederung des Sekundarbereichs ...: die endgültige Entscheidung über den weiteren Bildungsgang und damit für die zukünftigen Bildungs- und Berufsmöglichkeiten fällt – im Gegensatz zu fast allen vergleichbaren Staaten der Welt – für die große Mehrheit aller Schüler immer noch nach dem 4. Schuljahr" [42]. Es steht zu erwarten, daß dieser Sachverhalt durch die zögernden Reformmaßnahmen, wie etwa die Einführung von Förderstufen und Gesamtschulen, und der neuerdings mögliche Erwerb der (fachgebundenen) Hochschulreife mit dem Abschluß der

41  Deutscher Bildungsrat, Zur Verbesserung der Lehrlingsausbildung, a.a.O., S. 15.
42  Bildungsbericht '70, a.a.O., S. 48.

399

Höheren Fachschulen, nur unzureichend verbessert wird [43]. Denn die staatsmonopolistischen Interessen bleiben reformlimitierende Richtschnur, wie sich bei den durchgeführten Partialreformen der Berufsbildung, z. B. konkret bei der institutionellen Verknüpfung der Ausbildung mit den Unternehmerorganisationen, zeigt. Trotz der paritätisch von Unternehmern und Lohnabhängigen besetzten Berufsbildungsausschüsse (denen Berufsschullehrer nur beratend und Lehrlinge überhaupt nicht angehören) überträgt das Berufsbildungsgesetz nach wie vor den Kammern als Selbstverwaltungsorganen der Wirtschaft beträchtliche Teile der Verantwortung für die Berufsausbildung [44].

Das „organisierte Chaos" des Berufsschulwesens [45], das die Mehrzahl der Auszubildenden als ausbildungsbegleitende Teilzeitschule besucht, untersteht zwar (mit Modifikationen bei den Betriebsberufsschulen) der Kulturhoheit der Länder und gehört damit zum Bereich der öffentlichen Bildung. Aber insgesamt ist das Berufsbildungswesen noch weit davon entfernt, integrierter Teil des Öffentlichen Bildungswesens zu sein.

Nichtsdestoweniger ist die Berufsbildung in die staatsmonopolistische Wachstumsstrategie eingeplant. Mit den zunehmenden Anpassungs- und Wachstumsproblemen des Kapitalismus wird auch die qualitative und quantitative Regulierung des Angebotes auf dem Arbeitsmarkt nicht mehr dem „freien Spiel der Kräfte" überlassen. Die Bundesanstalt für Arbeit hat bei der Berufsberatung „Lage und Entwicklung des Arbeitsmarktes und der Berufe angemessen zu berücksichtigen. Sie soll die Belange einzelner Wirtschaftszweige und Berufe allgemeinen wirtschaftlichen und sozialen Gesichtspunkten unterordnen" und bei Förderungsmaßnahmen berücksichtigen, ob „Lage und Entwicklung des Arbeitsmarktes dies zweckmäßig erscheinen lassen" [46]. Die Verwirklichung dieser Postulate orientiert sich

---

43 H.-J. Heydorn, Ungleichheit für alle. In: Das Argument 11, 1969, S. 361 ff.
44 Berufsbildungsgesetz vom 14. August 1969. § 56–59.
45 Berufsausbildung und beruflicher Bildungsweg. Eine Dokumentation. Hrsg. v. d. IG Metall. Frankfurt: 1966, S. 54 ff.

aber allein an der längerfristigen Sicherung der Herrschaft des Prinzips der Profitmaximierung. Denn solange der wichtigste Einflußfaktor der Berufsbildung, nämlich die ökonomische und politische Macht der Monopole, nicht beseitigt ist, wird die „moderne Bildungspolitik" bei allen relativen Verbesserungen für die arbeitende Bevölkerung kein zukunftssicherndes Planungssystem realisieren können.

46  Vgl. das Arbeitsförderungsgesetz vom 13. Mai 1969, § 26 u. 36. Zur Feststellung der prognostischen Unterlagen wurde 1969 das Bundesinstitut für Berufsbildungsforschung geschaffen. Das Forschungsprogramm wird von einem Ausschuß beschlossen, der paritätisch aus Vertretern der Gewerkschaften und der Unternehmerverbände sowie zwei Vertretern des Bundes zusammengesetzt ist. Da Beschlüsse über das Forschungsprogramm einer Dreiviertelmehrheit bedürfen, ist von vornherein „die Rationalisierung unseres Lehrlingswesens nach wissenschaftlichen ... Gesichtspunkten ... überall dort nicht gesichert, wo die Organisationen unserer sogenannten Sozialpartner gegensätzliche Interessen vertreten." (Lempert, Zur Kritik des Berufsbildungsgesetzes, a.a.O., S. 316).

Kurt Steinhaus

# Probleme der Systemauseinandersetzung im nachfaschistischen Deutschland

Mit der Gründung der Sowjetunion, des ersten sozialistischen Staates der Welt, noch ausgeprägter mit der Herausbildung des sozialistischen Weltsystems nach dem 2. Weltkrieg ist der Widerspruch zwischen Proletariat und Bourgeoisie innerhalb der kapitalistischen Länder durch den Widerspruch zwischen den gesellschaftlichen Systemen des Sozialismus und des Kapitalismus ergänzt und überlagert worden [1]. Beide Widersprüche sind durch gleiche Klassenfronten gekennzeichnet: „Die Arbeiterklasse der ganzen Welt ist klassenmäßig, durch ihr Klasseninteresse und durch ihre geschichtliche Rolle objektiv miteinander verbunden: die Arbeiter in den sozialistischen Ländern, die sich von der Ausbeutung befreit haben, die die Macht im Staate besitzen und ihr neues Leben schaffen, und die Arbeiter in den kapitalistischen Ländern, die gegen Ausbeutung und Entrechtung kämpfen. ... In den sozialistischen Ländern verwirklicht sich immer sichtbarer das Klasseninteresse und Klassenziel der Arbeiter der heute noch kapitalistischen Länder. Der grundlegende Widerspruch zwischen Kapitalismus und Sozialismus in der Welt hat seine klassenmäßige Seite im Klassengegensatz zwischen der Arbeiterklasse und der Kapitalistenklasse, insbesondere dem Monopolkapital, der mitten durch die kapitalistischen Länder selbst geht. So vereint sich der äußere Widerspruch zwischen den Ländern, in denen das Monopolkapital herrscht, und den Ländern, in denen die Arbeiterklasse die Macht ausübt, mit dem inneren Klassenwiderspruch innerhalb der kapitalistischen Länger zwischen Arbeiterklasse und Monopolkapital als klassenmäßig prinzipiell ein- und der-

1  Dieser Beitrag stützt sich auf einen Aufsatz des Verfassers, der unter dem Titel „Zu einigen Problemen der Einwirkung des sozialistischen Systems der DDR auf die Entwicklung der BRD" in Heft 5/1969 der Zeitschrift „Marxistische Blätter" erschienen ist.

selbe Widerspruch" [2]. Auf zwischenstaatlicher Ebene reproduziert sich der Klassenantagonismus somit als Systemantagonismus, die Klassenauseinandersetzung folglich als Systemauseinandersetzung.

Eine solche klassenmäßige Konstellation ist auch auf deutschem Boden gegeben. In einer ganz spezifischen Form wurde hier die Systemauseinandersetzung zu einem entscheidenden historischen Faktor, die nationale Frage zur Klassenfrage: In Gestalt der kapitalistischen BRD und der sozialistischen DDR stehen sich zwei Völkerrechtssubjekte mit antagonistischen Gesellschaftsordnungen gegenüber, die nicht nur eine gemeinsame Grenze, sondern auch eine gemeinsame Sprache sowie eine gemeinsame kulturelle und historische Vergangenheit haben und deren Existenz überdies auf der Spaltung eines einheitlichen kapitalistischen Nationalstaates beruht. Kaum irgendwo in der Welt sind daher die gesellschaftlichen Systeme des Sozialismus und des Kapitalismus so intensiv konfrontiert wie in Deutschland.

Im folgenden soll vor allem das Problem erörtert werden, auf welcher Ebene und in welchem Ausmaß die Entwicklung der gesellschaftlichen Widersprüche und des Klassenkampfes in der BRD bisher durch die Existenz der DDR bzw. durch die Systemauseinandersetzung mit der DDR beeinflußt worden ist [3].

## Die Systemgefährdung des deutschen Imperialismus durch die Ergebnisse des 2. Weltkrieges

1945 stand der deutsche Imperialismus vor einer prinzipiell anderen Situation als 1918, denn es handelte sich „diesmal

2   Die Rolle und Bedeutung der Existenz des sozialistischen Lagers für die Entwicklung der Lage der Arbeiterklasse im gegenwärtigen Kapitalismus (Thesen). In: Einheit, 16, 1961, S. 1512–1525, hier: S. 1515.

3   Die umgekehrte Fragestellung, nämlich inwieweit die Politik der BRD auf die Entwicklung der DDR, insbesondere auf den sozialistischen Aufbau, eingewirkt hat, wird im Rahmen dieses Aufsatzes demgegenüber nur am Rande behandelt.

nicht einfach um eine ‚Abtrennung' vom Herrschaftsgebiet des deutschen Imperialismus, sondern um grundlegende gesellschaftliche Veränderungen, die zu einer neuen antifaschistisch-demokratischen Staatsmacht im Osten Deutschlands und zu neuen Machtverhältnissen in anderen osteuropäischen Ländern führten. Das engte den Spielraum der deutschen Großbourgeoisie wesentlich ein" [4].

Um jede Möglichkeit eines „Übergreifens" jener gesellschaftlichen Veränderungen auch auf Westdeutschland auszuschließen, fand sich die westdeutsche Großbourgeoisie bereit, die drei westlichen Besatzungszonen aus dem deutschen Nationalverband herauszulösen. Gestützt auf einen starken imperialistischen Teilstaat hoffte sie, die historische Initiative zurückzugewinnen und Deutschland schließlich auf imperialistischer Grundlage wiederzuvereinigen. Sowohl die Restauration der kapitalistischen Klassenherrschaft in Westdeutschland als auch die Spaltung waren natürlich nur mit massivster Unterstützung der Westalliierten möglich gewesen, die sich der großen Bedeutung der Systemzugehörigkeit Deutschlands für das internationale Kräfteverhältnis zwischen Sozialismus und Kapitalismus voll bewußt und darüber hinaus auch nicht gewillt waren, das Risiko eines demokratischen, nicht in das imperialistische Weltsystem eingegliederten gesamtdeutschen Staates einzugehen [5].

Durch die Gründung der BRD und der DDR im Jahre 1949 erfuhr der Widerspruch zwischen Sozialismus und Kapitalismus

4  Spätkapitalismus ohne Perspektive. Tendenzen und Widersprüche des westdeutschen Imperialismus am Ende der sechziger Jahre. Frankfurt/M.: 1970, S. 14.

5  Die Westmächte stützten sich in ihren Besatzungszonen von Anfang an weitgehend auf die alten imperialistischen Führungsschichten. Sie trafen zahlreiche Maßnahmen, um antifaschistisch-demokratische Aktivitäten der Bevölkerung und die Herstellung der Arbeitereinheit unmöglich zu machen. Vor allem zur Verstärkung des imperialistischen Weltsystems, teisweise auch zur Schwächung des deutschen Konkurrenten, initiierten sie die Spaltung Deutschlands. Hierzu vgl. bes. R. Badstübner, Restauration in Westdeutschland 1945–1949. Berlin: 1965; ders. u. S. Thomas, Die Spaltung Deutschlands 1945–1949. Berlin: 1966.

auf deutschem Boden, der sich ansatzweise bereits 1945 mit der Aufteilung Deutschlands in militärische Besatzungszonen von Staaten mit antagonistischen Gesellschaftsordnungen herausgebildet hatte, eine qualitative Verschärfung. Noch mehr als in der unmittelbaren Nachkriegsperiode wurde die Revision der Ergebnisse des 2. Weltkrieges, das Zurückdrängen („roll back") des Sozialismus für die westdeutsche Großbourgeosie zu einer Frage des Systemerhalts:

Erstens bedeutete die Etablierung eines sozialistischen Staates auf deutschem Boden eine entsprechende Minderung des Machtpotentials des deutschen Imperialismus. Zweitens beinhaltete die bloße Existenz eines solchen Staates die Gefahr, daß dieser im Bewußtsein der westdeutschen Bevölkerung zu einer gesellschaftlichen Alternative werden konnte. Diese Möglichkeit schränkte die politische und sozialökonomische Manövrierfähigkeit der Großbourgeoisie auch innerhalb Westdeutschlands ein.

Aus der Einengung des äußeren und inneren Spielraums und darüber hinaus aus der Systemgefährdung des deutschen Imperialismus durch die Existenz der DDR ergab sich zwangsläufig für die herrschende Klasse der BRD die „prinzipielle Klassenposition der Negation des sozialistischen Staates deutscher Nation"[6]. Von seiner Gründung an war die „Abschaffung der DDR"[7] das politische Hauptziel des westdeutschen Separatstaates.

Warum diese Zielsetzung von den anderen imperialistischen Staaten, insbesondere von den USA, energisch unterstützt wurde, hat mit kaum noch zu überbietender Deutlichkeit der frühere US-Außenminister Dulles ausgesprochen. Dulles stellte fest, daß „ein wiederbelebtes nationalistisches Deutschland" „ein großer Trumpf in den Händen des Westens sein" könne und

6  Spätkapitalismus ohne Perspektive, a.a.O., S. 16.
7  Mit diesen Worten kennzeichnete Bundeskanzler W. Brandt während der Debatte zum „Bericht zur Lage der Nation 1971" die Politik Westdeutschlands in den fünfziger und frühen sechziger Jahren. Vgl. Deutscher Bundestag, 6. Wahlperiode, 93. Sitzung, 28. 1. 1971, S. 5058; 94. Sitzung, 29. 1. 1971, S. 5184.

„dem Westen viel zu bieten" habe: „Indem es Ostdeutschland in den Machtbereich des Westens zieht, kann es eine vorgeschobene strategische Position in Mitteleuropa gewinnen, welche die sowjetkommunistischen militärischen und politischen Positionen in Polen, der Tschechoslowakei, in Ungarn und anderen angrenzenden Ländern unterminiert" [8].

Vom imperialistischen Standpunkt war im übrigen die Annektion der DDR durch die BRD nicht nur deshalb von besonderer Dringlichkeit, weil hiermit eine wesentliche Voraussetzung für ein globales Zurückdrängen des Sozialismus geschaffen worden wäre: Wenn die „Weltreaktion den ersten deutschen Arbeiter-und-Bauern-Staat mit Haß und Diskriminierungen" verfolgt und „ihn – wenn sie nur die Kraft dazu hätte – lieber heute als morgen aus der Welt schaffen" möchte, so auch deshalb, weil die Bevölkerung der DDR „durch den erfolgreichen Aufbau des Sozialismus auf dem befreiten Territorium eines ehemals hochentwickelten imperialistischen Industriestaates die Allgemeingültigkeit der sozialistischen Ideen auch für Mittel-, West- und Nordeuropa" beweist [9].

Bei ihrem Kampf gegen die DDR konnte die herrschende Klasse Westdeutschlands also auf die volle Unterstützung des imperialistischen Weltsystems rechnen. Dieser konterrevolutionäre Kampf gegen die DDR verlangte zugleich eine entsprechende aktive ideologische „Immunisierung" der westdeutschen Bevölkerung, weil

– zum einen der beabsichtigte „Kreuzzug gegen den Sozialismus" ein gefestigtes „Hinterland" voraussetzte,

– zum zweiten eine intensive antikommunistische Indoktrination der westdeutschen Bevölkerung durch seine Rückwirkungen gleichzeitig ein propagandistisch höchst wirksamer Faktor der Schwächung der DDR war.

Umgekehrt konnte ferner davon ausgegangen werden, daß je-

---

8  J. F. Dulles, Krieg oder Frieden. Wien, Stuttgart: 1950, S. 163.
9  S. Vietzke, Deutschland zwischen Sozialismus und Imperialismus. Die Rolle Deutschlands in der Auseinandersetzung zwischen dem Weltimperialismus und der sozialistischen Sowjetunion (1917 bis 1945). Berlin: 1967, S. 10 f.

der Erfolg im Kampf gegen die DDR auch propagandistisch zur Festigung des Antikommunismus in der BRD beitrug.

Die unabdingbare Grundlage für den Erfolg einer Politik des militanten Antikommunismus nach innen wie nach außen bildete von Anfang an ein Gefälle im Individualkonsum. In dieser Hinsicht konnte sich die herrschende Klasse auf die günstigeren ökonomischen Startbedingungen Westdeutschlands stützen. Sie konzentrierte sich darauf,

- im Innern den Schwerpunkt auf relativ kurzfristig amortisierbare und für den Individualkonsum relevante Produktions- und Dienstleistungszweige zu legen;
- den hierdurch vergrößerten ökonomischen Vorsprung zur Abwerbung von qualifizierten Arbeitskräften aus der DDR auszunutzen, womit Bildungsinvestitionen des sozialistischen Deutschland im kapitalistischen Deutschland wirksam wurden.

Das durch diese ökonomische Strategie geschaffene Konsumtionsgefälle war von unmittelbar politischer Bedeutung. Es ermöglichte dem westdeutschen Propagandaapparat,

- viele Werktätige der DDR politisch-ideologisch zu verunsichern, was den sozialistischen Aufbau erschwerte;
- der Mehrheit der westdeutschen Bevölkerung die Überlegenheit des Kapitalismus zu suggerieren oder sie doch wenigstens zu entpolitisieren.

Die Erfolge dieser Propaganda erleichterten der westdeutschen Bourgeoisie eine weitere bedeutsame „flankierende" Maßnahme zur Absicherung ihrer „roll-back"-Konzeption: die weitgehende politische Isolierung und schließlich Illegalisierung der KPD, ihres gefährlichsten Gegners im eigenen Herrschaftsbereich.

Die – nach innen und außen gerichtete, alle Bereiche der Politik und Ökonomie abdeckende – gegenrevolutionäre Strategie des Antikommunismus war ebenso komplex wie simpel. In ihren temporären Teilerfolgen zeigt sich die historisch gewachsene Fähigkeit der Großbourgeoisie, auch ohne eine wissenschaftlich begründete Gesellschaftstheorie ihr Klasseninteresse praktisch-politisch umzusetzen. Ihr schließliches Scheitern an der

Realität der Kräfteverhältnisse, der Bankrott aller „roll-back"-Träume am 13. 8. 1961 offenbart jedoch zugleich, daß auch die wirksamsten gegenrevolutionären Strategien gesetzmäßige historische Entwicklungsprozesse nicht umzukehren vermögen.

## Die Gesellschaftssysteme des Kapitalismus und des Sozialismus im Bewußtsein der westdeutschen Bevölkerung

Jede Analyse der Systemauseinandersetzung in Deutschland hat zunächst die unterschiedlichen ökonomischen und politischen Ausgangspositionen der beiden antagonistischen Gesellschaftssysteme in Rechnung zu stellen.

Schon in bezug auf das ökonomische Potential war Ostdeutschland von Anfang an – absolut wie relativ – Westdeutschland gegenüber stark benachteiligt:

Das Gebiet der damaligen sowjetischen Besatzungszone stellte einen um zwei Drittel kleineren Binnenmarkt dar als die Westzonen, während die Kriegszerstörungen ungefähr das Doppelte ausmachten (bei der Industrie 45 % gegenüber 20 %). Die industrielle Produktionsstruktur Ostdeutschlands war unausgewogen: Grundstoffindustrie und Schwermaschinenbau lagen fast ausschließlich in Westdeutschland (Steinkohle, Eisen, Stahl, Grundchemie; Produktion von Energie- und Gießereimaschinen, Hütten-, Walzwerk- und Bergbaueinrichtungen zu über 90 %). Bei Rohstoffen, Halbfabrikaten und Produktionsmitteln für zahlreiche Schlüsselindustrien bestand so eine einseitige Abhängigkeit vom Westen [10].

Ferner verhinderten die westlichen Besatzungsmächte, daß ihre Zonen an Reparationsleistungen für Osteuropa beteiligt wurden. Die ostdeutschen Lieferungen trugen dazu bei, wenigstens einen kleinen Teil der riesigen Kriegszerstörungen in der UdSSR wiedergutzumachen. Demgegenüber mußten sich die USA bereits 1946 aufgrund ihres während des Krieges gewaltig

10  Vgl. H. Müller, K. Reißig, Wirtschaftswunder DDR. Ein Beitrag zur Geschichte der ökonomischen Politik der Sozialistischen Einheitspartei Deutschlands. Berlin: 1968, S. 31 ff.

angewachsenen Produktionspotentials mit Erscheinungen der Überproduktion auseinandersetzen. Die US-Monopole waren daher an Reparationen in keiner Weise interessiert. Größtes (ökonomisches wie politisches) Interesse hatten sie dafür jedoch an Kapitalexporten nach Westdeutschland – um ihre Produkte absetzen, um eigene Beteiligungen erwerben (Direktinvestitionen) und nicht zuletzt um den deutschen Imperialismus erneut zum antikommunistischen Bollwerk ausbauen zu können [11].

In politischer Hinsicht betraf der Aufbau einer antifaschistisch-demokratischen Ordnung und später eines sozialistischen Gesellschaftssystems in Ostdeutschland eine historische Dimension, die für die Bourgeoisie bei der Aufrechterhaltung ihrer Herrschaft überhaupt nicht existent war:

Zunächst einmal ging es in der SBZ nach 1945 und in der DDR nach 1949 um den Aufbau einer neuen Gesellschaft, um die Schaffung eines neuen Staatsapparates, eines neuen Wirtschaftssystems. Es ging darum, daß das Proletariat und seine Verbündeten an die Stelle der Monopolbourgeoisie traten, ohne deren Erfahrung als herrschende Klasse zu haben und ohne deren tradierte Einrichtungen ohne weiteres übernehmen zu können.

Die Schwierigkeiten gingen hier jedoch noch weit über einen solchen „Normalfall" der Diktatur des Proletariats hinaus. Sie ergaben sich vor allem daraus, daß der Sturz der faschistischen Herrschaft nicht das Ergebnis des Kampfes der deutschen Arbeiterklasse, sondern der militärischen Siege der Roten Armee war. Unter dem Einfluß der faschistischen Ideologie empfand ein großer Teil des deutschen Volkes die antifaschi-

---

11  Die Sowjetunion erlitt im 2. Weltkrieg einen Verlust von rund 20 Millionen Menschenleben sowie materielle Verluste in Höhe von 2569 Milliarden Rubel (679 Mrd. Kriegszerstörungen, 1890 Mrd. Produktionsausfälle). Infolgedessen lag das Nationaleinkommen 1945 um 17 % unter dem Stand von 1940. Vgl. Zahlen und Tatsachen zur Entwicklung der Sowjetunion. Beiheft zur Karte „50 Jahre Sowjetmacht". Gotha, Leipzig: 1967, S. 38 f., 44. Demgegenüber lag in den USA das Bruttosozialprodukt 1945 um 112 % über dem Stand von 1940. Vgl. Statistical Abstracts of the United States 1953. Washington: 1953, S. 279.

stisch-demokratische Umwälzung zunächst eher als Schluß-
punkt der militärischen Niederlage im 2. Weltkrieg denn als
politischen Neubeginn. Die überwiegende Mehrheit der Fachleute in Verwaltung, Bildungswesen, Wirtschaft und Technik
war dem Sozialismus besonders feindlich gesonnen.

In Ostdeutschland stellte sich so auf politischem wie ideologi-
schem Gebiet die Aufgabe einer vollständigen Umorientierung,
buchstäblich einer Kehrtwendung um 180 Grad. Die erste Voraussetzung für den Aufbau einer neuen Gesellschaft bestand
darin, den politisch-ideologischen Ballast der faschistischen,
teilweise auch der vorfaschistischen Vergangenheit abzuwerfen.
Dies hieß, Millionen mit neuen Denkweisen erfüllen, hieß für
die Arbeiterklasse, innerhalb weniger Jahre aus den eigenen
Reihen heraus jene hervorzubringen, die – ihrem Bewußtsein
wie ihren Fähigkeiten nach – qualifiziert waren, in allen
Bereichen des gesellschaftlichen Lebens die Führung zu übernehmen.

Die Restauration des Kapitalismus warf derartige Probleme
nicht auf. Die sozialökonomischen Grundlagen dieses Gesellschaftssystems waren ohnehin intakt geblieben, im wesentlichen
ging es hier um die Wiederherstellung eines zentralen Staatsapparates sowie um einige Korrekturen des politischen und
ideologischen Überbaus entsprechend den Erfordernissen eines
bürgerlich-parlamentarischen Herrschaftssystems. Man konnte
folglich in jeder Hinsicht unmittelbar an die Strukturen und
Traditionen des imperialistischen Deutschland anknüpfen. Für
die westdeutsche Großbourgeoisie war es vorteilhaft, die personelle Kontinuität im Staatsapparat, im Bereich der Bildung
und Kultur sowie bei der Leitung des Wirtschaftsprozesses
beizubehalten. Sie konnte die meisten Ideologien des Imperialismus (vor allem den Antikommunismus) wie auch die individuellen Einstellungen und Verhaltensweisen der auf Privateigentum beruhenden Klassengesellschaft unverändert in den
Dienst ihrer Politik stellen.

Politisch wie ökonomisch gesehen war also die Restauration
der kapitalistischen Gesellschaftsordnung ungleich einfacher als
der Aufbau des Sozialismus. Vor allem unter Ausnutzung ihres

überlegenen Wirtschaftspotentials sowie der politisch-ideologischen Erbschaft des Faschismus gelang es der herrschenden Klasse Westdeutschlands, sowohl den Antikommunismus zu reaktivieren und ständig zu intensivieren als auch den individuellen Konsum im Bewußtsein der Menschen zum wichtigsten Kriterium für die Einschätzung der beiden alternativen Gesellschaftssysteme zu machen.

Aus dieser Konstellation heraus konnte zunächst die höhere Systemqualität des Sozialismus im Bewußtsein der westdeutschen Bevölkerung politisch nicht zur Geltung kommen: Wenn auch Sozialismus und Kapitalismus objektiv in ihrer Totalität als Gesamtsysteme konfrontiert waren, so traten doch für die meisten Menschen subjektiv „die grundlegenden gesellschaftlichen Prozesse meist als Teilfrage der Ökonomie und Politik mit wechselndem Gewicht in Erscheinung" [12]. Die jeweils im Vordergrund stehenden Teilfragen (im Bereich der Ökonomie vor allem das individuelle Einkommens- und Konsumtionsniveau, im Bereich der Politik vor allem die Regelungen des grenzüberschreitenden Reiseverkehrs) wiederum wurden nicht nur aus ihrem historischen und gesellschaftlichen Systemzusammenhang herausgelöst, sondern darüber hinaus auch noch durch den Zerrspiegel der imperialistischen Propaganda betrachtet. So hatte die DDR zwar auf „politischem und geistigem Gebiet und hinsichtlich einiger sozialer Bedingungen ... von Anfang an prinzipiell neue Errungenschaften aufzuweisen, aber sie wurden in ihrer Wirkung auf breite Kreise der Bevölkerung oft durch wirtschaftliche Nachteile überlagert und gestört, da gerade der Ökonomie in der Systemauseinandersetzung zwischen zwei entwickelten Industriestaaten besonders große ideologische Bedeutung zukommt. Das alles hatte zur Folge, daß die Konfrontation der Gesellschaftsordnung mit ihrer gegensätzlichen Wirtschafts-, Klassen- und Staatsstruktur sich jeweils in wechselnden Einzelfragen äußerte, in ihrem ganzen Wesensgehalt aber, in ihrer Totalität objektiv noch nicht voll zur Wirkung kam und auch subjektiv von

12  Spätkapitalismus ohne Perspektive, a.a.O., S. 6.

breiteren Schichten der Bevölkerung als solche kaum erfaßt wurde" [13].

Den punktuell-partikularen Charakter der Systemauseinandersetzung spiegeln auch jene Fälle wider, für die sich konkret ein mobilisierender Einfluß bestimmter sozialer Errungenschaften oder politischer Maßnahmen der DDR auf die Arbeiterklasse der BRD nachweisen läßt: Beispielsweise forderten die 1956/57 in Schleswig-Holstein streikenden Metallarbeiter den Wegfall der Karenztage im Krankheitsfall unter ausdrücklicher Berufung auf entsprechende Regelungen in der DDR; in ihrer Mehrheit erkannten sie auch die Unterstützung ihres Kampfes durch die DDR als Ausdruck der Klassensolidarität [14]. Und während der Kohlenkrise 1958/59 fand das Angebot der Regierung der DDR zur Abnahme von vier Millionen Tonnen Steinkohle bei den Bergleuten an der Ruhr immerhin einen so breiten Widerhall, daß weder die rechte Gewerkschaftsführung noch die Bundesregierung ihre ablehnende Haltung aufrechterhalten konnte [15]. Hier wirkte also der Sozialismus „durch das Beispiel" [16] – aber eben nur im Bereich von „Teilfragen der Ökonomie und Politik" [17].

Die genannten Fälle sind noch in anderer Hinsicht typisch: Sowohl 1956/57 in Schleswig-Holstein als auch 1958/59 im Ruhrgebiet bewirkte die Tatsache, daß die DDR aktiv in Erscheinung

13  Ebd., S. 7.
14  Hierzu vgl. L. Schimmelpfennig, Über die Wirkung der sozialistischen Revolution in der DDR auf die Entwicklung des Bewußtseins und der Kampfkraft der westdeutschen Arbeiterklasse. In: Wissenschaftliche Zeitschrift der Humboldt-Universität zu Berlin. Gesellschafts- und sprachwissenschaftliche Reihe, 16, 1967, S. 517 –536, hier: S. 532 ff.; K. Hemmo, Zur Bedeutung der Deutschen Demokratischen Republik für Lage und Kampf der Ruhrbergarbeiter (1958/59). Staatsexamensarbeit Humboldt-Universität Berlin 1961, S. 4a.
15  Vgl. Hemmo, a.a.O., passim.
16  „Der Sozialismus wirkt durch das Beispiel": Losung Lenins aus dem Jahre 1920. Vgl. W. I. Lenin, Rede in der Aktivversammlung der Moskauer Organisation der KPR(B). In: ders., Werke, Bd. 31, Berlin: 1966, S. 434–454, hier: S. 452.
17  Spätkapitalismus ohne Perspektive, a.a.O., S. 6.

trat, sozialökonomische Zugeständnisse seitens der herrschenden Klasse. Hiermit ist zugleich jener Bereich genannt, wo der Einfluß der DDR auf die Lage der westdeutschen Arbeiterklasse in den fünfziger und sechziger Jahren tatsächlich ein außerordentlich gewichtiger Faktor gewesen ist.

Die Gründe dafür, daß Kompromißbereitschaft auf sozialökonomischem Gebiet und vor allem „das Vermeiden offener Klassenkämpfe... für den deutschen Imperialismus mehr als anderswo eine Frage des Systemerhalts" ist [18], seien hier mit zwei Zitaten des früheren BDA-Präsidenten Paulssen aus dem Jahre 1962 ausgeführt: „Wenn in Baden-Württemberg der Metallarbeiter-Streik losgegangen wäre, hätten wir vielleicht insgesamt eine Million Leute auf die Straße setzen müssen; das gleiche hätte sich drei Wochen später wahrscheinlich in Nordrhein-Westfalen wiederholt. Ich weiß nicht, ob die Bundesrepublik und die einzelnen Bundesländer politisch stark genug sind, daß sie derart große Auseinandersetzungen ertragen können" [19]. „Die weltweite Auseinandersetzung zwischen den freien Völkern dieser Erde und den kommunistischen Mächten wird mit allen Mitteln und auf allen Gebieten geführt... Auch wir Sozialpartner müssen heute mehr denn je vermeiden, was die wirtschaftliche und soziale Stabilität in der Bundesrepublik gefährden könnte" [20].

Auch führende Gewerkschaftsfunktionäre geben zu, daß schon die Existenz der DDR (gleichsam als „dritte Tarifpartei") die Durchsetzung sozialökonomischer Forderungen der Gewerkschaften und der Arbeiterklasse beträchtlich erleichtert. So stellte der IG-Metall-Funktionär Kuno Brandel 1958 fest: „Ein Lohnkampf, der auch in anderen demokratischen Ländern oft

---

18  Ökonomie und Politik einer Krise. Analyse der Wirtschaftskrise 1966/1967 und der gegenwärtigen staatsmonopolistischen Entwicklung in Westdeutschland. DWI-Forschungshefte, 3, 1968, H. 2, S. 63.

19  Zit. n.: Der Spiegel, 16, 1962, Nr. 47, S. 88 f.

20  Zit. n.: E. Altmann, Die Wirkung des Sozialismus auf die Arbeiterklasse in den kapitalistischen Ländern (unveröffentlichtes Manuskript), S. 220.

zu harten Auseinandersetzungen führt, aber doch immer im Rahmen eines Streites um Mark und Pfennige bleibt, schlägt hierzulande schnell in eine machtpolitische Auseinandersetzung um. Das eben kennzeichnet die Verhältnisse in der Bundesrepublik" [21].

Die bloße Existenz eines sozialistischen Staates auf deutschem Boden erleichtert also der Arbeiterklasse in der BRD den Kampf um die Verbesserung ihrer Lebensbedingungen. In erster Linie aus dem Tatbestand der nationalen Systemkonkurrenz erklärt sich, warum die westdeutsche Arbeiterklasse in den fünfziger und sechziger Jahren wesentliche Erhöhungen der Löhne und Sozialleistungen durchsetzen konnte, ohne hierfür in der Regel in den Streik treten zu müssen.

Eine zusammenfassende Bilanz der Systemauseinandersetzung für die fünfziger und sechziger Jahre ergibt das folgende Bild:

Einerseits waren die Versuche des westdeutschen Imperialismus, das sozialistische System der DDR zu beseitigen, gescheitert. Und darüber hinaus hatten die Erfolge der DDR „auf allen Gebieten des gesellschaftlichen Lebens ... entscheidend dazu beigetragen, das Kräfteverhältnis auf deutschem Boden weiter zugunsten der Kräfte des Friedens und Sozialismus zu verändern. Die DDR engte den inneren und äußeren Spielraum des westdeutschen Imperialismus weiter ein" [22].

Andererseits war die antikommunistische Strategie wirksam genug gewesen, die Ausstrahlungskraft des gesellschaftlichen Systems der DDR auf das Bewußtsein der westdeutschen Werktätigen weitgehend zu neutralisieren. Für diesen politischen Teilerfolg hat die herrschende Klasse der BRD jedoch – wie im folgenden anhand einiger Beispiele gezeigt werden soll – einen hohen Preis gezahlt.

---

21   Zit. n.: Metall, 10, 1958, Nr. 7, S. 2.
22   Protokoll der Verhandlungen des VII. Parteitages der SED. Bd. 4, Beschlüsse und Dokumente. Berlin: 1967, S. 238.

*Die Verfestigung systemwidriger ideologischer und Eigentums-*
*strukturen des westdeutschen Kapitalismus im Gefolge der Sy-*
*stemauseinandersetzung*

In der zweiten Hälfte der sechziger Jahre sind verschiedene
Teilbereiche der westdeutschen Gesellschaft zunehmend ins
Kreuzfeuer der Kritik geraten, wobei deren Kennzeichnung
als „ineffektiv" bereits andeutet, daß mit den gleichzeitig geforderten „inneren Reformen" systemfestigende Wirkungen be-
absichtigt sind. Nur selten befaßt sich hingegen die sogenannte
öffentliche Meinung mit dem Problem, aus welchen Gründen
die herrschende Klasse der BRD etwa im Bildungswesen, in
der Landwirtschaft, beim Bau- und Bodenrecht objektiv sy-
stemwidrige und wachstumshemmende Strukturen sorgsam
konserviert bzw. sogar erst geschaffen hat.
Wenigstens implizit hat Karl Steinbuch hier für den Teilbe-
reich des Bildungswesens eine Beziehung zur antikommunistischen Politik des westdeutschen Imperialismus hergestellt. Er
bezeichnet die Unzulänglichkeiten des westdeutschen Schul-
und Wissenschaftbetriebes als „Folgen einer Ideologie ..., die
den wissenschaftlichen und technischen Fortschritt eigentlich
gar nicht wünscht". „Diese irrationale, antitechnische und anti-
wissenschaftliche Ideologie", die „im Kampf gegen [die] ...
materialistische Philosophie" entstand, hat nach Steinbuch wiederum politisch-gesellschaftliche Irrationalismen hervorgebracht [23].
Steinbuch hat hiermit auf einen wichtigen Zusammenhang hingewiesen. Die Tatsache, daß die westdeutsche Gesellschaft
„falsch programmiert" ist (so der Titel der zitierten Schrift),
geistesgeschichtlich zu erklären, ist freilich letzten Endes ebenso aussichtslos wie der Versuch, den Hitler-Faschismus aus der
spezifisch deutchen Mentalität und Geistesgeschichte zu erklären. In beiden Fällen wird man davon auszugehen haben, daß
die herrschenden Ideen die Ideen der Herrschenden sind [24]:

23  K. Steinbuch, Falsch programmiert. München: 1969, S. 16, 83.
24  Vgl. K. Marx, F. Engels, Die deutsche Ideologie. In: Marx, Engels,
    Werke, Bd. 3. Berlin: 1962, S. 9–530, hier: S. 46.

Die politisch-kulturelle Restauration in Westdeutschland nach dem 2. Weltkrieg war eine unmittelbare und unvermeidliche Begleiterscheinung des Kampfes gegen den Sozialismus, den die Großbourgeoisie zur Erhaltung ihrer Existenz als herrschende Klasse führte. In diesem Kampf förderte sie die reaktionärsten Traditionen der deutschen Geschichte und nutzte sie zur ideologischen Beeinflussung der Volksmassen. Vor allem im kulturellen Bereich überließ sie das Feld den antiaufklärerischen und antihumanistischen Kräften; sie nahm es hin, daß sich somit die westdeutsche Gesellschaft ideologisch teilweise sogar an vorindustriellen und vorbürgerlichen Prinzipien orientierte.

Die intellektuelle Dürftigkeit der Bildungsinhalte und die Durchdringung der Schulbücher mit dem fortschrittsfeindlichen und unwissenschaftlichen Geist des Klerikalismus, des Ständestaates usw. haben hier eine wichtige Ursache. Auch für die Beibehaltung des alten Berufsausbildungssystems (Ausbildung der Lehrlinge in den Betrieben, vor allem des Handwerks) spielte diese Konstellation – nämlich der Wunsch, die Arbeiterjugend möglichst intensiv und unter Ausschaltung der Gewerkschaften beeinflussen zu können – eine wichtige Rolle [25]. Der Widerspruch zwischen einem rückständigen Bildungs- und Ausbildungssystem einerseits und der Notwendigkeit zu verstärkter ökonomischer Expansion andererseits liegt auf der Hand.

Auch bestimmte Eigentumsstrukturen der westdeutschen Gesellschaft, die in den fünfziger und sechziger Jahren seitens der herrschenden Klasse zum Zweck der Systemstabilisierung gefördert wurden, geraten zunehmend in Widerspruch zu den Expansions- und Wachstumsinteressen des staatsmonopolistischen Kapitalismus:

Um sich gegenüber der sozialistischen Alternative der DDR

25 Vgl. P. Delitz, Die Bildungspolitik der westdeutschen Monopole – ihre Triebkräfte und sozialen Folgen. DWI-Forschungshefte, 3, 1968, H. 1, S. 59 ff.; W. Petschick, Berufsausbildung und technische Revolution in Westdeutschland. DWI-Forschungshefte, 3, 1968, H. 4, S. 57 ff.

behaupten zu können, mußte das westdeutsche Monopolkapital einen möglichst großen Teil der Mittelschichten an sich binden. Der Versuch, zur „Abwehr gegen die Ideologie des Ostens einen breiten Gürtel von Besitzbürgern [zu] schaffen" [26], hat Entwicklungen im Gefolge gehabt, die sich im nachhinein als objektiv wachstumshindernd erweisen. Dies läßt sich für mehrere Bereiche des gesellschaftlichen Lebens nachweisen.

So wurde an dem Prinzip der Ausbildung der Lehrlinge in den Betrieben nicht zuletzt auch deshalb festgehalten, um dem „mittelständischen" Handwerk die wesentliche Gewinnquelle der faktisch unbezahlten Lehrlingsarbeit zu erhalten [27]. Die hiermit bewußt inkaufgenommene Minderqualifikation der Ware Arbeitskraft bedeutete notwendigerweise eine – für die Monopole ökonomisch nachteilige – Begrenzung der potentiellen Arbeitsproduktivität.

Der Wunsch der Großbourgeoisie, „die Mittelschichten ... als soziale Stütze des Systems zu erhalten" [28] hat im Handwerk und in der Landwirtschaft den Konzentrations- und Freisetzungsprozeß bedeutend verlangsamt und darüber hinaus noch direkt erhebliche staatliche Mittel verschlungen. Zur Illustration der Größenordnung, um die es hier geht, zwei Zahlenangaben: rund zwei Millionen Arbeitskräfte der Landwirtschaft und des Handwerks könnten – ohne daß die Produktion hier zurückzugehen brauchte – in die Industrie überführt werden, wo sie ein zusätzliches Nettoprodukt von mehr als 35 Mrd. DM erwirtschaften würden. In der Landwirtschaft liegt auf Grund der Unfähigkeit der kleineren Betriebe, ihren Maschinenpark auszulasten, eine Überkapitalisierung von weit über 20 Mrd. DM vor [29].

26  So (vgl. Der Spiegel, 13, 1959, Nr. 8, S. 18) der frühere Bundesminister Etzel.
27  Vgl. etwa Petschick, a.a.O., S. 38 f.
28  Ebd., S. 58.
29  Hierzu vgl. Strukturwandlungen, Wirtschaftswachstum und -politik in Westdeutschland. DWI-Forschungshefte, 2, 1967, H. 1, S. 72 f., 77. Zur Landwirtschaft vgl. ferner E. Rechtziegler, Eine neue Etappe der Bonner Agrarpolitik. In: Wirtschaftswissenschaft, 16, 1968, S. 264 ff. Wie in anderen Bereichen sind auch hier die

Auch im Verkehrswesen hat der wesentlich durch die Konkurrenz und Auseinandersetzung mit dem sozialistischen System bedingte politische Grundsatz, möglichst viele „mittelständische", gegen den Sozialismus „immune" Existenzen zu erhalten, zur Konservierung und Verfestigung sozialökonomischer Strukturen geführt, die keineswegs mit den systemimmanenten Rationalitätsprinzipien des staatsmonopolistischen Kapitalismus übereinstimmen. So werden etwa – wie ein bürgerlicher Ökonom beklagt – Ausnahmetarife „oft von politischen Instanzen erzwungen ...", um Stürzendes künstlich weiter am Leben zu erhalten" [30]. Die volkswirtschaftlichen Kosten, die mit der steuerlich subventionierten Verlagerung des Güterverkehrs von der Schiene auf die Straße, mit der Existenz zahlreicher unrentabel arbeitender Kleinunternehmer in der Binnenschiffahrt, mit der Nichtauslastung der vorhandenen Eisenbahnkapazitäten verbunden sind, sind kaum abzuschätzen. Der Versuch des „Leber-Plans", im Sinne staatsmonopolistischer Rationalität wenigstens einen Teil der kleinen und mittleren Unternehmen vom Markt zu verdrängen, stößt auch heute noch auf heftigen – vor allem politisch motivierten – Widerstand von großen Teilen der herrschenden Klasse [31].

Auch die schrankenlose Förderung des Individualverkehrs, die eine rationale Stadt-, Raum- und Verkehrsplanung fast unmöglich macht, ist durch die Konkurrenz mit dem Sozialismus zusätzlich akzentuiert worden. Die hohe Kraftfahrzeugdichte der BRD gehört zu den wesentlichsten ökonomischen Propaganda-Argumenten der Bourgeoisie gegen den Sozialismus; zumindest teilweise hat sie politische Ursachen [32].

Versuche unverkennbar, den finanziellen Ballast der Kompromisse mit der Kleinbourgeoisie abzuwerfen. Ebenso deutlich ist freilich die Spaltung der herrschenden Klasse in dieser Frage.

30  Zit. n.: Demokratisierung und Mitbestimmung – Grundforderung für die westdeutsche Verkehrspolitik. Wissenschaftliche Konferenz des Zentralvorstandes der Industriegewerkschaft Transport- und Nachrichtenwesen im FDGB und der Hochschule für Verkehrswesen „Friedrich List", Dresden, 27./28. 11. 1968 (hekt.), S. 25.

31  Zum „Leber-Plan" vgl. ebd., S. 45 ff.

32  Hierzu vgl. auch ebd., S. 146 f.

Einer der führenden Eigentumsideologen der CDU/CSU, der frühere Bundesminister Lücke, umschreibt eine Hauptfunktion der gesellschaftspolitischen Strategie der herrschenden Klasse folgendermaßen: „Unsere bedrohte Lage am Eisernen Vorhang fordert mehr denn je persönliches Eigentum in den Händen breiter Kreise. Das Eigentum an Grund und Boden ist die sicherste, glaubwürdigste und ursprüngliche Form des Eigentums überhaupt" [33]. Seiner Ansicht nach sind etwa durch den Bau von Eigenheimen „aus ehemals besitzlosen Proletariern besitzende und deshalb in besonderem Maße staatsbewußte Bürger geworden" [34].

Diese ideologische Konzeption bestimmte in der BRD der fünfziger und sechziger Jahre den Wohnungs- und Städtebau, die Raumplanung und Raumordnung, das Bodenrecht und die Baugesetzgebung. Die unvermeidliche Konsequenz war, daß Enteignungen im Interesse der Gesellschaft so gut wie ausgeschlossen waren und daß es den privaten Haus- und Grundstücksbesitzern weitgehend freistand, den Wert ihrer von der öffentlichen Hand benötigten Liegenschaften selbst zu bestimmen. Die hiermit verbundenen Kostenerhöhungen und Terminverzögerungen bei öffentlichen Baumaßnahmen stellen wesentliche Ursachen der Unterentwicklung der westdeutschen Infrastruktur – vor allem im kommunalen Bereich – dar [35]. Ähnlich wie im Verkehrswesen scheitern auch hier die staatsmonopolistischen Regulierungsprogramme der rechten SPD-Führung am Widerstand von Eigentumsideologen, deren politisches Gewicht innerhalb der herrschenden Klasse vor allem durch den Tatbestand der Systemkonkurrenz bedingt ist [36].

33  Zit. n.: Der Spiegel, 23, 1969, Nr. 35, S. 32.
34  Zit. n.: Stern, Nr. 33 vom 17. 8. 1969. Ähnliche gesellschaftspolitische Argumente von führenden Vertretern des Monopolkapitals und des Staatsapparates in: Der Spiegel, 13, 1959, Nr. 8, S. 16 ff.
35  Zahlreiche haarsträubende Einzelbeispiele über Ausmaß und Auswirkungen der Bodenspekulation in: Der Spiegel, 23, 1969, Nr. 35, S. 30 ff.
36  Die Verkehrs-, Boden- und Baugesetzgebung sind ebenso wie die Agrar- und Handwerkspolitik gegenwärtig Schauplätze heftigster Auseinandersetzungen innerhalb der herrschenden Klasse West-

*Die Vernachlässigung der westdeutschen Infrastruktur im Gefolge der Systemauseinandersetzung*

Soll die gegenwärtige Position der westdeutschen Industrie auf dem Weltmarkt – die materielle Grundlage des westdeutschen Imperialismus – gehalten werden, so muß in der BRD die wissenschaftlich-technische Revolution mindestens im gleichen Tempo vorangetrieben werden wie in den anderen Industriestaaten. Hierbei kommt der Infrastruktur eine zentrale Bedeutung zu, denn „durch die Leistungen der Infrastruktur werden Rahmenbedingungen erfüllt, die es erst erlauben, daß der volkswirtschaftliche Reproduktionsprozeß reibungslos abläuft und die gesellschaftliche Konsumtion auf dem erforderlichen Niveau vor sich gehen kann. Das gilt besonders für das Bildungswesen, für die Forschung und das Gesundheitswesen sowie für das Verkehrswesen. Aber auch einige andere Bereiche wie Luft- und Wasserreinigung, Kanalisation, Müllbeseitigung u. dgl. rechnen zur Infrastruktur" [37].

Die Tatsache, daß sich in der BRD nun die Diskussion um die sogenannten inneren Reformen immer mehr gerade auf das Thema Infrastruktur konzentriert, ist darauf zurückzuführen, daß dieser Bereich gegenwärtig ein besonders schwaches Kettenglied im ökonomischen System des westdeutschen Imperialismus bildet. Denn es haben sich in der BRD „zwischen der Entwicklung der materiellen Produktion und dem Ausbau der

deutschlands. Die rechte SPD-Führung propagiert hierbei in der Regel Lösungen, die der ökonomischen Rationalität des staatsmonopolistischen Kapitalismus am ehesten entsprechen (Leber, Lauritzen u. a.), während innerhalb der CDU/CSU fraktionelle Interessen und der Wunsch, die Kleinbourgeoisie bei der Stange zu halten, bislang noch imstande waren, jene Vorhaben zumindest weitgehend zu verwässern.

37  Strukturwandlungen, Wirtschaftswachstum und -politik in Westdeutschland, a.a.O., S. 18 f. Hierzu u. z. folg. vgl. auch bes. L. Winter, Die Stellung der Infrastruktur und des öffentlichen Dienstleistungssektors im kapitalistischen Reproduktionsprozeß und ihre Rolle in der politischen Konzeption des westdeutschen Monopolkapitals. In: Wirtschaftswissenschaft, 16, 1968, S. 1845 ff.

infrastrukturellen Anlagen erhebliche Disproportionen herausgebildet. Die Infrastruktur blieb immer mehr hinter den Anforderungen zurück, die seitens der materiellen Produktion an ihre Leistungsfähigkeit gestellt wurden". Der negative Effekt „der sich vergrößernden Diskrepanz zwischen beiden Bereichen der Wirtschaft" auf das Wirtschaftswachstum „ist um so stärker, weil Rückstände und Notstände in allen Teilbereichen vorhanden sind und sich zu einem massiven Gesamteinfluß kumulieren" [38].

Über die prinzipielle ökonomische Gefährlichkeit der im Bildungs- und Ausbildungswesen, im Verkehrswesen, Gesundheitswesen, im Bereich des Umweltschutzes bestehenden „Rückstände" und „Notstände" heißt es in einer Studie der Baseler Prognos-AG: „Mangelhafte Infrastrukturinvestitionen ... können das wirtschaftliche Wachstum ... um so nachhaltiger beeinträchtigen, je länger die Fristen sind, die von der Investition bis zur Produktionsreife vergehen. Das Auftreten dauerhafter Wachstumsverluste ist – zumindest für eine Generation – nicht auszuschließen." Beachtet werden muß vor allem, daß „wegen der langen Ausreifungszeit der Investitionen (Bildung, Forschung), der Irreparabilität unterlassener Investitionen (Gesundheitswesen, Wasserreinhaltung), der benötigten hohen Investitionssummen im Zusammenhang mit der Unteilbarkeit der Anlagen (Verkehrsanlagen, Versorgungsnetze) die Friktionsverluste gefährliche Dimensionen annehmen" können [39].

38 Strukturwandlungen, Wirtschaftswachstum und -politik in Westdeutschland, a.a.O., S. 50, 52. Hierzu u. z. folg. vgl. auch Winter, a.a.O.; H. Afheldt, Infrastrukturbedarf bis 1980. Stuttgart: 1967. Zum Fehlbestand an Infrastruktureinrichtungen vgl. Afheldt, a.a.O. Zur Rückständigkeit insbesondere des Bildungswesens vgl. etwa Strukturwandlungen, Wirtschaftswachstum und -politik, a.a.O.,; Delitz, a.a.O., Petschick, a.a.O., G. Picht, Die deutsche Bildungskatastrophe. Olten, Freiburg: 1964; Mit dem Latein am Ende. Spiegel-Serie über Krise und Zukunft der deutschen Hochschulen. Hamburg: 1970.
39 D. Schröder, Analyse und Prognose der regionalen Wachstumsunterschiede der Beschäftigung und der Bevölkerung in der Bun-

Darüber hinaus sind verspätet vorgenommene infrastrukturelle Investitionen oft mit hohen Zusatzkosten belastet. Besondere Bedeutung haben in diesem Zusammenhang die fortlaufenden Preissteigerungen (vor allem für Bauland) und die wachsenden Aufwendungen für die Umwidmung von Flächen (Entschädigung privater Hauseigentümer usw.). Ferner müssen die hohen volkswirtschaftlichen Kosten in Rechnung gestellt werden, die daraus resultieren, daß die Vernachlässigung der Infrastruktur in der BRD wesentlich zur Entstehung und Verstärkung räumlicher Ungleichgewichte (Ausuferung und Überverdichtung der Großagglomerationen einerseits, Auszehrung „strukturschwacher" Räume andererseits) beigetragen hat [40].

Die Forderung, den negativen Wachstumseffekt der vorhandenen ökonomischen Disproportionalitäten durch massive Infrastrukturinvestitionen zu begegnen, wird verständlicherweise immer lauter. Die Frage, aus welchen Gründen denn die herrschende Klasse Disproportionalitäten dieser Art und Größenordnung überhaupt erst hat entstehen lassen, wird freilich kaum gestellt. Dies ist jedoch nicht weiter verwunderlich, da die Herausbildung jener Disproportionalitäten untrennbar mit der antikommunistischen Politik des westdeutschen Imperialismus verbunden ist:

Die unübersehbare Vernachlässigung der Infrastruktur in der BRD war zunächst einmal das logische Ergebnis einer ganz bestimmten staatlichen Wirtschaftspolitik. Aufgrund der Folgen von 12 Jahren Faschismus und Krieg sowie wegen der starken Bevölkerungszunahme nach 1945 bestand in Westdeutschland ein außerordentlich hoher Nachholbedarf auf allen Gebieten der Infrastruktur. Die rapiden Urbanisierungs- und Industrialisierungsprozesse der fünfziger Jahre mit all ihren

desrepublik Deutschland 1950 bis 1980 unter besonderer Berücksichtigung Nordrhein-Westfalens. Hrsg. v. d. Prognos AG. Teil I. Basel, Juli 1966, S. 2 f.

40 Zum Zusammenhang zwischen räumlichen Ungleichgewichten und Infrastrukturausstattung vgl. A. Borgmeier, J. Reiner, Staatsmonopolistische Raumordnungspolitik in Westdeutschland. In: Wirtschaftswissenschaft, 16, 1968, S. 2012 ff.

Nebenerscheinungen (steigende Anforderungen an die Qualifikation und wachsende nervliche Belastung der Arbeitskräfte, Zunahme der Luft- und Wasserverschmutzung sowie der individuellen Motorisierung, teilweise Verlagerung des Verkehrs von der Schiene auf die Straße usw.) potenzierten den Bedarf. Diesen doppelten Anforderungen wurden die infrastrukturellen Investitionen, obwohl sie ständig anstiegen, nicht im entferntesten gerecht [41]. Sie hätten höher sein müssen als in den anderen entwickelten kapitalistischen Ländern, waren aber in Wirklichkeit niedriger. Einige Zahlenangaben aus dem entsprechenden Zeitraum 1950 bis 1965 mögen dies belegen:

Im Jahresdurchschnitt 1959–1964 entfielen von den Bruttoanlageinvestitionen insgesamt auf staatliche Eigeninvestitionen, die überwiegend infrastrukturellen Zwecken dienen,

– in den USA und in Großbritannien jeweils 23 %,
– in der BRD 14 % [42].

1960 erreichte die BRD unter 23 kapitalistischen Ländern in bezug auf

– das Prokopfeinkommen den 7. Platz,
– die Prokopfausgaben für Schulen und Hochschulen den 12. Platz,
– die Ausgaben für Schulen und Hochschulen in Prozent des Volkseinkommens den 14. Platz [43].

1962 betrugen die Anteile der Staatsausgaben für Forschung und Entwicklung am Sozialprodukt

– in den USA 2,0 %,
– in Großbritannien 1,5 %,
– in Frankreich 1,1 %,
– in der BRD 0,6 % [44].

41  Vgl. Strukturwandlungen, Wirtschaftswachstum und -politik in Westdeutschland, a.a.O., S. 19.
42  Vgl. ebd., S. 22.
43  Vgl. F. Edding, Ökonomie des Bildungswesens. Freiburg: 1963, S. 83.
44  Vgl. Strukturwandlungen, Wirtschaftswachstum und -politik in Westdeutschland, a.a.O., S. 22.

Mit welchem Erfolg demgegenüber die materielle Produktion gefördert wurde, zeigt sich daran, daß Arbeitsproduktivität und Reallohnniveau in Westdeutschland in den fünfziger Jahren schneller anstiegen als in den meisten anderen entwickelten kapitalistischen Ländern [45]. Ein internationaler Vergleich über die jahresdurchschnittlichen Zuwachsraten in Prozent des Bruttosozialprodukts bestätigt dieses Bild [46]:

|                | 1950–1965 | 1960–1965 |
|----------------|-----------|-----------|
| Japan          | 9,1       | 8,8       |
| BRD            | 6,7       | 4,8       |
| Italien        | 6,2       | 7,0       |
| Frankreich     | 4,5       | 4,4       |
| USA            | 3,6       | 4,6       |
| Großbritannien | 2,6       | 3,0       |

In bezug auf den Gesamtzeitraum wurde also die BRD wachstumsmäßig nur von Japan übertroffen, im Teilzeitraum 1960 bis 1965 hielt sie immer noch einen mittleren Platz. Eine wesentliche Ursache des schnellen Wirtschaftswachstums ist zweifellos in der Bevorzugung kurzfristig amortisierbarer Investitionen und in der Schaffung der entsprechenden Kaufkraft zu sehen. Die signifikante Verlangsamung des Wachstumstempos in der ersten Hälfte der sechziger Jahre dürfte demgegenüber bereits mit auf die Rückwirkungen der unzureichend geförderten Infrastruktur zurückgehen. Denn gerade der Übergang der westdeutschen Volkswirtschaft zu intensiven Reproduktions-

45 Vgl. O. Salkowski, Möglichkeiten und Grenzen der sozialen Manöver der Monopolbourgeoisie in der Bundesrepublik. In: Der Einfluß des Sozialismus auf den Kampf und die Lage der Arbeiterklasse in den imperialistischen Ländern Westeuropas (unter besonderer Berücksichtigung Westdeutschlands). Protokoll der wissenschaftlichen Beratung vom 18. bis 20. Oktober 1962. Wissenschaftliche Zeitschrift der Hochschule für Ökonomie Berlin, Sonderheft 1963, S. 89–96, hier: S. 90 ff.
46 Quelle: Strukturwandlungen, Wirtschaftswachstum und -politik in Westdeutschland, a.a.O., S. 31.

bedingungen stellt an die Infrastruktur steigende Anforderungen [47].

Die vorliegenden Daten beweisen, daß die BRD im Vergleich zu den anderen wichtigen Industrieländern die langfristig amortisierbaren Investitionen gegenüber kurzfristig amortisierbaren Investitionen zurückgestellt hat – und zwar rund zwei Jahrzehnte lang. Diese Tatsache war allgemein bekannt – ebenso wie das Wissen um die langfristig negativen Wachstumseffekte einer derartigen Investitionspolitik nicht erst aus dem Jahre 1968 oder 1970 stammt.

Diese Wirtschaftspolitik war nicht etwa Ausdruck mangelnder Voraussicht der Adenauer-Regierung oder der Planungsfeindlichkeit einiger antiquierter Neoliberaler wie Erhard und Müller-Armack. Die in den Tätigkeitsberichten des „Forschungsbeirats für Fragen der Wiedervereinigung" niedergelegten Pläne zur Restauration des Kapitalismus in der DDR sowie die planmäßige Förderung militärisch relevanter Kernforschungsprogramme beweisen nur zu deutlich, daß der westdeutsche Staatsapparat auch in jener Periode durchaus über die Fähigkeit zu sorgfältiger systemrationaler Perspektivplanung verfügte.

Bei näherer Betrachtung erweist sich das scheinbare Nebeneinander von Planmäßigkeit und Planlosigkeit als eine keineswegs zufällige Festlegung von Investitionsprioritäten. Zwischen der Sorgfalt, mit denen die westdeutsche Großbourgeoisie ihre Aggressionspläne ausarbeitete, und der gleichzeitigen Zurückstellung von Infrastukturinvestitionen besteht kein Widerspruch, sondern ein enger Zusammenhang:

Die sozialökonomische Grundlage der Konzeption des „roll back" war die Erreichung eines Niveaus der Prokopfproduktion und -produktivität, das über dem der DDR lag. Nur so konnte die Bevölkerung der BRD mehrheitlich subjektiv

---

47  Hierzu vgl. etwa R. Kowalski, Staat – Monopole – Wirtschaftsregulierung. Charakter und Ziele der wirtschaftspolitischen Konzeption der Kiesinger/Strauß-Regierung. DWI-Forschungshefte, 4, 1969, H. 1, S. 15 ff.; Spätkapitalismus ohne Perspektive, a.a.O., S. 115 ff.

an den Kapitalismus gebunden und konnten viele Bürger der DDR dem Sozialismus entfremdet werden. Die politische Grundlage bestand in dem Bündnis mit dem US-Imperialismus und in der Aufrüstung. Bei dem immensen Investitionsbedarf, den diese Strategie erforderte, war es unvermeidlich, auf allen anderen Gebieten – insbesondere auf dem Gebiet der langfristig amortisierbaren Infrastrukturinvestitionen – finanziell kurzzutreten. Dieser Zusammenhang war dem imperialistischen Staatsapparat zweifellos vertraut.

Die von der herrschenden Klasse der BRD in bezug auf die Investitionen getroffene politische Prioritätsentscheidung ging von der Vorstellung aus, daß das ökonomische Gefälle und die hierauf beruhende Ausplünderung der DDR, verbunden mit Diversion und militärischem Druck, innerhalb einiger Jahre zum erstrebten Ziel – der „Befreiung der Brüder und Schwestern in der Zone" und der „Wiedervereinigung in Frieden und Freiheit" führen würde. Und bei Richtigkeit dieser Annahme hätte es sich hier in der Tat um eine systemrationale Konzeption gehandelt. Befreit vom Druck der nationalen Systemkonkurrenz wäre ein schnelles Nachholen versäumter Infrastrukturinvestitionen auch auf Kosten der Arbeiterklasse ökonomisch und politisch durchaus möglich gewesen. Diese Rechnung ist jedoch nicht aufgegangen.

Die Orientierung auf eine kurzfristige Entscheidung in der Systemauseinandersetzung, die Konzentration aller Kräfte auf diese eine Variante (nämlich die Variante des „Blitzkrieges") offenbart das traditionelle Abenteurertum des deutschen Imperialismus, der stets versucht hat, an den politischen Realitäten vorbeizugehen und stets an ihnen gescheitert ist [48]. Auch dies-

---

48 Diese Momente finden sich in ihrer reinsten Ausprägung in der Politik des Hitler-Faschismus: auf strategischer Ebene in der Konzeption des „Blitzkrieges" und in der dieser zugrundeliegenden Rüstungskonzeption „in die Breite" statt „in die Tiefe", auf taktischer Ebene bis in die Details der bevorzugten Waffentypen hinein. Der Imperialismus „des armen Mannes" kann seine Gegner nur in kurzer Zeit bezwingen und setzt hierzu alles auf eine Karte. Mißlingt der erste Ansturm, so arbeitet die Zeit für denjenigen, der noch Reserven mobilisieren kann. Diese Konstellation macht

mal – wie schon oft in der Geschichte – hat der deutsche Imperialismus seine realen Kräfte überschätzt, hat er sich durch seine Politik selbst in eine außerordentlich schwierige Lage gebracht:

Denn durch ihr auf einen schnellen Erfolg in der Systemauseinandersetzung orientiertes Investitonsverhalten hat sich die herrschende Klasse Westdeutschlands in Gestalt der Disparität zwischen materieller Produktion einerseits und Infrastruktur andererseits ein System gesellschaftlicher Widersprüche geschaffen, das sie in nicht allzu ferner Zukunft teuer zu stehen kommen wird. Erneut bestätigt sich hier die These des „Kommunistischen Manifests", daß die Bourgeoisie ihre Krisen dadurch überwindet, „daß sie allseitigere und gewaltigere Krisen vorbereitet und die Mittel, den Krisen vorzubeugen, vermindert" [49].

## Die Veränderung des Kräfteverhältnisses zwischen Sozialismus und Kapitalismus auf deutschem Boden

1961 trat die Systemauseinandersetzung auf deutschem Boden in ein neues Stadium: In der DDR setzten sich endgültig die sozialistischen Produktionsverhältnisse durch. Und dieser „Sieg der sozialistischen Produktionsverhältnisse fiel mit dem zuverlässigen Schutz der Staatsgrenze der DDR gegenüber Westdeutschland und Westberlin im Jahre 1961 praktisch zusammen. Beides führte zu einer grundlegenden Veränderung des Kräfteverhältnisses zwischen Sozialismus und Imperialismus auf deutschem Boden. Die Pläne der im Bonner System organisierten Konterrevolution, in der DDR den Kapitalismus zu restaurieren, waren endgültig gescheitert" [50].

das Wesen des deutschen Imperialismus aus, seine Gefährlichkeit wie seine Schwächen – wobei die Disparität zwischen Aggressionsplänen und Aggressionspotential sich seit dem 1. Weltkrieg fortlaufend vergrößert hat.

49  K. Marx, F. Engels, Manifest der Kommunistischen Partei. In: Marx, Engels, Werke, Bd. 4, Berlin: 1959, S. 459–493, hier: S. 468.
50  P. Stulz, Zur Rolle der DDR in der Systemauseinandersetzung

Mit der Schließung der offenen Grenze der DDR am 13. 8. 1961 wurde der westdeutschen Großbourgeoisie die Möglichkeit genommen, einen verhältnismäßig geringen Unterschied im wirtschaftlichen Entwicklungsstand beider Staaten zur ständigen Schwächung der DDR und zur Einsparung eigener Investitionen (besonders bei der Ausbildung von qualifizierten Arbeitskräften, deren Abwerbung aus der DDR in der westdeutschen Arbeitskräftebilanz fest eingeplant war [51]) zu benutzen. Insgesamt hatte der Wirtschaftskrieg die DDR bis dahin rund 120 Mrd. Mark gekostet [52]. Jetzt erst konnte die sozialistische Produktionsweise ohne Störungen von außen weiter entwickelt werden, konnten die ökonomischen Gesetze des Sozialismus voll zur Geltung kommen.

Die Folgen der allseitigen Festigung der DDR zeigten sich in der BRD innerhalb weniger Jahre. Nach einer ebenso wütenden wie hilflosen Propagandawelle im Anschluß an die Schließung der Grenze büßte die Ideologie des Antikommunismus zusehends an Substanz ein. Trotz aller Versuche der Gegensteuerung verbesserte sich das Image der DDR bei der westdeutschen Bevölkerung in den sechziger Jahren stetig.

Bereits die Gärungsprozesse unter der Studentenschaft der BRD und Westberlins hätten niemals zu einer antiimperialistischen Bewegung führen können, wäre nicht die Basis des primitiven Antikommunismus bereits weitgehend erschüttert gewesen. Ohne die nach dem 13. 8. 1961 mögliche „Versachlichung" des DDR-Bildes hätte es niemals jene subjektiven Identifizierungsprozesse mit sozialistischen Revolutionen und Revolutionären geben können, die zum Ausgangspunkt bedeutender Veränderungen der ideologischen und politischen Situation an den Universitäten und Gymnasien wurden. Bis Anfang der sechziger Jahre waren die westdeutschen Studenten und Oberschüler eher noch ausgeprägter antikommunistisch und proimperia-

zwischen Sozialismus und Imperialismus. In: Wissenschaftliche Zeitschrift der Humboldt-Universität zu Berlin. Gesellschafts- und sprachwissenschaftliche Reihe, 19, 1970, S. 223–236, hier: S. 233.

51  Vgl. Petschick, a.a.O., S. 19.
52  Vgl. Müller, Reißig, a.a.O., S. 338.

listisch eingestellt als der Bevölkerungsdurchschnitt. Die Möglichkeit, sich mit dem Sozialismus – gleichgültig in welchem Land – überhaupt zu identifizieren und dann auch noch entsprechende Demonstrationen organisieren zu können, ohne sofort von einer antikommunistischen Massenbewegung hinweggeschwemmt zu werden, ergab sich erst, als der gegen die DDR gerichtete Antikommunismus aufzuweichen begann.

An bestimmten Teilgruppen der westdeutschen Intelligenz ist der Einfluß der DDR bereits sehr konkret ablesbar. Das allgemeine Interesse an der Entwicklung der DDR ist gestiegen. Und vor allem bei zahlreichen Intellektuellen mit ausgeprägt humanistischen oder technokratischen Anschauungen hinterlassen etwa das sozialistische Bildungs-, Gesundheits- oder Planungssystem aufgrund ihrer Orientierung an den Interessen der Werktätigen, aufgrund ihrer Rationalität und Wirksamkeit tiefe Eindrücke. Darüber hinaus ist das wachsende Interesse am Marxismus innerhalb der westdeutschen Intelligenz zunehmend auch mit einer positiven Einstellung gegenüber dem realen Sozialismus der DDR verbunden. All dies spiegelt sich in Presse und Publizistik, aber auch bei öffentlichen Veranstaltungen und in einer Veränderung des allgemeinen politischen Klimas wider.

Man wird so der Feststellung: „Hauptursache dafür, daß ein Teil der demokratischen Kräfte [der BRD] sich der verhängnisvollen Entwicklung aktiver entgegenzustellen beginnt, ist – neben den zunehmenden sozialen und politischen Widersprüchen im Innern Westdeutschlands – die Existenz der DDR und ihre politische, wirtschaftliche, kulturelle und militärische Stärkung"[53] mit der Einschränkung zustimmen können, daß „Hauptvoraussetzung" sicherlich treffender wäre als „Hauptursache". Daß eine fortschrittliche Bewegung auch dann objektiv von der Stärkung der DDR profitiert, wenn sie sich dessen nicht bewußt ist, sei nur am Rande vermerkt. Auch auf deutschem Boden zeichnet sich so zusehends klarer die Tendenz ab, „daß die nichtsozialistische Welt bereits nicht mehr aus-

---

53 Protokoll der Verhandlungen des VII. Parteitages der SED, Bd. 4, a.a.O., S. 246.

schließlich ihren inneren Gesetzmäßigkeiten unterworfen ist",
daß „neue, mit dem Wachstum des Sozialismus zusammenhän-
gende Gesetzmäßigkeiten des revolutionären Weltprozesses"
entstehen [54].

Noch immer liegen freilich die grundlegenden Klassenfragen
der Systemauseinandersetzung außerhalb des Blickwinkels der
Mehrheit der westdeutschen Bevölkerung. Insbesondere sind
mobilisierende Einflüsse der Entwicklung des sozialistischen Systems der DDR auf das Bewußtsein der westdeutschen Arbeiterklasse bislang noch kaum zu erkennen. Eine grundlegende
Voraussetzung dafür, daß auch in dieser Hinsicht die Entwicklung in Fluß gerät, besteht zweifelsohne darin, die Voraussage
der Moskauer Konferenz der kommunistischen und Arbeiterparteien von 1960, daß „dem Kapitalismus ... die Niederlage
in der entscheidenden Sphäre der menschlichen Tätigkeit, der
Sphäre der materiellen Produktion, bereitet werden" wird [55],
auf deutschem Boden zu verwirklichen. Die folgende Kennzeichnung des Verhältnisses zwischen Ökonomie und Politik
in der Systemauseinandersetzung trifft diesbezüglich einen wesentlichen Punkt: Die „Ausgebeuteten und Unterdrückten werden in ihrer großen Mehrheit nicht über die Theorie zu Kämp-
fern für den Sozialismus, sondern durch das eigene Erleben.
Dabei kommt der (wenn auch meist indirekten) Erfahrung
der praktischen Überlegenheit des Sozialismus entscheidende
Bedeutung zu. Die Überlegenheit einer Gesellschaftsordnung
drückt sich zwar zunächst nicht in erster Linie in wirtschaftlichen Daten und Kennziffern aus, sondern vor allem in der
Stellung der Menschen in der Produktion und Gesellschaft.
Doch die grundlegenden gesellschaftlichen Veränderungen
werden den Menschen um so eher bewußt, je deutlicher sie

54 K. K. Schirinja, Der Einfluß des sozialistischen Systems auf den
   revolutionären Prozeß in der Welt. In: Klassen und Klassenkampf
   heute. Beiträge zu einer internationalen wissenschaftlichen Konferenz zum 150. Geburtstag von Karl Marx vom 25.–27. Mai 1968
   in Frankfurt/Main. Marxistische Blätter, Sonderheft II, 1968,
   S. 51–66, hier: S. 54.
55 Erklärung der Beratung von Vertretern der kommunistischen und
   Arbeiterparteien. In: Einheit, 15, 1960, S. 1795–1825, hier: 1796.

sich in Erfolgen des wirtschaftlichen Aufbaus ausdrücken" [56].
Die herrschende Klasse Westdeutschlands ist sich über diesen
Zusammenhang ebenfalls im klaren. Spätestens seit 1967 hat
sie „die für die Nachkriegsgeschichte des getrennten Deutschlands bedeutsame Tatsache" erkannt, „daß der bisherige Ni-
veauunterschied zwischen West und Ost in der mengenmäßigen
Industrieproduktion in absehbarer Zeit verschwinden wird" [57]
und daß man es infolgedessen „in der wirtschaftspolitischen
Ost-West-Auseinandersetzung ... in den 70er Jahren voraussichtlich" nicht mehr „so einfach, wie ... bisher" haben wird.
Die neue Auffangstellung wird bereits bezogen: „In Zukunft
wird die ordnungspolitische Ost-West-Auseinandersetzung im
wirtschaftlichen Leistungsbereich im Grunde genommen vorwiegend qualitativer Natur sein" [58].
Die in derartigen Feststellungen zum Ausdruck kommende Veränderung des Kräfteverhältnisses zuungunsten des Imperialismus prägt auch die ideologische Auseinandersetzung. Die pri-
mitive antikommunistische Hetze der „roll-back"-Periode
reicht gegenwärtig nicht mehr aus. In den letzten Jahren mußten so bei der gegen die DDR gerichteten Propaganda zahlreiche „Frontbegradigungen" vorgenommen werden. Um
glaubhafter zu werden, rücken z. B. die Massenmedien von
bestimmten Lügen, die nicht mehr überzeugend wirken, ab.
So wird etwa die polytechnische Oberschule kaum mehr als
Stätte der Ausbeutung von Kindern durch unbezahlte Fabrik-
arbeit, sondern teilweise schon als eine durchaus fortschrittliche oder gar nachahmenswerte Einrichtung dargestellt. Ebenso

56  Die Moskauer Erklärung und ihre wegweisende Bedeutung für
    unseren Kampf. In: Einheit, 16, 1961, S. 1–22, hier: S. 12.
57  B. Gleitze, Sowjetzonenwirtschaft holt auf. In: WWI-Mitteilun-
    gen, 21, 1968, S. 68–73, hier: S. 73.
58  Ders., Die wirtschaftliche Entwicklung Mitteldeutschlands, in:
    WWI-Mitteilungen, 20, 1967, S. 223–232, hier: S. 232. Nach
    Überwindung der Rezession 1966/67 ist Gleitze wieder weitgehend
    zu seiner alten Wunschvorstellung eines ökonomischen Vorsprungs
    der BRD in Permanenz zurückgekehrt. Vgl. etwa: ders., Investitio-
    nen und Versorgung unter dem Ende 1970 auslaufenden Fünfjahr-
    plan der DDR. In: WWI-Mitteilungen, 23, 1970, S. 365–377.

ist der alte Propaganda-Slogan vom „Unrecht als System" [59] immer seltener zu hören.

Auch der Staatsapparat beginnt sich umzustellen. Ein typisches Beispiel hierfür war die Umbenennung des offiziösen Organs „SBZ-Archiv" in „Deutschland-Archiv" 1968 bei gleichzeitigem Übergang zu einer scheinbar seriöseren Berichterstattung [60]. Die Umbenennung des „Bundesministeriums für gesamtdeutsche Fragen" in „Bundesministerium für innerdeutsche Beziehungen" 1969 liegt auf der gleichen Linie — wobei die neue Bezeichnung „innerdeutsch" zugleich Ausdruck der inhaltlichen Kontinuität der alten Politik ist. Das gleiche läßt sich auch von anderen Produkten dieser Institution sagen: So unterscheiden sich der „Fünfte Tätigkeitsbericht 1965/1969" des „Forschungsbeirates für Fragen der Wiedervereinigung Deutschlands" von seinem Vorgänger (1961/1965) lediglich durch eine vorsichtigere Sprache. In Zukunft werden die Pläne zur Restauration kapitalistischer Produktionsverhältnisse in der DDR, da sie zuviel Angriffsfläche bieten, wahrscheinlich von vornherein als Verschlußsachen produziert werden, während Veröffentlichungen eher die Form der „Materialien zum Bericht zur Lage der Nation 1971" annehmen dürften, in denen von der Übereignung der volkseigenen Betriebe an die Monopole und anderen Wunschvorstellungen dieser Art mit keinem Wort die Rede ist [61]. Vermutlich wird auch der „Forschungsbeirat"

59  Unter diesem Titel gab die westdeutsche Bundesregierung in den fünfziger Jahren eine Serie von Hetzschriften heraus, die vom sogenannten „Untersuchungsausschuß Freiheitlicher Juristen" produziert wurden. In dieser Serie wurde vor allem der Versuch unternommen, den Prozeß des Aufbaus eines sozialistischen Gesellschaftssystems mit den Kategorien der bürgerlich-kapitalistischen Rechtsordnung als besondere Erscheinungsform der Kriminalität darzustellen.

60  Ein anderes Beispiel: Was das „Bundesministerium für gesamtdeutsche Fragen" in der 10. Auflage 1966 unter dem Titel „SBZ von A bis Z. Ein Taschen- und Nachschlagebuch über die Sowjetische Besatzungszone Deutschlands" herausgab, nannte das gleiche Ministerium in der 11. Auflage 1969 „A bis Z. Ein Taschen- und Nachschlagebuch über den anderen Teil Deutschlands."

61  Zur Anlage der „Tätigkeitsberichte" und der „Materialien" vgl.

bald in einem neuen, weniger anrüchigen Gewand erscheinen. Bemerkenswert ist immerhin, daß man sich in bezug auf die DDR mit derartigen Formalien wesentlich schwerer tut als in bezug auf die anderen sozialistischen Länder. So erfolgte beispielsweise die Umbenennung der für diesen Bereich „zuständigen" Zeitschrift „Hinter dem eisernen Vorhang" in „Osteuropäische Rundschau" bereits 1965.

Die Tatsache, daß die herrschende Klasse der BRD immer wieder davor zurückschreckt, gegenüber der DDR wenigstens in der Form flexibel zu sein, ist leicht zu erklären. In der Perspektive ist es nämlich keineswegs eine Formalie, ob die DDR mit oder ohne Anführungszeichen geschrieben, als „Gebilde" und „Phänomen" oder als Staat bezeichnet wird. Selbst rein verbale Umorientierungen dieser Art waren und sind stets von heftigen Auseinandersetzungen innerhalb der herrschenden Klasse begleitet – und zwar vor allem deshalb, weil jeder Schritt der Anerkennung der DDR in Westdeutschland selbst ideologische Positionen ins Rutschen bringt, mit denen die Großbourgeoisie die Werktätigen an das kapitalistische System bindet. Mit großer Deutlichkeit, die auch durch die verschleiernde Sprache kaum gemindert wird, ist diese Argumentation 1968 von der „Frankfurter Allgemeinen Zeitung" zusammengefaßt worden: Der „Grundsatz der Alleinvertretung Deutschlands durch die Bundesregierung bringt ... die Verpflichtung zum Ausdruck, daß das deutsche Volk im eigenen wie auch im Interesse der gesamten freien Welt unbedingt am Prinzip der Freiheit festhält. ... Würden wir die ‚DDR' anerkennen, dann ... würde also proklamiert, daß es für unser Volk eine legitimierte Alternative zur freiheitlichen Demokratie gibt, die somit unter Umständen auch als Grundlage eines gesamtdeutschen Staates dienen kann. Das ist der wahre Grund, warum wir keinesfalls einen zweiten deutschen Staat legitimieren dürfen, der unter Mißachtung der Grundsätze freiheitlicher Politik geschaffen wurde. Wer immer die ‚DDR' legitimiert, räumt

Informationsbericht des Instituts für Marxistische Studien und Forschungen (IMSF), Nr. 6, Frankfurt/M.: 1971.

für ganz Deutschland die Möglichkeit eines anderen Weges als den der freiheitlichen Demokratie ein" [62].

Gerade weil inzwischen kaum mehr zu übersehen ist, daß „aus dem sogenannten kurzen Weg von Adenauer und Dulles ... ein unendlicher geworden" ist [63], gewinnen diese Überlegungen für die Großbourgeoisie an Gewicht. Denn die Vorstellung, daß dem westdeutschen Imperialismus „der lange Weg ... noch eine Chance [bietet], das Ziel zu erreichen" [64], basiert zuallererst darauf, daß das kapitalistische Gesellschaftssystem im Bewußtsein der westdeutschen Bevölkerung auch weiterhin ohne Alternative bleibt.

Die Aufgabe der ideologischen Integration ist freilich seit Mitte der sechziger Jahre zunehmend komplizierter geworden. Den bewußtseinsmäßigen Differenzierungsprozessen innerhalb der verschiedenen sozialen Schichten und Klassen mußte auch in der gegen die DDR gerichteten Propaganda Rechnung getragen werden. Seit der teilweisen taktischen Umorientierung im Zuge der „neuen Ostpolitik" existieren hier mehrere, einander ergänzende Argumentationsformen nebeneinander. In der Publizistik und bei den Massenmedien hat sich eine deutliche Arbeitsteilung herausgebildet: Fernsehen, Boulevardblätter und sogenannte „seriöse" Zeitungen versuchen in der Regel weiterhin – wenn auch mit teilweise veränderten Argumenten – das gesellschaftliche System des Sozialismus in der DDR als ineffektiv und antidemokratisch zu verleumden. Zielgruppen sind die Arbeiterklasse und der Großteil des Kleinbürgertums. Zusätzlich gehen einige bürgerliche Presseorgane und Verlage in wachsendem Maße dazu über, die DDR als eigentlich gar nicht sozialistisch, als kleinbürgerlich, bürokratisch, bisweilen

62  H. Buchheim, Warum wir die „DDR" nicht anerkennen dürfen. Eine Alternative zur freiheitlichen Demokratie kann für Deutschland nicht legitimiert werden. In: Frankfurter Allgemeine Zeitung vom 18. 1. 1968. Fast auf den Tag genau zwei Jahre später verzichtete die FAZ übrigens stillschweigend darauf, die DDR als „DDR" zu bezeichnen.

63  So der SPD-Bundestagsabgeordnete Mattick; vgl. Deutscher Bundestag, 6. Wahlperiode, 94. Sitzung, 29. 1. 1971, S. 5140.

64  Mattick, ebd.

auch als gegenrevolutionär darzustellen. Diese Argumentation zielt auf die bereits politisch in Bewegung geratene Intelligenz, die hierdurch davon abgebracht werden soll, in der DDR eine revolutionäre Perspektive zu sehen.

Die beiden Propaganda-Varianten finden nicht zufällig im ideologischen Kampf sowohl gegen die DDR als auch gegen die westdeutschen Kommunisten Verwendung. Die herrschende Klasse ist sich über die enge Verknüpfung des Widerspruchs zwischen Lohnarbeit und Kapital einerseits sowie zwischen Sozialismus und Kapitalismus andererseits durchaus im klaren.

Insgesamt erweist sich der imperialistische Propagandaapparat als vielseitig und wirksam. Seine Argumente werden in den durch jahrzehnte- und jahrhundertelange Klassenherrschaft verfestigten Bewußtseinsstrukturen auch in Zukunft zahlreiche Anknüpfungspunkte finden [65].

## Systemauseinandersetzung und Klassenkampf

Selbstverständlich ist weder die Abschwächung des Antikommunismus, noch die individuelle Einsicht, daß der Sozialismus funktionsfähig oder gar dem Kapitalismus überlegen ist, mit der Herausbildung eines sozialistischen Bewußtseins gleichzusetzen. Man wird vielmehr davon auszugehen haben, „daß für die Arbeiter der kapitalistischen Länder die Erkenntnis der Überlegenheit des Sozialismus auf spontane Weise im Rahmen der bürgerlichen Ideologie bleiben wird, die Grenzen der bürgerlichen Ideologie nicht überschreiten wird" [66].

Die ökonomischen Erfolge des Sozialismus werden so „keineswegs im Selbstlauf bewußtseinsverändernd" wirken [67] und nicht

65 Hierzu vgl. etwa E. Altmann, Der Sozialismus wirkt durch das Beispiel! In: Der Einfluß des Sozialismus auf den Kampf und die Lage der Arbeiterklasse in den imperialistischen Ländern Westeuropas, a.a.O., S. 7–21, hier: S. 19 ff.

66 H. Petrak, Zu einigen Grundfragen der Wirkung des Sozialismus, ebd., S. 106–108, hier: S. 108.

67 Die Moskauer Erklärung und ihre wegweisende Bedeutung für unseren Kampf, a.a.O., S. 12.

„automatisch zur Erhöhung des Klassenbewußtseins führen". Damit die Arbeiterklasse die Überlegenheit des Sozialismus „auf der Grundlage der sozialistischen Ideologie versteht, ist die aktive Tätigkeit der Arbeiterklasse nötig" und die „Stärkung der Kampfkraft der Arbeiterklasse ..., was ohne ideologische, politische Erziehungsarbeit nicht möglich ist" [68].

Der hier angesprochene Zusammenhang hat zentrale Bedeutung: Systemauseinandersetzung ist ökonomischer und politischer Kampf zugleich. Ferner dürfen Systemauseinandersetzung und innere Klassenauseinandersetzungen weder isoliert voneinander noch schematisch im Rahmen monokausaler Ursache-Wirkung-Beziehungen betrachtet werden. Beide Systeme wirken durch ihr Beispiel. Inwieweit das gesellschaftliche System der DDR durch die Kraft seines Beispiels das Denken der westdeutschen Arbeiterklasse revolutioniert, hängt nicht zuletzt davon ab, inwieweit die Widersprüche innerhalb des gesellschaftlichen Systems der BRD offengelegt werden. Denn hiermit entscheidet sich letztlich, ob in der BRD jener Aufschwung des Klassenkampfes, der 1966 mit der Herausbildung einer linken Studentenbewegung begann und in den Herbststreiks der Jahre 1969 und 1970 seine Fortsetzung fand, anhalten wird.

Die Systemauseinandersetzung ist in dieser Hinsicht mehrfach relevant: Einerseits kann sich der staatsmonopolistische Kapitalismus im Wettkampf der Systeme nur dann behaupten, wenn er all seine ökonomischen Reserven mobilisiert. Andererseits hat gerade die herrschende Klasse der BRD in ihrem Kampf gegen das sozialistische System der DDR (in Gestalt ineffektiver Formen des Kleineigentums) strukturellen „Ballast" konserviert und teilweise sogar (durch das Einsparen von Infrastrukturinvestitionen) von der Substanz gezehrt.

Bereits das Abwerfen jenes Ballasts, den das Kleineigentum in der Landwirtschaft, im Handwerk und im tertiären Sektor (wie auch beim Haus- und Grundbesitz) im ökonomischen Sinne objektiv für den staatsmonopolistischen Kapitalismus dar-

68 Petrak, Zu einigen Grundfragen der Wirkung des Sozialismus, a.a.O., S. 107 f.

stellt, wirft schwierige politische Probleme auf. Zwar wären hier enorme Wachstumsreserven zu mobilisieren. Aber forcierte Expropriierung des „Mittelstandes", Verzicht auf die Schutzfunktion der bislang sorgsam gehegten Ideologie des Kleineigentums beinhalten große politische Risiken. Noch komplizierter ist die Situation in bezug auf die Infrastruktur. Die Mittel für das kaum mehr weiter aufschiebbare Nachholen der bislang versäumten und nun mit beträchtlichen Zusatzkosten belasteten infrastrukturellen Investitionen können offensichtlich nur aus drei Quellen beschafft werden: Rüstungsausgaben, Profite der Kapitalisten, Lohn- und Sozialfonds der Werktätigen. Der frühere ökonomische Spielraum des „Sowohl-Als-auch" existiert nicht mehr [69].

Da die herrschende Klasse der BRD an ihrer aggressiven Militärpolitik, d. h. an der Unterhaltung umfangreicher Streitkräfte, die qualitativ am jeweils neuesten Stand der Militärtechnik orientiert sind, festhält, ist an eine Senkung der Rüstungsausgaben nicht zu denken. Im Gegenteil ergibt sich aus den laufend ansteigenden Entwicklungs- und Produktionskosten moderner Waffensysteme notwendigerweise sogar ein weiteres Anwachsen des Rüstungshaushalts [70].

Daß die Monopole ihre Profite freiwillig beschränken, ist in der bisherigen Sozialgeschichte noch nicht vorgekommen. Die

69 Die Verringerung des ökonomischen Spielraums des westdeutschen Imperialismus spiegelt sich gegenwärtig besonders deutlich im Bereich der öffentlichen Finanzen wider. Vgl. etwa: Der Spiegel, 24, 1970, Nr. 11, S. 38 ff., Nr. 12, S. 92 ff. (Interviews mit dem Bundesminister für Bildung und Wissenschaft Leussink sowie mit dem zurückgetretenen Westberliner Schulsenator Evers über die Finanzierung von Bildungsreformen); Wirtschaftswoche, 25, 1971, Nr. 3, S. 10 f., Nr. 8, S. 10 ff.; Nr. 9, S. 14 ff. (über die Reduzierung des Programms der „inneren Reformen"); Der Spiegel, 25, 1971, Nr. 5, S. 31 (über die Krise der kommunalen Finanzen).

70 Nach einer Schätzung werden in der nächsten Umrüstungsphase die Kosten für Hochleistungsflugzeuge um das Siebenfache, für leichte Kampfflugzeuge um das Vierfache, für Artillerie um das Dreifache, für Panzer um das Doppelte gegenüber den Kosten für das gegenwärtig verwendete Gerät ansteigen. (Vgl. Ökonomie und Politik einer Krise, a.a.O., S. 57.) Ein anderes Beispiel aus

westdeutschen Monopole können es um so weniger, als sie nicht nur zur Finanzierung der wissenschaftlich-technischen Revolution, sondern auch für ihren steil ansteigenden Kapitalexport, der die Vorkriegspositionen des deutschen Imperialismus im Ausland wiederherstellen soll, wachsende Mittel benötigen.

So bleibt nur die dritte Quelle. Objektiv erfordert der steigende Druck der Systemkonkurrenz – d. h. die wachsenden Fortschritte der DDR beim Aufbau des entwickelten gesellschaftlichen Systems des Sozialismus – wachsende ökonomische Zugeständnisse an die Arbeiterklasse. Eine Einschränkung des individuellen Konsumtionsniveaus der Massen ist für die Bourgeoisie politisch äußerst gefährlich.

Und jeder Versuch der Abkehr von dem bislang gegenüber der Arbeiterklasse praktizierten System der gewaltlosen Befriedung wäre für die Bourgeoisie nicht nur eine Kraftprobe mit höchst ungewissem Ausgang. Eine derartige Politik würde zu den Funktionsbedingungen des Systems im Widerspruch stehen, „weil der Monopolkapitalismus, insbesondere im gegenwärtigen Stadium der Automatisierung, nur dann lebensfähig bleiben kann, wenn er sich die Gesamtpersönlichkeit des Arbeiters unterwirft, wenn er sich nicht nur seine physischen und psychischen Kräfte, sondern auch sein Arbeitsinteresse, seinen Arbeitswillen, seine aktive Mitarbeit an der Rationalisierung nutzbar macht" [71].

So ist jede Stagnation oder gar Minderung des materiellen Lebensstandards der Arbeiterklasse, vor allem weil sie die Ge-

jüngster Zeit zeigt, daß diese Schätzungen keineswegs zu hoch gegriffen sind: Bei dem von den USA und der BRD gemeinsam projektierten „Kampfpanzer 70" wurden in der Entwicklungsphase die ursprünglichen Kostenvoranschläge um das Drei- bis Vierfache übertroffen. Daraufhin wurde das ganze Projekt unfertig eingestellt. (Vgl. etwa: Wehrkunde, 18, 1969, S. 540; Frankfurter Rundschau vom 11. 9. 1969.)

71 A. Klein, Die Taktik der Großbourgeoisie im gegenwärtigen Klassenkampf. In: Der Einfluß des Sozialismus auf den Kampf und die Lage der Arbeiterklasse in den imperialistischen Ländern Westeuropas, a.a.O., S. 38–44, hier: S. 39 f.

fahr von Abwehraktionen einschließt, für die Bourgeoisie mit beträchtlichen politischen Risiken verbunden. Die herrschende Klasse hat jedoch kaum eine andere Möglichkeit, als diese Risiken in Kauf zu nehmen und zu versuchen, den wachsenden Kapitalbedarf auf Kosten der Arbeiterklasse zu decken.

Eine der hierbei bevorzugten Methoden wurde besonders deutlich 1969 auf dem Wirtschaftstag der CDU/CSU erörtert. Der damalige Bundesschatzminister Schmücker sagte voraus, „daß die Kapitalbedürfnisse der deutschen Wirtschaft sich potenzieren" würden und „daß der Zwang zur Kapitalbildung so stark werden" könne, daß man ihn „über die Eigentumsbildung lenken werden" müsse [72]. Die Methode, der Arbeiterklasse zukünftige Lohnerhöhungen vorzuenthalten und zur Deckung des Finanzbedarfs der Monopole und des Staates zu verwenden, versucht man mit systemintegrierenden Ideologien zu verknüpfen. Getarnt als „breite Eigentumsstreuung" sollen die verschiedenen Formen des Zwangssparens zu einer „Politik der Sicherung unserer freiheitlichen Grundlagen schlechthin" [73] werden, um so nicht nur den Monopolen die Kapitalakkumulation zu erleichtern, sondern auch um die Arbeiterklasse zu spalten und ihr die Illusion zu vermitteln, selbst zur Bourgeoisie zu gehören [74]. Das ein Jahr darauf von einer sozialdemokratisch geführten Bundesregierung eingebrachte Gesetz über die Lohnsteuervorauszahlung zeigt jedoch (ebenso wie das immer direktere Eingreifen des Staates in Lohnkämpfe und Tarifbewegungen [75]), daß man auch schon bereit ist, mit einem sehr dürftigen ideologischen Schutzschleier zu operieren.

72 Die Freiheit erhalten! Protokolle Wirtschaftstag der CDU/CSU 1969. Bonn: 1969, S. 25 f.

73 Ebd., S. 25.

74 Vgl. ebd., bes. S. 167 ff.; Informationsbericht des IMSF, Nr. 2, Frankfurt/M.: 1969, S. 18 ff.; O. Reinhold, Der Einfluß des Sozialismus auf die Entwicklung in Westdeutschland. In: Einheit, 16, 1961, S. 105–119, hier: S. 112 f.; Der Spiegel, 13, 1959, Nr. 8, S. 16 ff.

75 Typische Beispiele hierfür sind der Einsatz zusätzlicher „politischer Schlichter" während der Lohnrunde 1970 in der Metallindustrie (vgl. H. Jung, F. Schuster, K. Steinhaus, Kampfaktionen der

Die herrschende Klasse möchte den offenen Kampf mit der Arbeiterklasse zweifellos vermeiden. Gleichzeitig spricht jedoch alles dafür, daß das Gesetz, nach dem sie angetreten ist, sie zur Verstärkung ihres Angriffs auf die materiellen Errungenschaften der Werktätigen zwingt.

Dieser Angriff kann nur im organisierten Kampf abgeschlagen werden. Ein solcher Kampf hätte – unbeschadet der ihm zugrunde liegenden ökonomischen Ausgangsforderungen – unmittelbar politische Bedeutung. Denn eine aktive Lohnpolitik würde der gegenwärtigen Strategie der herrschenden Klasse in der Systemauseinandersetzung die ökonomische Grundlage entziehen. Die in den Herbststreiks der Jahre 1969 und 1970 zutage getretene gewachsene Kampfbereitschaft und Kampfkraft der westdeutschen Arbeiterklasse bietet hierfür einen guten Ausgangspunkt [76]. In Gestalt der DDR, die die Überlegenheit des Sozialismus gegenüber der kapitalistischen Klassengesellschaft zusehends deutlicher demonstrieren kann, wird dieser Prozeß in Zukunft über eine wachsende politische, ideologische und moralische Rückendeckung verfügen. Gerade auf deutschem Boden bilden so die Widersprüche zwischen Lohnarbeit und Kapital einerseits und zwischen Sozialismus und Kapitalismus andererseits eine untrennbare Einheit.

westdeutschen Arbeiterklasse 1966–1970. In: Das Argument, 12, 1970, S. 873–910, hier: S. 894 ff.) sowie die offene Drohung, über den Rahmen der „konzertierten Aktion" hinauszugehen und die Tarifautonomie der Gewerkschaften einzuschränken (vgl. Handelsblatt vom 5./6. 2. 1971).

76 Hierzu vgl. etwa: Die Septemberstreiks 1969. Hrsg. v. IMSF, Köln: 1970; Jung, Schuster, Steinhaus, a.a.O., S. 873 ff.

# Verzeichnis wichtiger Abkürzungen

| | |
|---|---|
| ABB | Arbeitsstelle für betriebliche Berufsausbildung |
| ABI | Arbeiter- und Bauerninspektion |
| AK | Arbeitskraft |
| BAG | Bundesarbeitsgericht |
| BDA | Bundesvereinigung der Deutschen Arbeitgeberverbände |
| BDI | Bundesverband der Deutschen Industrie |
| BetrVG | Betriebsverfassungsgesetz |
| BGB | Bürgerliches Gesetzbuch |
| BGH | Bundesgerichtshof |
| BGL | Betriebsgewerkschaftsleitung |
| BKV | Betriebskollektivvertrag |
| BVerfG | Bundesverfassungsgericht |
| CDU | Christlich-Demokratische Union |
| CSU | Christlich-Soziale Union |
| DBD | Demokratischer Bauernbund Deutschlands |
| DFD | Demokratischer Frauenbund Deutschlands |
| DGB | Deutscher Gewerkschaftsbund |
| DIHT | Deutscher Industrie- und Handelstag |
| EDV | elektronische Datenverarbeitung |
| ERP | European Recovery Programm |
| EWG | Europäische Wirtschaftsgemeinschaft |
| FDGB | Freier Deutscher Gewerkschaftsbund |
| FDJ | Freie Deutsche Jugend |
| FDP | Freie Demokratische Partei |
| FE | Forschung und Entwicklung |
| GBA | Gesetzbuch der Arbeit |
| Gbl. | Gesetzblatt [der DDR] |
| GdA | Gesetz der Arbeit |
| GE | Getreideeinheit |
| GG | Grundgesetz |
| GGO | Gemeinsame Geschäftsordnung der Ministerien |
| HO | staatliche Handelsorganisation |
| KPD | Kommunistische Partei Deutschlands |

| | |
|---|---|
| LDPD | Liberal-Demokratische Partei Deutschlands |
| LN | landwirtschaftliche Nutzfläche |
| LPG | landwirtschaftliche Produktionsgenossenschaft |
| MAS | Maschinen-Ausleih-Station |
| MGB | Montanmitbestimmungsgesetz |
| MTM | Methodes Time Measurement |
| MTS | Maschinen-Traktoren-Station |
| NDPD | National-Demokratische Partei Deutschlands |
| NLA | National-Liberale Aktion |
| NÖS | Neues ökonomisches System |
| NÖSPL | Neues ökonomisches System der Planung und Leitung |
| NPD | Nationaldemokratische Partei Deutschlands |
| NSDAP | Nationalsozialistische Deutsche Arbeiterpartei |
| PGH | Produktionsgenossenschaft des Handwerks |
| RGW | Rat für Gegenseitige Wirtschaftshilfe |
| SAG | Sowjetische Aktiengesellschaft |
| SBZ | Sowjetische Besatzungszone [Deutschlands] |
| SED | Sozialistische Einheitspartei Deutschlands |
| SMAD | Sowjetische Militäradministration in Deutschland |
| SPD | Sozialdemokratische Partei Deutschlands |
| StGB | Strafgesetzbuch |
| VEB | volkseigener Betrieb |
| VEB-VO | Verordnung über die Aufgaben, Rechte und Pflichten des volkseigenen Industriebetriebes. Vom 9. 2. 1967. |
| VEG | volkseigenes Gut |
| VerfDDR | Verfassung der Deutschen Demokratischen Republik |
| VR | Volksrepublik |
| VVB | Vereinigung Volkseigener Betriebe |
| ZK | Zentralkomitee |

# Aufruf zur Solidarität mit den Völkern in den portugiesischen Kolonien

Nach dem Zweiten Weltkrieg haben die meisten Völker Afrikas und Asiens ihre nationale Unabhängigkeit erlangt, Portugal jedoch hält nach wie vor an seinem barbarischen Kolonialsystem fest und unterdrückt die Völker in Angola, Guinea-Bissau und Mozambique. Zwangsarbeit, Terror und Napalm sind die Methoden, mit denen das portugiesische Regime die Völker der Kolonien in dauernder Abhängigkeit, Armut und Unwissenheit halten will.

Seit nunmehr neun Jahren kämpfen die Patrioten in Angola, Guinea-Bissau und Mozambique für ihre nationale Unabhängigkeit. Weite Regionen konnten bereits von der kolonialen Herrschaft befreit werden; dort hat die Bevölkerung ihre Souveränität wiedererlangt. In den befreiten Gebieten vollzieht sich heute trotz Bombenterror und Angriffen der portugiesischen Kolonialarmee eine neue Entwicklung: Schulen und Krankenhäuser werden gebaut, die vom Kolonialismus deformierte Wirtschaft wird reorganisiert. So werden in den vom Kolonialjoch befreiten Gebieten die Grundlagen einer menschenwürdigen Gesellschaft geschaffen.

Doch immer noch leiden die Völker unter portugiesischem Terror, immer noch sterben zahllose Menschen unter den Bomben der portugiesischen Luftwaffe. Von Tag zu Tag wird deutlicher, daß Portugal seinen verbrecherischen Kolonialkrieg nur dank massiver ausländischer Hilfe fortsetzen kann. Vor allem von seinen NATO-Partnern — also auch von der Bundesrepublik — erhält Portugal die politische, finanzielle und militärische Unterstützung, die es zur Aufrechterhaltung des Kolonialsystems benötigt. *Dieser Solidarität der Unterdrückung und kolonialen Ausbeutung muß die Solidarität aller demokratischen Kräfte in der Welt entgegengestellt werden.*

Hiermit rufen wir alle demokratischen Kräfte in der Bundesrepublik auf, sich für die Einstellung der direkten und indirekten Unterstützung Portugals einzusetzen, konkrete Solidarität mit den Befreiungsbewegungen zu beweisen und finanziell dazu beitragen, die Öffentlichkeit in unserem Lande über das portugiesische Kolonialsystem zu informieren, die Befreiungsbewegungen zu unterstützen und die medizinische Versorgung der Bevölkerung in den Kriegsgebieten zu verbessern.

Köln, im März 1970

Prof. Dr. Wolfgang Abendroth
Prof. Dr. Hans Werner Bartsch, D.D.
Wilhelm M. Breuer
Gunnar Matthiessen
Rolf Priemer
Dr. Erika Runge

Karl-Heinz Schröder
Dr. Hannelis Schulte
Dr. Kurt Steinhaus
Dr. Martin Walser
Frank Werkmeister
Dr. Erich Wulff

**Postscheckkonto Köln 1713 87,**

**Sonderkonto Wilhelm M. Breuer, 5 Köln 1, Roonstraße 29**

# Sammlung
# Junge
# Wissenschaft

*Friedhelm Nyssen*

**Schule im Kapitalismus**

Der Einfluß wirtschaftlicher
Interessenverbände im Felde
der Schule

176 Seiten, DM 9,80

„Nyssen analysiert nicht den Einfluß der
Wirtschaftsverbände auf die Kultus-
bürokratie, sondern auf den Schulalltag,
das heißt auf Schüler und primär Lehrer,
besonders der Volks- und Berufsschulen.“
*Frankfurter Rundschau*

„Nyssens Dissertation ist sicher nicht das
letzte Buch zu diesem Thema. Aber es
ist das erste und schon daher lesenswert,
vor allem für diejenigen, über die er
schreibt: Lehrer, Gewerkschaften und
Arbeitgeberverbände.“
*Wirtschaft und Wissenschaft, herausge-*
*geben vom Stifterverband für die*
*Deutsche Wissenschaft e. V.*

*Wilfried v. Bredow*

**Der Primat militärischen
Denkens**

Die Bundeswehr und das
Problem der
okkupierten Öffentlichkeit

172 Seiten, DM 28,50

„Ein solide fundamentiertes, unüberseh-
bares Warnsignal gegen das untergrün-
dige und in sich selbst ruhende Institu-
tionendenken.“ *Das Parlament*

„Ohne Retusche legt Bredow dar, wie
der Primat militärischen Denkens aus
dem Widerspruch von hierarchischer
Armee- und demokratischer Gesellschaftsstruktur emporwuchern konnte,
weil die Kontrollfunktion kritischer
Öffentlichkeit gegenüber dem Militär als
Subsystem des Staatsgefüges versagte.“
*Frankfurter Allgemeine Zeitung*

*Hanno Möbius*

**Arbeiterliteratur in der BRD**

Eine Analyse
von Industriereportagen und
Reportageromanen:
Christian Geissler,
Max von der Grün
Günter Wallraff

103 Seiten, DM 11,80

*Hans Karl Rupp*

**Außerparlamentarische
Opposition
in der Ära Adenauer**

Der Kampf gegen die
Atombewaffnung
in den 50er Jahren

Mit einem Vorwort
von Karl Dietrich Bracher

331 Seiten, DM 22,80

„Möbius argumentiert von einer sozialistischen Basis aus. Deshalb ist der Verzicht auf den Klassenkampf als Folge-
rung aus den erkannten Entfremdungs-
und Abhängigkeitsmerkmalen für ihn ein
Grund zur Kritik an dieser Literatur.
Eingehend untersucht er Texte von Wallraff, Max von der Grün, Gluchowski
und Geissler, wobei er sich um sorgfäl-
tige Interpretation bemüht... Man muß
natürlich die Argumentationsgrundlage
des Autors akzeptieren, wenn man ihm
auch noch in seinen Schlußfolgerungen
nachgehen will: nämlich in der Forderung nach einer Arbeiterliteratur, die
sich dem Kampf um eine sozialistische
Gesellschaft stellt. Doch Möbius hält sich
frei von jeder Indoktrinierung. Er versucht nur nicht, seinen Ausgangspunkt zu
verschleiern. Er leistet einen wichtigen
Beitrag zur Arbeiterliteratur in der
BRD."

*Frankfurter Allgemeine Zeitung*

„Was Rupp an Stoff, an noch unbekann-
ten Materialien zusammengetragen hat,
verdient ebenso Bewunderung wie die
Akribie seiner Quellennachweise ...

Der Bogen spannt sich von den Aktionen
gegen die westdeutsche Wiederbewaff-
nung überhaupt und den ersten War-
nungen vor einer Atombewaffnung über
die Erklärung der „Göttinger Achtzehn",
die Anfänge der „Volksbewegung" gegen
den befürchteten Atomtod, die Mai-
kundgebungen 1958 und die Demonstra-
tionskampagnen bis zum Niedergang der
Bewegung und dem heftig umstrittenen
Berliner Studentenkongreß gegen Atom-
rüstung im Januar 1959 ...

Rupps Stärke liegt in der beschreibenden
Analyse, die den Leser immer wieder zu
eigenen Schlußfolgerungen animiert."

*Die Zeit*

# Pahl-
Rugenstein

# Beiträge des IMSF

Herausgegeben vom
Institut für Marxistische Studien und Forschungen (IMSF)
Frankfurt/Main

# 1

# Die Septemberstreiks 1969

Darstellung, Analyse, Dokumente der Streiks in der
Stahlindustrie, im Bergbau, in der metallverarbeitenden
Industrie und anderen Wirtschaftsbereichen

408 Seiten, glanzkartoniert, DM 11,80

„... ein modernes Geschichtsbuch, ein Lehrstück ..." *Die Zeit*

# 2

# Mitbestimmung
# als Kampfaufgabe

Grundlagen – Möglichkeiten – Zielrichtungen
Eine theoretische, ideologiekritische und empirische
Untersuchung zur Mitbestimmungsfrage in der Bundesrepublik

348 Seiten, glanzkartoniert, DM 17,80

Grundlagen einer marxistischen Mitbestimmungskonzeption — Auffassungen der
Gewerkschaften, der SPD und der DKP — Das Problem der Mitbestimmung in der
sozialwissenschaftlichen Literatur — Strategie der herrschenden Klasse in der Mitbestimmungsfrage — Empirische Untersuchung in drei Großbetrieben — Kampf-
strategien zur Durchsetzung von Mitbestimmungsforderungen.

# Pahl-Rugenstein

# Kritische Sachbücher

*Neuerscheinungen*

**I. S. Kon: Soziologie der Persönlichkeit**
Aus dem Russischen, 488 Seiten, Leinen DM 19,80

**Sergio Vilar: Die spanische Opposition**
Aus dem Spanischen, ca. 430 Seiten, Leinen ca. DM 30,–
Studienausgabe ca. DM 20,–

**Willy Wyniger: Demokratie und Plan in der DDR**
Probleme der Bewältigung der wissenschaftlich-technischen Revolution
Reihe „Sammlung Junge Wissenschaft"
ca. 150 Seiten, kt. ca. DM 14,80

*Kleine Bibliothek   Politik Wissenschaft Zukunft*

11  **Hermann Ley, Thomas Müller: Kritische Vernunft und Revolution**
    Zur Kontroverse zwischen Hans Albert und Jürgen Habermas
    ca. 270 Seiten, engl. br. ca. DM 9,80

18  **Winfried Schwamborn: Ratgeber für Kriegsdienstverweigerer**
    ca. 160 Seiten, engl. br. ca. DM 9,80

19  **Dieter Boris u. a.: Chile auf dem Weg zum Sozialismus**
    ca. 250 Seiten, engl. br. ca. DM 9,80

20  **Autorenkollektiv: Christen und Revolution**
    Konvergenz und Theologie
    ca. 200 Seiten, engl. br. ca. DM 9,80

# Pahl-Rugenstein

# Blätter für deutsche und internationale Politik

Monatsschrift im sechzehnten Jahrgang

In den letzten Heften u. a.:
Abendroth  Habilitations- und Berufungspolitik
Boris/Ehrhardt  Perspektiven Chiles
v. Bredow  Friedensforschung in der BRD
Burger  Lage der Araber in Israel
Deschner  Verkehrter Fortschritt in verkehrter Gesellschaft
Frister  Gewerkschaft und Wissenschaft
Kievenheim/Leisewitz  Angestellte, Intelligenz und Arbeiterklasse
Kubale  Frauenbewegung in den USA
Kühnl  Bedingungen für den Sieg des Faschismus
Külz  Das sowjetische „Berlin-Ultimatum" 1958
Kullmann  Industrielle Herrschaft, Staat, Verteidigung
Nyssen  Schule und Wirtschaft
Orth  Wirtschaftliche Aspekte des Warschauer Vertrages
Schwamborn  Novellierung des Ersatzdienstgesetzes
Waldrich  Gesellschaftliche Funktion der Illustrierten

Probehefte kostenlos beim Verlag
Eine Anforderungskarte liegt in diesem Buch

# Pahl-Rugenstein